Déc. 1996

À mon f...

Continue de
m'enseigner !!!

Alexandre B

En espérant
que çenny te
donne un peu
de sa grande
force B. xxx

Gerry Boulet

AVANT
DE
M'EN
ALLER

Mario Roy

Gerry Boulet

AVANT
DE
M'EN
ALLER

Données de catalogage avant publication (Canada)

Roy, Mario, 1951 –

Avant de m'en aller: la biographie de Gerry Boulet

ISBN 2-920718-35-5

1. Boulet, Gerry, 2. Offenbach (Groupe musical). 3. Chanteurs – Québec (Province) – Biographies. I. Titre.

ML420B68R69 1991   781.63'092   C91-096653-2

Couverture: Dessin de Bernard Lafleur d'après une photographie de Linda Boucher.
Réalisation: Cabana Séguin Design inc.
Conception générale: Art Global inc.
Typographie: Photocomposition Trëma inc.
Cet ouvrage est présenté sous deux couvertures différentes.

Photographies des pages intérieures: Linda Boucher, Frère Denis Raphaël, Barclay, P. Grosd'Aillon.
Tous les efforts possibles ont été déployés pour retracer les auteurs des photographies apparaissant dans cet ouvrage. S'il y avait des omissions, l'éditeur apprécierait toute information à cet égard.

Le titre de cet ouvrage est extrait de la chanson *Une dernière fois*. (Paroles de Pierre Côté, musique de Gerry Boulet).

© 1988, Éditions Boulet de Canon.

© Art Global, inc., 1991
1009, avenue Laurier ouest
Montréal, Québec H2V 2L1

Dépôt légal: 4e trimestre 1991
ISBN 2-920718-35-5

À Hélène
qui a eu la patience
de voir ce livre s'assembler
jour après jour.
Et
à Françoise,
qui a beaucoup aimé
et que l'on a beaucoup
aimée en retour.

« Il n'y a pas besoin d'être musicien pour apprécier ma musique, au contraire […] Je parle au cœur plus qu'à l'oreille […] Car tout le monde a un cœur, et tout le monde n'a pas d'oreille.»

Marcel Achard

Jean de la Lune, acte I, scène II (Clotaire)
Gallimard, 1929

Note de l'éditeur

Ce livre n'aurait pu voir le jour
sans la générosité et l'ouverture d'esprit de
Françoise Faraldo-Boulet,
le précieux concours de
Ian Tremblay
et la complicité de
Yves Tremblay.

Vert cauchemar

Ça allait être un sacré bon show, le meilleur peut-être qu'il eût jamais donné. Il le sentait dans son cœur, dans tous les pores de sa peau. Il allongeait les bras de chaque côté de son corps, faisait jouer les muscles de ses poignets et de ses mains, ouvrait et fermait les doigts.

Et il penchait la tête, la tournait d'un côté puis de l'autre afin de bien observer le parfait fonctionnement de ces deux belles machines à faire de la musique.

Et il souriait, dieu qu'il souriait!

Pour commencer, il se trouvait beau. Et, sacrament, c'était pas tous les jours qu'il se trouvait beau! Dans les moments sombres, il se voyait petit, maigre, détestait son nez busqué, abhorrait ses grandes oreilles impossibles à dissimuler sous sa longue chevelure — qu'il exécrait aussi de temps à autre, question de faire bonne mesure.

Mais là...

La longue glace de la loge devait être légèrement convexe — ou concave, il se plantait toujours avec ces figures-là, *convexe, concave... fuck!* — de sorte qu'il se voyait un tout petit peu plus grand que nature. Ses cheveux étaient parfaitement en place, bouclés, soyeux; de la main gauche, il les lissait derrière les oreilles, un tic, et il souriait une nouvelle fois à son reflet. Il portait des jeans (évidemment qu'il portait des jeans!) et une chemise bleu azur, ordinaire, dont il avait roulé les manches au-dessus du coude. Pour être plus à l'aise. Il chaussait des espadrilles rouges, ses préférées; il en avait de toutes les couleurs.

Pourquoi ne pouvait-il s'empêcher de sourire d'un air béat? De ce large sourire qui faisait craquer les filles, qui lui dessinait de petits yeux à la fois naïfs et malins, angéliques et coquins. De beaux yeux bleus de bête farouche qu'on a envie d'apprivoiser.

La lumière était étonnamment forte dans cette loge. Les fluorescents accrochés au plafond, derrière lui, l'éclairaient en contre-jour sans pourtant troubler son reflet dans la glace. Au fait — il se retournait pour vérifier — où étaient les autres ? Breen, et Johnny, et Pat ? Est-ce que, normalement, Wézo et Willie n'auraient pas dû être là aussi ? Et Leduc ? Mais il n'y avait personne autour de lui. Quelque chose de particulier flottait dans l'air, qu'il n'arrivait pas à saisir.

Il faudrait y réfléchir un peu plus tard.

On entendait la foule hurler, siffler, chanter, de l'autre côté des murs de béton qui le séparaient des gradins et de la scène montée à une extrémité de la patinoire du Forum.

Elle était arrivée d'un coup, cette foule-là.

La dernière fois qu'il avait jeté un œil dans l'amphithéâtre, il n'avait vu qu'un terrifiant tableau en rouge, blanc et bleu, des milliers de petites banquettes rouges, blanches et bleues, vides, dont les sièges étaient repliés comme s'il ne devait venir personne.

Les énormes lampes, là-haut, tout là-haut — des lampes puissantes, c'est certain — ne jetaient sur le sol qu'une lumière jaunâtre, malsaine. Les enceintes acoustiques, les consoles de mixage, les amplificateurs que trimbalaient les roadies émettaient des bruits sinistres lorsqu'on les déposait sans ménagement sur la scène ou lorsqu'on les glissait sur les feuilles de contre-plaqué posées à la hâte sur la surface de la patinoire. Pire, le moindre bruit entraînait un écho un peu surnaturel qui s'attardait dans l'air pendant des secondes éternelles.

Terrifiants, ce vide, les banquettes vides, la patinoire vide, tout ce volume intérieur vide et jaune. Terrifiant, cet écho qui portait odeur de chloroforme et de produits aseptisants.

L'espace d'un instant, il cessait de sourire, il était triste et apeuré... Fou raide, tabarnac ! C'était passé, fini, ce n'était qu'un mauvais moment à oublier. D'ailleurs, les lampes jaunes, les banquettes rouges et blanches et bleues et vides avaient disparu.

Au fait, il ne se trouvait même plus dans la loge. Et on entendait plein de bruits : la foule hurlant, sifflant et chantant. Et on croisait plein de gens.

Il avait retrouvé son sourire et marchait dans un des longs corridors s'étirant sous les gradins, ces espèces de catacombes des temps modernes, ces coulisses du grand cirque où les dieux du

sport et du rock jettent des jeux en pâture au bon peuple. Il avançait lentement, serrait des mains, répondait d'un geste à ceux qui
le saluaient :

«Gerry! Gerry!...»

Breen et Johnny, qu'il avait retrouvés, faisaient comme lui : ils
souriaient et déambulaient lentement et serraient des mains en se
dirigeant vers l'arrière-scène.

Quatre ou cinq filles avaient réussi à contourner la sécurité et à
se glisser jusque-là. C'était inévitable. Elles étaient jeunes et
jolies. Et intimidées lorsqu'elles le voyaient enfin. Il avait l'habitude. Peut-être que l'une d'entre elles — serait-ce la grande fausse
blonde spectaculairement sexy, avec le maquillage appliqué au
rouleau? Ou sa copine, une brunette, grande elle aussi, un tout
petit peu dodue, qui avait presque l'air de sortir d'un collège privé
d'Outremont et qui rougissait de sa propre témérité?... Bref, une
de ces deux-là ou une autre viendrait peut-être se coller à lui, pour
l'entraîner un instant à l'écart, pour lui tâter subrepticement les
couilles à travers ses jeans en le regardant droit dans les yeux et
en lui glissant un bout de papier dans la main...

Car il y en avait pour faire ça! Incroyable, non? Les premières
fois, il n'en revenait pas. *Sacrament, ça s'peut-tu!*, qu'il se disait... Mais il adorait ça! C'était sa faiblesse, la faille dans sa
carapace, son talon d'Achille, son péché, la ligne directe avec son
âme. Les filles. Toujours jolies. Toutes jolies. Émouvantes, atten-
drissantes, douces ou sauvages. Celles qui le caressaient ou qui le
mordaient, celles qui pleuraient ou qui l'agressaient presque.

Les filles. Il ne disait plus *les grébiches* comme au temps de sa
jeunesse et des Gants blancs. Ou *les plottes*, comme à celui des
premières tounes d'Offenbach.

Celles-là, plus belles que nature, ne lui parlaient pas; elles ne
faisaient que le regarder sans oser s'approcher. Lui-même leur
souriait sans aller vers elles.

Elles détonnaient dans le décor car il n'y avait que des hommes
autour : la sécurité, les roadies, les régisseurs, les employés du
Forum, ses chums de musique, d'autres types encore qui foutaient
dieu sait quoi dans ce territoire interdit, derrière la scène. D'ailleurs, il avait du mal à détailler leurs visages, c'était un peu
vague. Elles le regardaient, il souriait. Et il les sentait s'éloigner
lentement, très lentement. Pourtant personne ne bougeait autour;

nul ne les forçait à partir. Elles devenaient floues, floues, floues. Il ne distinguait plus que leurs chevelures et les formes de leurs corps. Il ne les voyait plus sourire. Il ne les voyait plus.

Un léger étourdissement l'envahissait — *pas le moment, calvaire!* — les murs en blocs de béton prenaient une teinte verdâtre, la lumière devenait une purée innommable. Et, progressivement, un curieux silence s'installait; on aurait dit que la foule s'éloignait elle aussi ou se taisait d'un commun accord. Un curieux silence au fond duquel il y avait une sorte de bourdonnement. Avec, en plus, des bips à toutes les deux ou trois secondes, des bips dont le volume en croissance exponentielle finissait par prendre toute la place.

Les murs verts. Le bourdonnement. Les bips. Et une douleur qui perçait à son flanc gauche.

***

Son cerveau s'était égaré. Qu'avait-t-il donc, aujourd'hui, pour que ses pensées lui échappent de cette façon-là et volent hors du Forum?... Pour que ses idées aillent se perdre dans une pièce verte tout à fait sinistre qu'il se refusait à habiter pour l'instant.

C'était comme un cauchemar réussissant à se faufiler dans une soirée de rêve! Ou alors, c'était l'inverse... Il préférait peut-être ne pas savoir pour tout de suite.

De toute façon, il fallait qu'il se prépare à vivre le meilleur moment de la soirée, le plus jouissif.

Décrire ce qui allait se passer en lui à cet instant-là était impossible. C'était une sorte de magie, un fluide qui envahissait son corps, son cœur et son cerveau. Il aurait pu, là, à l'instant, tout créer ou tout détruire, inventer le paradis ou mettre le feu à l'enfer, combattre à mains nues les monstres hideux qui le faisaient trembler de peur, la nuit, lorsqu'il était tout petit.

C'était le moment où il posait la main sur l'orgue Hammond B-3 placé face à la foule à l'extrême droite du stage. Celui-ci croulait sous un tonnerre de hurlements, sous les milliers de cris de joie et de plaisir anticipé, sous les applaudissements, les sifflements, le grondement effrayant de la foule.

En face, au-dessus et de chaque côté de lui, les techniciens étaient à leur poste. Du coin de l'œil, il voyait ses chums brancher leurs instruments : Johnny saisissant un long fil noir et tâtonnant interminablement avant de parvenir à le raccorder à sa Strato-caster ; Breen, imperturbable, prêt avant tout le monde, une chique de gomme dans la gueule, caressant le long manche de sa basse en fixant un point au milieu du parterre ; McGale piquant quelques notes silencieuses sur sa Gibson, dont le volume était à zéro ; Martel, à l'arrière, ajustant douze fois son tabouret avant de s'écraser d'un air content.

Le grondement s'amplifiait encore, de plus en plus assourdissant.

Satisfait de ce qu'il voyait, il allait maintenant célébrer le rite. De la main gauche, il actionnait le premier puis, dix secondes plus tard, le second interrupteur enclenchant le mécanisme électro-magnétique de la B-3. Un voyant rouge s'allumait sur la console. Derrière lui, les flûtes et le tambour du Leslie se mettaient à tourner. Il actionnait quelques-unes des tirettes commandant les jeux. Du pied droit, il enfonçait la pédale du volume au plancher, comme s'il s'agissait d'une Formule Un à propulser jusqu'à Saturne.

Voilà. Dorénavant, il était tout-puissant. Il allait soulever dix mille personnes du bout des doigts.

Pat le regardait, ses deux baguettes levées et croisées devant sa poitrine. Un imperceptible hochement de tête à l'intention du batteur. *Clic, clic, clic, clic.* Tonnerre, enfer de sons, mille milliards de décibels garrochés en même temps vers la foule, les deux moniteurs tremblant de chaque côté de lui, le Leslie crachant cette plainte râpeuse, écorcheuse d'âme, prêt à éclater de distorsion et de violence contenue.

Quelques mesures en tapant frénétiquement du pied et en contemplant, à gauche et derrière, les chums qui bûchaient sérieusement eux aussi. Le micro sur perche qu'il fallait saisir de la main droite et ramener vers lui sans cesser de plaquer le mi majeur de la gauche.

Quel ostie de feeling !

> *C'est un aut' samedi soir*
> *La rue est chaude sous nos pieds*
> *Une nuit d'été humide*
> *Pis j'm'en irai pas m'coucher...*

Mille milliards de décibels dans mille milliards de mètres cubes d'espace. Avec des banquettes rouges, blanches et bleues qu'on ne voyait plus parce qu'il y avait mille milliards de fans assis dessus.

C'était vertigineux.

> *À soir, faut qu'ça brasse*
> *J'ai l'rock'n'roll pis toé...*
> *À soir, faut qu'ça brasse*
> *J'ai l'rock'n'roll pis toé...*

Les flûtes et le tambour du Leslie tournaient. Le plancher de la scène disparaissait sous la fumée d'huile minérale que crachaient les deux brûleurs M.D.G., derrière Pat. Les projecteurs de poursuite étaient aveuglants. À cause des spots, l'air portait toutes les teintes à la fois.

Vertigineux et étourdissant.

Malheureusement, ça ne durerait pas toujours. Pourquoi, au fait, ça n'allait pas durer toujours ? Il y avait bien une raison. Voilà ! C'est à cela qu'il fallait réfléchir tout à l'heure, il s'en souvenait maintenant.

> *Y'a la ville qui réclame*
> *Du monde pour la brasser...*

Réfléchir, tabarnac... Les muscles de son front se tendaient, son sourire disparaissait à nouveau, son visage devenait austère, tourmenté. Il fallait absolument réfléchir. La musique étant moins forte tout à coup, c'était plus facile. Il pouvait même abandonner les claviers pendant quelques secondes, personne ne s'en apercevrait.

Il avait besoin de quelques secondes à peine. Cela lui suffirait pour rattraper son idée.

Mais, à la fin, ce n'était pas plus facile puisque le bourdonnement revenait. Et les bips. Ces bips épouvantables qui avaient quelque chose de... quelque chose de *vivant* ! C'était affreux. Comment réfléchir avec ces bips vivants qui lui vrillaient les oreilles ? Impossible, même s'il avait fermé les yeux pour mieux se concentrer. D'ailleurs, comment pouvait-il voir cette purée verdâtre autour de lui s'il avait les yeux fermés ? Hein ? Est-ce qu'il faudrait réfléchir à ça aussi ?

De surcroît, il y avait cette douleur qui revenait au flanc gauche ; quelqu'un l'avait tripoté, c'est sûr, qu'est-ce qu'on lui avait fait au ventre, calvaire ? Il ne s'agissait plus d'une petite douleur, ça devenait insupportable, comme si on lui enfonçait un marteau-piqueur dans les tripes.

Quelqu'un, pour l'amour du chriss, ne pouvait-il pas faire quelque chose ?

Plus de musique, il s'en foutait de la musique ! La purée verdâtre, le bourdonnement, les bips, la douleur, l'insupportable douleur au flanc gauche. Il fallait agir, bouger, crier, supplier peut-être, est-ce qu'il n'avait pas mal au point de supplier ? Mais il était faible, subitement, comme un bébé ; il n'était plus question de réfléchir, ni même de bouger le petit doigt.

Et la douleur, tabarnac, la douleur !

Puis, d'un coup, plus rien. Fini.

Le vide, pendant une seconde ou mille milliards d'éternités.

***

Lentement, très lentement, les choses semblaient vouloir se tasser. Que s'était-il donc passé ? Malgré un gigantesque effort de mémoire, il n'arrivait à rien.

Voyons voir.

La Hammond, la scène, les projecteurs, tout était là. C'était le Forum, évidemment, avec la foule... mais en y regardant bien, elle était étrangement calme tout à coup, cette foule-là. Un peu triste aussi. Et les banquettes rouges, blanches et bleues avaient disparu, tout le monde était assis sur des chaises droites faites de chrome et de cuirette, comme celles que l'on voit dans les salles d'attente des cabinets de médecins. Ou de dentistes. Les musiciens, à sa gauche et derrière lui, n'étaient ni Johnny, ni Breen, ni Leduc... Qui c'était, bordel ?

Enfin, peu importe !

Réfléchir devenait éreintant et, de toute façon, il n'était pas question de s'arrêter pour des niaiseries. Il devait accomplir une tâche autrement plus importante. Il allait se livrer, livrer son âme et son cœur un peu plus encore ; il irait à l'essentiel.

Mais c'était difficile. Il n'avait pas l'habitude de chanter des choses comme celles-là... Bon... Aussi bien plonger tout de suite...

Juste une dernière fois...

La B-3 rendait un son de piano électrique. Ou de synthétiseur. Mais ça n'avait pas d'importance.

Avant de m'en aller...

Françoise, au premier rang, juste au bas de la scène, le regardait avec un air de reproche. Comme s'il débitait des conneries. Il la voyait, il la sentait près de lui. Ah! Françoise... Elle avait de ces yeux dans ces moments-là, une manière de lui dire :
« Fais pas le con, Gerry !... »
Parfois, elle se mettait vraiment en rogne. Il aimait bien qu'elle se préoccupe de lui suffisamment pour se mettre en rogne, et ça lui faisait chaud au cœur de la sentir près de lui.

Brusquement, surgissait un éclair, un tourbillon dans sa tête, comme une spirale au centre de laquelle il agitait les bras, inutilement, sans pouvoir s'empêcher de tomber dans un grand trou noir. Un grand trou noir qu'occupait la spirale, dont l'axe de rotation se trouvait très exactement sur son ventre, un peu en bas et à gauche du nombril. La terre entière reposait sur ce pivot et tournait, tournait...

Ça devenait atrocement douloureux, tout ce poids qui tournait sur son ventre.

Il entendait à la fois le piano... et sa voix...

J'aimerais connaître encore
Les mots que tu murmures
Quand t'as les yeux fermés...

...et les bips vivants qui étaient revenus, plus forts encore, plus vrais, plus proches. Et la douleur, la spirale avec la douleur au centre. Il geignait, il s'en apercevait. C'était douloureux et troublant : il voyait tout, il n'avait rien manqué, non, il n'avait rien manqué, et la scène et la foule et tout ça... Pourtant, il avait conscience de faire de fantastiques efforts pour entrouvrir ne serait-ce qu'un œil. Ses paupières lui faisaient mal aussi. Et son nez lui faisait mal, comme s'il avait sniffé une tonne de coke ; et son bras droit lui faisait mal ; et son pénis lui faisait mal, comme s'il avait baisé mille fois sans reprendre haleine ; et son ventre lui faisait mal, comme si on lui enfonçait un marteau-piqueur dans les tripes...

Mais il allait y arriver, tabarnac! Il allait ouvrir les yeux, il fallait qu'il les ouvre pour voir Françoise et lui dire... lui dire...

Ça y était presque, un petit effort encore et il verrait pour de bon, au diable le bourdonnement et les bips, il allait émerger juste une seconde, pour voir...

Il voyait! Françoise était là!... Elle était bizarrement vêtue, Françoise : elle était assise à sa droite sur une chaise de chrome et de cuirette, penchée sur lui, et elle portait une jaquette d'hôpital, verte, et une sorte de casque ridicule, vert lui aussi. Tout autour d'elle, des machines... C'est de là — voilà! — que venaient le bourdonnement et les bips, et la purée verdâtre des murs.

La spirale encore. Il perdait pied. Ses yeux se fermaient... Françoise se trouvait à nouveau au premier rang d'une foule calme et un peu triste. Et il était tout seul, tout fin seul sur la scène immense du Forum complètement plongée dans le noir à l'exception d'un rond de lumière au centre duquel il se tenait debout, un micro à la main. Et ce rond de lumière, d'une blancheur irréelle, l'aveuglait, lui donnait mal aux yeux et au bras et au pénis et au ventre... Pourtant, il voyait très bien Françoise devant tous ces gens calmes et un peu tristes.

> *Juste une dernière fois*
> *Pour jamais l'oublier*
> *J'aimerais sentir si fort*
> *Le pouls de ta tendresse*
> *S'il te plaît que je reste...*

Puis tout s'embrouillait.

La musique disparaissait graduellement, encore une fois. Mais ça n'avait pas d'importance. Était-il encore nécessaire de réfléchir?

«Gerry... Gerry, est-ce que tu m'entends?...»

C'était Françoise. Elle était vraiment là, à côté de lui, sur une chaise droite! *Marci, chriss, t'es là... c'est sûr que j't'entends, Françoise...* Mais il n'arrivait pas à articuler un mot, ni même à bouger un seul muscle.

Tout lui revenait d'un coup, tout était maintenant atrocement clair, fuck la spirale, il n'y avait pas de scène, ici, pas de foule.

Seulement la douleur, écrasante, affolante, insupportable, inhumaine, et un lit très haut, un lit d'hôpital sur lequel il gisait, branché de partout, avec des fils et des tubes qui partaient de son nez, de sa bouche, de sa poitrine, de son bras, de son pénis, pour aboutir à des machines, à des écrans cathodiques, à des tubes, à des sacs de plastique. Il distinguait tous ces bidules quand enfin, pendant un instant, il réussissait à entrouvrir les yeux et à les tourner vers Françoise.

C'était atrocement clair : l'ennemi était parvenu à le clouer sur un lit d'hôpital — encore. L'ennemi allait finir par avoir sa peau, tabarnac, il le savait bien : personne, pas un seul des médecins qui luttaient à ses côtés, ni Jolivet, ni Keyserlingk, ne lui avaient laissé la moindre illusion.

« Ça va aller, Gerry... Essaie pas de bouger, je suis là, fais pas d'efforts, ça va aller, Gerry... »

S'il n'avait pas eu si mal, il aurait tenté de sourire, juste pour faire plaisir à Françoise, pour lui prouver qu'il était heureux qu'elle soit là.

Mais il en était incapable. Il y avait toujours la terre qui pivotait sur son ventre...

Son ventre...

Il essayait de bouger un bras. Il fallait qu'il vérifie quelque chose... Est-ce qu'on avait dû lui faire la... la chose ? Les médecins l'avaient prévenu de cette possibilité... Mais ce n'était pas sûr : ils allaient voir au moment de l'opération... Est-ce qu'on lui avait... Est-ce qu'en plus, il lui faudrait accepter *ça* ?...

En dépit du brouillard de l'anesthésie qui ne se dissipait pas complètement, il sentait des larmes lui monter au coin des yeux et de la sueur mouiller ses cheveux et son front. Il geignait un peu. Il s'efforçait de bouger, c'était visible par les sursauts des muscles de son bras gauche, de son cou, de son épaule.

Françoise se levait et épongeait son front avec une serviette humide.

« Bouge pas, Gerry, bouge pas... Ça va bien, ça va aller... »

Il éprouvait une sensation de fraîcheur, mais ça ne durait pas. Son ventre... Il fallait absolument que sa main, qui reposait le long de son corps, puisse escalader son flanc gauche et tâter son ventre.

Il devait savoir. Il devait absolument savoir.

Sous l'effort, il fronçait les sourcils — Françoise lui parlait encore, mais il n'entendait pas très bien. Sa main bougeait, imperceptiblement d'abord, puis il sentait le bout de ses doigts sur sa hanche, il parvenait à plier très légèrement le coude et à bouger son avant-bras — Françoise disait quelque chose, elle semblait l'implorer, mais il n'entendait vraiment pas bien. Sa main se posait à plat sur son bassin et il parvenait à la faire remonter lentement, très lentement... Désirait-il vraiment savoir?... Les yeux fermés, retenant son souffle, il ordonnait à ses doigts de parcourir encore quelques centimètres vers le haut — Françoise épongeait à nouveau son front — quelques centimètres de plus...

Oh! bordel... Ils lui avaient fait la chose, tabarnac!... Sa main gauche retombait sur le drap... Il aurait aimé avoir la force de pleurer pour de bon, chriss, ils lui avaient fait...

***

La salle de réveil de l'hôpital St. Mary's est silencieuse tout à coup, parfaitement lugubre. Il n'entend plus le bourdonnement, ni les bips. Françoise se tient immobile à nouveau, sur la chaise droite. Étendu à côté d'elle, il semble presque dormir, maintenant. On n'entend pas les bruits de l'extérieur, où il fait frais et où les arbres commencent à prendre les teintes de l'automne — on est en septembre 1989, le onze, exactement.

Mais en fait, il ne dort pas. Il ne bouge plus, c'est tout. Il n'essaie plus d'ouvrir les yeux.

La douleur est toujours atroce, mais ce n'est pas l'aspect le plus cruel de la situation. Car il est absolument certain maintenant que, malgré cet ultime martyre — l'hôpital, le bistouri, les tubes, les machines, tout cet effroyable cirque — il ne lui reste que quelques mois à vivre. Et il sait aussi que, ces mois-là, il va devoir les vivre avec un sac de plastique collé à son flanc gauche.

En somme, Gerry Boulet sait qu'il n'arrivera pas, cette fois, à vaincre l'ennemi.

Cœur d'animal

Gerry Boulet va connaître la défaite. Il va être vaincu. Ce sera nouveau pour lui car, jusque-là, il est toujours arrivé à ses fins, en somme.

Déjà, quand il était tout jeune, il se disait qu'il fallait croire en soi, juste en soi et en personne d'autre. Bien sûr, il n'employait pas ces mots-là quand il avait dix ans, mais c'était l'idée, d'aussi loin qu'il se souvienne. Il fallait croire en soi et n'en faire qu'à sa tête pour arriver à ses fins, peu importent les difficultés que cela soulève — pour compenser, il y avait aussi des moments où cela rendait les choses plus faciles, heureusement.

Enfant, il a appris qu'il fallait être fort pour survivre dans les ruelles et les terrains vagues entourant les petites maisons des ouvriers de Saint-Jean-sur-Richelieu. Pour devenir le maître, pour n'obéir qu'à sa propre loi sur une parcelle de trottoir, sur un bout de terrain de jeu, sur un carré de glace, l'hiver, quand on jouait au hockey.

Adolescent, il lui a fallu être fort pour résister à la tentation d'enterrer ses rêves et de rentrer dans le rang. Pour envoyer chier tous ces adultes bornés, fermés à l'idée que l'on puisse aspirer à *vivre*, calvaire, à vivre une autre vie que la leur, à se donner une existence qui ne soit pas faite que de routine, d'humiliations et de petites joies insignifiantes.

Ensuite, il s'est donné la force nécessaire pour régner sur cette sorte de petit royaume que chacun se fabrique en vieillissant et que tentent, inévitablement, d'envahir des ennemis qui ne sont plus des enfants et qui se servent des armes des adultes. Des armes autrement dangereuses. Poings et calomnie, couteaux et chantage, guns et perfidie...

Toujours, Gerry a triomphé.

Mais il est fatigué, maintenant.

Françoise est assise là, à côté de lui; il n'a même pas besoin d'ouvrir les yeux pour sentir sa présence. De toute façon, il n'en a plus la force. Elle est là, c'est tout. *La Française*, comme il dit quand il veut gentiment se moquer. Il se trouve dans un lit très haut, il est branché de partout, il a les yeux fermés et il ne dit rien. Françoise est à côté de lui. Il est sûr qu'elle regarde le vide avec des yeux tristes, sans bouger elle non plus, sans dire un mot. Deux êtres humains dans une pièce qui ne l'est pas. Dans une pièce avec des murs verts, des machines, un bourdonnement et des bips que l'on finit par ne plus entendre.

Deux êtres humains dans le silence, seuls, très seuls, occupés à regarder agir l'ennemi.

Françoise aussi est fatiguée, vaincue, presque autant que lui. Il n'a pas besoin de la regarder pour le savoir, il le sent.

Alors, qu'est-ce qui reste, hein, dans un moment comme celui-là?

Qu'est-ce qui reste, si ce n'est la nécessité d'apprendre encore une ou deux choses sur la vie. Et sur la mort. Fascinant, ça, non? On apprend à vivre jusqu'à la dernière minute, tabarnac, jusqu'au dernier souffle... Et à cet instant-là, qu'est-ce qu'on est supposé faire avec ça, quelqu'un peut-il le dire, qu'est-ce qu'on fait avec tout ce qu'on a appris en quatre ou cinq décennies d'existence?...

À quoi servent, par exemple, les deux ou trois choses que l'on sait sur l'amour? Et sur la haine?

Car Gerry a beaucoup aimé et beaucoup haï.

Il a fait des montagnes de conneries et quelques méchancetés. Il a eu des éclairs de génie. Il a procuré des masses de plaisir à des milliers de gens et il lui est arrivé d'être bon. Il s'est beaucoup occupé de lui et souvent même des autres. Il a bien servi la musique et celle-ci le lui a rendu au centuple. Il a cru se faire du bien en tripant sur le pouvoir, sur la gloire, sur le fric, sur le cul, sur l'alcool et sur la dope; mais parfois, il s'est fait du mal et il en a fait aux autres.

Il est vrai qu'on ne l'a pas ménagé non plus.

Des rockers et des straights, des hommes et des femmes, qui faisaient des power trips déments, qui couraient la gloire sans s'embarrasser de scrupules, qui ramassaient les dollars à la pelle en pillant plus pauvres qu'eux, qui se saoulaient de baise, de bière et de coke... Combien de fois ceux-là — des êtres humains comme lui, non? — lui ont-ils fait du mal, fait du mal à son ostie de *cœur d'animal*?

Oui, il a beaucoup aimé et beaucoup haï. Il a compris un jour que l'amour et la haine peuvent décupler la force d'un homme. Et il a toujours pris soin d'être fort.

Tout ça n'a plus beaucoup d'importance, maintenant.

Lorsque l'ennemi gruge la chair, les notions d'amour et de haine disparaissent.

On ne hait plus, on n'a plus de temps pour la haine, cela devient inutile.

Et si on aime, c'est d'une autre façon, pas comme dans les chansons, ni comme les rockers s'aiment entre eux — *hé!*... Pas du tout. On aime comme les bêtes aiment dans leurs tanières. On sent une présence à côté de soi, celle d'un autre être humain, d'un autre animal, qui a choisi d'être là, à côté d'un lit d'hôpital dans une pièce qui pue le chloroforme, parce que c'est le seul endroit au monde où cet être-là désire se trouver. Ce n'est même plus de l'amour. C'est plus grand, plus beau, plus effrayant aussi. C'est une sorte de communion, comme celle des bêtes se blottissant l'une contre l'autre et mêlant leur fourrure lorsque le prédateur rôde.

Alors?

Qu'est-ce qu'on peut bien faire, lorsque cette heure-là est venue, avec tout cet amour et toute cette haine cultivés et ressassés pendant toute une vie et qui, tout à coup, n'ont plus d'importance?

À quoi donc sert tout ce qu'on a appris sur la vie et sur les hommes?

À quoi cela peut-il bien servir, *après*, une fois que l'ennemi — le seul, le vrai — a eu votre peau?...

Hein, tabarnac? Est-ce que quelqu'un peut répondre à ça?

Les Boulet de l'Aigle d'Or

À cette époque, lorsqu'on parlait de l'ennemi, on ne parlait pas de ce mal qui attaque de l'intérieur. L'ennemi ne se présentait pas comme une chose informe, innommable, occupée dans le noir et le silence à dévorer lentement et sournoisement les entrailles de l'homme sans qu'au bout du compte, il n'y puisse faire quoi que ce soit.

Non.

L'ennemi avait un visage et une silhouette : il était blond, avait les yeux bleus, sa tête était coiffée d'un casque de fer et, sur son uniforme, était accrochée la croix gammée.

L'ennemi, c'était le soldat allemand.

Le premier septembre 1939, les troupes nazies envahirent la Pologne. Le trois, les Français et les Britanniques déclarèrent la guerre à l'Allemagne. Le quatre, le Parlement canadien proclama la Loi des mesures de guerre ; il n'était pas encore question de conscription comme en 1917, mais...

Dans les rues, chez les marchands, assis sur les bancs dans les parcs, les vieux Canadiens français hochaient la tête avec tristesse ; ces vieux qui, personnellement ou par frère ou cousin interposé, avaient connu la Grande Guerre. Car plus encore que l'Allemand, l'ennemie, ici, c'était la guerre ; et l'obligation d'avoir à y participer.

De surcroît, ces hommes avaient l'impression de sortir à peine de la grande Dépression du début des années trente. De sorte que les vieux étaient plutôt enclins à voir les choses en noir... Ils prévoyaient le pire, regardaient avec compassion les jeunes hommes de vingt ans, forts, vigoureux, insouciants, qui un jour ou l'autre allaient être appelés sous les drapeaux. Et ce, même si à Ottawa, le gouvernement avait juré le contraire — peut-on se fier aux politiciens?

Au Québec, il n'y avait pas que les vieux pour se méfier.

Le quatre septembre, puis le cinq, des manifestations monstres furent organisées à Montréal. Même des conseils municipaux, comme celui de Drummondville, ne tardèrent pas à se prononcer contre la participation du Canada — et a fortiori contre la conscription — à cette guerre européenne.

À Québec, le Premier ministre Maurice Duplessis, qui entrait en campagne électorale, louvoyait, contournait le débat ou gardait le silence. De sorte que le vingt-cinq octobre, il fut battu à plate couture par le libéral Adélard Godbout. Le *cheuf* se promit néanmoins de prendre sa revanche un de ces jours...

En somme, le Canada était divisé — ô surprise ! — selon des courants de pensée recoupant nettement la ligne de partage entre les deux nations.

Anglais contre Français.

On avait déjà vu ça.

En septembre 1939, au milieu de cette effrayante agitation, Georges et Charlotte Boulet étaient occupés à s'apprivoiser, à définir les compromis essentiels à la vie commune, à expérimenter leurs premiers mois en tant que couple.

Ils s'étaient mariés le quinze avril précédent.

Un beau mariage.

Charlotte Provost avait vingt-sept ans. Elle était jolie, pas très grande mais bien bâtie, bonne vivante : elle ne perdait jamais une occasion de rire aux éclats — et il y en eut beaucoup ce jour-là. Georges Boulet était du même âge, à six mois près. Il était svelte, se tenait droit comme un général devant ses troupes, affichait de temps à autre un mince sourire qui parvenait mal à donner de la légèreté à cette sorte de retenue, de gravité, qui était sa marque de commerce.

Il essayait de sourire, néanmoins, en entrant à l'église Sainte-Thérèse-de-l'Enfant-Jésus, à Cowansville, même s'il n'était que six heures trente le matin, que le ciel était nuageux et que la journée s'annonçait longue.

Seuls la famille, les proches et quelques curieux assistaient à la cérémonie. Il y avait déjà un peu plus de monde chez les Boulet, à la petite réception qui n'avait servi qu'à préparer la vraie noce donnée en fin de journée dans un hôtel, près de Cowansville.

Ensuite, le couple avait été reconduit à la gare de chemin de fer.

Ils étaient d'excellente humeur. Avant de s'écraser dans un wagon, ils avaient eu le temps de danser un quadrille — adapté en pas de deux... — sur la plate-forme de la gare, sous la pluie fine qui s'était mise à danser elle aussi. Autour, quelques badauds se moquaient d'eux ou regardaient ailleurs en feignant l'indifférence. Charlotte Boulet était d'autant plus heureuse que son mari, son mari tout neuf, n'avait jamais été un bon danseur. Pas sûr qu'il aimait beaucoup ces frivolités. Pourtant, elle était parvenue à lui apprendre quelques pas, quelques autres encore... de sorte que, là, sur cette plate-forme, la griserie de la noce aidant sans doute un peu, son homme donnait du mou à son col de chemise et faisait tourner la compagnie !

Finalement, le train était entré en gare, ils s'étaient calmés un peu et étaient montés à bord. Au bout d'un moment, somnolents, tassés l'un contre l'autre sur une banquette, bercés par le rythme hypnotique des roues de fer sur les rails, ils étaient partis en direction de Ville Saint-Laurent, où demeurait une tante de Georges Boulet.

Le voyage de noces consistait à passer trois ou quatre jours chez la vieille dame.

Un voyage de noces d'ouvriers, bien sûr, un voyage de noces de gagne-petit. Charlotte Boulet ne disait-elle pas, sans la moindre trace de dépit, en riant de la chose comme si c'était l'aspect le plus comique de la vie :

« On n'a pas de fortune, nous ! »

**

Charlotte Boulet était une femme forte. Comme le Canada français en produisait à l'époque.

De ces femmes élevées à la dure mais pétantes de santé. Bien éduquées même si elles n'avaient pas fréquenté l'école très longtemps. Capables de barrer avec fermeté la barque familiale en dépit de la règle selon laquelle l'homme devait en être le chef incontesté. Dévotes même si le clergé catholique représentait l'autorité la plus misogyne qu'il soit possible d'imaginer. Assez débrouillardes pour ajouter au revenu de la maisonnée lorsque les gages de l'homme ne suffisaient pas.

Née le trente juin 1911 à Iberville, elle était la fille d'un homme aux multiples habiletés, Joseph Provost, originaire d'Iberville lui aussi, et d'une femme qui, bien qu'elle se nommât Anastasie Teneglio, donc de descendance italienne, ne parlait pas un mot de la langue de ses ancêtres puisqu'elle était née à Chambly. Elle parlait cependant l'anglais : étant jeune, elle était allée travailler aux États-Unis.

Entre 1910 et 1932, Joseph et Anastasie Provost avaient eu neuf enfants.

Deux de ceux-là, dont le premier, ayant péri en bas âge, la jeune Charlotte était de fait l'aînée de la famille et eut très tôt à assumer plus que sa part de responsabilités. Les Provost demeuraient sur la Quatrième Avenue, à Iberville, dans une maison que Joseph Provost avait achetée peu de temps après son mariage.

Charlotte Provost avait délaissé les bancs d'école et était entrée en usine à l'âge de treize ans.

Iberville était alors une toute petite localité de moins de deux mille cinq cents âmes servant de banlieue à Saint-Jean-sur-Richelieu, trois fois plus populeuse. C'est là qu'étaient installées la plupart des grosses shoppes, dominées par les installations géantes de la Singer Manufacturing Company — les machines à coudre — inaugurées en mai 1906. Saint-Jean et Iberville comptaient en 1924 plus d'une trentaine de manufactures.

L'adolescente fréquenta plusieurs d'entre elles, s'intégrant sans difficulté à la force de travail constituée par les quelque deux mille ouvriers d'usines vivant dans les deux localités, apprenant à dompter les machines qui fabriquaient des allumettes, ou des chemises, ou des chapeaux.

Et elle rapportait sa paye à la maison, comme ses frères et sœurs allaient le faire plus tard lorsqu'ils auraient l'âge d'aider leur père.

Non pas que Joseph Provost fût paresseux. Dieu non. C'était l'homme aux mille métiers, aux mille projets, besogneux, doué d'un sens des affaires passablement aiguisé. Au fil des ans, il avait été charretier, chauffeur de taxi, hôtelier; il avait donné à sa famille un toit bien à elle, il avait meublé la demeure d'un piano pour que la petite Charlotte puisse en jouer. Il prodiguait à ses enfants encore jeunes de précieux conseils pour l'avenir.

«Lorsque tu te marieras, ma fille, achète une maison, mets-toi chez vous : tu peux pas y perdre. Et puis les prix, un jour ou l'autre, vont monter...», disait-il à l'adolescente, qui ne songeait pas encore un seul instant à cela!

Car Charlotte Provost, qui travaillait dur le jour, aimait aussi le plaisir.

Iberville, ce n'est pas Montréal, c'est entendu. De toute façon, on n'allait pas dans la Métropole, c'était loin (plus de vingt-cinq milles!), c'était cher, c'était un autre monde. On trouvait d'autres moyens pour s'amuser.

Par exemple, il y avait la radio.

Ce gros appareil installé au salon permettait d'écouter les stations de Montréal : CFCF, le premier diffuseur au pays, qui avait commencé à émettre en 1920; ou CKAC, entrée en ondes deux ans plus tard. C'est à cette dernière, surtout, que tournaient les chansons de la Bolduc.

En même temps qu'apparaissait la radio, cette Gaspésienne, Mary Travers de son nom de fille, s'était mise à écrire, à composer et à chanter; elle allait graver quatre-vingt-sept disques, accédant au statut de chantre officielle des espoirs et des déceptions du petit peuple. C'était tout nouveau. On découvrait avec ravissement — avec aussi une sorte de gêne, comme si cela était un peu indécent — que les mots de la rue pouvaient être mis en chanson, que c'était joli, que c'était *vrai* également. Même la Dépression semblait moins désespérante lorsqu'elle était chantée par la Bolduc! Comme si cette femme-là possédait le pouvoir d'exorciser le malheur.

Au surplus, lorsque les conditions étaient favorables, on captait la radio américaine. Et, avec des tas de parasites en prime, on pouvait écouter les émissions de Bing Crosby ou de Jack Benny.

Ensuite, pour s'amuser, il y avait toujours une soirée quelque part, le samedi, dans une de ces petites maisons d'ouvriers qui s'agglutinaient autour des usines à Saint-Jean, ou le long de la rivière à Iberville. Et on pouvait danser toute la nuit, jusqu'à des quatre et cinq heures du matin, au rythme du violon, de l'accordéon, du piano : tout le monde ne jouait-il pas d'un instrument quelconque, à ce moment-là?

C'était à peu près la même chose, la même vie, à Cowansville, où elle avait émigré en 1928 avec une de ses sœurs pour y travailler dans une usine de textile. Pendant un temps, toutes deux étaient de-meurées en pension, puis la famille Provost au grand complet était venue les rejoindre, puis encore, Joseph Provost, qui caressait de nouveaux projets, avait ramené la famille — moins l'aînée — à Iberville.

À travers tout cela, en 1934, la jeune femme eut le temps de faire la connaissance de Georges Boulet.

Il était né le trois décembre 1910 à Cowansville. Une famille de trois enfants. Des ouvriers, bien sûr, qui descendaient d'une longue lignée de cultivateurs établis en Nouvelle-France depuis le dix-septième siècle. L'ancêtre, Robert Boulet, habitait Saint-Germain de Loisé, dans la province du Perche en France, et s'était embarqué en 1662 à bord de l'Aigle d'Or pour venir s'installer sur la Côte de Beaupré, près de Québec.

Depuis des générations, lorsqu'ils entraient à l'école de rang, les petits Boulet, à cause de leur patronyme, étaient l'objet des sarcasmes de leurs compagnons et compagnes de classe.

« Ah, ah !... Boulet de canon, ah, ah !... »

Ce n'était plus drôle du tout.

Or, ce nom n'a rien à voir avec la quincaillerie militaire : le patronyme Boulet, pour ce qu'on peut en savoir, provient du mot *boulle* qui, de temps immémoriaux, a servi à désigner un terrain planté de bouleaux.

Georges Boulet était un bon ami d'un des frères de Charlotte Provost et il s'amenait parfois chez elle pendant cette courte pé-riode où tout le clan habitait Cowansville.

Boulet travaillait dans une manufacture d'émail. C'était un drôle d'homme. Entre elle et lui, ce fut d'ailleurs une drôle d'his-toire d'amour.

Ils se fréquentèrent pendant quelques mois, puis rompirent. Adieu. Décidément, Charlotte Provost aimait bien s'amuser saine-ment. Georges Boulet, lui, était un jeune homme secret, sérieux, presque grave, qui ne savait pas danser et qui, en public, hésitait même à jouer de cet harmonica qu'il avait souvent avec lui. Et puis, il lui arrivait de prendre un verre — ce que n'appréciait pas du tout la jeune femme. Il y avait d'autres hommes qui ne deman-daient qu'à la courtiser...

Il y eut donc une brouille entre eux, personne n'arrivait à savoir exactement ce qui s'était passé. Lui n'en parlait pas, c'est certain.

Elle aussi gardait le silence, ce qui dans son cas était exceptionnel.

On lui demandait :

« Alors, Charlotte, tu le vois toujours, ton Georges ?

— Je le vois, mais j'y parle pas !...

— Eh ben, c'est pas drôle, ça !... Ça fait que tu penses à t'faire religieuse ?... »

Elle ne répondait pas. C'est vrai qu'il lui était arrivé d'y songer. Elle préférait changer de sujet.

Mais voilà, on ne sait jamais. Cinq ans plus tard, alors qu'ils croyaient être redevenus des étrangers l'un pour l'autre, Georges Boulet et Charlotte Provost se retrouvèrent — lors d'une soirée, justement ! — et reprirent leurs fréquentations.

Cette amourette devait finir par une messe basse. Il faut supposer que c'était écrit dans le ciel.

***

Comme son beau-père, Georges Boulet était atteint de la bougeotte.

Soudeur de son état, il avait compris que ce labeur était trop exténuant — ses parents ne jouissaient pas d'une très bonne santé et lui-même ne tarderait pas à vivre la triste expérience de la maladie. De sorte qu'il préféra bien vite s'initier à n'importe quel autre métier, quitte à faire avec l'insécurité et le chômage occasionnel.

De retour de leur voyage de noces, les Boulet s'installèrent à Cowansville, dans un tout petit logis. Les nouveaux mariés travaillaient tous deux en usine, lui de nuit, elle de jour. Charlotte Boulet rigolait lorsque, le matin ou le soir, ils se croisaient presque sur le pas de la porte...

« On a nos fins de semaine à nous autres, toujours ! » disait-elle en embrassant son mari, avant de se précipiter à l'usine.

Un soir, un copain de Georges Boulet qui habitait Montréal débarqua à Cowansville et parla de la Dominion Bridge Company, une gigantesque usine de Lachine qui embauchait et payait de bons salaires. Ce fut vite décidé : les Boulet firent leurs valises et se transplantèrent dans la grande ville.

Ils dénichèrent un logis sur la rue Rose-de-Lima, dans Saint-Henri, tout près du canal Lachine, des voies ferrées et du marché Atwater.

Il fallut se faire à cette nouvelle vie. La Métropole était bruyante, il y avait les tramways, les camions, la foule. Mais c'était quand même quelque chose de partir à pied, le samedi, et, bras dessus bras dessous, de remonter la rue Sainte-Catherine en s'arrêtant devant les vitrines et en léchant une glace lorsqu'il faisait assez beau.

Cela dura trois ans. Elle aimait bien. Lui, moins. Car un homme comme Georges Boulet ne pouvait pas oublier sa région. On ne peut vivre, à Montréal, cette sorte d'existence tranquille des petites communautés que même une activité industrielle croissante ne parvient pas à briser complètement.

Et puis la Métropole était passablement agitée à ce moment-là.

Pour les Canadiens français, la guerre tournait mal — existe-t-il des guerres qui tournent bien ? Comme la Bolduc avait turluté la misère de la Dépression, le soldat Lebrun, à la radio, se chargeait de chanter la misère de la guerre, de l'éloignement et de l'ennui.

La population de la ville était divisée.

Le vingt-sept avril 1942, par plébiscite, les Anglais donnèrent à Ottawa le pouvoir de décréter la conscription; les Français refusèrent. Tranché au couteau. Cinquante-six des soixante-cinq circonscriptions électorales du Québec dirent non. Les neuf autres, celles qui votèrent du même bord que les autres provinces canadiennes, étaient des comtés anglophones : Mont-Royal, Saint-Laurent/Saint-Georges, Saint-Antoine/Westmount, Jacques-Cartier, Sainte-Anne, Verdun... De sorte que les manifestations se succédaient dans les rues de la ville. L'une d'elles eut lieu au marché Atwater; les Boulet pouvaient entendre, de leur fenêtre, les cris des quelque vingt mille personnes qui y étaient assemblées.

Puis avait commencé la conscription du pauvre. Ottawa encourageait les employeurs à «libérer leurs ouvriers en âge d'effectuer le service militaire»... une manière élégante d'ouvrir aux chômeurs, aux miséreux, les portes de la caserne ! De fait, en 1944, seize mille hommes furent ainsi envoyés au front.

Au surplus, le climat de la Métropole ne s'améliora pas lorsque les policiers et les pompiers de la ville firent la grève, fin 1943, début 1944.

On ne voyait plus la lumière au bout du tunnel. On ne pouvait pas imaginer que la guerre prendrait fin au printemps de 1945. On ne pouvait pas savoir non plus que, le huit août 1944, Duplessis reprendrait le pouvoir à Québec et, pour le meilleur et pour le pire, donnerait à la province l'un des gouvernements les plus stables et les plus durables de son histoire.

Georges Boulet était perplexe. Il n'était pas du tout rassuré. À Montréal, tout bougeait trop vite. Il travaillait dans une énorme shoppe où il avait l'impression de n'être qu'un numéro. Il craignait la guerre, le chômage, la misère : la Dépression avait appris aux gens qu'on souffre beaucoup plus dans une grande ville lorsque surviennent des bouleversements sociaux.

En somme, il ne tenait pas du tout à rester là.

Or, à Saint-Jean, les choses avaient drôlement bougé. Par exemple, à cause de la guerre, des centaines d'ouvriers étaient venus compléter l'aménagement de la base militaire, qui servait de centre de réparation et d'école d'entraînement pour certaines catégories d'aviateurs des Forces armées. Les usines poussaient comme des champignons : en 1943, à Saint-Jean et à Iberville, il y en avait soixante-cinq, qui employaient plus de quatre mille trois cents ouvriers. De sorte que la population, en moins de vingt ans, avait presque doublé dans le Haut-Richelieu.

Les Boulet plièrent bagage à nouveau et reprirent le chemin de la Rive-Sud. Au fait, à ce moment-là, Charlotte Boulet n'avait-elle pas déjà pris un petit excédent de poids ?... Quoi qu'il en soit, son époux avait déniché un bon emploi à Saint-Jean : il allait piloter un camion de la Dominion Blank Book Company, fabricant de livres de comptabilité, de cahiers reliés, de formulaires, dont il assurerait la livraison, principalement dans le quartier des affaires à Montréal.

Un charme.

De surcroît, la firme était installée rue Foch, entre les rues Cousins et Saint-Pierre. Or, le couple parvint à trouver un toit à deux pas de la manufacture, au 230, rue Cousins, dans un immeuble de quatre logements planté au cœur de la paroisse ouvrière de Saint-Jean.

C'est là que Charlotte Boulet — dont la taille, assurément, avait enflé... — devait donner naissance à ses trois enfants.

Le premier, Denis, né le vingt-deux juillet 1944.

Diane, née le treize avril 1949.

Et, entre les deux, Joseph Gaétan Robert Gérald Boulet, né à l'hôpital de Saint-Jean-sur-Richelieu le premier mars 1946 à deux heures trente-cinq du matin.

C'était un très beau bébé, qui arrachait des sourires attendris aux Sœurs grises de l'hôpital, pourtant rompues au charme des poupons. Et un bébé très délicat, à ce point que sa mère crut d'abord en le voyant qu'il s'agissait d'une petite fille !

Les mystères de la Cathédrale

Il y a les miséreux qui n'ont pas de toit et qui, un jour sur deux, n'ont pas de quoi manger. Il y a les pauvres, qui bouffent presque à leur faim, la plupart du temps, mais qui le font au prix d'une lutte de tous les instants contre la fatalité, le chômage, la maladie, le désespoir.

Puis, un cran au-dessus, il y a les petits ouvriers qui ont une existence ordinaire.

Ceux-ci vivent sur de maigres salaires en comptant leurs sous, en économisant sur tout, en grappillant çà et là de tout petits bénéfices supplémentaires. Ces petites gens affichent une fierté bien à eux, une fierté qui donne aux enfants des vêtements impeccables, des cheveux correctement coupés, des livres de classe bien propres. Même si l'on doit pour cela, à la maison, sabrer parfois dans l'essentiel, ou sacrifier l'espace qu'il faudrait à chacun pour jouir d'un minimum d'intimité.

Ainsi, rue Cousins à Saint-Jean, Georges et Charlotte Boulet s'étaient en quelque sorte installés graduellement.

Ils avaient d'abord loué une chambre, puis deux, dans un des quatre logis que contenait l'immeuble. Denis était né depuis un certain temps déjà lorsque les Boulet, vraiment trop à l'étroit, décidèrent de réquisitionner tout le logement pour leur propre compte. C'était une grave décision. Il fallait se livrer à des calculs serrés. Une demeure comme celle-là commandait un loyer mensuel de 18 dollars. Il fallait en outre régler la note d'électricité, songer à la nourriture, aux vêtements, aux meubles, prévoir les soins médicaux — on ne sait jamais — et penser à garnir un bas de laine. Or le salaire hebdomadaire qu'un ouvrier devait s'attendre à toucher à Saint-Jean, en 1945, n'était que de 26 dollars. C'était juste.

C'était juste, mais Charlotte Boulet trouvait toujours une solution. Dans cette grande maison, elle prendrait des pensionnaires, voilà tout. Et le midi, elle servirait des repas — à 60 cents ! — aux ouvriers qui travaillaient aux alentours, à la Dominion Blank Book, ou à la Singer, ou à la Canada Dye Works, ou ailleurs.

Le système allait fonctionner à la perfection.

De sorte que Denis, Diane et Gérald grandirent dans une demeure où il y avait continuellement des gens, un va-et-vient d'hommes pressés qui dégageaient des effluves d'usine venant se mêler aux odeurs de cuisine et d'encre d'écolier.

La maison de la rue Cousins, plantée entre les rues Knight et Saint-Charles, s'élevait sur deux niveaux. En haut, il y avait les chambres. Au rez-de-chaussée, un salon, une cuisine, une vaste salle à manger et un cabinet de toilette dépourvu de baignoire : les enfants se lavaient dans une grande cuvette posée au milieu de la cuisine, en criant, en se chamaillant et en mettant de l'eau partout.

Du haut des airs, on aurait pu se rendre compte que tout le quartier était pris en ciseaux entre deux voies de chemin de fer qui, se croisant un peu au nord du boulevard du Séminaire, allaient d'une part jusqu'à proximité de la Place du Marché et, d'autre part, jusqu'au viaduc enjambant le Richelieu.

La nuit, la famille Boulet s'endormait au son des sifflements, des gémissements, des crissements des convois. Le jour, au rez-de-chaussée, cette symphonie grinçante se noyait dans l'agitation de la maisonnée. Les bruits de popote, dans la cuisine. Le vacarme des camions qui passaient dans la rue. La radio, dans le salon, qui donnait de la musique, ou l'émission pour enfants que diffusait CKVL, le samedi matin, avec Ovila Légaré qui tonnait *Ah! ben, barriére!...* de sa grosse voix ; ou la retransmission des joutes des Canadiens, le soir, lorsque Georges rentrait du travail et sommeillait à moitié dans son fauteuil, près de la fenêtre.

C'était un père de nature plutôt taciturne, qui se renfermait encore en prenant de l'âge. Chez lui, il n'aimait rien autant que le silence... mais était capable de crier pour l'obtenir. Il détestait les gros mots, les jurons, les dissipations d'enfants. Denis, Gérald, Diane, Charlotte Boulet même, le craignaient un peu, surtout lorsqu'il revenait de la taverne — ce qui lui arrivait à l'occasion, comme à tous les hommes de son âge et de sa condition. Mais les garçons avaient quelque part une sorte d'admiration pour lui, comme les garçons admirent toujours leur père. En dépit du fait que, parfois, il lui arrivait de lever la main sur eux.

À l'extérieur, au travail, au terrain de baseball où il pilotait l'équipe commanditée par la Dominion Blank Book, l'homme était déjà plus enjoué. Un peu plus volubile, en tout cas. Gérald avait fait partie de cette équipe ; son père ne lui pardonnait aucune erreur, enfin moins qu'aux autres. De sorte que le jeune garçon avait réchauffé le banc plus souvent qu'à son tour, sur le terrain de balle de la paroisse Saint-Edmond. Bref, Georges Boulet avait une certaine conception de la vie et s'y tenait. Autour de lui, il fallait s'y tenir aussi, que ça plaise ou non — et ça ne plaisait pas toujours à son épouse et à ses enfants. Les repas du soir, dans la grande salle à manger de la rue Cousins, étaient non pas solennels, mais certainement un peu sévères, parfois presque tristes.

Le midi, c'était autre chose.

Charlotte Boulet officiait avec le sourire, avec la légèreté de ces femmes habituées à évoluer jour après jour dans le même espace, faisant la navette entre la cuisine et la grande table de la salle à manger autour de laquelle pouvaient défiler jusqu'à une vingtaine de personnes. Les ouvriers entraient par grappes, il y avait deux tablées — les derniers arrivés attendaient au salon — et les hommes garnissaient leurs assiettes à même les grands plats de service posés au centre de la table. Les trois enfants couraient autour ; il fallait les attraper pour les asseoir à la cuisine où leur mère les faisait dîner, pour qu'ils ne dérangent pas les grands.

Tout jeune, Gérald exerçait son charme sur tout ce petit monde du midi. Avec Denis, dont il était déjà inséparable, il rentrait de jouer, faisait dix fois le tour de la maison, se faufilait entre les jambes des ouvriers avant de s'installer à table, dans l'autre pièce.

Il bouffait tout ce qu'on lui donnait à bouffer. Il avalait même de ces fromages qu'à peu près personne ne pouvait sentir (c'est le mot !), au grand étonnement de son frère qui, dégoûté, se poussait en se pinçant le nez.

Enfin, Gérald bouffait presque tout.

Car il lui était arrivé — il n'avait pas dix ans — de se brouiller avec les carottes. Pas question de manger des carottes.

« Gérald, si tu manges pas tes carottes, tu sors pas de la maison », avait tonné sa mère, selon une formule consacrée par l'usage et avalisée par l'Association de Toutes les Mamans du Monde. Gérald s'obstinait. Pas de carottes. Denis fulminait. En après-midi, les deux frères avaient au programme une *importante* partie de balle qui devait se dérouler sur un terrain vague jouxtant les installations de la Walden Wood Workers Company, rue Saint-Charles. L'entêtement de Gérald allait tout gâcher.

«Veux-tu manger tes carottes, Ti-Cul, tu vas toutte nous faire manquer!» avait renchéri Denis, une fois sa mère disparue dans la salle à manger.

«Non, j'les mange pas!

— Maudit que t'as la tête dure... Emmène-les icitte, tes maudites carottes, j'vas les manger, moi... Sans ça, on sortira jamais d'la maison... Qu'est-ce t'as contre les carottes, c'est pas méchant?

— J'veux pas de carottes, c'est toutte...»

Gérald avait peut-être ajouté un autre mot, Denis n'était pas sûr d'avoir bien saisi. Mais on aurait dit... on aurait cru entendre... Ti-Cul avait-il vraiment marmonné *tabarnac!* entre ses mignonnes petites dents?...

***

Car on l'appelait Ti-Cul.

Gérald grandissait en âge, certainement; en sagesse, c'était selon. En centimètres, alors là, pas du tout.

Parfois, cela aidait : Gérald était attendrissant.

Par exemple, toutes les têtes se tournaient lorsque ce petit bout d'homme s'amenait, Place du Marché, tirant une voiturette de ce modèle particulier si populaire chez les enfants. Il s'agissait d'un véhicule d'un mètre sur un demi, à quatre roues, aux flancs frappés du mot *Express* imprimé en lettres rouges, pourvu de ridelles en bois verni s'accrochant au corps de l'engin par des pinces en métal. Le tout était destiné à être remorqué à l'aide d'une sorte de manche de pelle pourvu à son extrémité extérieure d'un... enfant. Ou d'un adulte, en cas d'insubordination rédhibitoire.

Cela faisait partie des tâches dévolues aux garçons : Denis et Gérald devaient chaque semaine, le samedi, accompagner leur mère dans la course aux victuailles, Place du Marché. Il en fallait des masses, c'est certain, pour nourrir la famille, les pensionnaires, les ouvriers du midi.

Gérald tenait à tirer la voiturette, été comme hiver, beau temps mauvais temps : même s'il était le plus petit, n'était-il pas le plus fort ? Écarté de cette position avantageuse, Denis ne trouvait qu'à hausser les épaules.

Charlotte Boulet trottinait d'un comptoir à l'autre, comparait les prix, marchandait les sacs de pommes de terre, les pieds de céleri, le saucisson et le bœuf haché. Denis suivait, désœuvré, les mains dans les poches. Gérald venait ensuite avec la voiturette, grimaçant sous l'effort — un peu trop, peut-être, parfois... Bien des femmes occupées elles aussi à faire leur marché ne pouvaient résister à la tentation d'ébouriffer ses cheveux, de s'épandre en considérations mielleuses.

« Pauv' p'tit bonhomme — y est-tu assez mignon ! — qui tire tous ces grrros paquets !... »

C'était l'effet recherché. Bien que ces lamentations finissaient par exaspérer Gérald. Sans parler de Denis, qui jetait un regard noir à son frère.

Parfois aussi, la petite taille de Gérald était une nuisance.

Comme lorsqu'il fut question de l'inscrire à l'école. D'abord, il était trop jeune. Il fallait avoir six ans pour entrer à l'école publique et, en septembre 1951, Gérald n'en avait que cinq, même si sa mère précisait :

« Cinq ans et demi, monsieur le principal... Et il va avoir six ans en mars ! »

Ensuite et surtout, Gérald était trop petit. Charlotte Boulet l'avait perçu dans les yeux du directeur de l'école. Elle l'avait vu hésiter devant le dossier où était inscrit l'âge de son fils. Cette hésitation s'était muée en certitude — celle du refus — lorsque l'homme avait toisé le garçon qui se tenait devant lui, les cheveux aplatis sur le crâne, droit comme un pic dans ses habits du dimanche, gêné comme un puceau, vaguement humilié par cette scène pénible qu'on lui faisait vivre.

De sorte que Charlotte Boulet avait songé à autre chose. Rue Cousins, dans une petite maison s'élevant juste en face de la Dominion Blank Book, habitait une dame Worthington, institutrice privée, qui consentit — moyennant rémunération — à inculquer à Gérald des rudiments d'arithmétique, de français. Et d'anglais.

Car c'était une Anglaise, bien sûr.

Dans les deux localités jumelles du Haut-Richelieu, les anglophones représentaient au début des années cinquante environ dix pour cent de la population. À plusieurs titres, cette faible représentation était trompeuse lorsqu'il s'agissait d'évaluer l'influence de l'anglais, de la culture anglaise, dans la région.

D'une part, la vallée du Richelieu était celle des Patriotes de 1837, c'est entendu; il y avait donc là, le long de la rivière, un enracinement difficilement descriptible de la tradition de survivance des *Canayens*.

D'autre part, autour de Saint-Jean-sur-Richelieu, beaucoup de petites municipalités étaient des bastions anglophones qui n'allaient pas sans exercer leur influence sur ce que l'on considérait comme étant la capitale régionale — laquelle avait d'ailleurs été rebaptisée Dorchester, pendant un temps, au début du dix-neuvième siècle.

À Saint-Jean même, il y avait les militaires, représentant une très britannique institution. Historiquement, les militaires étaient eux aussi profondément enracinés dans le secteur. N'avaient-ils pas, en 1775, défendu la colonie contre la Révolution américaine en tenant bon pendant des semaines au Fort Saint-Jean?

Enfin, par le commerce, par le développement industriel, par la radio, par la télévision qui faisait son apparition dans les grandes villes, le Haut-Richelieu était en prise directe avec le nord-est des États-Unis.

En somme, la minorité anglophone disposait à Saint-Jean de tout un éventail d'institutions, de la United Church of Canada jusqu'à l'hebdomadaire The News en passant par le Protestant School Board. Une très large proportion des ouvriers canadiens-français estimaient plus qu'utile d'être bilingues — au point où les gens de l'extérieur trouvaient à certains d'entre eux un curieux accent.

Et les membres du conseil de ville, lorsqu'ils allaient en représentation auprès des magnats américains de l'industrie, aimaient bien souligner qu'à Saint-Jean, *there is very definite evidence of a practical "bonne entente" between the two people...*

Bref, Gérald n'avait pas six ans qu'il maniait déjà l'anglais avec une rudimentaire mais touchante habileté.

Sa mère était ravie.

En septembre 1952, son fils entrait finalement à la vraie petite école. Un bien curieux élève de première année, qui connaissait déjà les rudiments de la lecture et de l'écriture, de l'arithmétique, de l'anglais. Et qui avait déjà fait sa première communion : le printemps précédent, il avait fallu pour cela ameuter les prêtres de la cathédrale de Saint-Jean-l'Évangéliste (où Gérald avait été baptisé), parce que les autorités scolaires refusaient d'envoyer le trop jeune chérubin bouffer le petit Jésus en hostie. Charlotte Boulet avait gagné cette bataille, encore une fois.

Haut comme trois pommes, six ans à peine, Ti-Cul était décidément sur la bonne voie !

D'autant plus qu'il était d'une curiosité sans bornes. Gérald emmagasinait les connaissances, toutes sortes de connaissances, avec une véritable fringale. De tout, vraiment. Son frère aîné, qui n'avait pas cette sorte d'appétit, le regardait aller avec un mélange d'admiration et d'exaspération occasionnelle.

Rue Cousins, on avait attribué à Denis et à Gérald la chambre du fond, à l'étage, une pièce pas très grande mais bien pourvue en fenêtres, modestement meublée, avec un grand lit qu'ils partageaient en échangeant des coups de coude, des insultes et des fous rires. C'était leur royaume, où la petite sœur n'était admise qu'après de pointilleuses négociations, où ils pouvaient accumuler les mille bidules et machins qu'il est de coutume pour les enfants de rapporter de leurs expéditions de par le vaste monde.

Gérald explorait le quartier, les rues, les cours, les étendues mal définies autour des usines. Dans sa chambre, il faisait le tour de la planète.

Sur les murs, il s'était mis à placarder des cartes géographiques qu'il déroulait et fixait avec soin à l'aide de ruban gommé. Dans un journal ou une publication quelconque — personne n'y avait prêté attention — il avait découpé une publicité pourvue d'un bon de commande ; il avait noirci celui-ci de son nom et de son adresse en lettres moulées et l'avait mis à la poste. C'était simple et c'était gratuit. Il avait reçu ainsi, trois ou quatre semaines plus tard, ses premières cartes. Puis d'autres, et encore d'autres...

En quelques mois, les murs de la chambre s'étaient transformés en une sorte d'atlas géant dans lequel Gérald passait des heures à voyager, en revenant de l'école ; grimpant sur une chaise pour aller jusqu'à Novossibirsk ou à Fort Resolution ; circulant autour de la pièce pour survoler les États-Unis, l'Europe, le nord de l'Afrique, l'Inde et la Chine ; s'écrasant à quatre pattes entre le lit et la commode pour visiter le cap de Bonne-Espérance ou la Terre de Feu.

Souvent, il emmenait Denis avec lui dans ces odyssées ; il lui montrait du doigt les villes, les montagnes, les vallées, les mers, comme on le ferait en s'étirant le cou au hublot d'un avion.

Gérald faisait aussi de vrais voyages, à Montréal, lorsqu'il était en congé ou en vacances d'été.

Le matin, il grimpait avec son père à bord du camion de la Dominion Blank Book ; il abaissait la glace de la portière et passait son coude dans l'ouverture, comme il le voyait faire aux grands. Le midi, c'était une joie de s'arrêter manger des fèves au lard dans une gargote quelconque, près du port ou sur la rue Saint-Jacques, et d'avoir l'impression de faire partie de la vraie vie. Tous ces hommes, autour, les camionneurs, les ouvriers, les commis, les employés des banques, qui avaient l'air tellement importants, tellement occupés, prenaient quand même le temps de lui parler, gentiment, en lui refilant parfois une friandise ou un morceau de gâteau.

Ces endroits étaient bruyants, la propreté parfois douteuse, et un lourd brouillard gris flottait au-dessus des comptoirs lorsque, comme à un signal, les hommes se mettaient à fumer des cigarettes en regardant le vide, au moment du café. Mais Gérald aimait plus que tout : sur son tabouret, les jambes pendantes, il se tenait droit comme son père, il se donnait un air grave, il étudiait les hommes du coin de l'œil en calquant le plus possible leurs attitudes...

Pour un peu, Ti-Cul aurait allumé une Export en craquant une allumette à l'ongle de son pouce !

***

Au début, il n'y croyait pas beaucoup.

Mais c'était devenu une joie de se lever tôt le matin afin d'aller servir la messe à la cathédrale. Il avait rapidement appris les répons en latin. Au fil des mois, il avait gravi les échelons de la petite société des enfants de chœur et en était venu à figurer aux grand-messes, aux mariages, aux funérailles, à toutes ces occasions où les prêtres avaient besoin de seconds fiables, maîtrisant parfaitement les subtilités du spectacle religieux.

C'était fascinant.

D'abord, il y avait le salaire. Des offices à 5 cents, à 10 cents et même à 25 cents ! Gérald comptait les piécettes, *dix, plus dix, plus dix, plus cinq...* et les rangeait au fond d'un tiroir, sous les chaussettes. D'où il les extrayait pour acheter une tablette de chocolat, ou pour louer une bicyclette.

Ensuite, le temple lui-même était fascinant, immense, solennel. Avec une qualité d'ombre et de lumière qui n'existait nulle part ailleurs. Avec les impressionnantes statues des douze apôtres nichées au-dessus des stations du chemin de la croix, de chaque côté de la nef. Avec le majestueux autel de bois couleur or qui, dans le noir, reflétait les lueurs incertaines des cierges. Avec la crypte, à droite, où les enfants n'allaient jamais parce qu'on y conservait les ossements de monseigneur Anastase Forget et que cela les effrayait un peu. Avec les centaines de banquettes en bois sombre tournées vers le chœur, tournées vers l'autel...

...tournées vers lui, Gérald !

Alors, il rayonnait dans son surplis tout blanc passé sur une soutane noire — ou rouge, pour les grandes cérémonies. Il bougeait avec aisance, avec grâce, dans cet espace coupé des fidèles par la balustrade, telle une scène, où l'officiant était la vedette et déclamait les plus belles tirades, mais où il restait quand même de la place pour les *Et cum spiritu tuo* et les *Amen* des deuxièmes rôles.

Au surplus, il arrivait que l'on mette le grand orgue à contribution.

C'était ce qu'il y avait de mieux.

L'énorme instrument trônait au deuxième jubé, tout là-haut à l'arrière de l'église, dans une sorte de pénombre que les lampes, même lorsque c'était fête et qu'elles étaient toutes allumées, ne dissipaient jamais totalement. Un instrument mystérieux. Gérald était monté à quelques reprises au deuxième jubé pour se rendre compte par lui-même.

La première fois, il avait presque eu peur.

Après une messe, il avait enlevé ses habits liturgiques à la sacristie, comme à l'habitude, mais au lieu de sortir, il était allé fouiner dans le vestibule, entre les deux séries d'immenses portes séparant la nef du monde extérieur. Une religieuse, ou le bedeau, ou encore l'organiste, avait oublié de verrouiller l'accès aux jubés, ce qui se produisait souvent. Gérald avait grimpé les escaliers, lentement, en faisant craquer les vieilles marches de bois.

Arrivé là-haut, il s'était campé devant le mystère en écarquillant les yeux.

L'église était vide, absolument silencieuse. L'instrument le regardait.

De chaque côté, les constructions de chêne supportant des dizaines de tuyaux d'étain s'étiraient presque jusqu'à la voûte du temple. Au centre, les deux buffets se joignaient sous la rosace par l'effet d'un sommier au cœur duquel prenaient racine d'autres tuyaux, plus courts. Derrière ce sous-bois, une forêt plantée de centaines de tuyaux d'étain, de zinc, de bois, tout petits ou énormes, qu'avaient installés les artisans de chez Casavant et que le garçon devinait en se hissant sur la pointe des pieds.

C'était d'autant plus impressionnant qu'aucun son ne sortait de ce monument. Gérald osait à peine respirer.

Au bout d'un moment, il s'était retourné doucement, sans faire de bruit, avait descendu une marche, avait fait le tour de la console de l'orgue, en la touchant respectueusement de la main. Il n'avait pas osé s'asseoir sur le banc de l'organiste. Combien de temps était-il resté à contempler les quatre claviers de soixante et une notes, le pédalier et ses trente-deux gros leviers de bois, les soixante-douze tirettes commandant les jeux ?...

Gérald avait fini par redescendre. Mais il était retourné là-haut à quelques reprises, s'enhardissant jusqu'à prendre place devant les claviers et à enfoncer quelques touches. L'orgue était demeuré silencieux et le garçon, vaguement déçu, avait regardé les buffets d'un air de reproche.

Néanmoins, Gérald était subjugué lorsque, pendant les cérémonies, l'homme s'installait à la console et, comme par magie, tirait de la musique de cet incroyable assemblage.

La puissance du grand orgue, sa sonorité presque surnaturelle, l'impressionnaient à ce point qu'à chaque fois, une boule se coinçait dans sa gorge et des larmes lui montaient aux yeux. Il lui arrivait alors d'oublier pourquoi il était là, d'oublier de donner la réplique au célébrant, d'oublier d'apporter les burettes ou quelque autre objet du culte... et, littéralement hypnotisé, de se retourner vers le deuxième jubé.

Ce n'était pas du tout comme la musique de la radio.

D'ailleurs, le grand orgue n'est pas du tout ce que l'on croit, froid et austère, tout juste bon à rendre une musique cérébrale, sans émotion, véhiculant une métaphysique lourde et un peu sinistre. Il s'agit au contraire d'un instrument sensuel, physique, comme aucun autre ne peut l'être.

Gérald sentait dans tout son corps les vibrations induites par les colonnes d'air. Le son l'enveloppait et le faisait frémir. Il sentait l'instrument vivre sous les doigts de l'homme, Étienne Guillet, que l'on ne voyait jamais que de dos, la console de l'orgue faisant face aux buffets.

Voilà : l'instrument vivait, et faisait vivre la musique. C'était difficile à expliquer. Gérald ne comprenait pas exactement ce qui le chamboulait ainsi.

Il sortait de l'office en gardant le silence et, en marchant vers le nord sur la rue Saint-Jacques, il essayait de rejouer dans sa tête les airs qu'il avait entendus. Distrait par cette extraordinaire occupation, il lui était arrivé de négliger de tourner à droite, rue Cousins ; il ne lui restait plus alors qu'à rebrousser chemin — *voyons, ostie, où c'est que j'vas...* — lorsque, parvenu au passage à niveau, il se rendait compte de son étourderie.

Une fois rentré chez lui, Gérald se disait : la trompette, c'est bien, mais ce n'est pas la même chose.

Encore lui aurait-il fallu expliquer cela à sa mère.

Or, Charlotte Boulet n'en démordait pas. Un vague cousin à elle enseignait le solfège au Cercle philharmonique de Saint-Jean ; ses deux fils y trouveraient un loisir absolument sain et formateur qui les tiendrait loin de la rue, où tous les vices n'attendent que l'occasion de fondre sur les jeunes garçons. Bref, Denis et Gérald iraient apprendre la musique. Même s'il fallait pour cela qu'ils se résignent à jouer du tuba ou de la viole de gambe !

En fait, elle n'avait pas eu tellement de difficulté à convaincre les garçons. Gérald, en tout cas. Pour lui, trompette ou pas trompette, il pourrait apprendre quelque chose de nouveau ; ensuite, il y aurait des copains ; enfin, on ne sait jamais, peut-être un jour s'alignerait-il avec les musiciens du Cercle, qui avaient de beaux costumes et qui, lors des grands événements, défilaient fièrement dans les rues. Denis, moins enthousiaste, aurait aimé jouer du saxophone, mais on l'avait assigné à la clarinette.

D'ailleurs, au début, il n'était pas question d'un instrument, quel qu'il soit. Les premiers cours étaient des cours de solfège qu'on suivait comme si on se trouvait à la petite école : avec un crayon, une gomme à effacer et un cahier dont les pages étaient pourvues, non de lignes sur lesquelles il fallait écrire, mais de portées destinées à recevoir des blanches, des croches et des doubles croches.

Après un temps, il fallut mettre ces connaissances toutes neuves en pratique.

Un ou deux soirs par semaine, Denis et Gérald s'en allaient ensemble Place du Marché, à la grande salle du Cercle. C'était une grande pièce de vingt mètres sur quinze, peut-être, avec un plancher de bois franc sur lequel il était impossible de circuler sans déclencher de spectaculaires craquements. Aux extrémités de la salle, les garçons se regroupaient par spécialités (les cuivres dans un coin, les bois dans un autre, les tambours le plus loin possible), tant et si bien que ces cours prenaient l'allure d'une indéchiffrable cacophonie ! Le plus beau était qu'on s'y retrouvait et que les jeunes, les plus talentueux d'entre eux en tous les cas, finissaient par apprendre quelque chose.

Après les cours, les deux frères revenaient à la maison avec leurs instruments. Si Denis boudait le sien, Gérald, lui, s'amusait comme un fou avec cette belle machine de cuivre, couleur or, qu'il extrayait de la boîte grise posée sur son lit ou sur un fauteuil, dans le salon. Gérald soufflait. Ses parents appréciaient — même son père : qui l'aurait dit ? Les voisins enduraient... plus ou moins stoïquement selon les soirs : parfois, l'un d'eux venait frapper à la porte. Gérald s'interrompait temporairement. Puis il reprenait — en vissant une sourdine au bout de son engin.

C'était fascinant de faire de la musique.

La trompette est un instrument ingrat, difficile à apprivoiser, qui ne permet pas la polyphonie. En contrepartie, elle rend un son flamboyant, triomphant, absolument grisant pour un jeune garçon. Gérald s'enivrait de mélodies, découvrant équation par équation la merveilleuse mathématique de la musique. Il se rendait compte qu'il lui était facile de démonter une pièce morceau par morceau, puis de la remonter et de la restituer, comme neuve, par le pavillon de son instrument. Il tirait de cet exercice une satisfaction particulière, qui faisait vibrer des cordes enfouies très loin au fond de lui-même, mais qu'il aurait été bien incapable de décrire si on le lui avait demandé.

Il aimait faire de la musique avec sa trompette, voilà, comment dire les choses autrement? Lorsqu'il parvenait à donner une note très haute et très claire, d'un demi-ton au-dessus de celle qu'il avait de peine et de misère atteinte la veille, il ordonnait :

«Écoute ça, Denis!»

Et il rayonnait!

Mais Denis, lui, s'emmerdait.

De fois en fois, Gérald devait mettre davantage de pression, il devait supplier, menacer, pour que son frère le suive au Cercle. Denis avait fini par dire :

«J'sus écœuré en maudit de jouer du barreau de chaise! La trompette, c'est peut-être le fun. Mais la clarinette, c'est platte en maudit! À part ça, mes chums m'attendent à'patinoire. Pis les filles vont être là aussi...

— Ah écoute, pourquoi tu me lâches comme ça?... Et pis comment tu vas faire avec ta clarinette : t'es quand même pas pour l'apporter su'l'bord de la patinoire, niaiseux, les filles vont rire de toi!...

— J'sais pas... J'vas la cacher queq'part... Dans le tunnel en d'sous de la track, peut-être... Pis quand t'auras fini, tu me rejoindras là et pis tu me raconteras c'que vous avez appris aux cours. Ça fait que j'aurai pas l'air trop fou en revenant chez nous...»

Pour les mensonges, il y avait entre eux une fraternelle complicité.

Il n'en demeure pas moins que Gérald était triste que Denis l'abandonne, lui et la musique. Mais il allait continuer. Et il aurait un jour un beau costume. Et il paraderait dans les rues sous les regards admiratifs de son père, de sa mère, de ses chums. Et des filles.

Il y parvint.

Au sein de l'Union musicale d'Iberville, d'abord. Puis plus tard, à Philipsburg, dans la fanfare du collège classique des Frères de l'Instruction chrétienne, où Gérald devint pensionnaire. C'était une grosse et solide organisation qui faisait parader une soixantaine de jeunes à qui l'on donnait des habits éclatants et des instruments — toute la gamme des cuivres et des percussions — de premier ordre. Les moins bons élèves se contentaient de porter les drapeaux.

Combien de jeunes rêvaient d'un truc pareil?

Partout au Québec, des écoles, des collèges, des patronages montaient de telles fanfares qui s'affrontaient lors de compétitions extrêmement courues.

L'hiver, les jeunes répétaient dans des gymnases, des salles d'école, n'importe où; ils effectuaient une ou deux sorties, dans des carnavals, en se gelant les lèvres sur les embouchures des trompettes et les doigts au-dessus des peaux des tambours. L'été, c'était nettement plus agréable. D'abord, on répétait à l'extérieur ces marches chorégraphiques constituant les spectacles d'une vingtaine de minutes que l'on présentait dans les concours. Ensuite, on faisait le tour du Québec dans des autobus nolisés pour se produire dans les rues de Jonquière ou de Longueuil, dans les arénas de Rimouski ou de Val d'Or. Parfois même, on allait dans le nord-est des États-Unis.

C'était le vedettariat assuré. C'était l'aventure de par le vaste monde. Bien plus, c'était le charme de l'uniforme pour faire tomber les filles... C'était émoustillant — de quelles émotions ne faisait-on pas l'apprentissage! — de frencher les adolescentes en cachette sous les gradins des arénas ou derrière les autobus; et, par extraordinaire, d'explorer sommairement leur corps à la faveur d'un égarement passager... (En fait, l'extraordinaire était surtout de raconter l'expérience aux chums, après, à bord de l'autobus qui roulait dans la nuit!)

Pour toutes ces raisons et pour d'autres encore, les corps de tambours et clairons connurent au Québec, au début des années soixante, une incroyable popularité.

Ils atteignaient rarement le niveau des formations américaines, qui étaient constituées de professionnels et disposaient de ressources auxquelles, ici, on ne pouvait que rêver. Cependant, certains tentèrent d'audacieuses aventures. À Québec, par exemple, on fonda Les Diplomates en s'inspirant du modèle américain pour la musique et la chorégraphie et en débauchant les meilleurs instrumentistes des Patros de Charlesbourg, de Roc-Amadour et de Saint-Vincent. Pendant un temps, Les Diplomates furent de grandes vedettes.

Gérald eut souvent l'occasion de voir ces formations à l'œuvre. Chaque fois, il en parlait pendant des jours, au cours desquels il était atteint d'une sorte de rage et passait des heures à tenter d'abracadabrantes mélodies sur son instrument.

À Philipsburg, les ambitions de Gérald devaient être comblées au-delà de ses espérances.

Le Juvénat Saint-Jean-Baptiste, un ancien hôtel converti en établissement d'enseignement, était planté littéralement à quelques mètres de la frontière américaine. On y comptait environ soixante-quinze élèves. Les frères enseignants, jeunes pour la plupart, étaient proches de leurs élèves et plutôt libéraux — au sens premier du terme — en cette époque où la mort de Duplessis, en septembre 1959, suivie de l'arrivée au pouvoir de Jean Lesage et de son *équipe du tonnerre*, venait de déclencher la Révolution tranquille.

En arrivant là, Gérald était déjà un excellent trompettiste. Son professeur de musique, le frère Jean-Marie Labrie, qui avait à peine vingt et un ans, le remarqua tout de suite. Un jour, il prit Gérald à part et lui dit :

«Gérald, je vais te dire franchement : t'es l'élève le plus doué à qui j'ai jamais enseigné ici. T'es capable de prendre certaines responsabilités dans la fanfare. Je vais te confier la tâche d'enseigner la trompette aux plus jeunes.»

Gérald était ravi. Décidément, il aimait bien se mettre un peu en valeur. En fait, non seulement les religieux chargés de la fanfare n'avaient-ils pas pris de temps à remarquer son talent musical, mais ils avaient aussi noté l'ascendant qu'exerçait Gérald sur ses compagnons, bien qu'il fût plus petit que la plupart d'entre eux. Au bout de quelques mois, il devint officiellement tambour-major de la formation. On lui remit un costume — il en eut un blanc, puis un rouge — encore plus flamboyant que celui des autres puisqu'il paradait en avant du groupe et dirigeait les musiciens à la façon d'un chef d'orchestre.

Gérald planait, littéralement.

C'était un plaisir mille fois plus intense que celui qu'il retirait de la pratique en solitaire de son instrument. Dans les fanfares, il s'était d'abord intégré à la section des cuivres, bien sûr, apprenant les partitions que ses confrères savaient déjà, répétant mille fois les lignes musicales qu'on lui assignait jusqu'à ce qu'elles soient parfaites, sans fausses notes, sans hésitations, sans cassures. Il fallait s'habituer à respecter le rythme, à attaquer très exactement en même temps que les autres, à former corps avec l'ensemble des musiciens.

Au début, ce ne fut pas facile. Gérald jurait entre ses dents, s'irritait les lèvres à force de répéter. Mais s'il avait déjà découvert la satisfaction qu'il y a à explorer en solo l'émouvante mathématique de la musique, il faisait maintenant connaissance avec la bouleversante chimie du travail d'orchestre. Il apprenait d'une part à se fondre dans un tout et, d'autre part, à goûter le savant enchevêtrement des arrangements complexes, sophistiqués, qu'on faisait apprendre aux jeunes membres de la fanfare. C'était magique et exaltant de se trouver parmi une cinquantaine de musiciens qui, par sections, suivent des lignes mélodiques différentes pour aboutir ensemble à un tout cohérent, harmonieux ; pour aboutir à un son solide, puissant, plein et riche...

Très vite, il maîtrisa cet art à la perfection, de sorte que le frère Labrie ne put faire autrement que de le remarquer.

Et ce fut plus exaltant encore lorsqu'on lui confia de plus grandes responsabilités. Officiant en avant du corps de tambours et clairons, il pouvait dorénavant décortiquer ces constructions musicales de l'extérieur tout en y participant. Observer cette mécanique et, en même temps, la *diriger* !...

Gérald prenait son rôle très au sérieux.

Et toute sa famille en tirait un immense orgueil.

Un oncle venait toujours le voir avec sa caméra huit millimètres en bandoulière. Son père prenait des photos. Même Denis marchait à côté de Gérald-le-tambour-major lorsque Philipsburg paradait dans la région. Et il s'assurait que rien ne clochait, que le casque de la vedette était bien droit, que son uniforme tombait bien ; le tambour-major vérifiait en interrogeant son frère du coin de l'œil.

Or, Gérald était toujours impeccable.

Et Denis était vraiment très fier de lui.

D'ailleurs, il le serait toujours, quoi qu'il advienne.

Lambert, Fortin et les autres

Le père Noël n'existe pas.

Denis et Gérald Boulet l'avaient appris bien jeunes, en espionnant les grands du haut de l'escalier intérieur, rue Cousins. En s'asseyant d'une certaine manière dans les dernières marches, les garçons avaient une vue d'ensemble de la salle à manger. Entre les barreaux soutenant la rampe de bois, ils pouvaient même apercevoir une bonne partie de l'écran du téléviseur qu'on avait fini par acquérir, principalement pour les matches de hockey dont Georges Boulet était friand. Cette position stratégique était d'autant plus intéressante qu'ainsi placé, surtout lorsque les lampes de l'étage étaient éteintes, l'observateur demeurait pratiquement invisible pour les occupants du bas.

Retranchés un vingt-quatre décembre à ce poste de garde, Denis et Gérald allaient constater que le père Noël arrivait toujours — énigme! — quelques minutes après que l'oncle Méo eut quitté la maison avec un air mystérieux, abandonnant son épouse Éva aux bons soins des Boulet. Roméo Bachand avait la bonne humeur et la corpulence qu'il fallait pour assumer un rôle aussi prestigieux. Les deux garçons avaient fini par allumer... mais ils avaient gardé leur découverte pour eux : la petite Diane faisait encore les yeux ronds lorsque le gros bouffon rouge débarquait.

Elle avait encore tant à apprendre, ce n'était pas urgent de lui enlever ses illusions sur les choses de la vie. Cependant, Diane avait déjà appris à se servir de cet observatoire pour regarder *Les Plouffe*, une émission qui, vu son âge, lui était interdite.

À Noël, ce perchoir devenait un endroit très couru.

Il était en effet interdit aux enfants de sortir de leur chambre tant que le père-Noël-oncle-Méo n'était pas entré dans la maison. En bas, on en profitait pour se détendre un peu : Georges Boulet était heureux de ces heures-là, de cette paix tranquille de la veille de Noël qui leur permettait, à lui, à son épouse, aux Bachand, de manger sans accompagnement de cris d'enfants, d'ouvrir quelques bouteilles sans avoir l'impression de faire scandale. La tradition voulait qu'à la Nativité on fêtait en famille. Au Jour de l'an, on allait chez les grands-parents Boulet, à Cowansville, qui avaient la réjouissance plutôt modérée. Aux Rois, tout le clan des Provost venait à la maison; de joyeux drilles qui savaient comment s'y prendre pour s'amuser.

Lorsqu'on les renvoyait dans leur chambre — un peu plus tard qu'à l'ordinaire, tout de même, puisque c'était fête — Denis et Gérald n'arrivaient pas à s'endormir, excités par tant de monde, tant de bruit, tant de rires. Ils parlaient interminablement, toutes lumières éteintes.

Ils faisaient le compte de leurs joies et de leurs déceptions.

Couché sur le dos, sous les couvertures, Denis interrogeait son frère :

«C'est comment, la maison? T'es allé voir, toi...

— Ben, j'ai pas vu en-dedans... Ça' l'air correct, y'a un terrain ben plus grand qu'icitte. Pis y'a un garage en arrière, on va avoir d'la place pour mettre nos affaires... Maman dit qu'y'a une vraie chambre de bain, avec une vraie baignoire, on pourra pus faire les fous dans' cuisine! Diane va être contente en maudit, on pourra pus y' pincer les fesses!...»

Les deux garçons riaient en chœur.

«Mais maman dit qu'y' va falloir réparer les chambres, en haut, j'sais pas au juste quoi; papa a pas l'air ben ben content...»

Gérald n'en savait pas plus.

La famille Boulet se préparait à quitter la rue Cousins pour emménager au 631, rue Saint-Gabriel, à Iberville. Charlotte Boulet, qui n'y avait pas prêté attention à l'époque, n'avait pourtant pas oublié les conseils de son père : sou par sou, elle était parvenue à mettre de côté un petit pécule et avait fini par se retrouver chez le notaire, à signer le contrat d'achat — la transaction était de l'ordre de 5 000 dollars — d'une maison qui serait bien à elle, où elle pourrait élever sa famille et demeurer, avec un peu de chance, jusqu'à la fin de ses jours.

Denis et Gérald étaient heureux, c'est certain.

Mais en même temps, un peu tristes : ils allaient devoir se résoudre à quitter le petit univers de la rue Cousins, où ils avaient réusssi à imposer leur loi... à coups de poing, bien souvent, contre les bums du quartier. Une tâche ardue, car les fils des ouvriers de Saint-Jean étaient parfois de vrais durs avec lesquels il fallait négocier la moindre parcelle de territoire, et contre qui il était nécessaire de protéger la petite sœur.

Les frères Boulet n'étaient pas très grands — Gérald surtout —, mais ils semblaient n'avoir peur de rien.

Ils s'étaient vite fait un nom dans la paroisse. C'étaient des vrais, eux aussi. Ils parvenaient invariablement à se lier d'amitié avec les plus grands de la classe, avec les bums, ceux qui occupaient les pupitres du fond, flanquaient la frousse aux professeurs et avaient toujours de mauvaises notes.

Georges Boulet, qui avait eu la même sorte d'enfance, la leur racontait parfois lorsqu'il était en verve ; ses deux garçons l'écoutaient avec une prodigieuse attention. Il disait à ses fils :

« Faites-vous respecter, les boys. Défendez-vous à mains nues, comme des hommes... Pis si vous pouvez pas, ben... courez !... »

Denis et Gérald n'avaient jamais à courir. À une occasion, Denis avait cassé le poignet d'un petit caïd du voisinage, ce qui lui avait valu des emmerdements sans fin.

Le point de friction se situait souvent autour de la boutique de Ti-Kid Tremblay, à l'angle des rues Saint-Charles et Bouthillier. On y achetait du lait, du pain, du Coke et des friandises ; on y jouait aux machines à boules en écoutant la radio ; on y louait des bicyclettes — à raison de 25 cents l'heure — lorsqu'on n'en avait pas à soi. On parlait avec les filles en s'efforçant, de temps à autre, d'en entraîner une à l'écart pour apprendre les éléments de cette étrange chimie qui fait le bonheur et le malheur des êtres humains.

Cette leçon-là, Gérald l'apprit vite, elle aussi.

Il avait treize ans lorsqu'un jour, il annonça fièrement à son frère :

« J'ai une blonde, le vieux !... »

Il n'avait rien trouvé de mieux que d'appeler son frère *le vieux*... Au début, insulté, Denis avait fulminé et roué Gérald de coups ; puis, n'obtenant aucun résultat, il avait décidé de laisser faire.

« C'est la p'tite Duval*. Carole. Tu la connais, la sœur de celle avec qui tu sortais, l'année passée... »

---

* Voir l'annexe en fin de volume.

Denis la connaissait. Sa sœur, plus encore... Il était arrivé et il arriverait encore que les deux frères fréquentent deux sœurs, comme si cela était plus simple, compliquait moins l'existence des deux adolescents, déjà fort pris par leurs importantes occupations, l'école, la fanfare, les sports, la télévision, les luttes de pouvoir dans le quartier — pas nécessairement dans cet ordre.

Gérald racontait tout à Denis.

La veille, il avait rencontré Carole chez Ti-Kid Tremblay. Ils se connaissaient déjà un peu, il la trouvait jolie avec ses longs cheveux bruns qui tombaient sur son front presque jusqu'aux yeux, et sur ses épaules, et jusqu'au milieu du dos; avec ses yeux foncés, ses lèvres fines, parfaitement dessinées, des lèvres d'ange. Elle avait treize ou quatorze ans, comme lui. Il se disait depuis longtemps que si, un jour, il se sentait suffisamment courageux, il lui demanderait de devenir officiellement sa petite amie.

Il avait embrassé d'autres filles, bien sûr. Comme on embrasse une fille pour la première fois à douze ou treize ans. Mais elle, ce n'était pas la même chose. Elle l'intimidait. En théorie, s'il se retrouvait seul avec elle, se disait-il encore, il la *respecterait* — le mot était à la mode à ce moment-là.

Étrange, non ?

Étrange qu'il y ait des filles pour s'amuser et d'autres que l'on avait envie de... respecter, il n'y avait décidément pas d'autres mots que celui-là, les curés, les professeurs, sa mère, le répétaient à satiété : il fallait respecter les filles. Toutes les filles. Mais... *faut pas charrier, ostie, y'en a qui d'mandent rien qu'ça, s'faire pogner le cul!...*

Et puis, qu'était-ce exactement que ce respect? Difficile à dire. On pouvait embrasser une fille. La frencher, déjà, c'était presque mal, mais tout le monde le faisait; c'était à la limite, en somme. Pour le reste... Mais pourquoi aurait-il fallu renoncer à caresser celle-là qui vous faisait vraiment battre le cœur, vous mettait sens dessus dessous, vous plongeait dans cet état second que l'on ne connaît qu'à l'adolescence et que l'on s'efforce de retrouver pendant le reste de sa vie?

Les subtilités de cette morale-là étaient insaisissables.

De surcroît, si les filles désiraient être respectées, alors elles devaient détester être embrassées et caressées. Oui ou non? Gérald n'était pas sûr, ça dépend des filles, *je l'sais-tu, moi?...*

Dans le doute, il valait mieux s'abstenir. Aussi, s'il lui arrivait de se retrouver seul avec Carole, il la respecterait, voilà. Il l'embrasserait délicatement, caresserait ses cheveux en lui disant : *t'es belle en maudit, Carole.* Il l'embrasserait encore en entrouvrant ses lèvres, oh! un tout petit peu, glisserait peut-être pendant un court instant sa langue dans sa bouche à elle, juste une seconde, pas plus. Et il ne parcourrait des mains que ses épaules, son cou, ses bras, en évitant sa poitrine, il fallait coûte que coûte éviter sa poitrine.

Du coup, Gérald jetait un œil, furtivement, vers l'objet de l'interdit!

Pour faire diversion, il insérait une pièce de cinq sous dans la machine à boules. Puis il secouait l'engin, qui émettait tout un concert de bruits, de cloches et de craquements, avec, sur sa partie verticale adossée au mur, des petites lampes qui s'allumaient et s'éteignaient sous le chandail jaune de la blonde pulpeuse, dessinée à grands traits, dont la poitrine était partiellement cachée par le compteur mécanique servant à jauger l'habileté du manipulateur.

Carole était venue s'appuyer sur la machine, elle avait souri à Gérald. Il avait rougi — si elle allait deviner ses pensées! — et, sans s'en rendre compte, il avait redoublé d'ardeur au jeu, martyrisant les commandes des flippers, brutalisant le billard électrique jusqu'à ce que, vaincue, la machine affiche *TILT* en coupant ses circuits.

Carole s'était mise à rire. Gérald aussi.

« On va-tu faire un tour?

— Ouais, si tu veux. »

Ils étaient partis ensemble sur la rue Saint-Charles, vers le nord, jusqu'au boulevard du Séminaire. Puis ils avaient longé la voie ferrée jusqu'à une sorte de petite terrasse dont le bois était à moitié pourri et qui avait dû, à une époque, servir de quai de chargement. Ils s'étaient installés là, adossés au mur d'un cabanon qui menaçait presque de s'écrouler.

Et, en prenant une grande respiration, il lui avait demandé... Et elle avait accepté!...

N'était-ce pas merveilleux? Gérald avait dorénavant une blonde, une vraie blonde à lui! Il allait raconter cela à Denis, à tous ses copains! Une blonde!...

Au surplus, il était très fier de lui : il n'avait pas perdu son sang-froid.

Par exemple, il n'avait pas oublié d'expliquer à Carole qu'il était un garçon très occupé et qu'ils ne pourraient pas se voir tous les soirs. Il y avait les devoirs et les leçons. Et puis la musique, c'était important, la musique, drôlement amusant, peut-être un jour pourrait-il avoir une sorte de fanfare à lui, pas une fanfare, mais enfin, un orchestre avec des trompettes, des saxophones et une grosse contrebasse. Et puis il y avait les parties de balle. Et, l'hiver prochain, il y aurait le hockey. (On était en août, encore en été, mais à sept heures le ciel devenait gris et il faisait frais, Carole commençait à grelotter un peu, à avoir la chair de poule, ça se voyait sur ses avant-bras qu'elle avait si délicats et si jolis...) En plus de toutes les affaires de gars qu'il devait brasser, c'était compliqué d'expliquer tout ça à une fille. Par ailleurs, elle n'avait pas à le savoir.

Il tentait de conclure et s'enferrait dans ses explications :

« Faut qu'tu comprennes, Carole : moi, j'ai pas beaucoup de temps pour sortir avec une fille. C'est pas parce que j't'aime pas ! C'est pas ça ! J't'aime, c'est sûr, j't'ai demandé pour sortir avec moi, ça fait que j't'aime... Peut-être que, quand on va être plus vieux, on va se marier, je l'sais pas, moi... Ris pas, ostie !... C'est vrai, on va peut-être se marier, c'est pas la question mais... c'est parce que... »

Carole, visiblement, n'écoutait pas. Elle ne regardait plus que sa bouche à lui, hypnotisée. Gérald s'en rendit compte et se mit à bafouiller.

Qu'était-il arrivé, ensuite ?

C'était confus.

Il avait cessé de parler, c'est certain, parce que l'adolescente lui avait sauté au cou et s'était mise à l'embrasser, goulûment, en lui ouvrant la bouche d'office et en lui mordillant la langue avec une sorte de rage.

Cela ne se passait pas du tout comme Gérald l'avait prévu. Alors là, pas du tout. Qu'est-ce qu'il ne voulait pas, ne devait pas faire, déjà ?... Il ne s'en souvenait plus.

Sans même s'en rendre compte, il s'était mis à caresser les seins de Carole, libres sous son chandail, des petits seins durs, pointus, dont les extrémités s'étaient tendues sous ses doigts. Ça n'aurait vraiment pas dû se passer comme ça... Sans plus s'en rendre compte, il s'était mis à fouiller dans le jeans de la jeune fille après avoir défait le bouton-pression et tout doucement abaissé la fermeture éclair, ne se possédant plus d'excitation. Il avait posé sa main à plat sur le ventre chaud et tendre de Carole. Elle fermait les yeux, retenait son souffle pendant d'interminables secondes puis poussait de petits soupirs à intervalles irréguliers. Elle ne faisait pas le moindre mouvement pour contenir les élans de Gérald qui s'enhardissait, presque malgré lui. Sans cesser d'embrasser la jeune fille, il avait glissé ses doigts sous l'élastique de la culotte et, tout doucement, avait poussé l'exploration jusqu'à son sexe. Il ne fallait pas... mais dieu du ciel, y avait-il quelque chose de plus beau au monde, de plus doux, de plus chavirant que le corps d'une fille ?

Pendant une demi-heure, peut-être plus, Gérald avait voyagé sur cette chair chaude et mystérieuse. Il s'était arrêté brusquement, extrayant son visage en sueur des cheveux de l'adolescente. Lui et Carole, tous deux, ne savaient pas exactement ce qu'il fallait faire ensuite. C'est-à-dire qu'ils le savaient, bien sûr, mais ils ne devinaient pas exactement comment, ils avaient un peu peur, ils étaient déjà trop secoués... Gérald venait de vivre une magnifique aventure, émouvante et redoutable à la fois, c'était quelque chose de plus fort que ce qu'il avait vécu jusqu'à ce jour, mais il ne saisissait pas ce que ça voulait dire, au juste.

En tous les cas, ça devait être mal, puisque c'était si bon : le lendemain, avant même de tout raconter à son frère, Gérald se précipitait à la cathédrale, pour se confesser !

C'était étrange de mener ainsi une sorte de double vie.

De servir la messe et de sacrer comme un charretier en jouant à la balle ou au hockey. De communier avec piété et de se livrer au péché de la chair. D'être à la maison un enfant sage, obéissant, et de se battre comme un démon derrière les usines. De décrocher les meilleures notes à tous les examens et, malgré cela, de détester l'école.

Étrange au point que, par moments, Gérald songeait sérieusement à devenir prêtre et s'abîmait dans la prière, chez lui ou à la cathédrale. Puis, à peine revenu de cette contemplation, il courait chez Ti-Kid Tremblay, prêt à tous les mauvais coups, prêt à retourner sur la voie ferrée avec Carole.

C'était difficile de s'arranger avec la morale des vieux, des parents, des curés, des professeurs : elle avait de la difficulté à s'arranger avec la vraie vie.

Peut-être que c'était de la frime, en somme, cette morale-là !

Difficile à dire : il y a un âge où on ne sait plus ce qui est bien et ce qui est mal, qui dit vrai et qui ment, ce qu'il faut faire ou pas.

***

Le père Noël n'existe pas.

On pourrait croire qu'en travaillant honnêtement à l'école ou à l'usine, en laissant le temps faire son œuvre et en se comportant le moins mal possible, on finit par se donner un sort meilleur, par se procurer quelques petites gâteries, par se fabriquer une existence un tout petit peu plus facile. Parfois, on dirait que c'est sur le point d'arriver. On se dit : ça va être bien, on va être vraiment heureux. Mais les choses ne se passent jamais comme il faudrait.

En 1959, coup sur coup, une série d'événements désagréables vinrent assombrir la vie de Gérald et de la famille Boulet.

D'abord, Georges Boulet perdit son emploi à la Dominion Blank Book. Les patrons s'étaient mis en tête de réaménager les horaires de travail et avaient demandé au camionneur d'assurer le quart de nuit. De cela, il n'était pas question. Georges Boulet avait préféré renoncer à son job plutôt que de devoir chambarder ainsi sa vie.

Cela ne pouvait arriver à un pire moment : on était sur le point d'emménager rue Saint-Gabriel et il allait y avoir des tas de dépenses supplémentaires à assumer.

Or, les Boulet éprouvaient déjà d'énormes difficultés à joindre les deux bouts. Les pensionnaires allaient et venaient; parfois, les chambres restaient vides pendant des semaines. Ensuite, à bien calculer, les ouvriers du midi ne rapportaient pas grand-chose, si ce n'est une fatigue énorme pour Charlotte Boulet, qui songeait à abandonner cette tâche inhumaine, quitte à faire des ménages chez les riches à l'occasion.

Ensuite, la situation ne s'arrangea pas lorsqu'une nuit, un incendie se déclara chez les Rhéaume, qui habitaient la partie est de l'immeuble de la rue Cousins. Une cigarette avait mis le feu à un fauteuil et, en moins de temps qu'il n'en faut pour le dire, les flammes gagnèrent les murs de plâtre et de bois. Heureusement, les pompiers furent vite alertés, tout le monde réveillé à temps, bref, il n'y eut pas de victimes et le sinistre fut maîtrisé. N'empêche, chez les Boulet, l'eau et la fumée firent d'importants dégâts, quelques pièces de mobilier n'en réchappèrent pas — sans parler du moral de la famille, qui en prit un coup.

Enfin, l'incident le plus fâcheux se produisit lorsqu'un soir, deux policiers de Saint-Jean débarquèrent chez les Boulet. Gérald alla se terrer au fond de sa chambre. En bas, au salon, les policiers expliquèrent à Georges et à Charlotte Boulet que leur fils — *Gérald, treize ans, c'est ben votre garçon, ça?...* — se trouvait la veille avec un groupe d'adolescents qui avaient renversé toutes les poubelles, sur un parcours égal à plusieurs pâtés de maisons, rue Jacques-Cartier, et avaient ensuite réduit en miettes la vitrine d'un restaurant de la rue principale en y lançant une pierre.

Charlotte Boulet pleura un peu. Son mari ne dit pas un mot et monta directement dans la chambre de son fils.

Le lendemain, il était décidé qu'en septembre 1959, Gérald entrerait comme pensionnaire au Juvénat Saint-Jean-Baptiste, à Philipsburg. L'idée de faire entrer Gérald au pensionnat était déjà dans l'air. Les Boulet se saigneraient aux quatre veines pour faire instruire leurs fils, voilà tout; et puis les frères offraient une aide financière aux parents des jeunes talentueux et chez qui ils pouvaient déceler l'ombre du début du commencement d'une vocation religieuse...

Denis était accablé.

Bientôt, sa vie allait se transformer de fond en comble.

D'abord, il allait s'ennuyer de son frère.

Il adorait littéralement Gérald. Il était toujours avec lui depuis leur tendre enfance, il l'avait presque élevé en quelque sorte, il lui avait enseigné les règles à suivre à la petite école, dans la rue, sur les terrains de balle et sur les patinoires. Denis avait vu son petit frère s'ouvrir à mille et une choses, réussir dans tout, à l'école comme au Cercle philharmonique.

Denis était l'aîné, c'est entendu.

Mais Gérald avait des talents que lui n'avait pas, il le voyait bien. Surtout, Gérald fonçait, sans réfléchir, sans douter de lui.

Denis, plus réservé, plus craintif, plus prudent, réussissait sans doute moins bien dans beaucoup de domaines et il avait abandonné la musique. Mais il se disait qu'étant plus vieux, plus sage, c'était son rôle à lui de couvrir Gérald, de voir à ce qu'il ne lui arrive rien de mauvais ; en tous les cas, de rester près de lui.

Or, Gérald ne demeurait plus à la maison. Il n'était plus jamais là, ni le midi, ni le soir, ni le week-end. Denis s'ennuyait terriblement.

Ensuite, l'aîné des Boulet eut du mal à se faire à la nouvelle demeure familiale, rue Saint-Gabriel.

Pourtant, la maison ressemblait au logis de la rue Cousins : la cuisine et le salon en bas, les chambres en haut. La différence, c'était la vraie salle de bain. Et le garage, à l'arrière. Mais c'était bien, non ?

Ça aurait dû l'être.

Le hic, c'est que l'emménagement fut cahoteux, difficile, principalement parce que l'étage du haut était un véritable chantier. Il fallut élever des cloisons, poser des feuilles de gypse, assister au va-et-vient des ouvriers pour la plomberie et l'électricité, appliquer la peinture. Cela prit un temps fou : on effectuait les travaux au fur et à mesure qu'on avait de l'argent à y consacrer — Georges Boulet ne travaillait plus qu'épisodiquement et son épouse gagnait peu à faire des ménages.

Denis n'avait donc pas de vraie chambre où s'isoler lorsqu'il en avait envie.

Enfin, en 1960, malgré les menaces et les supplications de sa mère, Denis décida un peu follement de ne plus retourner à l'école. Il n'avait que seize ans et venait juste de compléter sa dixième année.

Mais il venait de goûter à l'argent...

Pendant l'été, il avait trouvé un emploi dans une usine de Saint-Jean. Ce n'était pas difficile, on avait continuellement besoin de main-d'œuvre, la région étant toujours en période de croissance économique.

Denis entra comme manœuvre à la Bruck Mills Limited, rue Grégoire, une usine qui fabriquait du fil destiné au tissage et au tricotage et où travaillait déjà un de ses oncles, Oscar Proulx. Denis gagnait 65 cents l'heure, le salaire d'un débutant. Mais il était satisfait, à la fin de la semaine, de rapporter une trentaine de dollars chez lui — un peu plus lorsqu'il travaillait le samedi et encaissait la paie des heures supplémentaires.

Et puis, cela trompait l'ennui.

Chaque mois, Gérald revenait passer quelques jours rue Saint-Gabriel. Il en profitait pour faire les cent coups avec Denis, pour hanter le moindre comptoir-lunch d'Iberville où on trouvait un juke-box et une machine à boules, pour arpenter le centre de Saint-Jean avec des copains... qui n'avaient pas très bonne réputation dans le secteur.

Car, comme à la petite école, Denis et Gérald avaient toujours le chic pour compter parmi leurs amis les adolescents les moins recommandables. Certains d'entre eux avaient même des ennuis avec la police, se faisaient régulièrement traîner devant la Cour du Bien-être social, disparaissaient de temps à autre pour quelques semaines ou quelques mois avant de revenir flâner sur un coin de rue en fumant des cigarettes et en terrorisant le voisinage.

Comme dans toutes les petites villes, les policiers mettaient régulièrement à jour leur liste noire, pour ainsi dire. Il s'écoula peu de temps avant que les noms des frères Boulet y soient inscrits. Sporadiquement, des détectives ou des policiers en uniforme venaient sonner rue Saint-Gabriel. Chaque fois, Charlotte Boulet était catastrophée.

« Qu'est-ce que vous avez fait encore, les garçons, hein ? » demandait-elle, cachant mal sa peine et sa honte.

« Rien, maman, rien !... C'est pas nous autres. Pis nos chums, on n'est pas là pour les surveiller, maudit ! On l'sait pas c'qu'y'font de leu' journée, eux autres... » répondait Denis en se composant un visage à la fois angélique et contrit.

Dans ces moments-là, Gérald était content de se pousser au collège lorsqu'arrivait le lundi matin. Leur père restait silencieux. Il savait. Il savait ce qu'est l'adolescence dans un quartier ouvrier, il était passé par là, il connaissait cette sorte de jeunesse vaguement rebelle mais sans cause, terriblement avide de vivre mais sans moyens.

Autrement, Gérald profitait aussi de ses congés pour courir les filles. Carole Duval, son grand amour, était disparue de sa vie comme elle y était entrée, dieu sait dans quelles circonstances. Sans doute s'était-il désintéressé d'elle, simplement.

À peine adolescent — avant même de se servir d'un rasoir! — Gérald avait un certain succès avec les filles. Il lui suffisait parfois de sourire, comme aux ménagères de la Place du Marché. Cela produisait toujours son petit effet. Les filles avaient envie de le câliner, de le prendre dans leurs bras, de se coller à lui. Lorsqu'il le fallait, il parvenait même à vaincre sa timidité et à trouver les mots qui toucheraient l'élue du moment. Il existait presque toujours un moyen. Après une conquête, il racontait à Denis :

« A' l'aime ça en ostie, la p'tite !... Pis 'est fine à part de ça, on a du fun ensemble, a' joue du piano pis sa mère nous laisse tout seuls dans l'salon toutte l'après-midi ! »

Gérald s'en faisait de moins en moins avec la morale des vieux... de la frime, c'est sûr.

On en apprend des choses sur la morale des vieux lorsqu'on a quinze ans et qu'on a les yeux ouverts. Les politiciens, les élites, qui finissent toujours, rouges ou bleus, par penser à eux avant de s'occuper de ceux qui les élisent et qui les paient. Les boss, qui traitent le monde comme du bétail, qui se servent d'un Georges Boulet tant et aussi longtemps qu'il fait l'affaire, qu'il obéit au doigt et à l'œil, comme une machine, puis qui le mettent froidement de côté lorsqu'il ose se comporter comme un être humain. Les curés et autres chevaliers de la vertu, qui pérorent, sermonnent et excommunient, puis que l'on voit entrer, tête baissée, dans les bordels de la rue de Lagauchetière.

Alors, il faudrait s'abstenir d'aimer les filles ? Hein ? Se priver du plus grand plaisir de la vie (après ou avant la musique, Gérald n'osait pas encore trancher) ?...

D'ailleurs, il n'avait pas le temps d'y penser.

Lorsqu'il passait le week-end à la maison, il lui fallait aussi raconter à Denis ses expériences de collège, comment il jouait de la trompette dans la fanfare de Philipsburg, comment il en était venu à enseigner la musique aux autres élèves, comment il allait sous peu devenir tambour-major, comment il étudiait le latin, la physique et la chimie.

Denis l'écoutait, fasciné.

Puis il se produisit un sinistre événement.

Les Boulet l'apprirent d'abord par la radio. Ensuite, ils obtinrent les premiers détails en téléphonant au Juvénat Saint-Jean-Baptiste, des informations que vinrent compléter les comptes rendus des journaux du lundi. Enfin, deux semaines plus tard, lorsque Gérald débarqua à la maison pour le congé des Fêtes, ils virent dans ses yeux que quelque chose en lui avait définitivement changé.

Le samedi dix décembre 1960, quelques jours avant que ne débutent les examens semestriels, le frère Jean-Marie Labrie décida d'emmener ses élèves dans une école de Cowansville qui disposait d'un laboratoire de chimie où ils pourraient se livrer à des travaux pratiques.

Depuis deux jours, il neigeait ou il pleuvait, on ne savait plus; la température se maintenait autour du point de congélation. Les routes étaient glissantes, peu sûres. Avec quatre ou cinq compagnons, Gérald monta à bord de la voiture du frère Labrie, tandis que les autres prirent place dans la camionnette du collège. À quelques kilomètres à peine de Philipsburg, la camionnette dérapa et s'écrasa contre un arbre. Le frère Claude Lejeune et quatre compagnons de Gérald périrent presque sur le coup; sept autres furent blessés, certains très sérieusement.

Au cours des jours qui suivirent, dans la salle de classe, dix banquettes sur vingt-quatre demeurèrent vides.

Chez lui, à Noël, Gérald parla peu de l'accident. Il était seulement étrangement silencieux, ne riait pas comme à l'ordinaire, levait des yeux effrayés lorsque quelqu'un parlait fort ou déclenchait un bruit imprévu.

Gérald n'arrivait pas à exprimer ce que l'on ressent lorsque, pour la première fois de sa vie, on est confronté à la mort.

Était-ce une raison suffisante pour se perdre dans la contemplation de Dieu ?

Au collège, l'accident fournit l'occasion aux frères de tenter de raffermir les vocations chancelantes chez ceux parmi leurs élèves qui n'étaient pas très certains de vouloir porter la soutane. Car la première raison d'être des institutions d'enseignement des Frères de l'Instruction chrétienne reposait sur la formation de frères et de prêtres.

Gérald avait eu quelques accès de mysticisme, peut-être, comme il arrive à tout le monde d'avoir des accès de fièvre, ou des rages de dents. Mais il était de moins en moins convaincu de se trouver au bon endroit.

D'ailleurs, ses résultats scolaires le prouvaient abondamment.

À Philipsburg, cela pouvait toujours aller. Il y avait la fanfare, la discipline n'était pas d'une rigueur absolue, il pouvait revenir chez lui à peu près régulièrement. Durant sa première année chez les frères, Gérald décrocha une moyenne générale de quatre-vingt-trois pour cent et se classa deuxième sur dix-neuf élèves — ses résultats les meilleurs étant obtenus en anglais et en... religion. Mais un an plus tard, aux examens de fin d'année de juin 1961, sa moyenne chuta à soixante-quatorze pour cent et il passa à deux cheveux de l'échec en latin et en chimie.

Ses parents étaient atterrés.

À la petite école, Gérald n'avait-il pas été plus ou moins considéré comme un surdoué, ne prévoyait-on pas qu'il deviendrait un maître du Barreau, ou un éminent médecin, ou un évêque, qui sait, un cardinal?... Il avait terminé sa septième année avec *grande distinction*, inscrivant à son dossier une note finale de plus de quatre-vingt-cinq pour cent. À l'école Beaulieu, son assiduité était légendaire : en cinquième, il n'avait raté qu'une demi-journée de classe dans toute l'année scolaire. Un élève modèle, rien de moins.

Si à Philipsburg les choses se détériorèrent gravement, à Laprairie, Gérald se heurta tout simplement à un mur.

Au Juvénat Saint-Jean-Baptiste, les Frères de l'Instruction chrétienne ne donnaient que les premières années du cours classique. À partir de la Versification — la onzième année — les pensionnaires étaient envoyés au Postulat du Sacré-Cœur, chemin Saint-Jean à Laprairie, administré par la même communauté religieuse.

C'était un édifice fait de grosses pierres grises auquel on accédait en empruntant une longue allée bordée d'arbres avec, d'un côté, les pierres tombales meublant le cimetière de la ville. Lorsqu'il faisait sombre, l'hiver, ou lorsqu'il pleuvait, l'endroit était carrément sinistre. De plus, on y exerçait une discipline infiniment plus stricte qu'à Philipsburg : il fallait assister à la messe tous les matins, il n'y avait pas de fanfare — fini, la musique ! — et les élèves ne pouvaient visiter leur famille que tous les trois mois.

En somme, il s'agissait de déterminer une fois pour toutes qui, parmi les élèves, avait véritablement la vocation...

Et certainement, Gérald ne l'avait pas.

Dès le début de l'année scolaire 1961-1962, ses devoirs devinrent approximatifs, il manquait visiblement d'enthousiasme pour apprendre ses leçons. En classe, il n'était pas turbulent, ne causait pas de problèmes, mais il avait continuellement la tête ailleurs, notaient les enseignants.

Gérald savait très bien, lui, où erraient ses pensées : pendant qu'il perdait son temps à se branler dans un dortoir de garçons et à potasser des matières inutiles, Denis était devenu batteur dans un orchestre ! Était-ce dieu possible ? Denis, drummer !...

Cela s'était passé d'une drôle de façon.

À la Bruck Mills, Denis travaillait avec un certain Roland Lambert, un homme jovial, pétillant, qui devait avoir une cinquantaine d'années. Le samedi et le dimanche, lorsque l'occasion se présentait, Lambert jouait du violon en compagnie de Jean-Paul Vincent, un accordéoniste, dans des fêtes quelconques, des mariages, des soirées de danse.

Un jour — on était en novembre 1961 — Roland Lambert dit à Denis, pendant que tous deux, à la shoppe, manœuvraient des leviers et des bobines de fil :

« Qu'est-ce que tu fais de tes fins de semaine, toi, Denis, es-tu ben occupé ?

— Ben, ça dépend... Pourquoi ?

— Vois-tu, moi, j'essaye de partir un petit orchestre avec Jean-Paul. On joue déjà un peu, mais on aurait besoin d'un drummer... Ça te tenterait pas de jouer du drum avec nous autres ?

— Es-tu fou, toi, câlisse !... J'sais pas jouer du drum, moi ! Qu'est-ce que tu veux que je vienne faire dans un orchestre ? J'sais pas jouer, Roland !

— Bah, tu sais pas jouer, tu sais pas jouer... C'est pas ben ben compliqué, du drum : ça s'apprend ! T'as étudié la musique, au Cercle, ça fait que tu vas pogner ça dans l'temps d'le dire ! J'vas te montrer, moi, à jouer du drum. Tu vas voir, j'te dis, c'est pas compliqué...

— Y'est malade, ostie !... »

Denis s'était esclaffé, prenant le monde entier à témoin de la folie de son compagnon de travail ! Il avait planté là Roland, ses bobines de fil et son offre d'embauche, pour aller s'agiter dans un autre coin de l'usine... mais au bout d'un quart d'heure, il était revenu.

« Remarque que, chez nous, ça fait longtemps que j'tape sur un p'tit banc avec des baguettes, pour le fun, en écoutant la radio. J'ai peut-être ça dans le sang?... Mais l'affaire, Roland, c'est qu'j'ai pas de drum, moi!... Où c'est qu'tu penses que j'vas trouver ça, l'argent pour acheter un drum? Certainement pas avec le salaire que j'gagne icitte : ça doit coûter un bras, un drum!

— C'est pas grave, ça, Denis. Ça se trouve, de l'argent. J'vas t'aider, moi, pis tu me remettras ça quand on ira jouer, c'est toutte!

— Y'est malade, ostie!... »

Denis ne trouvait rien d'autre à dire.

Aussi fut-il plus qu'étonné lorsque, le samedi suivant, la voiture de Roland Lambert s'immobilisa devant la maison de la rue Saint-Gabriel. Lambert klaxonna puis, lorsque Denis entrouvrit la porte, hurla de la rue :

« T'en viens-tu, Denis?... »

Les deux hommes, accompagnés de Charlotte Boulet — qui préférait les accompagner — prirent la route en direction de Saint-Hyacinthe. Dans un magasin d'instruments de musique installé pas très loin d'une salle de danse à la mode, L'Escapade, rue Saint-Simon, ils dénichèrent une batterie de débutant de marque Autocrat — Auto-*comment?...* — avec laquelle ils repartirent, soulagés d'une centaine de dollars.

Le même soir, Roland Lambert et Jean-Paul Vincent, accompagnés de Denis à la batterie, s'adonnaient à une première répétition dans la cuisine des Boulet.

Ce fut mémorable. Le batteur néophyte tapait un peu n'importe comment sur ses peaux. À l'accordéon, Vincent, déjà erratique, éprouvait d'autant plus de difficulté à tenir un tempo convenable. Le violon de Lambert partait en dérapage incontrôlé pendant de longues mesures. Au total, on aurait eu bien besoin d'un fond musical stable, susceptible d'appuyer les solos de violon ou d'accordéon et de tempérer un peu l'anarchie de la percussion.

« Ouais, commenta Denis après une heure de vacarme.

— Ouais, répondit Vincent sans beaucoup d'enthousiasme.

— Ouais... Peut-être que ça prendrait un guitariste?... » suggéra Lambert.

Ainsi, au cours des jours qui suivirent, ils écumèrent la ville afin de trouver un type capable de tenir à peu près correctement un plectre et un manche de guitare.

Ils firent des bouts d'essai avec un ou deux gratteux. Puis ils tombèrent sur Réal Fortin.

Fortin avait dix-sept ans et demeurait rue Notre-Dame, à Saint-Jean. Depuis un an environ, il s'adonnait à cet instrument. Et il en avait appris suffisamment pour bien posséder les trois ou quatre accords nécessaires à l'interprétation de reels et autres Paul Jones. À la répétition suivante, il s'emmena rue Saint-Gabriel avec sa guitare électrique, une Harmony, et son petit amplificateur. Et il se joignit à la cacophonie.

Beaucoup de choses n'allaient pas, Fortin le constata tout de suite; ce n'était pas un grand musicien, mais il avait de l'oreille et une patience infinie pour décortiquer les pièces qu'il écoutait sur disque ou à la radio, de sorte qu'il s'était fait une bonne idée du rôle respectif de chacun des instruments.

Il entreprit d'abord d'inculquer à Denis des rudiments de batterie :

« Denis, faut pas que tu suives la mélodie sur ton drum !... Quand l'accordéon fait *pam, pam, pam, pammm*, tu fais *ta, ta, ta, tammm*... C'est pas comme ça ! Faut que tu donnes un beat avec ta main droite sur la cymbale — laisse faire le bass-drum pour astheure !... Et puis que tu marques le temps avec l'autre baguette sur le snare... »

Denis essayait en grimaçant.

Quelques semaines plus tard, les choses s'étaient un peu replacées et le quatuor pouvait envisager de s'exécuter sur une scène. Modeste, évidemment. Cela se produisit à l'érablière Brodeur, au Mont Saint-Grégoire. C'était un tout petit endroit où, après le repas, on poussait les tables dans un coin pour transformer la salle à manger en plancher de danse. Les choses ne se déroulèrent pas si mal, finalement.

Au fil du temps, Fortin se chargea d'apporter d'autres améliorations. Principalement au répertoire du groupe.

Roland Lambert et Jean-Paul Vincent, à cause de leur âge et de la nature de leurs instruments, se spécialisaient dans la musique traditionnelle, qui permettait de faire danser les gens de leur génération; dans les grands moments d'emportement, ils risquaient un cha-cha et quelques slows. Chez lui, Réal Fortin écoutait du Elvis Presley, du Gene Vincent, du Little Richard...

Entre les deux genres, il y avait un important fossé à combler!

Fortin parvint à ajouter subrepticement une ou deux pièces instrumentales un peu plus modernes, *Tequila*, des Champs, un ou deux succès des Ventures et aussi une toune de son cru. Puis il réussit à convaincre Denis de chanter. Fortin se procura un microphone, à brancher à l'amplificateur de sa guitare. Sur scène, on plaçait le micro devant le batteur lorsqu'il chantait *Sylvie*, le succès de Michel Louvain, qu'il interprétait somme toute de façon très potable; puis on le déplaçait devant le guitariste pour qu'il hurle *Whole Lotta Shakin' Goin' On*, de Jerry Lee Lewis. Lambert et Vincent faisaient des yeux ronds comme des billes lorsque Fortin s'époumonait ainsi. Mais, contre toute attente, ils étaient ravis. Après mûre réflexion, Roland Lambert déclara :

«J'ai pensé à une affaire, les gars. On pourrait s'appeler les Double Tones... Ça sonne ben, c'est à' mode, ce genre de nom-là. Pis c'est un peu nous autres, ça, on a deux genres : des tounes pour les sets carrés, ça fait plaisir aux vieux de mon âge! Pis vot' musique à vous autres, là, les rock'n'roll, pour faire danser les jeunes. Deux sortes de tounes : les Double Tones!...»

Denis et Réal Fortin hochèrent la tête : les Double Tones, ce n'était pas si mal. N'y avait-il pas aux États-Unis un groupe du nom de Dick Dale and the Del-Tones? Et, à Saint-Jean même, un autre orchestre nommé les Vibratones? L'affaire était entendue : on désignerait le groupe sous le nom de Double Tones.

Pendant ce temps, Gérald rageait.

Lorsqu'il revenait à la maison pour quelques jours, c'est lui, dorénavant, qui écoutait Denis, fasciné.

Son frère aîné, qu'il n'avait jamais connu aussi volubile, parlait pendant des heures de son groupe, des progrès qu'il faisait à la batterie, des mariages et des soirées dans lesquelles les Double Tones se produisaient, du succès monstre (Denis en remettait un peu...) qu'ils remportaient, de la possibilité qu'il entrevoyait d'abandonner un jour son emploi à la Bruck Mills et de vivre de la musique.

Denis allait un peu vite en affaires. Mais il faisait rêver Gérald.

Au collège, au cours des premières semaines de 1962, les choses ne firent qu'empirer. Plus que jamais, son esprit vagabondait. Gérald pensait à l'orchestre de son frère, à la musique en général, il se voyait interpréter des pièces de Ray Charles ou de James Brown. Il pensait aux filles, également, à ses copines qu'il ne voyait plus qu'aux trois mois même si l'une d'entre elles lui expédiait des lettres au collège — ce qui avait le don de faire sourciller les frères...

Au début de février, il devint évident qu'il courait tout droit à l'échec. En physique et en chimie, ses notes ne dépassaient pas quarante-sept pour cent; en latin, avec cinquante-neuf pour cent, il n'obtenait pas non plus la note de passage; même en français, en religion et en géographie, ses matières fortes, ses résultats avaient dramatiquement chuté.

Les frères eurent une conversation avec lui. Puis avec ses parents. Le dix février, Gérald quittait le Postulat du Sacré-Cœur avec sa valise et rentrait chez lui. On le fit s'inscrire à l'école Saint-Georges, à Iberville, pour qu'il termine son année scolaire.

Gérald, désormais, pourrait assister aux répétitions des Double Tones, dans la cuisine chez les Boulet. Il lui arrivait d'extraire sa trompette de la boîte grise rangée sous son lit et de pousser une toune avec eux.

Un samedi soir, en mars, Gérald revêtit son plus bel habit, noua une cravate et se rendit avec son frère au Chalet des Raquetteurs, rang Richelieu, où les Double Tones avaient décroché un engagement. Au milieu de la soirée, Roland Lambert empoigna le microphone et annonça :

« Mesdames et messieurs, les Double Tones ont le plaisir de vous annoncer qu'un cinquième musicien vient de se joindre à eux. C'est un talentueux trompettiste qui a fait ses débuts, ben jeune, au Cercle philharmonique de Saint-Jean, pis qui a été le chef de la fanfare du collège de Philipsburg. C'est le frère de notre drummer... Je vous présente Gérald Boulet !... »

Ceux parmi les spectateurs qui accordaient un tant soit peu d'attention à l'orchestre applaudirent mollement. Gérald monta le petit escalier, un peu intimidé, et se planta devant le microphone que Lambert avait replacé au centre de la scène. Et les Double Tones firent *Wonderland by Night*, un classique construit autour d'une très douce mélodie interprétée à la trompette, que Gérald maîtrisait à la perfection.

Lorsque la dernière note s'éteignit, les fêtards du Club des Raquetteurs consentirent des applaudissements un peu plus nourris.

En fin de soirée, Roland Lambert tendit au trompettiste son premier cachet d'artiste, un billet de cinq dollars qu'il fourra dans la poche de son pantalon en gratifiant le violoniste de son plus beau sourire.

« Marci !... » fit Gérald Boulet, satisfait.

Cent mille Beatles

Partout en Occident, une fabuleuse histoire d'amour naissait entre les jeunes et la musique.

En 1962, il n'y avait pas que John Lennon, Paul McCartney, George Harrison et Pete Best pour secouer le Cavern Club de Liverpool. Dans des dizaines de milliers d'autres caves, de garages, de cuisines d'Europe et d'Amérique, des adolescents tout pareils maniaient, avec une frénésie incompréhensible aux plus vieux, des multitudes de guitares électriques, de saxophones, de batteries, de contrebasses, de pianos, rejouant avec acharnement les mêmes trois ou quatre accords, crachant sans retenue de bizarres onomatopées dans des microphones à 10 dollars.

Partout la même histoire.

Un adolescent de treize ans économisait — ou volait — 35 dollars, l'investissait dans une minable guitare acoustique et apprenait le riff de *Peter Gunn*. Six mois plus tard, après s'être extasié dans les salles de danse sur les groupes qui possédaient de vrais instruments, il achetait sa première guitare électrique et un petit amplificateur, répétait avec un chum dans sa chambre puis se voyait relégué au garage, lorsque ses parents en avaient plein les oreilles.

Le soir, on interrompait les répétitions pour se brancher sur la radio, qui diffusait les succès de l'heure, américains pour la plupart.

De *Peter Gunn* en *Wipe Out*, l'apprenti guitariste en arrivait aux blues en do-fa-sol et aux rocks en accords de septième. À ce moment-là, il y avait généralement deux ou trois comparses avec lui : un batteur, un autre guitariste et, avec un peu de chance, un bassiste. Le groupe songeait à se donner un nom et à se procurer une meilleure quincaillerie — les adolescents épris de musique nourrissaient une véritable obsession pour les instruments, ils entretenaient des discussions sans fin sur les mérites respectifs des divers engins disponibles sur le marché. Dans les meilleurs cas, on devait bientôt se soucier également de dénicher une vieille fourgonnette pour transporter ces trésors, l'autre préoccupation majeure étant de trouver un local de répétition à l'épreuve de l'ire des voisins.

Toujours la même histoire.

Cette agitation annonçait l'ère des groupes.

Sans que l'on s'en doute, cela annonçait aussi le début d'une sorte de révolution, plus ou moins tranquille celle-là, dont les résultats ultimes seraient, dix ans plus tard, de faire des adolescents des êtres autonomes et pourvus de valeurs bien à eux ; de bousculer les mœurs traditionnelles ; de transformer la notion même de culture ; de jeter par terre — pour un temps, du moins — les lois contrôlant l'énergie développée par ce formidable moteur humain, la sexualité.

Face à ce phénomène, les musiciens populaires québécois prirent du retard au fil de départ. Moins que les Français, tout de même. Mais ils n'en passèrent pas moins une décennie à s'essouffler derrière les créateurs anglo-saxons, se forgeant lentement et difficilement une identité que la nation elle-même ne parvenait pas à se donner... Et on put voir les musiciens et les groupes d'ici se chercher péniblement une voie en pataugeant dans les méandres du yé-yé, de la quétainerie, de l'eau de rose, de l'adaptation bon marché des succès étrangers.

Quoi qu'il en soit, on peut avancer que l'ère des groupes parvint à son apogée le neuf février 1964, deux ans jour pour jour après que Gérald Boulet eut quitté le Postulat du Sacré-Cœur, sa valise à la main.

Ce soir-là, les Beatles (qui avaient entre-temps échangé Pete Best contre Ringo Starr) se produisirent pour la première fois à l'émission *Ed Sullivan Show*, diffusée en direct de New York.

Le vingt-neuf décembre précédent, le premier 45 tours des Beatles pressé aux États-Unis, *I Want to Hold Your Hand*, avait été livré aux disquaires ; en cinq jours, on en avait écoulé un million et demi d'exemplaires ! C'était absolument fabuleux. Au début de février, l'équipe de production du *Ed Sullivan Show* reçut cinquante mille demandes d'entrée au théâtre de Broadway Avenue où l'émission était réalisée ; or, la salle ne comptait que sept cents sièges... Le neuf, un dimanche soir, soixante-treize millions d'Américains s'installèrent devant leur téléviseur; pendant toute cette heure, rapporta plus tard la police de New York, aucun délit d'adolescent — vol de bouchons de réservoirs et autres conneries de boutonneux — ne fut commis.

Désormais, les gars d'orchestre, même les moins bons et les moins beaux d'entre eux, accédaient à un statut mythique qui en faisait des vedettes instantanées. Dans les salles de danse, on ne les considérait plus comme d'anonymes pourvoyeurs de rythmes, insignifiants et interchangeables. Ils étaient au centre de la célébration, ils étaient des dieux que les adolescents — et surtout les adolescentes — venaient vénérer, béats, debout devant ce curieux autel encombré d'amplificateurs, d'enceintes acoustiques, de tambours, de microphones.

Au Québec, ce phénomène s'amorça à Montréal, évidemment, pour toutes ces raisons qui font de Montréal la métropole, le centre du pays.

Mais un autre coin du Québec se révéla particulièrement fécond lorsque débuta l'ère des groupes. Et, sans s'en rendre compte, les frères Boulet et leurs compagnons des Double Tones avaient la chance d'évoluer au cœur même de ce fief, cette parcelle du territoire québécois se situant sur la rive sud du fleuve Saint-Laurent et délimitée par Trois-Rivières au nord, Sherbrooke au sud, Valleyfield à l'ouest.

Dans cet espace, s'appuyant sur une tradition développée depuis trois décennies, foisonnèrent une multitude de chanteurs, de musiciens, de groupes, qui donnèrent à la chanson québécoise — et plus tard, au rock — quelques-unes de ses plus belles réussites. Au point où, au cours des années soixante, on en vint à considérer Saint-Hyacinthe comme une sorte de Liverpool québécois.

Cela remontait au début des années trente lorsqu'un jeune homme de Sherbrooke, Fernand Perron, y inaugura la vague des chanteurs de charme. On le surnommait le Merle rouge. Il grava un nombre impressionnant de 78 tours et, dans les salles et les théâtres où il allait interpréter les doucereuses chansons françaises de son répertoire, les femmes pleuraient et s'évanouissaient de plaisir! Dix ans plus tard, le Merle rouge fut supplanté par d'autres chanteurs plus jeunes, plus fous. Jean Lalonde, par exemple. Ou Fernand Robidoux, qui débuta à l'antenne de la radio de

Sherbrooke. Ou encore Robert L'Herbier, un jeune chanteur qui fit ses classes également dans cette ville, y anima une très populaire émission de radio et dirigea pendant un temps un orchestre de huit musiciens à qui il donnait à interpréter ses propres compositions.

Après la guerre, apparut Willie Lamothe, un artiste de Saint-Hyacinthe. Ce fut le délire. Avec une guitare de mauvaise qualité achetée rue Craig, il enregistra coup sur coup deux 78 tours, *Je suis un cowboy canadien* et *Allô, allô, petit Michel*, qui connurent un succès instantané. Lamothe en était d'autant plus fier que ...*petit Michel* avait été écrite en l'honneur de son fils, fraîchement arrivé en ce bas monde, le petit Michel Lamothe à qui son père allait apprendre comment se vit une vie de musicien populaire.

Il y eut également Michel Louvain, originaire de Thetford Mines, qui fit un malheur avec ses premiers enregistrements, *Buenas Noches Mi Amor* et *Lison*. Ainsi que la Sherbrookoise Michèle Richard, fille du violoneux Ti-Blanc Richard, qui, dès son premier hit, *Quand le film est triste*, se prépara à faire pendant longtemps parler d'elle dans les milieux du showbiz québécois et les journaux à potins. D'autres encore, bien sûr, qui connurent de longues et brillantes carrières ou qui, du jour au lendemain, sombrèrent dans l'oubli.

Vinrent donc les groupes.

Est-ce parce que ce coin de pays était adossé aux États-Unis et qu'on pouvait facilement y capter la radio new-yorkaise, grouillante, innovatrice, toujours en avance d'une mode sur les diffuseurs montréalais? Ou cela tenait-il au dynamisme propre aux jeunes de la région? Quoi qu'il en soit, dès le début de l'ère des groupes, les musiciens de Saint-Hyacinthe, de Granby, de Saint-Jean, de Belœil, de Sherbrooke, semblaient prendre toute la place dans les salles de danse, chez les marchands de 45 tours, sur les palmarès.

Parmi les groupes les plus connus, se distinguaient les Sultans et leur chanteur, Bruce Huard, qui faisait se pâmer les filles. Et les Hou-Lops, qui se teignaient les cheveux en blanc — comme les Classels, nourrissant ainsi pendant des mois un lourd contentieux... Et, au-dessous, une nuée de petites formations, des Aristocrates aux Michaels en passant par les Héritiers ou les Impairs, qui luttaient pour se faire un nom, pour accéder au rang des stars du yé-yé.

Au début de 1962, les membres des Double Tones n'avaient encore jamais entendu parler des Beatles. Et ils se doutaient à peine de la dure concurrence qu'ils auraient bientôt à affronter.

« Peut-être seront-ils le premier groupe de rock du Québec... »

En fait, ce qui se passa presque tout de suite — tout allait très vite à ce moment-là — c'est que les Double Tones disparurent pour laisser la place aux Twistin' Vampires.

Après le Club des Raquetteurs, Lambert, Vincent, Fortin et les frères Boulet n'honorèrent en tout et pour tout qu'une demi-douzaine d'engagements avant que les trois plus jeunes se rendent compte que leur formation était hybride, que la plus grande partie de leur répertoire, constituée de musique traditionnelle, les faisait littéralement chier.

Fortin disait :

« Comment veux-tu qu'on joue de la vraie musique avec un violon pis un accordéon ?...

— Ça va s'arranger, Réal... On va voir, on va trouver une solution », répondait Gérald Boulet, calmement, comme s'il avait eu un plan, comme s'il était occupé à réfléchir à l'avenir de la formation.

Car il s'était piqué au jeu. L'orchestre, c'était encore plus excitant que la fanfare. Pour l'instant, avec Lambert, Vincent, les reels et les Paul Jones, il n'y avait pas de quoi se rouler par terre, bien entendu. Mais Gérald se disait qu'on arriverait bien à quelque chose : Denis s'améliorait sans cesse et partageait ses goûts en matière de musique, Fortin était un peu harassant mais il avait des idées et il était plein de bonne volonté. Il s'agissait d'y penser, voilà tout. Puis de foncer. On verrait bien.

Mais d'abord, c'était difficile d'évincer les vieux.

Ces deux-là étaient terriblement sympathiques. Roland Lambert surtout, qui était à l'origine de l'orchestre, en somme. Lambert, toujours là pour aider, avait sans cesse un bon mot pour chacun. Il partageait sans rechigner les maigres cachets récoltés çà et là. En fin de soirée, il débouchait des bouteilles de bière et les offrait à ses jeunes, comme il disait, même s'ils n'avaient pas l'âge.

« Y'est correct en ostie, le bonhomme ! » proclamait Gérald lorsqu'il avait un verre dans le nez.

N'empêche. En usant de mille circonlocutions, en employant des ruses de Sioux, les jeunes parvinrent à faire monter les Double Tones sur scène sans accordéoniste. Au bout d'un temps, on ne revit plus Jean-Paul Vincent. Pour l'heure, on se contenta de ce modeste pas en avant.

L'après-midi, après l'école, Gérald se rendait volontiers Chez Mickey, un petit restaurant de la Cinquième Avenue, à Iberville, tenu par les frères Beauvolsk. Gérald connaissait bien l'un d'entre eux, Gérard Beauvolsk, qui avait fait partie de la fanfare et qui lui trouvait beaucoup de talent.

C'est là qu'au début de l'été, Gérald retrouva un vieux chum, Fernand Hébert, que l'on appelait déjà Ti-Nègre et qui avait contribué à l'Union musicale d'Iberville, lui aussi, à titre de saxophoniste. Par la suite, Hébert s'était joint à des petits groupes, les Saxonaires d'abord, puis les Des-Mates. Ces derniers connaissaient alors un certain succès à l'hôtel Windsor de Saint-Rémi et au Prairie Grill de Laprairie. Le saxophoniste avait dix-huit ans et suivait des cours de machiniste dans une école technique. D'une chose à l'autre, forcément, on en était venu à parler musique. Gérald avait dit :

« Toi, ça va pas pire ton affaire... Mais nous autres, on le sait pas trop. On est avec Roland Lambert, le violoneux — tu le connais, Roland ?... — pis on sait pas où on s'en va... Réal, y'est rock'n'roll, lui, pis y'est ben tanné. Moi aussi, remarque... J'aimerais ça jouer autre chose... Du Ray Charles, j'sais pas, ça serait bon du Ray Charles. Ou du James Brown, avec des brass pis toute l'affaire...

— Du rock'n'roll avec un violon, c'est pas terrible, ça, c'est sûr... »

Gérald réfléchissait, noyé dans son verre de Coke. Le juke-box, au fond du restaurant, donnait *It's Now or Never* d'Elvis Presley. Gérald plongea :

« Pourquoi tu viendrais pas essayer avec nous autres, Ti-Nègre ?... Ça t'engage à rien, une pratique. Si c'est pas l'fun, ben, tu r'tourneras avec les Des-Mates.

— J'sais pas, Gérald, j'sais pas... »

Au bout du compte, Gérald avait réussi à le convaincre.

Le dimanche suivant, il y eut un violon, une guitare, une batterie, une trompette et un saxophone dans la cuisine des Boulet. Tous ces instruments plus un tourne-disque. En réalité, on passa l'après-midi à tenter de maîtriser *Shake, Rattle and Roll*, l'hymne de Bill Haley. Lambert regardait ses quatre compagnons s'agiter, horriblement excités, arrachant presque le bras du malheureux pick-up à la fin de chaque phrase musicale que l'on tentait de reproduire au mieux avec un degré variable de succès. Le violoneux se sentait presque de trop. Au bout d'un moment, il dit en rangeant son instrument dans son coffret :

« Bon ben les jeunes, j'vas y aller... On se r'voit à' prochaine pratique...

— C'est ça, Roland, à' prochaine... » répondirent les autres, avec peut-être un peu trop de précipitation.

Roland Lambert avait compris. On le revit encore quelques fois, lorsqu'on faisait appel à lui pour ces sortes de soirées destinées à des gens d'un certain âge auxquelles, de temps à autre, les Double Tones étaient conviés.

Mais les frères Boulet, Fortin et Hébert étaient fort affairés à se bâtir un nouveau répertoire et ces engagements bassement alimentaires leur pesaient de plus en plus. Ils avaient d'autres soucis.

Par exemple, il leur fallait une contrebasse.

Rien ne se tenait, ils le constataient bien, sans un tapis de basses fréquences déroulé sous les autres instruments. On pouvait dégoter un bassiste. Ou mieux, l'un d'entre eux pouvait faire le saut. Fortin, qui n'était pas précisément en amour avec la trompette, tira toutes les ficelles pour marier Gérald à la basse. Jusqu'à ce qu'un jour, celui-ci annonce comme si c'était son idée :

« Les gars, j'pense que j'vas me mettre sur la basse ! Ça doit pas être tellement compliqué... »

Il apprit en un mois.

Fortin n'en revenait pas. Gérald s'était procuré une Kay, une basse électrique pourvue d'une énorme caisse de résonance qui sonnait comme un troupeau d'éléphants lâchés dans le Grand Canyon... Mais enfin, c'était une basse. Le guitariste donna une ou deux leçons à Gérald : comment accorder les quatre cordes à partir de celle de mi, la plus grave ; comment piquer avec son pouce droit, comment atteindre l'octave d'une note donnée, deux cordes au-dessous, deux frets plus haut... Rien de tout cela n'embêta l'ex-trompettiste qui, il est vrai, avait suffisamment de connaissances théoriques pour bien déchiffrer une partition.

Le seul incident notable survint le soir où Gérald, qui ne s'était pas encore procuré d'amplificateur, racccorda son instrument à l'antique radio encastrée dans un monstrueux cabinet de bois qui trônait toujours dans la cuisine des Boulet. En dix secondes, le haut-parleur avait rendu l'âme !

« Attends que l'père arrive, on va s'faire tuer, câlisse... » ne cessait de répéter Denis, complètement affolé.

Lorsque Georges Boulet rentra, Denis et Gérald hésitaient entre le suicide et la retraite permanente dans un monastère du Tibet... mais leur père eut l'heureuse idée, ce soir-là, de ne pas toucher à la radio. Le lendemain, les deux frères se précipitaient chez le marchand d'appareils électroniques, achetaient un haut-parleur tout neuf et procédaient à la réparation, à grands renforts de boulons assortis et de ruban d'électricien.

Peu après, Gérald se procurait un amplificateur, un vrai, spécialement adapté à la fonction qu'on lui destinait...

À partir de ce moment, les Double Tones purent effectivement renouveler de fond en comble leur répertoire.

De plus, à force de patience — et il en avait des masses — Fortin réussit à convaincre Gérald de chanter. Timide, le micro lui faisait un peu peur. Mais le guitariste ne cessait de lui répéter :

« Regarde, ton frère chante, lui, pis c'est bon, y'a une voix douce qui est correcte pour ben des tounes... Toi, tu serais pas pire dans les affaires plus rock'n'roll, dans les rhythm'n blues... J'te dis, Gérald, essaye ! »

Gérald tenta l'expérience. Il en fut assez satisfait, de sorte qu'il adopta plusieurs pièces du répertoire tout neuf que le groupe se donnait progressivement, de *Be-Bop-A-Lula* à *Jailhouse Rock*.

Mais les tounes préférées de Gérald étaient des standards américains, *Moon River* par exemple, qui faisaient le désespoir de Fortin et le bonheur des femmes d'un certain âge — quelques-unes, les vieilles, avaient plus de trente ans ! — venues entendre la formation. Comme sur la Place du Marché lorsqu'il était tout petit, ces femmes le minouchaient, lui faisaient des yeux doux, lui caressaient les cheveux... Dès qu'elles avaient le dos tourné, Gérald sifflait entre ses dents :

« Sont-tu fatigantes, les vieilles tabarnac ! »

C'est aussi à ce moment que le groupe prit officiellement le nom de Twistin' Vampires, après une lutte épique entre Fortin, qui favorisait un nom à consonance française, et Gérald, soutenu en cela par Hébert, qui désirait s'afficher sous un nom « professionnel », disait-il, « pas un nom quétaine », bref, un nom anglais... Gérald et Denis se chargèrent de faire imprimer des cartes d'affaires. Tout le groupe se rendit dans une boutique bon marché de la Main, à Montréal, où on s'habilla de pied en cap, tous pareils, pantalon noir, veston rouge sans revers et chemise blanche. On fit prendre des photos, qui présentaient les Boulet et leurs compagnons comme des musiciens-fantaisistes : sur scène, Hébert et Fortin ne se livraient-ils pas à mille pitreries, allant jusqu'à grimper sur le piano — partout, on trouvait un piano — en accouchant de rudimentaires solos de sax ou de guitare ?...

Bref, les Twistin' Vampires étaient lancés.

Dès le début, on ne manqua pas d'occasions de se produire. Fernand Hébert avait quelques contacts dans la région, Gérald passait des heures au téléphone pour décrocher des engagements. Comme c'était l'époque où les salles de danse commençaient à apparaître, les Twistin' Vampires donnaient des spectacles à Saint-Jean et à Iberville, bien sûr, mais aussi dans les petites villes environnantes et jusqu'à Cowansville ou Granby. La plupart du temps, chacun des musiciens touchait entre 10 et 15 dollars par soir. Ce qui n'était pas énorme, mais pas mal non plus : cela équivalait presque, l'un dans l'autre, aux gages quotidiens d'un ouvrier.

Au milieu de l'été 1962, le pactole se présenta sous la forme d'un contrat de deux semaines, à raison de cinq soirs de travail par semaine, à l'hôtel Maurice de Cowansville ; chaque Vampire toucherait 62 dollars et demi par semaine, serait nourri et logé.

Le seul problème : c'était un bar et aucun des musiciens n'avait vingt et un ans, l'âge minimum requis pour y entrer ! À cette époque-là, comme par malchance, la Police provinciale et les agents de la Commission des liqueurs du Québec semblaient être partout à la fois. Georges Boulet donna quelques coups de téléphone et put rassurer ses fils :

« Y'a pas d'problèmes si vous prenez pas un verre... Faites votre musique, débarquez d'la scène pis montez dans vos chambres. La police vous écœurera pas. »

À l'hôtel Maurice, les Twistin' Vampires prirent donc l'habitude de compléter leurs sets, de descendre de scène, de se retirer dans leurs chambres... et d'ouvrir les bouteilles de bière qu'ils avaient pris la précaution de cacher dans les placards. Quelle sacrée aventure, à seize, dix-sept ou dix-huit ans, de se retrouver à l'hôtel ! Payés pour y être, en plus. Ils ne voulaient pas gâcher ce plaisir en demeurant sobres comme des chameaux !

Certains soirs, ils arrivaient aussi à faire monter des filles dans leurs chambres. Gérald avait un œil de lynx pour repérer les plus jolies dans la grande salle enfumée de l'hôtel. Il chantait pour elles en jouant de la basse — il parvenait à faire les deux à la fois : débiter correctement les tounes du répertoire des Twistin' Vampires et amorcer à distance des aventures amoureuses...

Pendant le séjour du groupe à Cowansville, Gérald eut une sorte de révélation, qui se présenta sous la forme d'un groupe, les Special Tones, des musiciens qui allaient plus tard être connus sous le nom de Classels. Ceux-là mêmes qui, avec leur chanteur-vedette, Gilles Girard, feraient pleurer le Québec avec des pièces comme *Avant de me dire adieu* ou *Le Sentier de neige*.

Les Special Tones se produisaient dans un hôtel de Sweetsburg, tout à côté de Cowansville. Un soir, pendant l'entracte, Gérald, Denis et les autres coururent entendre ce groupe dont on disait tant de bien.

Ils furent littéralement estomaqués.

Les Special Tones interprétaient alors un bon nombre de succès des Beau-Marks, un des premiers groupes québécois, qui connaissait alors ses heures de gloire avec le hit *Clap Your Hands*. De plus, les futurs Classels utilisaient beaucoup les harmonies vocales, qu'ils réussissaient particulièrement bien.

Le son des instruments des Special Tones était fort, clair, sans distorsion, on aurait dit du cristal, avec des aiguës limpides et des basses rondes, précises. Le groupe, contrairement aux Twistin' Vampires, possédait son propre système d'amplification des voix qui, elles aussi, sortaient haut et clair, avec un effet d'écho gommant les imperfections, ficelant les efforts vocaux de chacun pour livrer un tout cohérent, parfait, merveilleux à entendre. Par-dessus tout, c'étaient d'excellents musiciens : des types d'une vingtaine d'années, peut-être, qui avaient de l'expérience et qui maniaient leurs instruments avec une tranquille assurance, sans nervosité, mais avec un grand souci du détail, comme si chaque note était importante et digne d'être rendue avec la plus grande perfection.

Gérald, médusé, s'approcha de la scène.

De sa vie, il n'avait vu un stage garni de cette façon-là.

La batterie, une Ludwig rutilante, équipée de cymbales de toutes les dimensions. De chaque côté, un mur d'amplificateurs Fender : un Bassman, deux ou trois Bandmaster. Il s'agissait des Fender beiges à toile brune, les meilleurs amplis — allaient répéter tous les musiciens de l'hémisphère pendant des décennies — que l'illustre fabricant américain eût jamais conçus. Le guitariste solo, Jean Drouin, grattait une belle Gretsch branchée sur un Echocord. Les autres guitares et la basse étaient des Fender. Les microphones étaient raccordés à une minuscule console de mixage puis à une Echolette avant de se rendre à l'ampli, une grosse boîte grise que Gérald ne parvenait pas à identifier. Aux extrémités de la scène, deux hautes enceintes Shure encadraient le tout.

Les Vampires revinrent, têtes basses, à l'hôtel Maurice. Après la soirée, dans la chambre qu'il partageait avec Denis au deuxième étage de l'établissement, Gérald ne parvenait pas à dormir.

« As-tu vu ça, le vieux ?...

— Ouais.

— Va falloir faire un move parce que là, on a l'air des juniors en tabarnac! As-tu entendu le son ?... Faut s'acheter des vrais instruments. Ma basse, a' fait dur... Pis ça va prendre un système pour les voix... À part ça, on va avoir besoin de pratiquer, le vieux!...

— Ouais... »

Denis n'était pas habile dans les longs discours.

Le lendemain, les deux frères déjeunèrent à l'hôtel avec Réal et Ti-Nègre. Pour faire passer les toasts et le café, les Twistin' Vampires bouffèrent de la guitare, de l'ampli et de l'enceinte acoustique jusqu'à en avoir mal au cœur. Il était prévisible que l'addition s'élèverait à des milliers de dollars et que, pour la régler, ils allaient devoir torturer leurs instruments, soir après soir, jusqu'à épuisement.

Gérald pétait le feu :

« En finissant icitte, on va r'tourner à Saint-Jean. Denis pis moi, on va s'occuper d'aller voir pour les instruments ; Réal, occupe-toi de trouver des bonnes tounes — j'vas te passer des disques, y'en a une couple que j'aimerais ben qu'on apprenne... Pis, la semaine prochaine, on va donner un grand coup, on va pratiquer touttes les soirs ! »

Réal Fortin en avait le tournis.

Il n'avait pas supposé que les choses se passeraient de cette façon-là, que la musique deviendrait une occupation à temps plein, que Gérald se mettrait en tête d'imposer aux autres un rythme comme celui-là. Le guitariste, inscrit à l'École normale, voulait devenir professeur. Il n'était pas certain de vouloir tout compromettre pour vouer sa vie aux Twistin' Vampires. Après avoir cogité pendant quelques semaines, Fortin annonça à Gérald, au téléphone, qu'il abandonnait le groupe.

« Parfâ, Réal... » dit simplement Gérald. Il raccrocha et, se tournant vers Denis qui était à ses côtés dans la cuisine de la rue Saint-Gabriel, il ajouta :

« Réal nous lâche, le vieux. Y'est barré en chriss, lui. Tu peux être sûr qu'y reviendra pus avec nous autres... »

Gérald n'aimait pas qu'on le laisse tomber. Dans son esprit, il y voyait un manque de loyauté, presque une rupture, un péché d'amour. Encore un peu et il se serait senti en droit de détester ceux qui l'abandonnaient ainsi. Il établissait une règle : ceux qui auraient la lâcheté de l'envoyer paître de cette façon-là disparaîtraient de sa vie, ils n'existeraient plus. Finis, morts, enterrés.

Fortin entra à l'École normale. Il fonda les MusiQuaires, un groupe qui faisait du rock pur et dur et fut suffisamment populaire pour graver un 45 tours, *J'ai peur de toi*, lequel connut un certain succès dans le Haut-Richelieu.

L'un des derniers shows que Fortin donna avec les Twistin' Vampires, à la fin de l'été 1962, eut lieu dans un cadre très particulier.

Un samedi soir, le groupe campa ses instruments sur le parvis de l'église de Sabrevois et, éclairé par une demi-douzaine de projecteurs quelque peu faiblards, fit de la musique devant plusieurs centaines de jeunes attirés par l'aubaine — c'était gratuit. Gérald fut enchanté par le côté insolite de l'événement, par les grandes portes de l'église, derrière lui, qui constituaient un fabuleux fond de scène sur lequel se mouvaient les ombres géantes des musiciens.

Comme si son passé d'enfant de chœur remontait à la surface !

**

Gérald avait assurément trouvé sa voie.

Il éprouvait infiniment plus de satisfaction à jouer de la basse que de la trompette. Quant à l'orchestre, c'était beaucoup plus amusant que la fanfare, à cause des instruments dont on disposait et des tounes qu'on pouvait interpréter — fini, les *Cerisiers roses et Pommiers blancs*... La vie de musicien, ou ce qu'il en entrevoyait, se révélait passionnante. À seize ans, on se fiche bien du manque d'argent et de confort ; sur scène, on oublie ces choses-là, on est saisi par une sorte de griserie faite à la fois de cette euphorie que l'on éprouve à se produire devant un public et de cette indescriptible joie que l'on ressent à faire vivre la musique.

Car, sous ses doigts, il la sentait vivre. Une sensation semblable à celle qu'il éprouvait devant l'orgue de la Cathédrale. Sauf que c'est lui, cette fois, avec ses compagnons, qui déclenchait cette magie.

Tout ça sans parler des avantages sociaux, en quelque sorte : les filles, la bière qu'on se faisait immanquablement offrir à l'hôtel, l'incroyable liberté que la musique emmenait avec elle.

Au cours de l'été 1962, après la fin de l'année scolaire, Gérald occupa néanmoins deux emplois dans des usines, près de chez lui. D'abord, chez un fabricant de produits de béton, à Iberville, où il ne supporta pas plus de quelques jours la déprimante tâche consistant à empiler les uns sur les autres des blocs de vingt-cinq kilos ! Il revenait à la maison fourbu et allait tout droit à son lit, parfois sans manger, pour sombrer dans un sommeil cataleptique. Il travailla ensuite à la Bruck Mills, comme son frère. Mais les lendemains de spectacle, il dormait sur sa machine. Denis devait s'arranger pour faire disparaître le matériel qui défilait à vide, sous l'engin...

« Fais attention, Gérald, tabarnac ! As-tu vu la waste ?... Tu vas te faire câlisser dehors ! » faisait-il en secouant son frère.

Gérald renonça à son emploi à la Bruck Mills. Et au retour à l'école. Ce fut un choc pour sa mère. Surtout qu'il annonça la chose sans ménagement, comme une décision sans appel :

«C'est fini, ces niaiseries-là», dit-il à Charlotte Boulet — en évitant tout de même de sacrer. «Moi, j'vas faire de la musique. C'est certain qu'on va faire de quoi de bon, là-dedans, Denis pis moi, tu vas voir : on va gagner notre vie avec ça, ça va être dur mais on va travailler... On va être les meilleurs, tu vas voir, m'man...»

Elle n'y croyait pas vraiment, c'est certain, mais qu'y pouvait-elle ? Gérald n'en ferait qu'à sa tête, de toute façon. Georges Boulet, lui, ne voyait pas la chose d'un si mauvais œil. Il ne disait pas un mot, selon son habitude. Mais c'était le genre d'homme à penser :

«Bah, les jeunes vont s'amuser un bout de temps, c'est de leur âge... Si ça marche pas, ils pourront toujours retourner à l'école ou trouver une place dans une shoppe. Et pis on sait jamais...»

À la vérité, Georges Boulet rayonnait de fierté lorsqu'il voyait ses fils monter sur scène dans les hôtels, les salles de danse et les sous-sols d'église !

Car l'homme avait suivi de près la carrière des Double Tones et des Twistin' Vampires. Il s'était procuré une station-wagon, une grosse Ford deux tons, brun et crème, avec laquelle il trimbalait sans se faire prier la quincaillerie du groupe. Il grimpait sur la scène, avant l'ouverture du rideau, et aidait à installer la batterie, à brancher la basse de Gérald, à planter les pieds de micros. Parfois, le samedi, il partait avec ses fils et ratissait la région, s'arrêtant dans les hôtels et les centres paroissiaux dans l'espoir de signer quelques contrats. N'avait-il pas refilé un peu d'argent à Gérald, sous la table, lorsqu'était venu le temps d'acquérir des instruments plus performants ?

La maladie — la vraie, celle qui vous envoie à la salle d'urgence, vous cloue pendant des semaines sur un lit d'hôpital et vous laisse diminué — frappa d'ailleurs Georges Boulet un soir où il avait conduit ses fils au Domaine Montjoye, à North Hatley, à quelques kilomètres de Sherbrooke. En revenant, au milieu de la nuit, l'homme tenait le volant en serrant les dents, pâle, la sueur au front; en arrivant rue Saint-Gabriel, il s'était écroulé, vomissant du sang, victime d'une pancréatite aiguë. L'ambulance avait dû venir le chercher. Denis et Gérald étaient bouleversés, ils en avaient les larmes aux yeux.

Georges Boulet se remit péniblement de cette crise. Il ne fut plus jamais le même. À partir de ce moment, il se mit à fréquenter les médecins et les hôpitaux avec une déprimante régularité. Son humeur, forcément, s'en ressentit. Gérald souffrait de voir son père vieillir de cette façon-là, de le voir pâle, amaigri, perpétuellement fatigué, croulant sous le poids de plus en plus lourd d'un corps qui le trahissait, qui se brisait morceau par morceau.

L'autre mécène des frères Boulet était Gérard Beauvolsk, le restaurateur.

Lorsque Georges Boulet n'était pas disponible — et il le fut de moins en moins — c'est lui qui, souvent, transportait les instruments de l'orchestre. Il lui était arrivé, à lui aussi, de prêter quelques billets à Gérald. Lorsque dans la nuit, après une soirée de danse, les jeunes étaient affamés, il les emmenait Chez Mickey, faisait de la lumière dans la cuisine, rallumait les poêles et les gavait de hot-dogs et de frites !

À lui seul, Gérald bouffait autant que les trois autres réunis. C'était étonnant : malgré cette débauche mille fois répétée, il demeurait maigre comme une bicyclette.

***

À la fin de 1962, les Twistin' Vampires devinrent les Fabulous Kernels.

On avait trouvé le nom en voyant passer, sur la rue, un camion de livraison qui portait en grosses lettres le logo de la fameuse marque d'arachides...

À la même époque, Gérald prit sérieusement en main la logistique du groupe. Dans la chambre qu'il partageait avec Denis, à l'étage de la maison de la rue Saint-Gabriel, il s'équipa d'un petit pupitre et fit installer le téléphone, pour être en mesure de mieux gérer les Kernels, de solliciter les gérants de salles et les hôteliers. Ensuite, en se livrant à mille acrobaties financières, en mettant à contribution les rachitiques économies de Denis et les siennes, en empruntant ici et là, Gérald se débrouilla pour dégoter de vrais instruments. Lui-même fit l'acquisition d'une basse et d'un ampli

Fender. Denis troqua sa ridicule batterie pour une Ludwig. On s'équipa surtout d'un système d'amplification pour la voix : un ampli Bogen, une Echolette et des enceintes Traynor, la classique trilogie de tout groupe digne de ce nom.

Au cours des derniers mois de l'ère des Twistin' Vampires, on avait retenu les services d'un nouveau guitariste, Bernard Lamoureux, qui devint un fabuleux Kernel en même temps que les autres. Natif d'Iberville, Lamoureux avait dix-sept ans. Il était depuis peu apprenti boucher dans un supermarché et il grattait une Fender Jaguar amplifiée par un Bandmaster. C'était son premier groupe. Sur scène, il refusait de chanter, mais il était rigolo, attachant; sans être un grand guitariste, il savait néanmoins attirer la sympathie des spectateurs, ce qui n'était pas à dédaigner.

La formation devint complète lorsque, quelques mois plus tard, Louis Campbell, un saxophoniste formé lui aussi au Cercle philharmonique de Saint-Jean et à l'Union musicale d'Iberville, devint le cinquième larron. Pee-Wee Campbell était un peu plus âgé que les autres : il avait vingt ans. Il exerçait son métier d'électricien à Saint-Jean et faisait partie, au moment où Gérald lui demanda de se joindre à lui, d'un petit groupe appelé les Sham-Rocks, qui tournait dans le circuit des hôtels et des premières salles de danse de la région.

Le groupe fit prendre de nouvelles photos et commanda à l'imprimerie de nouvelles cartes d'affaires sur lesquelles on pouvait lire : *The Fabulous Kernels, Orchestre de tous genres*. Suivaient les numéros de téléphone de Gérald, de Bernard Lamoureux et de Fernand Hébert.

Comme il l'avait un jour prédit à Carole Duval, Gérald avait maintenant sa petite fanfare bien à lui... Il était entouré de bons musiciens, nantis de solides instruments. Et il y avait des cuivres, ce qui l'enchantait : les Fabulous Kernels pouvaient interpréter du Ray Charles, du Tijuana Brass ou du rhythm'n blues un peu plus pété. Pour faire quelques-unes des pièces de leur répertoire, il lui arrivait de déposer sa basse et de reprendre la trompette, debout entre Ti-Nègre et Pee-Wee.

À la maison, il passait des heures à coucher sur papier des partitions pour les deux saxophonistes qui, comme lui, savaient lire la musique. Ils en étaient d'ailleurs très fiers. Ils faisaient ce qu'aucun autre groupe ne pouvait se permettre : monter sur scène à

Cowansville, à Farnham ou à Bedford et, sur les lutrins disposés devant eux, farfouiller cérémonieusement dans les feuilles de musique étalées à la vue de tous, pour que personne ne s'y méprenne !

« As-tu vu les tarlas !... » murmurait, au bas de la scène, un public peu habitué à ce genre de savoir-faire. Mais les gens étaient quand même passablement impressionnés. Et se souvenaient de ces *vrais* musiciens...

Au début de 1964, la réputation des Kernels — ils avaient laissé tomber le *Fabulous* — commençait à s'établir. Ils ne manquaient pas d'engagements. Ils avaient même réussi à se procurer une vieille fourgonnette Econoline pour coltiner leurs instruments et, chose plus importante encore, ils obtenaient leurs premières couvertures de presse.

Le vingt-trois avril, après qu'ils eurent occupé pendant deux semaines la scène de la Cité des jeunes, à Saint-Jean, l'hebdomadaire Le Canada français écrivait sous une photographie du groupe, dans sa chronique *Place aux jeunes* :

« Les Kernels préconisent un retour au vrai rock, à une musique plus heurtée encore que celle des Beatles. Ils me font penser à Little Richard, le roi du rhythm'n blues. Les Kernels évitent de choisir leur répertoire dans les succès du jour et ils ont la chance d'avoir Gérald qui écrit des chansons. Ses deux compositions, *I Believe* et *I'm in Love with You* sont deux rocks et deux des meilleures chansons de leur répertoire. »

Le journal concluait : « Qu'ils continuent de la sorte, que Gérald écrive encore des chansons et tout ira bien pour eux. Peut-être seront-ils le premier groupe de rock du Québec... »

Dans les semaines qui suivirent, Gérald et les autres flottèrent sur un nuage... *Le premier groupe de rock du Québec...* Surtout que les Kernels n'étaient pas plus rock'n'roll qu'il ne le fallait — le journaliste était un peu biaisé... — et s'attiraient plutôt un public mod : en Grande-Bretagne, où cette dichotomie était née et déclenchait littéralement de sanglantes émeutes, les fans *mods* des Kernels se seraient battus à coups de chaises contre les admirateurs des MusiQuaires, par exemple, qui, eux, étaient de vrais *rockers*...

Rockers ou pas, les Kernels firent peu de temps après la connaissance de Jean-Paul Brodeur.

Brodeur avait vingt-quatre ans et, à ce moment-là, faisait du booking pour le compte d'une douzaine de petits groupes de la Rive-Sud. Avec Jacques Dufresne, gérant des Hou-Lops et animateur à la station radiophonique CKBS de Saint-Hyacinthe, Brodeur administrait L'Escapade, la salle de danse que Denis avait aperçue, rue Saint-Simon, en allant acheter sa première batterie.

Ce lieu fut pour beaucoup dans la réputation de petit Liverpool québécois que se fit la ville au cours des années soixante. La grande salle de L'Escapade, un ancien restaurant, pouvait contenir plus de quatre cents personnes. Pour satisfaire tous les publics, la boîte offrait en semaine des prestations de chansonniers et, le week-end, embauchait des groupes yé-yé. Les Sultans et, bien sûr, les Hou-Lops s'y produisaient régulièrement. Bien que L'Escapade n'offrît pas d'alcool, la salle était toujours pleine à craquer.

Brodeur était donc un homme d'affaires relativement prospère, qui faisait son beurre avec l'entrée à 75 cents, parfois un peu plus, que payaient les jeunes, ainsi qu'avec les ventes de liqueurs douces, de chips et de café.

La première fois, les Kernels se présentèrent là dans le cadre d'une compétition, le concours *Seize pour mille*, qui, comme son nom l'indique, mettait en lice seize formations s'affrontant pour l'obtention d'une bourse de 1 000 dollars. Les Kernels ratèrent la première place mais obtinrent une mention pour la performance de leurs guitaristes, Lamoureux et Gérald — la basse ayant l'apparence d'une guitare, ç'en était donc une...

Les Kernels revinrent pour une prestation solo. Puis une autre fois encore. Jusqu'à ce que Brodeur approche Gérald au moment où il s'affairait à démonter les instruments.

«Vous êtes pas pires, les gars... J'serais peut-être intéressé à m'occuper de vous autres.

— T'as pas rien que ça à faire, hein!... Comment est-ce que t'as d'orchestres avec toi? Une douzaine?... Pis nous autres, on passerait après tout le monde?... Ça nous intéresse pas ben ben, Jean-Paul...

— Écoute, Gérald, on peut s'arranger. Moi, j'pense que vous avez de l'avenir. Ça fait que j'pourrais peut-être laisser tomber les autres pis m'occuper juste des Kernels... Ça dépend si on réussit à s'entendre.»

Gérald replaçait sa grosse basse Fender dans le coffret noir garni de satin bleu, qu'il refermait avec soin après s'être assuré que l'instrument était solidement ancré. Au bas de la scène, dans la salle, trois ou quatre adolescents empilaient les chaises les unes sur les autres et poussaient des balais.

« Combien tu veux ?

— Dix pour cent.

— C'est cher en tabarnac !

— C'est cher, c'est cher... J'vas te dire franchement, Gérald : comment est-ce qu'on vous paye, là ? 150 piastres par soir ? Dix pour cent de ça, c'est combien ?... C'est pas la mer à boire ! Y' as-tu pensé : pour vous booker, il faut que je fasse des interurbains, que je prenne mon char pis que je fasse le tour de la région... Rien qu'en téléphone pis en gaz, ça coûte un bras, je sais comment ça marche, ces affaires-là... Écoute, penses-y pis tu m'en r'parle-ras... »

Brodeur allait repartir. Gérald lui agrippa le bras et dit en souriant :

« Fâche-toi pas, Jean-Paul !... Ça marche... Dix pour cent, c'est correct ! »

Les deux hommes se serrèrent la main. Puis Brodeur ajouta :

« Y'a juste une chose, Gérald, à laquelle j'aimerais que tu réfléchisses. Les Kernels, c'est pas un nom terrible. J'ai pas de meilleure idée, là, comme ça, mais essaye de trouver quelque chose de mieux, je l'sais pas, moi, n'importe quoi, penses-y. »

C'était facile à dire.

En revenant à Iberville au milieu de la nuit, dans la vieille Econoline dont le silencieux était particulièrement bruyant, Gérald fit part aux autres des derniers développements. Il conclut son exposé par la remarque de Jean-Paul Brodeur au sujet du nom du groupe :

« Y'en a-tu un qui a une bonne idée pour un aut'nom ?... »

Silence.

Au bout de cinq minutes passées à contempler la route sommairement éclairée par les phares de la fourgonnette, Denis marmonna en coinçant une bouteille de bière entre ses cuisses :

« J'sais pas, Gérald, ostie... Un nom, un nom... Vois-tu, c'temps icitte, ça'l'air d'être une affaire de couleurs : les Têtes blanches, les Habits jaunes, les Excentriques en rose... Pis une affaire de costumes, aussi : César et les Romains, qui sont habillés comme des tarlas. Pis les Gendarmes... J'sais pas, Gérald.»

Silence encore. Denis réfléchissait. Il finit par poursuivre :

«On pourrait mettre des gants pis s'appeler les Gants blancs !

— Es-tu fou, toi, câlisse... Tu me vois-tu, le vieux, jouer de la basse avec des gants ?...»

Installé au volant comme toujours (il était le seul à posséder son permis de conduire), Lamoureux protesta lui aussi. À l'arrière du véhicule, plus ou moins confortablement adossés aux amplis, les deux saxophonistes convinrent qu'il était impossible de faire de la musique avec des gants. Denis ne se laissa pas abattre :

«Paniquez pas, les gars !... On pourrait les mettre pour les photos pis, su'l'stage, on pourrait couper les doigts, c'est toutte, ça paraîtrait pas...»

On en resta là. Rendus à Iberville, chacun partit de son côté pour aller dormir. Le lendemain, en s'éveillant, Gérald dit à son frère :

«Le vieux, on va s'appeler les Gants blancs !...»

On fit part de la décision à Jean-Paul Brodeur qui, immédiatement, élabora une sorte de stunt publicitaire. Il fit imprimer des cartons d'invitation : *KERNELS ENTERRENT KERNELS. Fêtons-les ensemble dans leur nouveau spectacle. À l'occasion du départ de nos jeunes vedettes. Surprise pour tous ! Admission : 1 dollar.*

Deux semaines plus tard, Le Canada français écrivait : «Dimanche soir, dix-neuf juillet, huit heures trente. La Palestre d'Iberville est remplie à craquer, plus de cent jeunes sont debout. *Les Kernels enterrent les Kernels* avait été le leitmotiv des organisateurs. Pourquoi cette phrase, se demandaient les jeunes... L'animateur annonce que les Kernels ne joueront pas ce soir et qu'ils seront remplacés par les Gants blancs. Dans la salle, on murmure. La musique commence. Les rideaux s'ouvrent. Les Kernels, portant des gants blancs, attaquent un rock, *Je reviendrai...*»

Le journal parlait aussi de la chance offerte aux Gants blancs d'enregistrer un 45 tours. Le fait est que Brodeur avait conclu une entente avec l'étiquette London, dont le logo allait orner le premier disque du groupe.

94

Le sept novembre 1964, très tôt le matin, les Gants blancs se rendirent, les fesses serrées, dans un sous-sol de Brossard approximativement transformé en studio d'enregistrement. C'est là que s'activait André Perry, tout nouveau dans le métier, qui allait beaucoup plus tard s'installer à Morin Heights après être devenu un des bonzes de l'enregistrement sonore au Québec.

Parce qu'un photographe de Photo-Vedettes, alerté par Brodeur, les attendait sur les lieux, les Gants blancs avaient pris la peine de se vêtir d'un des uniformes du groupe — ils en avaient plusieurs — consistant en un chandail à col en V passé sur une chemise blanche et une cravate.

À leur grand désarroi, tout fut expédié en deux heures.

Un, deux, trois, c'est parti, une toune de cannée. Un, deux, trois, on y va encore, parfait, c'est fini... Ils venaient d'enregistrer, avec Gérald au micro, une version de *Pas cette chanson* de Johnny Hallyday, et *Que font-ils de l'amour*, une composition du groupe.

Avec une voix trop douce, Gérald récitait sans conviction :

> *Ils aiment comme ils respirent*
> *Ne sachant comment le dire...*
> *Sans serment qui les lie*
> *Ils cherchent le bonheur...*
> *Un jour ils pleureront*
> *Et de leur conquête*
> *Ils en souffriront...*
> *Alors que font-ils de cet amour...*

C'était au-dessous de tout.

On n'entendait à peu près que la guitare traitée à la boîte à écho. Et la cymbale. Les phrases occasionnelles de saxophone étaient mal assurées et avaient l'air de sortir de nulle part. Les voix d'accompagnement gracieusement fournies par Denis, Hébert et Campbell, à l'arrière-plan, étaient horriblement fausses.

Dans *Pas cette chanson*, lorsqu'il hurlait *Oui, oui, oui, ouiiii...*, ou *Non, non, non, non, nonnn...*, Gérald était franchement ridicule.

Bref, la radio ignora complètement la première œuvre phonographique des Gants blancs — ce qui était une catastrophe car un groupe n'existait pas tant que la radio ne s'était pas emparée de ses disques. D'ailleurs, on ne réussit pas à vendre cent exemplaires du 45 tours, que Brodeur lança pourtant en grande pompe à la Cité des jeunes de Saint-Jean, le vingt-neuf novembre.

Mis en présence des cinq musiciens dépités, l'imprésario se contenta de dire :

« C'est pas grave, les gars... Pour un orchestre, l'important, c'est d'avoir un disque. Vous allez voir, même si le record se vend pas, les engagements vont débouler... Pis y' vont être plus payants : on va pouvoir r'monter nos tarifs... Vous allez voir, j'vous l'dis!... »

Les Gants blancs croisaient les doigts.

Les rêves de Denise

Du plus loin qu'elle remontât, son premier souvenir était un rêve.

Un cauchemar, en fait, dans lequel un incendie faisait rage. Pas chez le voisin, mais chez elle, dans la maison de ses parents, sur la rue Blais à Victoriaville. Denise Croteau se voyait toute petite, deux ans ou deux ans et demi, peut-être ; elle n'était vêtue que d'une camisole et d'une petite culotte — c'était l'été — et elle se tenait debout sur le parterre, devant la maison en flammes, contemplant l'enfer en hurlant :

« Ma maman est brûlée !... Ma belle maman est brûlée !... »

Maintenant, elle riait de cela, bien sûr.

Denise Croteau avait dix-sept ans. C'était une belle grande adolescente, bien en santé, solidement charpentée, avec tout ce qu'il fallait pour plaire aux garçons, des cheveux blonds, de grands yeux bleus, un corps délicieux, un sourire qu'elle s'amusait parfois à rendre équivoque. Née le vingt-quatre mai 1948 à l'Hôtel-Dieu d'Arthabaska, Denise avait grandi en regardant la famille s'élargir d'une unité, presque à chaque année, jusqu'à ce qu'on en compte quatorze dans la maison ! On n'était pas riche mais Rachel Croteau savait se débrouiller — comme Charlotte Boulet, en somme. Les enfants n'avaient jamais manqué de rien : à cinq ans, Denise affrontait le froid bien emmitouflée dans un manteau de fourrure.

Devenue adolescente, elle avait une bicyclette pour se promener. Et des amies pour l'accompagner.

Elle aimait bien partir avec son père pour aller visiter sa grand-mère, Annazarine Croteau. Très grande, bâtie comme une matrone, celle-ci était une force de la nature. Elle avait enterré trois maris — elle allait mourir beaucoup plus tard à l'âge de cent deux ans. Et cuisinait comme si elle avait eu chaque jour un régiment à nourrir! À chaque fois, c'était le festin.

Ou encore, Denise aimait bien rêvasser dans sa chambre, tout simplement, comme font les adolescentes. Au centre de la pièce, toujours très bien rangée, se trouvait un grand lit double qu'elle partageait avec sa sœur aînée, Francine, puis, le long des murs, deux commodes et un grand coffre qui fermait à clef. Les murs étaient presque nus; Denise avait des goûts sobres en matière de décoration. L'adolescente s'allongeait en travers du lit et écoutait de la musique, à la radio, en s'égarant dans ses rêves.

De beaux rêves regorgeant de beaux jeunes hommes, de beaux vêtements, de grosses voitures et de salles de danse où on peut être le point de mire de dizaines de regards admiratifs, presque amoureux.

Des rêves, en tout cas, où il n'y a pas d'incendie!

Malheureusement, dans la vraie vie, les jeunes hommes étaient souvent laids, squelettiques et boutonneux, avec des bras interminables pendant comiquement le long de leur corps et des cheveux mi-longs qu'ils coiffaient — ou ne coiffaient pas — avec plus ou moins de succès. Pour les rencontrer, il fallait s'installer devant une frite-sauce et un Coke dans un comptoir-lunch, Le Fin Gourmet, rue Notre-Dame, où un juke-box crachait de la musique découpée en tranches de deux minutes et demie.

Denise allait là avec sa grande sœur et une amie. Le samedi et le dimanche, toutes trois arpentaient la rue Notre-Dame en feignant d'ignorer les garçons qui les accostaient. La plupart d'entre eux étaient à pied mais quelques-uns conduisaient la voiture de leurs parents ou une vieille bagnole achetée pour 50 dollars. Puis, elles entraient au Fin Gourmet, flânaient là une demi-heure, sortaient, marchaient à nouveau dans la rue principale de Victoriaville.

Ou alors, les trois filles se faisaient conduire en automobile par monsieur Gérard.

L'homme avait fini par prendre beaucoup de place dans la vie de Denise.

Émile Gérard était un type de près de quarante ans qui souffrait d'un très lourd handicap, ayant subi un sérieux accident — une explosion — alors qu'il travaillait à la centrale hydroélectrique de Bersimis. Bien que ses membres fussent à demi paralysés, il conduisait une rutilante voiture, une Pontiac Parisienne blanche, décapotable, équipée de dispositifs spéciaux lui permettant de la faire rouler. Émile Gérard passait toutes ses journées dans son automobile ; il stationnait souvent son engin rue Notre-Dame pour regarder passer les gens — c'était son divertissement — à telle enseigne qu'il était devenu une sorte de célébrité locale.

Des grappes de jeunes montaient dans sa voiture. Puis le groupe roulait jusqu'à un drive-in et s'empiffrait de sandwiches, de frites, de fromage, de petits gâteaux à dix cents en arrosant le tout de Seven-Up ou de lait au chocolat.

Lorsqu'elles sortaient en ville, le soir, les filles avaient le choix entre deux boîtes installées l'une en face de l'autre rue Notre-Dame.

L'un de ces endroits, La Tache, était un café sombre, minuscule, pour jeunes intellectuels, interdit aux petits cons qui écoutaient du pop anglo-saxon. On y servait du café et des jus, il devait bien y avoir un filet de pêche au plafond — il y avait partout des filets de pêche au plafond — et le juke-box donnait des chansons de Claude Léveillée et de Charles Aznavour ou, à la limite, de Françoise Hardy. En fin de soirée, les garçons ne mettaient que des slows et collaient les filles, la sueur au front, le pantalon gonflé. De l'autre côté de la rue, on pouvait aussi fréquenter Le Baladin, plus rock'n'roll, où on faisait jouer les disques des groupes anglais. Le Baladin, aussi minuscule que La Tache, était toujours plein d'étudiants ; on y dansait aussi en essayant de ne pas heurter les tables — c'était plus compliqué parce que la machine à musique donnait moins de slows et plus de yé-yé.

Denise préférait Le Baladin.

Mais il y avait mieux encore. En périphérie de Victoriaville, il y avait la Plage Hamel. Une fort belle plage au sable fin, où on allait se faire rôtir au soleil, l'après-midi ; en soirée, des orchestres se produisaient dans l'immense salle que Denise avait appris à fréquenter et dont elle était vite devenue une habituée.

C'était bien, les orchestres. Et les garçons qui les composaient. De beaux garçons, souvent, qui avaient l'air plus délurés que les adolescents de leur âge — ils savaient parler aux filles, eux, en tout cas — et qui jouaient une musique enivrante avec leurs guitares électriques et leurs drums. Il y avait des petits groupes plus ou moins minables que l'on ne voyait qu'une fois. Puis les gros noms que suivait une meute de groupies : les Corvettes, les

Sultans, les Hou-Lops, César et les Romains... Et les Gants blancs qui étaient excellents, paraît-il, mais que Denise n'avait pas encore entendus. Bref, la jeune fille adorait ces gens-là. Positivement. Il lui arrivait, après la soirée, de partir avec les gars de l'orchestre et de passer un bout de nuit dans un party donné dans un sous-sol quelconque, chez un copain ou une copine dont les parents étaient suffisamment souples pour accepter ces fêtards sous leur toit.

D'une chose à l'autre, Denise en était venue à courir les salles de danse où se produisaient des groupes, ailleurs dans la région. Monsieur Gérard la conduisait, elle et ses copines, à Drummondville ou à Saint-Hyacinthe. Autrement, les filles faisaient du stop.

De toute façon, c'était préférable de sortir de Victoriaville. On disait que dans ce patelin, il y avait cinq filles pour un garçon! C'était exagéré, bien sûr, mais Denise y croyait. Et puis les gars sont toujours plus beaux sur le terrain de chasse de la voisine...

Ainsi, Richard Leblanc était un garçon de Saint-Hyacinthe. Il était étudiant mais il lui arrivait de gagner quelques dollars en coltinant les instruments des groupes qui venaient se produire à L'Escapade, non loin de chez lui. C'est là que Denise l'avait rencontré. Il avait trois ou quatre mois de plus qu'elle. Il était de taille moyenne, avec des cheveux frisés, très noirs et, par contraste, des dents très blanches qui avaient tout de suite attiré le regard de la jeune fille. Se voyant de plus en plus souvent, ils allaient danser ensemble à L'Escapade ou, l'été, à la Plage Rouville, où les groupes faisaient de la musique sous un énorme chapiteau. On aurait dit que les étés étaient tous fantastiques à l'époque, qu'il faisait toujours beau, toujours chaud.

La vie était amusante avec Leblanc. Lui et Denise s'embrassaient passionnément et se demandaient s'ils devaient aller plus loin... Mais il aimait bien prendre un petit verre. Et Denise détestait l'alcool. Presque autant que le feu. Ou que le désordre. Combien de fois s'étaient-ils querellés à ce sujet?... Ils rompaient, puis reprenaient leurs relations, puis rompaient encore.

C'était compliqué.

À l'été 1965, un dimanche, Denise se rendit avec deux ou trois copines à un festival organisé à Longueuil — un endroit qu'on appelait *les baraques* — un lieu essentiellement constitué d'un immense terrain autour duquel on dressait une demi-douzaine de scènes. Pendant toute la journée, à tour de rôle, des groupes s'y produisaient.

En se promenant dans la foule, Denise retrouva Richard Leblanc qui, justement, s'agitait autour de l'équipement d'un des orchestres embauchés ce jour-là. Officiellement, ils étaient en froid. Mais enfin... Denise était d'excellente humeur, son ami sobre comme un chameau. Et en prime, il était d'un chic fou, avec de magnifiques chaussures... Bref, ils se rabibochèrent, comme d'habitude, de sorte qu'en fin d'après-midi, ils allaient d'une scène à l'autre, bras dessus bras dessous, comme deux amoureux.

L'un après l'autre, les groupes finissaient leur set et démontaient leurs instruments. Sur les plateaux faits de feuilles de contre-plaqué posées sur des échafaudages, les musiciens enlevaient leurs vestons, débouchaient des bouteilles de bière, débranchaient des amplificateurs, soulevaient des enceintes acoustiques, rangeaient avec délicatesse les microphones et les guitares électriques.

Les Gants blancs, justement, venaient de terminer lorsque le couple arriva à leur hauteur. Il n'y avait plus personne devant la scène, et c'était presque le silence : les jeunes s'étaient amassés plus loin, là où il y avait encore de la musique.

Le soleil allait se coucher. Le ciel était très bleu.

L'un des membres du groupe était de dos, encore en veston — ses quatre compagnons étaient en chemise — un veston qu'il portait d'ailleurs avec une particulière élégance. Ses cheveux courts étaient bien coiffés. Penché sur un des amplis, il remuait des fils en provoquant des craquements dans les haut-parleurs.

Le couple s'immobilisa devant la scène. Gérald Boulet sentit une présence derrière lui et tourna la tête vers eux sans se redresser, sans interrompre son travail.

Il regarda Denise avec curiosité d'abord, puis avec intérêt. Et il se mit en devoir de lui faire de l'œil en y mettant tout son savoir-faire, en utilisant au maximum les ressources de ce damné sourire qu'il savait irrésistible. *Une ostie de belle grébiche*, se dit-il en lui-même. Denise lui retourna son sourire. *Y'est cute à mort*, décida-t-elle en son for intérieur.

Richard Leblanc, lui, ne se rendit compte de rien.

L'âge d'or des Gants blancs

À ce moment-là, Gérald Boulet ne pouvait pas savoir que Denise Croteau ne serait pas une *grébiche* comme une autre puisqu'il l'épouserait et qu'ils auraient un fils. Et, bien des années après, une fille.

Les Gants blancs n'avaient plus besoin de croiser les doigts... et plus le temps de se croiser les bras !

Malgré l'échec du 45 tours enregistré en novembre 1964, malgré l'indifférence des stations de radio, il ne se passa pas six mois avant que Brodeur refuse des engagements tellement le groupe était en demande. En peu de temps, les cachets des Gants blancs avaient doublé, passant à 300 et même 400 dollars par soir. À l'automne 1965, Brodeur les multiplia par deux encore une fois — 600 dollars et même beaucoup plus, lorsque, dans certaines salles, le groupe obtenait une commission sur les recettes de la soirée. L'imprésario ne pouvait s'empêcher de répéter avec superbe à ses protégés :

« J'vous l'avais ben dit, hein ?... »

Ainsi, pendant plus d'un an, Gérald, Denis, Lamoureux, Hébert et Campbell roulèrent littéralement sur l'or. Il n'était plus question pour eux ni d'école ni d'emplois : ils empochaient chacun entre 300 et 600 dollars par semaine.

Une fortune.

Personne n'avait le temps de méditer sur les véritables raisons de ce succès soudain.

D'abord, on était en plein âge d'or des salles de danse. Elles foisonnaient. Le moindre village organisait des soirées dans le sous-sol de l'église, ou dans la salle des Chevaliers de Colomb, ou dans le gymnase de l'école.

Ensuite, les Gants blancs avaient appris à faire oublier leurs faiblesses. Par exemple, ils avaient rayé de leur répertoire les tounes trop complexes ou encore celles des Beach Boys, parce qu'ils étaient absolument incapables de reprendre convenablement les harmonies vocales du groupe. Ils savaient également exploiter leurs forces : le charisme de Gérald, à l'aise sur scène comme s'il y était né ; la présence du saxophone permettant d'occasionnels mais spectaculaires solos ; la précision dans l'interprétation résultant de la discipline de travail que Gérald imposait au groupe.

Lors des répétitions des Gants blancs à L'Escapade, l'après-midi, ou dans une petite salle d'Iberville qui leur servait de quartier général, Gérald était tyrannique. Il lui arrivait de hurler :

« Apprends-le, ton ostie de riff de guitare, Bernard !... Faut jouer ce morceau-là samedi pis on le f'ra pas à moitié, tu peux être sûr. Ça fait que... arrête de t'pogner l'cul pis travaille, câlisse ! »

Dès que Gérald tournait le dos, Denis haussait les épaules d'impuissance et Lamoureux — ou Hébert, ou Campbell — murmurait entre ses dents :

« Y'est-tu tannant, le calvaire !... »

Mais ils bûchaient. Pouvaient-ils faire autrement ?

Enfin, le groupe s'était trouvé un son bien à lui. Cela s'était passé presque d'un coup, au début de 1965, au moment où la beatlemania était à son apogée. Le phénomène donnait du fil à retordre aux Gants blancs qui, d'une part, ne savaient plus quoi faire de deux saxophones et, d'autre part, n'étaient pas à l'aise avec le rock des Beatles, lequel nécessitait l'interaction de deux guitaristes ainsi que des harmonies vocales relativement sophistiquées, hors de leur portée.

La solution — comme le problème — vint de Grande-Bretagne sous la forme d'un disque gravé au nom des Dave Clark Five. Ceux-ci déferlaient alors avec leurs hits, *Glad All Over*, *Bits and Pieces* et *Do You Love Me* faits d'un rock plus dur, plus haché, plus lourd que celui des Beatles, un rock construit à partir de vibrants solos de saxophone et des accords tonitruants que Mike Smith plaquait sur un petit orgue Vox, un instrument tout nouveau. Tout de suite, Gérald tomba en amour avec ce son-là. Un dimanche soir, installé devant le *Ed Sullivan Show*, il contempla le clavier du Vox, apprécia la sonorité à la fois grandiose et percutante de l'orgue électronique, se perdit pendant de longues minutes dans ses souvenirs... Puis il annonça à Denis :

« On va s'acheter un orgue, le vieux !

— Bon, un' autre affaire...

— Penses-y : moi, j'vas jouer de l'orgue, Ti-Nègre va se mettre sur la basse, y' va rester juste Pee-Wee au sax... Ça va régler un ostie de paquets de problèmes en même temps, pis on va être les premiers, icitte, à avoir ça...

— Pis toi, tu vas jouer de l'orgue, c'est ça ?...

— Ben oui, ça doit pas être compliqué ! »

Ça doit pas être compliqué, Denis avait déjà entendu ça quelque part... Si son frère le disait, il le ferait, c'est certain.

Il leur fallut se rendre à New York pour trouver l'instrument.

Denis et Gérald connaissaient déjà assez bien la mégapole. Plusieurs fois, ils y étaient allés pour acheter des disques, pour se frotter à la faune de Times Square, pour flâner dans Greenwich — précisément à l'époque où, au Gerde's Folk City de la Quatrième Rue, débutait un jeune chansonnier du nom de Bob Dylan.

Cette fois-là, pour l'orgue, ce fut une véritable expédition. En pleine tempête de neige, ils partirent tous les cinq — plus Brodeur — et, arrivés à New York, louèrent deux chambres au Holiday Inn du centre de Manhattan, où ils passèrent quarante-huit heures à vider des bouteilles d'alcool et à faire mille conneries. Ils dégotèrent facilement un petit Vox Continental, le placèrent délicatement dans le coffre de la voiture et reprirent la route vers Montréal. À un kilomètre de la frontière, Gérald ordonna :

« Arrête icitte, Jean-Paul ! »

Brodeur freina et immobilisa le véhicule sur le bas-côté.

« Qu'est-ce qu'y'a ?

— J'vas débarquer pis j'vas passer l'orgue dans le bois : on n'est pas pour payer de la douane là-dessus, tabarnac !...

— Es-tu fou, toi ? Ça pèse cinquante livres, c't'affaire-là. Pis tu vas te geler l'cul en calvaire !

— Ben non, ça va prendre un quart d'heure : on est juste à côté de Philipsburg : j'connais l'boutte ! Débarque-moi icitte, pis attends-moi l'aut' bord, en face du collège... Salut ! »

Gérald partit avec l'instrument sur l'épaule, s'enfonça dans le sous-bois, disparut sur la surface gelée de la baie de Missisquoi, au nord du lac Champlain. Une heure plus tard, il réapparaissait, les oreilles gelées et le souffle court, derrière le Juvénat Saint-Jean-Baptiste.

«On vient de sauver cent piastres!» triomphait-il. En fait, il était surtout content d'avoir déjoué le système, à la barbe des douaniers; et des Frères de l'Instruction chrétienne, en prime!

Comme il l'avait prédit, Gérald maîtrisa rapidement l'instrument. Ce n'était pas compliqué, somme toute... Il s'agissait d'adapter au clavier les accords de guitare qu'il connaissait déjà et ceux, plus subtils, que Lamoureux lui dictait. Lorsqu'on disposait de partitions (mais c'était rare) les choses étaient encore plus simples. Il fallait maîtriser le doigté, voilà tout, la musique était la même et Gérald pouvait user de ce talent qu'il était de plus en plus conscient de posséder à un degré exceptionnel.

Hébert eut un peu plus de mal avec la basse mais finit par y arriver, lui aussi. Il s'était procuré une Hofner, comme la basse de Paul McCartney, avec une caisse de résonance épousant la forme d'un violon.

Cette nouvelle instrumentation fit des miracles, d'autant plus que le branle-bas toucha également le répertoire des Gants blancs. Ils apprirent des tounes des Dave Clark Five, bien sûr, mais aussi des Animals, deux ou trois pièces de Dylan que Gérald admirait profondément — il lui arrivait même de coiffer la casquette fétiche du folk-singer américain — ainsi que les succès du jour susceptibles de mettre le son du Vox en évidence.

C'est à cette époque que Gérald, après s'être égosillé pendant des jours sur la sinueuse mélodie, parvint à maîtriser le classique *Georgia on My Mind*, popularisé par Ray Charles. Cette pièce-là le faisait frémir. Il forçait sa voix au maximum en fermant les yeux, les veines de son cou saillaient, il collait ses lèvres au microphone en hurlant:

Just that old sweet song
That keeps you, Georgia, on my mind!...

C'était invariablement un des meilleurs moments de la soirée.

Le douze février 1965, les Gants blancs franchirent une étape importante en se produisant pour la première fois à Montréal, au Centre de danse Chez Golden, une immense boîte où on trouvait deux grandes salles ainsi qu'un public pomponné et cravaté — *tenue de ville de rigueur*. Ils y remportèrent un succès tel qu'ils furent réembauchés moins d'un mois plus tard et se retrouvèrent en tête d'affiche, devant les Melodeers et les Valiants.

Ensuite, le sept novembre, un dimanche après-midi, ils obtinrent la consécration ultime. Aux yeux de Gérald, en tout cas.

À L'Escapade, ils jouèrent en dernière partie, *après* les Hou-Lops et les Sultans, lors d'un marathon musical organisé pour célébrer l'anniversaire de la boîte. En fin de spectacle, les musiciens des Sultans et ceux des Gants blancs se retrouvèrent simultanément sur scène et livrèrent une performance inédite : pendant près d'une heure, ils improvisèrent sur des classiques du rock, Gérald et Bruce Huard se permirent quelques duels vocaux. Bref, comme le titra ensuite le périodique Jeunesse, la foule en délire put applaudir «Gants blancs et Sultans dans le premier rock session au Québec»!

À ce moment-là, il est vrai, les Gants blancs avaient déjà leur propre émission de télévision.

En août 1965, Brodeur avait envoyé ses protégés passer une audition à la station CHLT-TV, à Sherbrooke. Les Gants blancs décrochèrent le gros lot.

Depuis deux ans, le diffuseur consacrait une demi-heure par semaine aux groupes yé-yé : les Sultans et les Hou-Lops, encore eux, avaient ainsi occupé l'antenne chacun pendant une saison. L'hiver 1965-1966 fut consacré aux Gants blancs. Le jeudi, à dix-huit heures, tous les jeunes des Cantons de l'Est s'écrasaient devant leur téléviseur et ne perdaient pas une seconde de *Ça claque avec les Gants blancs*. Mais, pour le groupe, c'était un pensum. Il fallait six ou sept nouvelles pièces chaque semaine pour nourrir l'émission. Chaque semaine aussi, ils devaient transporter armes et bagages dans les studios de CHLT et être prêts à l'heure, très exactement à l'heure, puisqu'il s'agissait d'une diffusion en direct. Enfin, le cachet était égal à zéro...

«C'est pas grave, ça, les gars... Ça vous fait connaître en maudit, vous allez voir, vos salles vont être pleines, pis on va encore r'monter les tarifs!» leur avait assuré Brodeur.

Il eut encore une fois raison.

Ces apparitions à la télévision régionale conduisirent les Gants blancs jusque dans les studios de Télé-Métropole, à Montréal, où ils participèrent à quelques occasions à *Jeunesse d'aujourd'hui*, animée par le chanteur Pierre Lalonde. L'émission était une sorte de messe pour tous les jeunes du Québec; c'était le rite obligé pour l'accession au vedettariat.

Dès leurs premières semaines en tant que vedettes de la télévision, les musiciens purent troquer leur vieille fourgonnette contre une Econoline toute neuve et s'offrir le luxe de véhicules personnels — Gérald acquit sa première voiture, une petite Austin, qu'il paya en signant avec désinvolture un chèque de 125 dollars.

Les frères Boulet en profitèrent même pour investir une partie de leur fortune dans une salle à la vocation mal définie (certains soirs, on y accueillait des musiciens ou des chansonniers; d'autres soirs, on faisait discothèque), baptisée Le Guibou, qu'ils installèrent dans un local commercial de la Place du Marché, à Saint-Jean. Le conseil municipal accorda le permis avec réticence; lors d'une séance houleuse, le conseiller Bruno Choquette en profita pour faire une sortie en règle contre l'immoralité des salles de danse et autres bouges sombres et enfumés où se réunissaient les jeunes. À la table du conseil, il déclara:

«Il n'est pas convenable de voir un garçon de vingt ans danser avec une petite fille de douze ou treize ans... surtout si elle dépasse à peine les genoux de son partenaire!»

Assis au fond de la salle du conseil, Denis et Gérald pensaient: *Allez-y voir, les p'tites filles, gang de tabarnac de vieux frustrés, vous allez voir ce qu'y' font, les p'tites filles...* À Saint-Jean et à Iberville, les frères Boulet avaient l'habitude de faire bombance, toutes les filles — les grandes sœurs des petits anges de douze et treize ans! — leur tombaient dans les bras, ils n'y accordaient même plus d'attention.

Ils obtinrent néanmoins le permis d'exploitation. Le soir de l'ouverture, le vingt-trois novembre 1966, Le Guibou accueillit cent quatre clients. Par la suite, ce fut inégal: certains soirs, il n'y avait pas trois personnes dans la salle; d'autres soirs, après cent vingt entrées, on devait refuser des gens. L'aventure fut éphémère.

Malgré cette euphorie, malgré le fric, les voitures et les filles, le succès des Gants blancs demeurait inachevé.

D'abord, pour toutes sortes de raisons difficiles à cerner, le groupe n'atteignit pas ce degré de prestige dont jouissaient les Sultans, les Hou-Lops, les Classels ou les Bel Cantos. Ensuite (les deux choses étaient évidemment liées), les disques des Gants blancs ne se vendirent jamais sur une grande échelle.

Gérald avait tendance à blâmer les médias, surtout les médias montréalais :

« Y' parlent jamais de nous autres, les tabarnac... Comment ça s'fait ?... Faut-tu leu' licher le cul, à ces osties-là ?...»

Lorsque Gérald entonnait ce refrain, ses compagnons se contentaient de hausser les épaules : combien de fois avaient-ils vu leur organiste, lorsqu'il était de mauvais poil ou simplement pour le plaisir, envoyer carrément chier des représentants des médias venus préparer des articles et prendre des photos...

Mais pour les disques, ce ne fut pourtant pas faute d'avoir sincèrement — et patiemment — essayé. Après le fiasco de *Pas cette chanson*, les Gants blancs retournèrent régulièrement en studio et, entre 1965 et 1968, gravèrent cinq autres 45 tours. La quasi-totalité de ces dix pièces étaient des versions de succès anglais et américains qu'en spectacle ils chantaient plutôt dans la langue de Shakespeare. En trois ans, d'un disque à l'autre, au fil des changements de personnel au sein de la formation également, le style du groupe évoluait, la qualité d'interprétation s'affinait, Gérald et ses chums de musique devenaient de vrais pros.

Le deuxième disque des Gants blancs fut produit par Denis Pantis, qui en ramait large dans la vague yé-yé à ce moment-là. La face A était intitulée *Je n'aime que toi*, une adaptation de *I'm Telling You Now*, de Freddie and the Dreamers; l'autre face présentait *J'ai fait le serment*, une composition du groupe. La guitare, inévitablement traitée à la boîte à écho, était la même que sur le premier disque mais les voix étaient justes et le son, meilleur; on avait oublié les saxophones.

Ils enregistrèrent ensuite *Tu veux revenir*, avec Denis comme chanteur soliste sur fond de guitare aux cordes assourdies donnant un son proche du banjo, à la mode Herman's Hermits. L'envers était une adaptation de *I Put a Spell on You*, le classique de Screamin' Jay Hawkins; l'orgue Vox de Gérald faisait son apparition, gratifiant *Pourquoi j'ai cru en toi* d'un son très Dave Clark Five.

Les Gants blancs couchèrent ensuite quatre pièces sur étiquette Jupiter.

D'abord, *Le Vagabond*, une adaptation d'une toune de Gordon Lightfoot faite de guitare acoustique et de batterie touchée aux balais. Mais Lightfoot aurait certainement fondu en larmes s'il avait entendu la poésie que l'on plaqua, en français, sur son œuvre :

> *Voyons, sèche tes beaux yeux gris*
> *Quand t'as pleuré, t'es pas jolie*
> *Lorsqu'on n'a plus d'amour dans l'cœur*
> *On cherche ailleurs*
> *Pour trouver enfin le bonheur...*

Puis vint *Dis-moi son nom*, une pièce de Pete Townshend, des Who, avec de la guitare fuzzée, du piano et un solo de basse qui présageait le fameux *My Generation*. Enfin, les Gants blancs enregistrèrent *Le Bal masqué* et *Le Carrousel*. Cette dernière pièce, une composition cuisinée dans une sauce country-folk un peu insipide, servait en quelque sorte de suite au *Vagabond* du 45 tours précédent et avait le seul mérite de faire apparaître une Hammond sous les doigts de Gérald.

Car celui-ci n'avait pas trouvé sa voix. Ou plutôt, il les essayait toutes au gré des pièces que les Gants blancs interprétaient sur scène. La voix forte et criarde qu'il fallait pour chanter les rhythm'n blues américains ; la voix douce, presque chevrotante, que le chanteur plaquait sur les ballades mielleuses destinées aux séances de frotte-bedaine de fin de soirée ; la voix haut perchée nécessaire pour rendre la majorité des hits britanniques.

C'est celle-là que Gérald réussissait le mieux.

En fait, il était à son mieux dans les tounes des Zombies, les créateurs de *She's Not There*, de *Tell Her No*, de *Time of the Season* ainsi que d'une fort jolie version du classique *Summertime* de Gershwin. Il était capable de reproduire à la perfection la voix et les intonations de Colin Blunstone, le chanteur-guitariste du groupe anglais.

Les Zombies étaient fort représentatifs de la phalange de groupes impliqués, dans la première moitié des années soixante, dans ce que l'on désignait comme l'offensive britannique. C'était fascinant de constater que leur histoire comportait nombre de points communs avec celle des Gants blancs — et sans doute celle d'une nuée de jeunes s'agitant à ce moment-là sur les petites scènes de tout l'Occident. Les Zombies avaient été parmi les premiers à introduire le clavier — dans leur cas, le piano électrique — dans l'instrumentation rock. En 1963, quelques mois seulement après sa fondation, le groupe avait failli se désintégrer parce qu'il n'arrivait pas à dénicher suffisamment d'engagements ; parce que deux des membres des Zombies avaient de *vrais* métiers, plus rentables et plus sûrs que celui de musicien ; parce qu'un autre envisageait de devenir enseignant... En 1964, ils avaient accédé au statut de vedettes après avoir remporté les honneurs d'un concours — tout de même plus prestigieux que le *Seize pour mille* de L'Escapade ! — organisé par le quotidien britannique Evening News.

Bref, Gérald tentait en général de se conformer à la mode du jour voulant des chanteurs sages et posés — Blunstone entrait dans cette catégorie. De sorte que tous les disques des Gants blancs se révélaient un peu mièvres, sans chaleur. Il disait :

« Tabarnac que j'ai d'la misère avec ça !... »

Mais il ne venait à l'idée de personne au Québec à ce moment-là, et pas plus à Gérald qu'aux autres, de faire les choses autrement, de sortir des formules et des lieux communs propres au yéyé, d'essayer quelque chose de vraiment neuf, de renoncer aux traductions, aux adaptations, et de faire le grand saut dans l'inédit.

Quoi qu'il en soit, au milieu de cette production, en 1967, les Gants blancs enregistrèrent un autre 45 tours. À cette époque, le groupe passait beaucoup de temps en studio avec Tony Roman, ce musicien et chanteur de vingt-cinq ans, ex-pianiste de Donald Lautrec et de Tony Massarelli, qui faisait équipe avec Nanette Workman et s'agitait — comme homme d'affaires, comme producteur, comme arrangeur, comme parolier — dans toutes les directions à la fois. Avec Roman, donc, on enregistra *Ne mentons pas* et *Ma Fille*, une adaptation de *My Girl*, une pièce de Smokey Robinson enregistrée par The Temptations.

Les enregistrements étaient particulièrement réussis, la Hammond, touchée par Tony Roman, était agressive, les voix d'accompagnement étaient bien rendues ; au total, on sentait une certaine passion, absente des autres disques des Gants blancs.

Le 45 tours livré aux disquaires comportait l'étiquette suivante :

CANUSA / MS
C-314 (CT-34707) (CT-34708)
Promotions Guy Cloutier
Ne mentons pas (T. Powers-G. Fischaff-T. Roman)
Ma Fille (W. Robinson-R. White-T. Roman)
GERALLDO

Geralldo!... Les autres Gants blancs étaient médusés! Lorsque Gérald revint du studio de télévision où, cette fois-ci, il avait trôné seul sur le plateau, ses compagnons exigèrent des explications.

«Y' m'a eu, le tabarnac!... Vous savez comment il est, Tony Roman... J'sus arrivé là pis y' m'a dit que, si j'marchais pas, y' me barrait partout à Montréal. Qu'est-ce que j'pouvais faire?...»

Il y eut un froid. Personne ne dit mot. Chacun partit de son côté, sauf Denis qui resta avec son frère à siroter une bière et à écouter Gérald répéter, comme s'il voulait faire taire sa conscience :

«Ben c'est vrai, ostie, qu'est-ce tu voulais que j'fasse?...»

Ni Denis ni les autres n'en surent jamais davantage sur cet épisode. Les Gants blancs poursuivirent leur carrière, comme si rien ne s'était passé. Mais le cœur n'y était plus. Ils voyaient bien que les salles de danse fermaient une à une. Que même L'Escapade devait maintenant embaucher des filles à gogo, qui dansaient en mini-jupes de chaque côté de l'orchestre et se déhanchaient tant qu'elles pouvaient pour montrer leurs fesses. Le public n'était plus le même, l'ambiance plus pareille.

Et la musique changeait, elle aussi.

**

Après *les baraques*, Gérald et Denise Croteau se revirent le vingt-cinq novembre 1965 à la salle Windsor, à Victoriaville, où se produisaient les Gants blancs. Denise était installée à une table avec sa sœur Francine qui, elle, avait un œil sur Denis... Les deux frères étaient rompus à ce genre de situation.

La salle était à moitié vide; en général, on y accueillait plutôt des groupes de musique country et les fans des Gants blancs n'avaient pas l'habitude de s'y rendre. Les deux sœurs s'étaient évidemment pomponnées. En buvant des liqueurs douces, elles encaissaient les tounes que le groupe débitait les unes après les autres. Gérald chantait en gardant Denise dans son champ de vision. Il l'avait évidemment repérée et lui décrochait des sourires, comme à Longueuil.

À l'entracte, il vint droit à la table des sœurs Croteau et dit à Denise :

« Y' me semble que je t'ai déjà vue, toi...

— Y' me semble, oui ! »

Et elle éclata de rire.

« T'es pas avec ton chum, à' soir ?...

— J'en ai pus, de chum...

— Bon... J'peux m'installer une minute avec vous autres ? »

Denis s'approcha aussi et on l'invita à s'asseoir. Gérald et Denise ne savaient pas par quel bout commencer.

Il la regardait et la trouvait vraiment jolie, elle avait dans les yeux une lueur de malice qui faisait plaisir à voir. Il était un peu intimidé, comme il l'avait été, plus jeune, avec la petite Duval ! Et, à la fin, il s'était mis à raconter n'importe quoi — il ne parvenait pas à décider de l'attitude à adopter avec cette fille-là.

Denise ne faisait rien pour lui faciliter les choses. Elle s'amusait du trouble qu'elle voyait naître chez Gérald. Elle le trouvait terriblement séduisant avec ses yeux bleus, avec cette sorte de force animale qu'il dégageait, avec le fascinant contraste qu'elle observait entre l'élégance que manifestait le jeune homme dans sa façon de se vêtir et la qualité de ses mouvements, très mâles, très volontaires, presque brusques parfois.

Après vingt minutes, les Gants blancs retournèrent sur scène. Puis Denis et Gérald revinrent converser avec Denise et Francine Croteau.

En fin de soirée, après que les musiciens eurent démonté les instruments, les deux sœurs grimpèrent à bord de l'Econoline des Gants blancs et tout le groupe termina la nuit dans un party de soussol, chez une amie de Denise.

Après une longue réflexion sur l'attitude à adopter pour séduire Denise, Gérald opta pour la tendresse et le romantisme... teintés d'humour. Assis près d'elle sur la moquette, il lui racontait ses aventures de musique, lui décrivait les endroits où le groupe se produisait, lui livrait les anecdotes savoureuses — parfois un peu olé olé... — qu'il collectionnait en prévision de cas comme celui-là. Mais il se prenait au jeu plus qu'il ne l'avait prévu. Il touchait parfois le bras ou le genou de Denise du bout des doigts et il en avait des bouffées de désir, il la trouvait assurément de plus en plus attirante.

Aux petites heures du matin, lorsque Gérald ouvrit la double porte garnissant le flanc droit du véhicule pour laisser descendre la jeune fille en face de chez elle, il ne lui donna pourtant qu'un chaste baiser sur la joue — ce qui n'était guère dans ses habitudes.

« J'vas t'écrire, » lança-t-il simplement.

Il le fit. Car Gérald écrivait. À sa mère, à ses blondes. Il avait toujours eu, et il aurait toujours, une écriture ronde, appliquée, droite et régulière ; son français était quasi parfait. Ce qui ne l'empêchait pas d'ajouter à chaque fois, en post-scriptum : « Excuse les fautes et l'écriture »...

Il lui avait écrit, donc. Ils s'étaient revus. Une fois, puis une autre, et une autre encore.

Denise accompagnait de plus en plus souvent les Gants blancs dans les salles. Il lui arrivait de coucher chez Georges et Charlotte Boulet, rue Saint-Gabriel, lorsque Gérald rentrait tard, les soirs de musique. Elle s'installait sur un canapé, dans le salon. Le matin, tout le monde déjeunait ensemble. Ou à l'inverse, lorsque c'était plus pratique, Gérald allait dormir chez les Croteau, rue de Courval à Victoriaville, dans le salon aussi. Rachel Croteau l'appelait *la petite souris*, parce qu'il était si peu bruyant et prenait si peu de place qu'on se rendait à peine compte de sa présence.

En mars 1966, Gérald fêta ses vingt ans avec Denise.

Il avait commencé à laisser pousser ses cheveux — oh! très légèrement, à la mode de l'époque : il les coiffait soigneusement en les gonflant un peu sur le dessus de la tête et les séparait à l'avant, pour laisser retomber des pans de chevelure de chaque côté du front. Il se vêtait avec recherche, essayant d'être toujours en avance d'une mode sur les autres, il portait des pantalons et des vestes de velours, ainsi que des bottes Beatles, celles avec un scarabée en fer blanc agrippé au cuir, sur la cheville.

Denise le trouvait cute à mort. Plus que cela encore, elle tombait tout doucement en amour avec lui.

Et Gérald modifiait graduellement le ton des lettres qu'il lui faisait parvenir lorsque le groupe partait à l'extérieur de la région. Car à la fin de 1966, les musiciens couraient de plus en plus la province, les hôtels, puisque les salles de danse périclitaient. Comme font tous les amoureux, il trouvait mille insignifiances pour conclure ses missives : « Ti-Pit qui t'aime... » ou « Ton pingouin aux longues dents qui t'aime... »

Denise apportait ces lettres au bureau — depuis l'été 1966, elle était secrétaire chez Goulet & Saint-Pierre, une firme d'ingénierie et d'arpentage de Victoriaville — et les relisait à la sauvette.

Gérald se confiait. En février 1967, au moment où l'étoile des Gants blancs commençait à pâlir, Gérald écrivait, dans la chambre minable d'un hôtel minable de Sept-Îles : « Parfois, j'ai envie de tout laisser là et d'aller te rejoindre mais ce serait un coup de fou car peut-être, plus tard, je le regretterais... »

À le lire, on pouvait croire qu'il était sage comme une image, qu'il ne buvait pas, qu'il ne courait pas les filles, qu'il économisait sou par sou l'argent qu'il recevait. « Je n'ai pas fumé de la semaine. C'est pas pire, hein !... » précisait-il encore.

À l'été 1966, Gérald et Denise passèrent leur première nuit ensemble, après six mois de fréquentation, chez le copain d'une copine — c'était toujours compliqué à ce moment-là. Ils récidivèrent, bien sûr, avec de plus en plus de plaisir. Parfois même, ils s'envoyaient en l'air dans l'Econoline des Gants blancs : Gérald avait repéré un chemin de traverse, près de Victoriaville, où, derrière un bosquet, il pouvait dissimuler le véhicule... Plus tard, lorsque le groupe ne fut plus engagé que dans les hôtels, c'était plus facile, évidemment.

À la fin de février 1968, Denise se rendit compte qu'elle était enceinte.

Forcément.

En avril, prenant son courage à deux mains, Gérald demanda à Raymond Croteau la main de sa fille. C'était le midi, les Croteau au grand complet étaient attablés dans la cuisine familiale. Pour un peu, les sœurs et les frères de Denise, qui étaient au courant, auraient sifflé en regardant le plafond ; les plus jeunes avaient du mal à réprimer un fou rire... Gérald s'était râclé la gorge et avait plongé :

« Monsieur Croteau, on veut se marier, Denise pis moi...

— Vous marier ?... Pourquoi vous êtes pressés comme ça ?... »

Gérald et Denise n'osaient pas sourire ! Heureusement, Raymond Croteau avait tout de suite enchaîné :

« Vous êtes ben jeunes. Pourquoi vous attendez pas à l'an prochain, ça fait pas tellement longtemps que vous sortez ensemble : ça fait quoi... deux ans, là ?... »

Un long silence. Denise regardait son père. Gérald regardait ses genoux. Le reste de la famille regardait le vide. Au bout d'un moment, Raymond Croteau se renversa sur sa chaise avec un soupir :

« Bon, ben... si vous voulez vous marier... mariez-vous ! Quand est-ce que vous voulez faire ça ?

— Le vingt-quatre juin, papa, à la Saint-Jean-Baptiste », répondit Denise.

Les noces eurent lieu le lundi vingt-quatre juin. Comme prévu.

Le ciel était nuageux lorsqu'à seize heures le couple pénétra dans l'église des Saints-Martyrs-Canadiens, à Victoriaville. Gérald portait un complet vert acheté chez A. Gold & Sons, Denise était radieuse dans une robe froufroutante qui camouflait avec succès le léger renflement de son ventre... Après la cérémonie, le couple prit place dans une énorme décapotable et se rendit au motel Bois-Franc pour la noce — une grosse noce, avec un orchestre, avec la famille de Denise qu'on ne finissait plus de recenser et celle de Gérald qui était composée de joyeux fêtards.

Les nouveaux mariés passèrent la nuit à Saint-Hyacinthe et, le lendemain matin, empruntèrent la voiture de Denis pour filer vers New York. Ils passèrent trois jours au New Deegan Motel, dans le Bronx. Et Denise, qui contemplait pour la première fois le délire new-yorkais dans toute sa splendeur, était, sans oser le dire, un peu terrorisée.

Le couple s'installa ensuite dans un petit appartement de deux chambres au 620, Place de Tourraine, à Granby, une maison de six logements, neuve, construite en bordure d'une rue en cul-de-sac près du parc industriel de la municipalité. Le loyer était relativement coûteux : 90 dollars par mois. Au surplus, il avait fallu garnir le logis et, pour cela, se procurer des meubles de style espagnol chez un marchand de Saint-Blaise ; l'ensemble venait avec le nu féminin peint dans les tons de noir et de rouge, absolument incontournable...

Le couple était si bien installé que, tout de suite, Denis vint pratiquement habiter avec eux. Il rendait service, faisait parfois la popote, aidait à payer le loyer. Denise ne lui trouvait qu'un défaut : lorsqu'il avait pris un verre, il avait tendance à s'endormir dans un fauteuil, une cigarette à la main...

Un ami de Gérald, aussi, faisait presque partie de la maisonnée : un anglophone d'Iberville, Justin Gordon, surnommé Judd, qui jouait le rôle de roadie plus ou moins bénévole auprès des Gants blancs.

Deux mois avant la date prévue de l'accouchement, Denise cessa de travailler et, à partir de là, dut se contenter des prestations de l'assurance-chômage : 22 dollars par semaine. Gérald, lui, rapportait entre 600 et 1 000 dollars par mois à la maison, c'était selon. Mais il avait des frais : depuis qu'il faisait de la musique, il était abonné aux Household Finance et autres Industrial Acceptance Company.

Mais le couple s'arrangeait bien et la vie aurait été parfaite si Denise n'avait pas tant souffert de l'ennui, toute seule, lorsque les Gants blancs passaient des semaines dans quelque coin perdu du Québec.

Par l'effet du hasard, Gérald était présent Place de Tourraine lorsque son épouse ressentit les premières douleurs, un dimanche soir de novembre. On se précipita à l'hôpital de Granby. Trop vite, d'ailleurs, puisque le bébé ne consentit finalement à naître que le mardi douze novembre, à neuf heures du matin. C'était un gros garçon de huit livres et douze onces que l'on prénomma Justin, comme Judd.

«C'est un ostie de beau nom. Pis y'en a rien que sept dans tout le Québec, des Justin!» avait assuré Gérald.

Il n'avait pas précisé d'où il tenait cette information. À la place, il avait coincé une épingle à couche entre ses dents et s'était mis à langer le petit en riant et en sacrant à la fois, les bras dégoulinant de pipi de nourrisson, malhabile comme s'il avait eu les mains pleines de pouces.

Avec un peu d'aide de mes amis

La première semaine du mois de juin 1967 fut sans doute la plus importante de l'histoire du rock depuis que le mot était utilisé pour désigner cette musique populaire urbaine, historiquement issue du blues et du country, qui était en train de déborder de ses cadres et de donner naissance à une culture parallèle.

À la contre-culture.

D'abord, c'est à ce moment-là qu'eut lieu à Monterey, en Californie, le premier festival rock à grand déploiement avec hordes de hippies, débauche de dope, auras d'amour, aréopage de dieux de la scène et profusion de décibels.

Monterey présageait Woodstock, bien sûr. Le Woodstock d'août 1969 qui serait le haut fait de la révolution californienne, le triomphe du rock et de l'amour, la consécration des Jimi Hendrix, The Grateful Dead, Country Joe & the Fish, The Who, Crosby, Stills, Nash & Young. Il importait peu de savoir qu'à Altamont, quatre mois plus tard, le rêve allait éclater sous les couteaux des Hell's Angels embauchés pour assurer le service d'ordre au concert des Rolling Stones.

Ensuite et surtout, c'est le premier juin 1967 que la quasi-totalité des radios à travers le monde offrirent la première diffusion de *Sergeant Pepper's Lonely Hearts Club Band*, le monument des Beatles, certainement le disque le plus attendu depuis l'invention de la phonographie.

Ce n'était pas important que l'on fût ou non un fan des Beatles.

Sergeant Pepper's, c'était incontestablement une révolution musicale. La notion de groupe telle que développée au cours des années soixante volait en morceaux. Il ne restait plus qu'une valeur, qu'un but : la création. Et pour y parvenir, on pouvait faire n'importe quoi, recourir à n'importe quel instrument, bâtir n'importe quelle ambiance, se livrer à toutes les expérimentations. Il y avait sur ce disque une telle explosion de génie que même Ringo Starr réussit à donner un classique, *With a Little Help from My Friends*, au répertoire rock ; que la technologie de l'enregistrement sonore en fut bouleversée.

À ce point que même des rockers purs et durs comme les Rolling Stones furent forcés par la suite, eux aussi, de se plier à *Their Satanic Majesties Request*, sacrifiant au psychédélisme éclaté consacré par les Beatles.

Sergeant Pepper's, c'était aussi une révolution tout court. Les Beatles parlaient de liberté, d'une sorte particulière de liberté difficilement descriptible, celle de l'inconscient et de l'émotion, créant un langage que toute une génération allait comprendre d'instinct. Ils inventaient des histoires abracadabrantes, concoctaient une poésie pleine d'humour et d'inattendu. Et ils parlaient de drogue, évidemment. Fini, les quatre garçons dans le vent, sages et propres, se produisant en complet-cravate dans une cave de Liverpool ou dans un stade d'Hollywood.

Au Québec, l'été 1967 fut particulièrement agité.

Un an plus tôt, le cinq juin 1966, Daniel Johnson avait remplacé au Parlement de Québec l'équipe de la Révolution tranquille, essoufflée, arrogante, jugée peut-être trop audacieuse. Pendant que le nouveau premier ministre se demandait s'il devait opter pour *l'égalité ou l'indépendance*, l'ex-ministre René Lévesque, sorti des rangs libéraux, fondait en novembre 1967 le Mouvement Souveraineté-Association. Quelques mois plus tôt, en juillet, le général de Gaulle, lui, n'avait pas hésité une seconde et avait lancé du haut du balcon de l'Hôtel de Ville de Montréal son retentissant *Vive le Québec libre!*

À très court terme, tous ces événements allaient être suivis de quelques autres encore, tout aussi significatifs.

En 1968, un jeune auteur du Plateau Mont-Royal, Michel Tremblay, donnait la première de sa pièce, *Les Belles-sœurs*, perçue comme une véritable révolution dans les milieux du théâtre québécois.

En 1969, la station de radio anglophone CKGM-FM faisait sa petite révolution-maison, elle aussi, pour devenir le véhicule officiel de la contre-culture. Elle se mit à diffuser in extenso les microsillons des groupes rock progressifs de Grande-Bretagne et de la côte ouest des États-Unis et à s'adresser résolument à la faune hippie de plus en plus présente dans le paysage montréalais. Le diffuseur rejoignait tout autant les francophones que les anglophones — à ce point que les animateurs, pour la plupart bilingues, obtinrent pendant un temps l'autorisation officielle de s'adresser à leur public dans les deux langues. En octobre 1971, la station devait adopter les lettres d'appel CHOM-FM.

Enfin, Expo 67 ouvrit ses portes le vingt-sept avril. Au cours de l'été, cinquante et un millions de visiteurs allaient arpenter cette terre de mille acres volée au fleuve Saint-Laurent et prendre contact avec les cultures des soixante-dix nations installées dans les pavillons disséminés dans les îles.

Ce fut le choc des mondes, à tous les points de vue.

Par exemple, il était saisissant de voir le gouvernement Johnson adopter en plein été de l'Expo le Projet de loi cinquante-deux instituant une nouvelle forme de censure cinématographique. Le secrétaire de la province, Yves Gabias, complètement déconnecté, s'écriait en défendant ce projet de loi :

«Plus il y a de liberté, plus il y a de décadence !...»

Saisissant aussi d'entendre, à la radio montréalaise, le chant du cygne des groupes yé-yé dépassés par les événements. Les refrains de pacotille des chanteurs de charme sur le retour. Ou, presque pire encore, les lamentations pseudo-intellectuelles de certains chansonniers à deux sous qui crachèrent pendant un long moment sur le rock, sur la jeunesse, sur l'argent et sur la société prise globalement et sous n'importe quel angle... avant de se résoudre à animer des émissions plus ou moins débiles — mais rentables ! — à la radio ou à la télévision. Ou à prêter leur nom à des réclames commerciales.

En même temps que l'on voyait et entendait tout cela, on pouvait négocier à ciel ouvert, sur le site de l'Expo, des cubes de haschisch gros comme des dictionnaires ainsi que des liasses de buvards de LSD !

Dans les cinémas montréalais, on projetait *Blow Up*, le film-culte de Michelangelo Antonioni, l'œuvre du doute et de l'examen critique du réel, du sexe glorieux et du psychédélisme débridé, de l'art pervers et du groupe The Yardbirds, qui vit défiler au fil des ans les guitar-heroes Eric Clapton, Jeff Beck et Jimmy Page.

Sur le site de l'Expo, on venait triper sur Grace Slick et le Jefferson Airplane. Au Nouveau Pénélope de la rue Sherbrooke, les freaks tombaient sur le cul devant Frank Zappa & the Mothers of Invention. À l'Esquire Show Bar, rue Stanley, le Paul Butterfield Blues Band — avec le génial guitariste du groupe, Mike Bloomfield — faisait craquer les murs.

Gérald Boulet était un habitué de l'Esquire Show Bar. Au fil des mois, le contact avec les musiciens qui s'y produisaient avait passablement modifié sa conception de la scène et du rock.

Gérald voyait bien que, comme quand il était petit et hésitait entre la sainteté et le péché, il menait à nouveau une double vie — cette fois du point de vue de la musique.

Lorsqu'il écoutait des disques ou la radio, ou qu'il était attablé devant l'une ou l'autre des scènes underground de Montréal, il tripait sur bien autre chose que ces mièvreries que le groupe devait servir sans conviction à la clientèle plus ou moins éméchée des hôtels et des dernières salles de danse.

Le groupe essayait bien des trucs un peu plus délurés. Des tounes de Lovin' Spoonful, par exemple, *Summer in the City* entre autres, que Gérald adorait chanter et qui remportait un succès fou. On faisait de belles pièces, c'est entendu, qui n'étaient pas des insignifiances : *Sittin' on the Dock of the Bay*, d'Otis Redding ; ou *Light My Fire*, des Doors. On s'était même dépêché d'apprendre *With a Little Help from My Friends* !

Mais...

«...Essaye don' de chanter ça, toi, *Choo Choo Train*, quand tu sors d'un show à l'Esquire... Choo Choooo !... C'est down en tabarnac ! »

Gérald se plaignait, il maugréait contre son sort. Ça lui arrivait plus souvent encore lorsqu'il avait bu et que les Gants blancs traversaient une mauvaise période. Il se mettait en colère. Contre lui-même, contre ses chums de musique, contre le monde entier. Ou, de but en blanc, il se mettait à en rire, tout simplement. C'était irrésistiblement drôle d'être père de famille et de chanter *Apples, Peaches and Pumpkins* ou *Choo Choo Train* — oui, pourquoi pas *Choo Choo Train ?* — pour 30 ou 40 dollars par soir !

«On est des gars de club, sacrament ! On va mourir su'l'stage de l'Hôtel Dix à Val d'Or en chantant *Choo Choo Train !*... Hein, Denis ?...

— Ben oui, Gérald, ben oui... » faisait simplement son frère, un peu sonné lui aussi par tout ce qui se passait autour d'eux.

Maintenant, que pouvait-on faire ? Car c'était ça, la véritable question : qu'est-ce qu'on pouvait faire ?... Ce n'était pas de savoir si on devait ou non chanter *Choo Choo Train* mais plutôt si on pouvait inventer quelque chose, s'il était possible de créer un nouveau truc, si on finirait par sortir de la médiocrité dans laquelle les Gants blancs s'enlisaient.

Car la musique évoluait au Québec aussi, même s'il ne se passait rien d'aussi spectaculaire qu'en Grande-Bretagne ou aux États-Unis.

Dans des petites boîtes, en dehors des circuits traditionnels — qui s'effondraient de toute façon — des groupes d'un nouveau genre se constituaient et inventaient de nouvelles musiques.

Un cas parmi d'autres : des anglophones de Montréal avaient formé le groupe The Haunted qui évoluait à mille années-lumière des groupes yé-yé traditionnels. Ils se présentaient, les cheveux aux épaules, avec des jeans et des bottes qui montaient aux genoux. L'un des deux guitaristes grattait une vieille Les Paul, maganée, branchée sur un Leslie — fallait entendre le son !... Ils montaient sur scène sans dire un mot, le batteur démarrait tout de suite un beat pendant que les autres tétaient sur les fils, sur les amplis, sur les boîtes à distorsion. Puis, d'un coup, vlan !... les quatre autres musiciens venaient ramer avec le drummer, c'était un choc, on aurait dit les Rolling Stones tellement ce qui sortait de là était précis, dur, chargé d'émotion. Une partie de leur répertoire était constitué de leurs propres compositions. Ils faisaient *One, Two, Five*, une toune à eux qui aurait pu tourner sur les ondes de n'importe quelle radio underground de New York ou de Londres.

Mais ce n'est jamais si simple, évidemment.

Un soir, Gérald et ses chums avaient occupé la même scène que The Haunted à la salle de l'érablière Brodeur, au Mont Saint-Grégoire — que de souvenirs pour Denis !... Lorsque les cinq anglos eurent terminé leur set, Gérald resta planté là, devant la scène vide, et émit un faible *saint ciboire !* pour tout commentaire.

Autre chose encore se passait ici.

Il y avait un courant prometteur, issu d'une sorte de fusion entre les deux clans irréconciliables des années soixante, ceux des chansonniers et des musiciens pop-rock. Une dichotomie un peu stupide et artificielle d'ailleurs, liée à une perception de la chanson et de la musique populaire inspirée de l'héritage français, sans rapport avec la géographie, la façon de vivre, la culture québécoises. Depuis dix ans, la France avait développé une véritable — et très vigoureuse — sous-culture yé-yé en marge de la vraie chanson française. Aux États-Unis, depuis plus d'un siècle, différents courants nourrissaient la musique populaire, c'est entendu, mais ces courants ne s'enfermèrent jamais dans leur univers propre. Il fut relativement facile pour un Dylan, par exemple, de faire le pont entre le folk et le rock en chantant *Like a Rolling Stone*, accompagné de Mike Bloomfield et d'Al Kooper, sur la scène du festival de Newport en juillet 1965.

Ici, pendant dix ans, les chansonniers et les yé-yé ne firent rien d'autre que se crier des noms!

Bref, Robert Charlebois apparut. Il avait vingt-quatre ans, avait joué des petits rôles au théâtre et à la télévision et avait fait de la chanson. En mai 1968, avec le Quatuor du jazz libre du Québec, il monta *L'Osstidcho*. Puis, presque tout de suite, il accoucha d'un microsillon sur lequel on trouvait *California*, *Engagement* et *Lindbergh*. Un an plus tard, sur *Québec-Love*, le même homme donna *Te v'là*, *Les Ailes d'un ange* et *Tout écartillé*.

On n'avait jamais entendu la langue de Molière traitée de cette façon-là!... Était-ce du rock, du vrai, est-ce qu'un Québécois était capable d'assumer pleinement cette culture-là et de la refaçonner à notre image? Ça en avait tout l'air. Les tounes de Charlebois brassaient dur, elles étaient enlevantes, électriques. Il lançait des vérités en l'air avec les mots de la rue. Et en français, le français d'ici, celui du Plateau Mont-Royal et de la rue Hochelaga!

Du rock. Du rock québécois. En français. À la Charlebois.

C'était donc possible.

Au fil des ans, Charlebois, lui, s'amuserait à brouiller les pistes. À expliquer qu'il n'avait pas vraiment fait ce qu'il avait fait parce qu'il n'avait le goût de faire que ce qu'il avait fait avant et — à bien y réfléchir... — pendant et après ce qu'il avait fait sans véritablement le faire.

Une fois, il dirait:

«Moi, je suis un artiste de variétés. La vraie variété, la variété variée!...»

Puis, plus tard:

«Le rock, ce n'est pas une philosophie. Ce n'est qu'un bol qui sert à transporter des idées généralement assez basses...»

Et plus tard encore :

«Le rock, c'est toujours pareil, c'est incompréhensible... C'est une pulsation soutenue par un rythme obsédant et répétitif, jusqu'à l'hypnose!...»

Au bout du compte, ce n'était pas si important de connaître les humeurs profondes de Charlebois sur son œuvre passée, présente et à venir. Il avait indéniablement inventé quelque chose. Il existait dorénavant au Québec une nouvelle façon de voir la musique, la chanson et le rock. On pouvait partir de là et défricher sa piste à soi.

Voilà ce qu'il fallait chercher : sa piste à soi.

Après juin 1967, après les Beatles et la révolution californienne, après l'émergence de l'indépendantisme et Robert Charlebois, on savait que tout était permis, que tout était possible.

Bien sûr, les choses n'étaient pas instantanément devenues aussi claires pour Gérald et ses chums de musique. Il leur faudrait trouver leur voie, justement. Et pour l'heure, ils avaient bien d'autres soucis. Ils devaient gagner leur vie en comptant sur les revenus tirés des activités des Gants blancs, lesquels éprouvaient de plus en plus de difficulté à dénicher des engagements.

Surtout, Gérald devait tenir à bout de bras un groupe qui tombait en morceaux. Et, sauf de la part de Denis qui lui était toujours fidèle, il n'obtenait la plupart du temps que bien peu d'aide de ses amis.

La Hammond de Willie

Avant d'avoir un fils, avant même de vivre la douce folie de l'été 1967, Gérald Boulet eut en effet à faire face à un certain nombre de défections : un à un, ses chums de musique — sauf Denis — quittèrent les Gants blancs.

D'abord, au printemps 1966, Bernard Lamoureux annonça qu'il abandonnait le groupe, qu'il allait se marier en septembre, qu'il comptait reprendre son métier de boucher. Ensuite, Louis Campbell renonça à la musique pour épouser une cousine de Gérald. Enfin, exactement un an après Lamoureux, Fernand Hébert fit de même : lui aussi devait se marier en septembre (décidément...) et il préférait aller travailler en usine.

C'était moins rigolo, mais plus sûr.

Il est vrai qu'il fallait posséder une sacrée force de caractère pour supporter l'insécurité de cette vie-là ; pour accepter les semaines creuses où l'on ne touchait pas de salaire, celles où les frais — les instruments, les réparations sur la camionnette — engloutissaient la quasi-totalité des cachets. Dans ces moments-là, on oubliait que, parfois aussi, la paye était correcte.

Il fallait croire en son talent, être sûr qu'on était fait pour la musique. Lamoureux, Campbell et Hébert n'avaient pas cette certitude-là. Ils se voyaient prendre de l'âge. À vingt-cinq ans, ça va, pas de problèmes. Mais on sait qu'un jour, on en aura quarante. Et que peut-on faire à cet âge si on n'est pas un musicien hors du commun, si on n'est pas devenu une vedette? C'était un peu effrayant d'y penser.

Enfin, on devait bosser comme des damnés. Gérald était toujours aussi tyrannique. Souvent, même lorsque le groupe jouait dans les hôtels jusqu'à tard dans la nuit, il réveillait ses compagnons à dix heures le matin et les traînait devant leurs instruments pour des répétitions qui duraient toute la journée. Et il gueulait, en plus, lorsque ça n'allait pas à son goût ! Il fallait toujours faire plus et mieux. Encore plus et encore mieux. Les autres le regardaient parfois comme s'il était une sorte de maniaque !

En quittant les Gants blancs, un de ceux-là allait lui dire :

« J'pense que tu vas réussir, Gérald. T'es un ostie de bon musicien, ça c'est sûr. Pis tu veux, ça'pas de bon sens... Mais chriss que t'es pas endurable ! J'vas te dire : c'est à cause de ça que j'm'en vas. J'sus écœuré en maudit de faire crier après moi... Pense à ça, Gérald. Parce que si tu changes pas, tu vas passer ta vie à écœurer tes chums, pis y' vont touttes partir un après l'autre... »

Gérald était devenu blanc comme un linge. Non seulement on osait l'abandonner, mais on lui faisait la leçon en plus ! Il s'était mis à hurler :

« Va-t'en, tabarnac ! Fais comme les autres, va-t'en avec une plotte !... Comment tu penses que j'peux en trouver, des musiciens comme toi ?... Y'en a à' tonne, des pourris comme toi ! Envoye, sacre ton camp, ostie !.. »

Dans ces moments-là, on ne savait pas ce qu'il était capable de faire. Il prenait un pied de micro — de préférence le plus lourd, celui avec un contrepoids de plomb... — et le garrochait à bout de bras, quitte à démolir une chaise ou à défoncer un mur de plâtre. L'un ou l'autre aurait peut-être préféré quitter le groupe plus tôt, mais la crainte qu'il avait de la réaction de Gérald était telle que la décision de partir était toujours remise à plus tard... De sorte que ces hommes-là — et ceux qui allaient suivre — lui annonçaient plutôt la nouvelle au téléphone, ou inventaient des excuses abracadabrantes pour se retirer du groupe !

Ils savaient ce que le leader des Gants blancs pensait de ceux qui le laissaient tomber.

Et les choses empiraient à mesure que les départs se multipliaient. Gérald avait des accès de découragement.

D'un côté, on aurait dit que le temps s'était accéléré, le monde bougeait terriblement vite autour de lui, tout — la ville, les gens, la vie, la musique, même les voitures ! — se transformait à un rythme hallucinant. Et de l'autre, lui, il faisait des pieds et des mains pour tenir le groupe en un seul morceau, pour persister dans ce qu'il savait être sa raison de vivre, pour essayer d'avoir un peu de plaisir quand même.

Et *eux* le laissaient tomber ?...

« Ça prend-tu des ostie de chiens, le vieux !... »

Denis encaissait les monologues sans fin que Gérald lui servait, et qui étaient plus interminables encore lorsqu'il avait bu, en laissant tomber un faible *ouais*... de temps à autre, question de ne pas demeurer totalement silencieux.

« C'est fini. Fini. Ces gars-là, j'veux pus les voir. Parle-moi pus d'eux autres, t'as compris, le vieux ? Pus un mot. Jamais !... »

Il avait alors une façon effrayante de pointer l'index au bout de son poing fermé et de l'agiter de droite à gauche à deux centimètres du nez de son interlocuteur !...

Gérald finissait par se calmer.

La haine qu'il pouvait développer instantanément envers quelqu'un s'estompait plus souvent qu'autrement au bout de quelques semaines après qu'en son for intérieur, il l'eut utilisée pour surmonter l'obstacle, aurait-on dit. Pour vaincre la vie avec cette rage qu'il transformait en obstination. Gérald n'aurait pas repris un *déserteur*, c'est certain. Mais au bout d'un temps, lorsqu'on lui parlait de l'un ou l'autre de ses ex-chums de musique, il se forçait un peu pour dire *ah oui, c'te chriss-là !*... Mais on voyait qu'il ne le détestait plus, qu'il réprimait même un sourire en se repassant intérieurement le film de quelque scène désopilante de l'époque où celui-là faisait partie de son entourage.

Les choses se déroulèrent exactement de la même façon avec les musiciens qui défilèrent au sein de la formation au cours des vingt-quatre mois qui suivirent le départ des pionniers.

Il y en eut près d'une demi-douzaine pour enfiler des gants blancs. Un ou deux demeurèrent avec Gérald et Denis si peu longtemps qu'on eut ensuite du mal à se rappeler qu'ils avaient existé.

Il y eut d'abord Ronald Thibodeau, un guitariste de Saint-Jean-sur-Richelieu de cinq ans plus âgé que Gérald, qui était particulièrement habile dans les rythmes se situant à la limite du country. On arracha ensuite aux Index un nouveau bassiste, Mario Brodeur — c'était fascinant de penser que les membres de ce groupe avaient d'abord cru que Gérald se joindrait à eux... Puis, Thibodeau ayant abdiqué, on fit appel à Rick Horner de Granby, qui, en plus d'être un excellent guitariste-chanteur, se révéla un fort habile maître de cérémonie.

À travers ce va-et-vient, on remercia Jean-Paul Brodeur.

Gérald n'était plus satisfait de lui. Et, méfiant de nature, il supposait que Brodeur lui faisait des entourloupettes. L'imprésario protestait, bien sûr. Mais les deux hommes se regardaient de plus en plus en chiens de faïence.

Le problème était que le fric n'entrait plus, tout simplement.

Les salles de danse fermaient une à une. D'abord, celles-ci relevaient la plupart du temps des autorités religieuses ou civiles. Or, à mesure que la génération yé-yé prenait de l'âge, l'alcool et la drogue faisaient leur apparition dans les sous-sols d'églises, les salles municipales et les gymnases d'écoles. Cela, les curés et les conseillers municipaux ne pouvaient le tolérer. Ensuite, la mode passait. Le disque anglo-saxon, par son imagination, sa qualité et la puissance de la vague qui le portait, supplantait totalement la fragile production de 45 tours des petits groupes québécois, qui voyaient leur audience diminuer de jour en jour.

Gérald savait tout cela. Mais, plus ou moins consciemment, il préférait faire porter le poids de cette morosité à Jean-Paul Brodeur. Les gérants, il les assimilait plus ou moins au *système*, celui qui avait fait de son père un esclave sous-payé avant de l'abandonner à la vieillesse et à la maladie.

«Y' se remplissent les poches su' not' dos, les osties», répétait-il sans se rendre compte qu'il lui arrivait de se conduire de façon injuste, parfois, envers certains individus.

Bref, comme au temps des Kernels, le leader des Gants blancs reprit en main la destinée du groupe. C'était une question de survie. Les frères Boulet s'installèrent à nouveau au pupitre qui meublait leur chambre de la rue Saint-Gabriel; ils se remirent au téléphone, reprirent contact avec les hôteliers de la rive sud.

Au bout de quelques mois, après le creux déprimant de l'hiver 1966-1967, on connut à nouveau une période de vaches grasses.

En plus de s'agiter dans les dernières salles de danse, les Gants blancs recommencèrent à fréquenter assidûment les hôtels, où on les payait plutôt bien. Dans le même temps, ils conclurent une entente avec CHLT-TV pour une nouvelle série d'émissions hebdomadaires d'une demi-heure — Gérald dut à nouveau se battre avec les caméramans qui s'entêtaient à le prendre de profil, ce qu'il détestait plus que tout!

Les choses semblaient vouloir se stabiliser lorsque Mario Brodeur annonça qu'il s'en allait à son tour.

Il fallut trouver un nouveau bassiste.

Le choix de Gérald s'arrêta rapidement sur Michel Lamothe.

Willie.

Car depuis l'école, tout le monde l'appelait Willie, c'était fatal. Au bout du compte, il en retirait une certaine fierté.

Né en 1948 à Saint-Hyacinthe, *petit Michel* avait grandi au même rythme — beaucoup et rapidement — que la carrière de son père. Évidemment, la musique, Lamothe était tombé dedans quand il était petit. À treize ans, il grattait une guitare à la radio locale au sein d'un groupe, les Jaguars (pas ceux de *Mer morte*...), lequel allait par la suite se transformer en Sphynx, puis en Impairs et en Pénitents. Il avait troqué la guitare contre la basse au moment où les Sphynx comptaient deux musiciens, Pierre Bélanger et Denis Forcier, qui allaient plus tard rejoindre les Sultans.

Willie Lamothe — le vrai — n'avait rien contre le fait que son fils embrasse la même carrière que lui. Mais il aurait préféré qu'il demeure plus longtemps à l'école.

En 1961, quelques semaines après le début de l'année scolaire, il avait solennellement convoqué Michel dans le petit bureau aménagé au sous-sol de la demeure familiale. L'adolescent était en sixième année, mais on le voyait assez peu dans la salle de classe... Willie Lamothe avait fait asseoir son fils (déjà plus grand que lui!), l'avait fait mijoter dans son jus pendant de longues minutes en feignant de l'ignorer. Puis il lui avait dit, sans lever les yeux des rapports scolaires étalés devant lui :

« V'là deux semaines, t'es pas allé à l'école le lundi, le mardi pis le vendredi. La semaine passée, t'es pas allé le lundi, le mardi, le mercredi pis le vendredi. Cette semaine, on est rendu à jeudi pis t'es pas encore allé une fois!... »

Il fit une pause.

« Michel, tu y vas-tu encore à l'école, maudit?...

— Non, j'y vas pus. »

C'était clair et sans équivoque.

« Écoute-moi ben : fais d'la musique si tu veux, j'sus mal placé pour te dire de pas en faire! Icitte, chez nous, t'auras toujours une place à coucher, t'auras toujours à manger, tu seras pas dans' rue.

Mais si tu décides de lâcher l'école pour jouer d'la guitare, tu vas t'arranger pour le reste, Michel. À présent, décide... »

L'arrangement convenait parfaitement à Michel Lamothe.

De toute façon, il connaissait bien son père. C'était un tendre. Dans les moments difficiles, il réussirait toujours à lui arracher de l'argent de poche. Et plus encore, à l'occasion. Michel Lamothe avait été de la première vague hippie ; il s'était mis à l'herbe avant tout le monde, avant Expo 67, avant l'ouverture des boîtes underground de Montréal, avant CHOM-FM. En outre, c'était un grand bonhomme, plutôt beau gosse, qui faisait plus d'un mètre quatre-vingt et qui n'avait par conséquent pas eu de mal à s'intégrer rapidement à la *génération de l'amour*...

Dans la vie, il ne s'emmerdait pas.

Lui et Gérald se connaissaient vaguement et se saluaient de loin en loin, entre deux salles de danse ou deux répétitions. À l'automne 1967, un soir où le groupe de Lamothe se produisait à l'hôtel Windsor de Saint-Jean, Gérald offrit un verre à celui-ci et lui demanda carrément de se joindre aux Gants blancs. Tout de suite, Lamothe accepta. Le groupe de Gérald avait la réputation — méritée — d'être l'un des meilleurs groupes au Québec quant à la qualité de son interprétation ; la réputation, aussi, de drainer les dollars avec une certaine facilité. Pour Lamothe, cela représentait donc une sorte d'avancement. Lui et Gérald se serrèrent la main, puis Willie grimpa sur scène pour terminer la soirée avec ses compagnons. Avant de partir, Gérald lui demanda encore :

« Au fait, Willie, veux-tu m'dire où est-ce que t'as pris ça, l'gros corbillard qui est parqué devant la porte ?... »

Car Lamothe prenait un plaisir fou à se trimbaler dans ce curieux véhicule.

« C'est Lucien Ménard qui m'a vendu ça. Y' nous booke de temps en temps, j'te l'présenterai, Gerry. »

Lamothe n'avait jamais salué Gérald autrement qu'en usant du diminutif de *Gerry*.

***

Lucien Ménard, un type de Saint-Jean-sur-Richelieu exilé à Granby, s'occupait à ce moment-là de la carrière de deux ou trois groupes de la région. Il était plus ou moins associé avec Pierre

Gravel, qui administrait une agence de gérance et de booking entrée dans une période de croissance exponentielle.

Gravel avait quinze ans lorsqu'il avait touché son premier cachet d'imprésario — 12 dollars et demi — en bookant les Corvettes à la salle des Chevaliers de Colomb de Cowansville, en 1958. Dix ans plus tard, son agence plaçait une nuée de groupes dans les salles du Québec, des Bel Canto au Vingt-cinquième Régiment en passant par les Merseys, les Habits jaunes, les Misérables, les Chanceliers (le groupe de Michel Pagliaro), The Haunted et d'autres encore. Il montait aussi des tournées spectaculaires dans des centres sportifs — imbuvables au point de vue technique — avec les groupes à la mode. À vingt-cinq ans, Gravel était l'archétype de l'homme pratico-pratique, que l'on devinait capable de dîner en tête à tête avec Jane Fonda sans s'intéresser à autre chose qu'au fonctionnement de son bracelet-montre.

Bien vite, Gerry fut mis en présence de Gravel alors que les Gants blancs se produisaient dans une salle de Granby que tout le monde appelait la salle Wawanesa parce qu'elle était située, à l'angle des rues Principale et Phœnix, au-dessus de la succursale locale de la compagnie d'assurances.

« Moi, c'est quinze pour cent », avait tout de suite décrété l'homme d'affaires après que Gerry lui eut raconté — à sa manière — les démêlés du groupe avec Jean-Paul Brodeur.

« Pas question, Pierre, c'est trop cher », avait répliqué l'autre.

De sorte qu'on en était resté là.

Mais au fil des semaines, les deux hommes s'étaient revus et Gerry avait fini par accepter les conditions de Gravel. Le leader des Gants blancs était fatigué de voir à tout, de courir les engagements dans les salles paroissiales, de se débattre avec les gérants d'hôtel. Et il avait bien envie de confier ce gros paquet de problèmes aux bons soins de quelqu'un d'autre.

En outre, il allait se marier dans quelques semaines et Denise était enceinte. Pour simplifier les choses, il était convenu que le couple s'installerait à Granby, près des bureaux de Pierre Gravel. Gerry et Denise réservèrent l'appartement de la Place de Tourraine.

Tout aurait été parfait si, à la fin de 1968, Rick Horner n'avait pas annoncé qu'il quittait à son tour les Gants blancs.

Jean Gravel lui succéda.

C'était un guitariste tout à fait exceptionnel. Gerry et Willie le savaient non seulement parce qu'ils le connaissaient bien et depuis longtemps, mais aussi parce qu'on avait fait appel à ses services, quelques mois plus tôt, au moment d'enregistrer le 45 tours *Le Vagabond / Dis-moi son nom*.

Johnny — on ne le connaissait que sous ce nom — était né en 1948, comme Lamothe. Il avait grandi au sein d'une famille adoptive installée dans une petite maison d'ouvrier, à Granby. Son père gérait un magasin de chaussures. Encore enfant, il avait reçu une guitare en cadeau d'un de ses oncles et s'était mis à la gratter avec une sorte de frénésie. Son histoire était classique : à dix-huit ans, Johnny Gravel avait abandonné l'école pour faire de la musique avec les Venthols puis avec les Héritiers, des groupes dont faisait aussi partie le batteur Roger Belval, avec qui le guitariste avait usé ses fonds de culottes sur les bancs de l'école Sacré-Cœur.

Les Héritiers avaient eu le temps de connaître un certain succès. Ils avaient enregistré un ou deux 45 tours et, au faîte de leur gloire, chacun d'eux encaissait une paie hebdomadaire deux ou trois fois supérieure à celle — 32 dollars — que touchait le père de Johnny ! À la maison, sa mère notait scrupuleusement les entrées d'argent dans un grand cahier noir. C'est avec une certaine fierté qu'elle regardait partir la remorque, frappée du logo du groupe, que l'on accrochait derrière une voiture pour transporter les instruments dans les salles de danse où il se produisait.

Lorsqu'on le lui avait proposé, Gravel avait d'abord hésité, réticent à se joindre aux Gants blancs. Il avait expliqué à son chum Belval :

«Je l'sais pas si j'vas y aller... Gerry pis Willie, c'est des osties de frais chiés, y' se prennent pour d'autres, ça' pas de bon sens. Heureusement, Denis est correct, lui. Un bon gars. Y' réussit toujours à s'arranger avec tout le monde... »

Mais Johnny Gravel avait enfin accepté. Au bout d'un certain temps, il était même parvenu à bien s'entendre avec Gerry et Willie, un peu *frais chiés*, peut-être, mais de splendides musiciens.

Gerry, lui, se prit vite d'affection pour Jean Gravel.

D'abord, il sentait chez le guitariste une passion pour la musique, une passion viscérale comme la sienne. Une passion qui faisait en sorte que Johnny avait développé sans même s'en rendre compte un style — une manière de piquer ses cordes avec rage, d'improviser dans le bas de son manche des solos graves et inquiétants — qui lui était tout à fait particulier. Ensuite, Johnny était d'un dévouement total. À peine arrivé avec les Gants blancs, il s'était profondément identifié au groupe, allant jusqu'à négliger ses petits intérêts personnels si cela s'avérait nécessaire.

Avec son frère, avec Lamothe et Gravel, Gerry sentait que l'on ferait de grandes choses.

En premier lieu, on améliora encore le son des Gants blancs.

On se procura une quincaillerie électronique toute nouvelle ici : les amplificateurs Davoli, de fabrication italienne. C'étaient des appareils deux fois plus puissants que les Fender — jusqu'à deux cents watts de poussée par ampli — qui rendaient en outre une sonorité riche et totalement exempte de distorsion. Les Gants blancs furent parmi les premiers au Québec à adopter les Davoli, fraîchement importés par Bernard & Frère, une vieille maison d'instruments de musique de Drummondville.

Mais Gerry désirait autre chose encore.

Il était déterminé à acquérir l'instrument qui serait le sien pour le reste de sa vie : l'orgue Hammond B-3, un modèle lancé en 1955 par le réputé fabricant américain.

La console de l'orgue prend la forme d'un énorme cabinet de bois, lourd et encombrant, à la devanture duquel sont disposés deux claviers de soixante et une touches chacun ; pour les notes basses, un pédalier complète les claviers mais il est de coutume de ne pas l'utiliser. La console est faite pour être reliée à un Leslie servant à la fois d'amplificateur et d'enceinte acoustique. L'appareil a à peu près l'allure et le charme d'un vieux téléviseur, mais c'est en réalité une merveille électronique et mécanique. Les hautes fréquences sont rendues par des flûtes montées sur pivot, les basses par un tambour muni sur une partie de son pourtour d'une surface de réflexion destinée à diriger vers l'avant le souffle du haut-parleur monté à la verticale au-dessus de lui. Les flûtes et le tambour sont mus par un moteur à vitesse variable, commandé par un levier accroché à la console de l'orgue.

La sonorité de la B-3 est absolument unique. Et indescriptible. C'est un instrument que les plus habiles musiciens parviennent à faire rire, pleurer, hurler. Un instrument qui vit. Un instrument dont les artistes parlent toujours au féminin — la B-3 —, nonobstant les règles du français, comme s'il s'agissait d'une femme avec laquelle ils seraient tombés en amour.

À sa sortie sur le marché, la B-3 fut d'abord adoptée par les musiciens de jazz, de rhythm'n blues et de grands ensembles. Sur la scène rock, le claviériste Felix Cavaliere du groupe The Young Rascals fut parmi les premiers à exploiter les possibilités de la Hammond, sur le mode vif et emporté qui fit le succès de *Good Lovin'* et de *You Better Run.* Plus tard, Santana allait accoucher des classiques *Evil Ways, Samba Pa Ti* et autres *Everything's Coming Our Way* sur lesquels l'orgue de Gregg Rolie prendrait autant de place que la guitare du leader de la formation, Carlos Santana.

Gerry avait goûté à la B-3 alors qu'il travaillait en studio avec Tony Roman. Il en était devenu littéralement malade. Le hic, c'est que, neuf, ce tas de bois, d'acier, de verre et d'ivoire coûtait au bas mot 5 000 dollars. Et on ne disposait pas du dixième de cette somme...

C'est Michel Lamothe qui, las de se faire casser les oreilles par son chum de musique, finit un jour par dire :

«J'vas en parler à mon père, Gerry. Y' peut peut-être nous arranger ça.»

Willie Lamothe se fit un peu prier, mais consentit finalement à allonger les 3 500 dollars nécessaires pour enlever une B-3 de seconde main (et les *deux* Leslie) que l'on dénicha, par l'intermédiaire de Michel Pagliaro, chez un type de Montréal qui s'en servait pour faire de la musique... dans son salon !

Gerry ne se possédait plus de joie.

Le premier soir où Lamothe et Gravel coltinèrent la Hammond jusque sur la scène qu'occupaient les Gants blancs pour le week-end, Gerry commença par en faire le tour, les yeux pétillants de désir — de *désir*, il n'y a pas d'autres mots — mêlé de respect, de ce respect qu'il avait éprouvé, adolescent, devant le Casavant de la cathédrale de Saint-Jean. Puis il s'était installé sur la banquette de bois sombre fournie avec l'instrument et avait touché les claviers, timidement d'abord, avec délectation, puis avec extase.

En fin de soirée, il aurait dormi sur la B-3 si on ne l'en avait empêché!...

À partir de ce moment, le son des Gants blancs ne fut plus jamais le même. L'arrivée de ce nouvel instrument déclencha une révision du répertoire du groupe, qui prit à ce moment une tangente rock de plus en plus marquée.

Peu de temps après, paradoxalement, Gerry et les autres durent assimiler les vieilles tounes yé-yé des... Sultans!

Car un projet de tournée avec Bruce Huard flottait dans l'air.

Lui et Gerry étaient de bons copains — depuis les beaux jours de L'Escapade — et Huard considérait les Gants blancs comme des musiciens exceptionnels.

En 1968, après avoir régné pendant des années sur le petit univers québécois du yé-yé, les Sultans avaient abandonné la partie, découragés par la baisse de popularité des groupes, déprimés par la médiocrité croissante des shows qu'ils donnaient avec de moins en moins de conviction et de plaisir.

On en était là.

Au faîte de leur gloire, les Sultans avaient été parmi les meilleurs performers au Québec. Sur scène, ils laissaient volontiers de côté les mièvreries qu'ils gravaient sur 45 tours pour plutôt interpréter les tounes les plus démentes des Rolling Stones. Huard se départait de cet air un peu niais qu'on lui voyait à la télévision. Ses musiciens, branchés sur d'énormes amplis Vox de fabrication britannique (comme ceux qu'utilisaient les Beatles), mettaient à chaque fois le feu à la cabane.

Mais à la fin, ils n'étaient plus les mêmes. Ils refaisaient trois fois, sur *demande spéciale*, leur hit à trois accords emprunté à Michel Polnareff, *La poupée qui fait non*. Souvent, l'un ou l'autre était tellement ivre qu'il fallait l'adosser au mur de Vox pour ne pas qu'il s'écroule... C'était pitoyable.

Par la suite, Bruce Huard tenta un retour avec un band de treize musiciens; ce fut un échec et il disparut de la circulation pendant plusieurs mois.

Puis Gerry et Bruce Huard se retrouvèrent.

Pendant près d'un an, à partir d'avril 1969, les Gants blancs accompagnèrent l'ex-chanteur des Sultans dans les quelques salles de danse restantes, dans les hôtels et jusque sur la scène de la

Place des Nations — le deux juillet, avec Jacques Michel, Alexandre Zelkine, Claude Landré et Chantal Pary.

On avait d'abord annexé une section de trois cuivres, ce qui avait fait le bonheur de Gerry.

« J'aime ça en ostie, des brass, moi... » répétait-il à Huard, comme s'il s'était agi d'un jouet qu'on lui donnait. Au surplus, en dix-huit mois, deux groupes américains nantis d'importantes sections de cuivres firent des percées importantes sur le marché : Blood, Sweet & Tears et Chicago Transit Authority. On fondait donc l'espoir de monter un gros show qui se situerait en plein dans la mode du jour et qui drainerait des masses de fric. Mais on constata bien vite l'impossibilité, dans les petites salles du Québec, de rentabiliser une entreprise nécessitant la présence de huit personnes sur scène. Aussi on décida de continuer plus modestement et on renonça aux cuivres.

On entrait à nouveau dans une période difficile.

Pour gagner leur vie, les Gants blancs en vinrent à se produire indifféremment avec ou sans Bruce Huard. On décidait à la pièce, selon la teneur des engagements offerts. Lorsque les Gants blancs partaient avec l'ex-chanteur des Sultans, Gerry expliquait un peu cyniquement à Denise :

« Ça paye plus avec Bruce... »

Mais cela aussi s'écroula au bout d'un temps. Bruce Huard abandonna la musique et trouva un emploi de représentant dans une compagnie de transport.

En prime, on se brouilla avec Pierre Gravel.

Ce fut plus pénible encore qu'avec Jean-Paul Brodeur. Gerry et Willie, surtout, avaient acquis la conviction que Gravel ne remettait pas au groupe la totalité des sommes qui lui étaient dues ; comme l'imprésario ne parvint pas à les convaincre du contraire, l'association se termina abruptement lorsque Gerry remit à Gravel deux cents chèques postdatés au montant de 1 dollar chacun.

« Tiens, Gravel, c'est les 200 piastres que j'te dois !... » hurla-t-il avant de claquer la porte au nez de l'homme d'affaires stupéfait.

**

Les Gants blancs se retrouvaient à nouveau à la case départ.

Pour la première fois depuis qu'il s'était donné à la musique, presque dix ans plus tôt, Gerry ne savait vraiment plus que faire. Il lui arrivait presque de penser à abandonner cette carrière-là.

À l'aube d'une nouvelle décennie, l'ère des salles de danse était visiblement morte et enterrée. Pour faire boire leurs clients, les hôteliers hésitaient de plus en plus entre l'orchestre et la discothèque : on commençait alors à installer dans les bars des chaînes haute-fidélité à la puissance stupéfiante, pilotées par des disc-jockeys armés de deux platines tourne-disques et d'un microphone dans lequel, entre les tounes, ils étaient autorisés à débiter des montagnes de conneries.

Les Gants blancs commençaient en outre à faire peur.

Ces joyeux fêtards n'étaient pas particulièrement discrets lorsqu'ils s'installaient dans un hôtel de province.

Dans leurs chambres, ils faisaient un chahut de tous les diables. Ils cruisaient sans vergogne les blondes de tous les durs de la place. De sorte qu'ils avaient à se servir de leurs poings pour sauvegarder leur intégrité physique et que les femmes de ménage tombaient parfois sur des armes lorsqu'elles officiaient dans leur repaire. Ils engloutissaient des quantités phénoménales de bière et montaient ensuite sur scène pour livrer un répertoire un peu trop lourd — et à plein volume par-dessus le marché — devant un public qui préférait en général Nana Mouskouri à The Cream. Ils avaient le don aussi de modifier très légèrement les paroles de leurs tounes pour en faire un tissu d'insanités : combien de fois interprétèrent-ils ainsi *Shittin' on the Dock of the Bay?*...

Après avoir fumé un gros bloc de haschisch, c'était irrésistiblement drôle.

Car ils s'étaient mis à fumer comme des locomotives.

Au début, Gerry avait regardé ces substances-là — marijuana, haschisch, mescaline, LSD — avec méfiance. Peu après son arrivée au sein du groupe, Lamothe s'était fait dire :

«Willie, si j'te vois encore prendre de l'acide avant de monter su'l'stage, j'te câlisse dehors, as-tu compris, là?...»

Puis, après avoir évalué pendant des mois la quantité de plaisir que ses chums semblaient retirer de leurs herbes et de leurs pilules, Gerry consentit à visser un joint entre ses dents. Cela se passait dans un bar de Saint-Jean. Il y avait peut-être quinze personnes autour de la table. La seule chose dont il devait plus tard se souvenir, c'est qu'il n'avait jamais de sa vie autant rigolé...

Maintenant, lui et les autres ne prenaient même plus la peine de rouler des joints. Ils fumaient au couteau ou, plus expéditif encore, ils mettaient le feu à une montagne de hasch à l'aide d'un chalumeau au gaz propane comme ceux dont se servent les plombiers !

Souvent, le party se transportait chez Gerry et Denise.

L'appartement de la Place de Tourraine était continuellement plein de gens, Justin marchait à quatre pattes entre des douzaines de longues jambes habillées de jeans, louvoyant entre les morceaux de hasch en fusion qui tombaient de la table ! Le petit bonhomme adorait, bien sûr. Tout le monde s'occupait de lui, le grand Lamothe le faisait sauter sur ses genoux, Denis lui parlait tout doucement lorsqu'il était temps d'aller au lit, Gravel lui tenait de longs discours, comme s'il avait eu affaire à un adulte. Le tourne-disque — un énorme *stéréo* encastré dans un cabinet de bois — fonctionnait à tue-tête. Ou alors c'était le téléviseur qui donnait un match de hockey, ou n'importe quoi.

Denise avait un sacré plaisir, elle aussi, avec cette bande d'hurluberlus. Même si elle buvait peu et qu'elle ne fumait pas. Pas même la cigarette. Mais un soir, son mari réussit à la convaincre d'avaler un buvard d'acide. Comme Gerry avec son premier joint, elle en fut quitte pour rire comme une déchaînée pendant des heures ! Elle ne détesta pas l'expérience, de sorte que son mari, pour se moquer d'elle, prit l'habitude de dire :

« Ma femme, 'est heavy en ostie : a' fume pas, a' prend jus' d'la grosse dope !... »

Tout cela n'arrangeait rien à l'indécision de Gerry, bien sûr. C'était foutument amusant, mais cela ne donnait aucune indication quant à la direction qu'il fallait imprimer aux Gants blancs pour sortir du marasme. Au mieux, on réussissait à rire de la situation, voilà tout. À se moquer du nom du groupe pour commencer. Gerry disait :

« Les Gants blancs, tabarnac !... On a-tu l'air quétaine, hein ?... »

C'était un sujet inépuisable de plaisanteries. Lorsqu'il fumait — ou qu'il avalait de l'acide, ou de la mescaline, car l'éventail des euphorisants s'élargissait de jour en jour — et qu'il se mettait à défiler tous les noms de groupes sous lesquels il avait fait de la musique depuis la fanfare de Philipsburg, Gerry était pris d'un fou rire irrépressible. On avait fréquenté les vampires, bouffé des arachides, porté des gants. Avec l'ex-chanteur des Sultans, on s'était même affublé du titre de Septième Invention avant de s'afficher tout bêtement sous le nom de Bruce Huard et les Gants blancs. *Bruce Huard et les Gants blancs, calvaire!* Après une autre flambée de hasch, Willie renchérissait avec son propre bagage de noms de groupes. Johnny aussi. À la fin, on en inventait d'autres et on croulait sous la table!

Après quelques séances de ce type, on convint de rédiger un autre baptistaire pour la formation. Deux autres, en fait. Ainsi, pendant plusieurs mois, Gerry et ses chums de musique utilisèrent indifféremment le nom de Gran'Pa & Co ou celui de Bucket of Blues lorsqu'ils se produisaient dans des localités à majorité anglophone, autour de Montréal ou de Sherbrooke. Quitte à enfiler les Gants blancs lorsqu'ils débarquaient sur une scène où ce nom jouissait encore d'une certaine notoriété.

Il est vrai que, depuis quelques mois, les vieux fans des Gants blancs ne reconnaissaient plus leurs idoles.

Ils s'étaient mis à composer, de sorte qu'ils avaient ajouté quelques pièces de leur cru au répertoire rock pur et dur qu'ils avaient adopté envers et contre tous — quitte à perdre des engagements. En fait, ils éprouvaient de moins en moins de satisfaction à faire les tounes des autres. Ils étaient parvenus à ce point où ils devaient *inventer* des trucs pour éprouver ce plaisir grisant de la musique que la simple interprétation ne leur procurait plus.

Non pas que ce fût facile.

Ce n'était pas comme ces deux ou trois compositions que l'on avait couchées sur 45 tours au fil des ans en s'inspirant des tounes mielleuses de la grande confrérie internationale des quétaines.

Non. Les influences étaient devenues tout autres.

Et elles étaient multiples. D'un côté, il y avait des groupes comme The Blues Project, le band d'Al Kooper, l'organiste américain peut-être le plus inventif à ce moment-là, qui avait fait *Highway 61 Revisited* et *Blonde on Blonde* avec Bob Dylan. The Blues Project faisait un blues très pur et sophistiqué. Le Paul Butterfield Blues Band, que Gerry avait vu à l'Esquire Show Bar, était plus dur, plus flyé; dans *East-West*, Bloomfield, leur guitariste, avait en quelque sorte inventé le psychédélisme. Gerry mettait cette musique dans une grande marmite, saupoudrait le mélange de riffs retenus de groupes rock plus durs, tel Deep Purple. Et il remuait le tout.

Dans les bagages des Gants blancs — et de Gran' Pa & Co et de Bucket of Blues... — s'empilaient graduellement plein de petits bouts de chansons. Certains apparaissaient instantanément et s'évanouissaient aussi vite. Quelques autres accompagnaient le groupe depuis des mois. Il y en avait même un, un petit bout de chanson, que l'on avait concocté à l'époque où on tournait avec Bruce Huard !

Gerry composait avec ses chums de musique, comme ça, sans méthode, y allant simplement par instinct, par essais et erreurs. À l'occasion, il travaillait avec Gilles Rivard, un chanteur populaire qui était un vieux copain à lui. Ensuite, on plaquait des paroles — en anglais, et un peu n'importe quoi, Gerry n'y attachait pas du tout d'importance — sur les mélodies que l'on avait ébauchées. On avait ainsi composé *Love in Vain*, qui disait :

> *Every time I look at your face*
> *I see my reflection in your eyes...*

Tout cela se déroulait comme si ça n'avait pas été une occupation sérieuse. Pourtant, les quatre musiciens se laissaient piquer au jeu. Gravel arrivait même à sourire, tripant comme un enfant à inventer des riffs qui parfois n'avaient ni queue ni tête mais qui, de temps à autre, étaient terriblement accrocheurs. De plus en plus confiant, il disait :

« On est capable de s'bâtir not' cabane à nous autres, j'sus sûr... »

Puis un nouveau personnage apparut dans l'entourage des Gants blancs à l'automne 1970.

Un drôle de numéro.

Au début, Gerry se disait que cet homme-là lui rappelait l'école. Le collège ! Étrange, non ?

Ce n'était pas évident, comme ça, à première vue. Il s'appelait Lucien Ménard, mais ce n'était pas le même, pas celui de Granby. D'ailleurs on ne pouvait pas s'y méprendre...

Lucien Ménard n'était justement pas allé à l'école — ou si peu : il avait quitté sa famille et tout le reste à l'âge de quatorze ans — et avait tout appris par lui-même, tout compris par lui-même. Gerry sentait que Ménard jouissait d'une prodigieuse intelligence et qu'il l'avait utilisée pour accumuler une phénoménale quantité de connaissances. C'est ça qui rappelait l'école. L'intelligence. Les connaissances.

Mais il n'était pas chiant comme les frères de Philipsburg.

C'était une sorte de hippie de trente-cinq ans, peut-être, qui savait tirer parti de tous les plaisirs de la vie et qui parlait de choses sérieuses et profondes comme s'il s'était agi d'histoires de taverne n'ayant pour but que de faire rigoler ceux qui l'entouraient.

Lorsque Ménard s'envolait dans de grandes tirades, Gerry l'écoutait d'abord comme il aurait écouté un professeur, il fronçait ensuite les sourcils puis s'écriait pour finir :

« Arrête de nous casser les oreilles, Pops Lulu !... »

Car on l'appelait Pops Lulu.

En fait, Gerry l'avait aimé tout de suite même si, en principe, un homme comme celui-là était l'antithèse parfaite des chums qu'il avait eus jusqu'à ce jour.

C'est par Lamothe qu'on l'avait rencontré.

Lamothe était un être étonnant.

Il était exactement le contraire d'un intellectuel et il était néanmoins arrivé un jour en remorquant un Pops Lulu bavard et hilare, un type avec des lunettes rondes et une grosse barbe, comme un poète, portant un livre sous le bras, qui s'était mis tout de suite à raconter des trucs sur les voyages qu'il avait faits, sur ses chums de l'Office national du film, sur d'autres qui écrivaient, ou faisaient de la peinture, ou tramaient dieu sait quoi encore.

Et Lamothe avait l'air de s'entendre avec cet homme-là comme s'ils avaient élevé les cochons ensemble !...

Pourtant, Lucien Ménard d'une part, et les Gants blancs — et Gran'Pa & Co et Bucket of Blues... — d'autre part, évoluaient dans des mondes tellement diffférents que ç'en était hallucinant.

Mais ces deux mondes-là venaient de se rejoindre autour d'un film.

Lucien Ménard avait passé pratiquement toute l'année 1970 à préparer le tournage d'un documentaire sur Willie Lamothe. Il travaillait avec le cinéaste Jacques Leduc dont le film *Je chante à cheval avec Willie Lamothe*, tourné en seize millimètres, était destiné à la télévision (dans le cadre d'une série de quatre moyens métrages portant, outre Lamothe, sur Maurice Richard, sur le frère André et sur Maurice Duplessis).

Ménard était vite devenu un intime de la famille Lamothe. Intime avec Willie, avec Michel. Venu voir jouer celui-ci et ses chums dans un hôtel de province, il avait été stupéfait par la qualité de la musique que ces types-là faisaient, par le son qu'ils avaient assemblé, par l'énergie qu'ils développaient sur scène et qui soulevait la salle la plus blasée.

Depuis, il était en quelque sorte devenu le cinquième membre du groupe, au point que Ménard avait convaincu Leduc de l'immortaliser dans une scène du film. Qu'il avait donné la clé de son logis — un taudis invraisemblable planté dans le bas de la ville — aux musiciens.

Au point qu'après quelques semaines, il était devenu le gérant, le gourou, le père et la mère de la bande à Gerry !

Et le Grand Motivateur, aussi, car il s'était mis à leur pousser dans le cul :

« Y' faut qu'vous fassiez quelque chose ! Avec le talent que vous avez, vous pouvez faire du rock aussi bien que n'importe quel Anglais, ostie ! Pis du rock qui nous ressemblerait en plus... Grouillez-vous un peu, c'est toutte ! »

C'était un drôle de moment pour essayer de convaincre des rescapés de la vague yé-yé d'entrer dans le monde du rock pur et dur.

En moins d'un mois, les dix-huit septembre et trois octobre 1970, deux monuments du rock'n'roll périrent tour à tour. Jimi Hendrix s'éteignit d'abord à Londres à l'âge de vingt-sept ans. Puis on retrouva le corps de Janis Joplin, morte elle aussi à vingt-sept ans, dans une chambre d'hôtel de Hollywood. Quinze mois plus tôt, l'ex-guitariste des Rolling Stones, Brian Jones, s'était noyé dans sa piscine. Et on apprendrait bientôt, le trois juillet 1971, la mort du poète et chanteur des Doors, Jim Morrison.

Gerry eut beau jeu de dire à Ménard :

« Ça vit pas vieux, un rocker, Lulu, c'est pas mal décourageant... »

Et Gerry riait de bon cœur ! Lui était éternel, ce n'était pas la même chose, il pourrait faire du rock à en perdre haleine et vivre tout de même jusqu'à cent ans.

L'aut' soir, l'aut' soir...

OFFENBACH (Jacques), compositeur allemand naturalisé français (Cologne 1819 - Paris 1880). Il est l'auteur d'opérettes qui reflètent avec humour la joie de vivre du second Empire (*Orphée aux enfers*, 1858 et 1874; *La Belle Hélène*, 1864; *La Vie parisienne*, 1866) et d'un opéra fantastique, *Les Contes d'Hoffmann*.

Au-dessus du paragraphe, on voyait la tête de Jacques Offenbach telle qu'immortalisée par Nadar, le photographe des célébrités de la seconde moitié du dix-neuvième siècle. Il était tout maigre, il avait le crâne plutôt dégarni et, sous sa moustache, le sourire d'un... compositeur d'opérettes, quoi d'autre?...

« Offenbach?...

— Offenbach.

— Un gars qui faisait des opéras?

— Des opérettes.

— C'est la même affaire, câlisse!

— Ben non, le vieux. Un' opérette, c'est... c'est... En tout cas... »

Gerry Boulet tirait sur sa Gitane. Il était assis par terre dans le salon, Place de Tourraine, les jambes croisées à l'indienne, avec sur ses cuisses un gros dictionnaire usé auquel il manquait des pages. Denis était avachi à côté de lui, sur le divan qui lui servait de lit lorsque la chambre d'amis était occupée par Judd Gordon ou par quelqu'un d'autre. Le téléviseur donnait un de ces films insipides comme on en capte l'après-midi à toutes les antennes du monde.

« Sais pas, Gérald, sais pas... »

Lui ne s'habituait pas à appeler son frère Gerry. Celui-ci continuait à fumer et à contempler la moustache de Jacques Offenbach. Au bout de cinq minutes, il criait :

« Willie!... »

Lamothe était dans la cuisine, occupé à ne rien faire. Denise circulait d'une pièce à l'autre en jetant un regard noir à son mari et en rangeant les cent mille trucs que tout le monde laissait traîner partout, tout le temps. Justin dormait. Gravel était au diable vauvert. Ménard était avec Gravel.

« Willie !

— Quoi ?

— Viens icitte ! »

On l'entendait se lever de sa chaise et traîner sa longue carcasse jusqu'au salon.

« Qu'est-ce qu'y'a ?

— Offenbach.

— Quoi, Offenbach ?

— Ben, Offenbach. On pourrait s'appeler Offenbach.

— Offenbach... Dis-moi pas, Gerry, que ça t'a pris deux heures pour trouver ça dans ton livre !... C'est quoi, ça, Offenbach ?

— C'est, heu... *compositeur allemand naturalisé français...* heu... *auteur d'opérettes qui reflètent avec humour la joie de vivre du second...*

— Un tarla... Qu'est-ce' tu veux qu'on fasse avec un nom de même ?

— On s'en chriss-tu qu'ça soye un tarla, Willie ! Offenbach, ça sonne ben, c'est toutte. En anglais pis en français. C'est toujours ben mieux qu'les Gants blancs ! »

Ou que Gran'Pa & Co. ou Bucket of Blues. Ou encore La Septième Invention.

« Faudrait juste trouver un aut' mot pour aller avec. Offenbach queq' chose... Charche, Willie ! »

De sorte qu'ils passèrent des jours, par la suite, à essayer toutes sortes de combinaisons, jusqu'aux plus scabreuses associations de mots. Lamothe était fort habile à ce jeu-là. À force de bière, de hasch et de jurons, on parvint à s'entendre sur Offenbach Pop Opera. Gerry répétait, pour s'habituer à la sonorité :

« Offenbach Pop Opera... Ouais. Offenbach Pop Opera... »

On se mit à dire aussi : l'Opéra Pop d'Offenbach. En français...

Écrasé dans le salon avec un dictionnaire sur les genoux, Gerry se dit que, décidément, cette damnée question de langue commençait à l'embêter royalement.

À cause de son enfance à Saint-Jean, à cause de l'éducation qu'il avait reçue, il n'arrivait pas à bien saisir l'essence du débat linguistique — et sa répercussion possible sur la chanson et sur le rock — qui secouait le Québec depuis quelques années.

Aux premiers temps des Gants blancs, il s'en rappelait, il était arrivé qu'on leur réclame plus de tounes en français. Lorsque c'était absolument nécessaire, ils se dépêchaient d'apprendre quelques succès français, du Gilbert Bécaud ou n'importe quoi d'autre, en haussant les épaules comme on le ferait devant un travail ennuyeux mais incontournable.

En juillet 1969 (Gerry en avait gardé un souvenir très vif, qui réussissait à le mettre encore en colère!), il s'était pris aux cheveux avec un employé du Jolly Roger Motel de Métis-sur-Mer, près de Matane, qui l'avait apostrophé :

«J'vous connais, vous autres, j'sais ce que vous jouez d'habitude. Mais là, j'vas te dire un' affaire : ça prend du français si vous voulez jouer icitte. Fait que... si vous savez pas assez de tounes en français, installez-vous su'l'juke-box pis apprenez-en, c'est toutte, ostie. On est des Québécois, on n'est pas des blokes!»

La boîte à musique, justement, jouait du Charlebois.

Gerry avait failli lui mettre son poing sur la gueule. Mais c'est un luxe qu'il ne pouvait certainement pas se payer à ce moment-là. Il avait préféré se tourner vers Denis pour lui dire d'un air dégoûté :

«Sont-tu quétaines, ces câlisses-là... À part ça, y' pourraient commencer par changer le nom de leu' motel si y' veulent du français!...»

Depuis, c'était pire encore.

On venait de vivre les événements d'octobre 1970.

Dès le cinq octobre, ce lundi où James Richard Cross avait été enlevé, Gerry s'était mis à suivre le déroulement de la crise à la radio et à la télévision, comme tout le monde. C'était d'autant plus intéressant que Denise était terrorisée et qu'elle fondait presque en larmes en regardant le téléjournal! Gerry avait à chaque fois l'occasion de faire le dur, de jouer à lui faire peur un peu plus encore, de lui dire :

«Qu'est-ce'tu penses qu'y' va arriver, hein?... Y' vont peut-être enlever Boubou, c'est toutte, ça va être drôle en tabarnac!...»

Il avait bien vu l'aspect linguistique, presque ethnique, de l'affaire, mais cela ne parvenait pas à l'émouvoir. C'était de la politique, en somme. Et la politique, c'était un merdier intégral. En juin 1968 et en avril 1970, le Québec avait élu tour à tour Pierre Elliott Trudeau à Ottawa et Robert Bourassa à Québec : était-ce possible? Les Québécois avaient envoyé paître René Lévesque et son nouveau parti composé de gens qui avaient tout de même l'air un peu moins tordus que les autres : c'était un monde, ça aussi...

Gerry s'en foutait de toute façon. *Y'a rien là*, comme il disait.

Par contre, par contre... un langage, un autre genre de discours faisaient vibrer une fibre dans son être. Il se trouvait avec des chums à la taverne — c'était l'endroit parfait pour un soir comme celui-là — lorsqu'à vingt-deux heures trente, le huit octobre, Gaétan Montreuil apparut à l'écran du téléviseur pour débiter, sur le ton qu'il aurait eu en exprimant ses dernières volontés devant un peloton d'exécution :

«Le Front de libération du Québec veut l'indépendance totale des Québécois, réunis dans une société libre et purgée à jamais de sa clique de requins voraces, les big boss patroneux et leurs valets qui ont fait du Québec leur chasse gardée du cheap labor et de l'exploitation sans scrupules...»

Gerry bondit littéralement de sa chaise pour hurler :

«Oh! ciboire... Lui y' parle!...»

Montreuil devenait un peu plus blanc.

«...oui il y en a des raisons pour que vous, madame Lemay de Saint-Hyacinthe, vous ne puissiez vous payer des petits voyages en Floride comme le font avec notre argent tous les sales juges et députés. Les braves travailleurs de la Vickers et ceux de la Davie Ship les savent, les raisons, eux à qui l'on a donné aucune raison pour les chrisser à la porte...»

Ça, Gerry ne comprenait que trop bien!

C'était plus qu'une affaire de français ou d'anglais. C'était l'histoire de son père et de la rue Cousins, celle de sa mère qui faisait des ménages, et sa propre histoire à lui lorsqu'il tombait endormi sur sa machine, à la Bruck Mills. C'était la vie des ouvriers, de leurs fils et de leurs filles. Gerry n'avait certainement pas envie de faire la révolution. Mais il comprenait que d'autres y songent.

Alors, hein?...

Est-ce que... Est-ce qu'on allait adopter le nom d'Offenbach Pop Opera ou celui de L'Opéra Pop d'Offenbach?...

Avec un drôle de sourire, Gerry referma le dictionnaire et le posa au beau milieu du salon. Il se leva péniblement et lança aux autres en franchissant la porte :

«Venez-vous-en. On s'en va faire un tour en ville...»

Denise eut tout juste le temps de lui crier :

«Essaye de revenir avant la semaine prochaine!»

Contemplant le désastre dans le salon, les bouteilles de bière vides, les sacs de chips éventrés, les T-shirts accrochés aux fauteuils, elle ajouta pour elle-même :

«Au moins, Gérald, t'aurais pu ramasser le dictionnaire...»

Elle non plus n'était pas capable de l'appeler Gerry. Sauf lorsqu'elle était vraiment en colère et qu'elle voulait se moquer de lui.

Mais là, elle n'en avait plus la force.

Ça ne servait même à rien de continuer à faire du rangement. Le logis était irrémédiablement une zone sinistrée. On avait commencé à emballer des vêtements, de la vaisselle, des bibelots, de sorte qu'on butait sur des caisses posées un peu partout dans l'appartement. Dans quelques semaines, le trois mai 1971, elle et Gérald allaient retourner à Saint-Jean-sur-Richelieu, après trois années passées à Granby. Ils avaient déjà réservé un appartement au sous-sol du 7, rue Carillon, non loin du club de golf de la municipalité. Justin aurait sa propre chambre. Et on serait plus proche de Georges et de Charlotte Boulet. Plus proche de Montréal également, où Gérald — Gerry! — était toujours rendu de toute façon.

Pourtant, Denise manquait d'enthousiasme.

La vie avait tellement changé depuis qu'elle avait épousé Gerry. Pour commencer, son mari lui-même avait changé. Au début, il était toujours à la maison. Sauf, bien sûr, lorsque les Gants blancs honoraient des engagements à l'extérieur, en Abitibi ou dans le Bas-du-Fleuve, au Saguenay ou dans la région de Québec. Alors, son mari écrivait; deux fois par semaine, parfois trois. On faisait une petite vie somme toute tranquille, il arrivait même que Gerry fasse la popote, ou change les couches de Justin — même s'il détestait cela à périr. On sortait si peu qu'on n'allait même pas au cinéma. Ou au restaurant.

En janvier 1969, deux mois à peine après avoir accouché, Denise avait recommencé à travailler, à temps partiel d'abord, au bureau local de La Mutuelle-Vie. D'ailleurs, il fallait déménager parce qu'elle avait obtenu un poste à temps plein à la succursale de Saint-Jean de la même compagnie. Cela apporterait un peu d'eau au moulin car, depuis un certain temps, Gerry ne ramenait plus que des cachets faméliques à la maison.

Ça en était une, ça, tiens, une des choses qui avaient changé!

Même physiquement, Gerry n'était plus le même.

Il avait commencé par laisser pousser ses cheveux. Au début, Denise trouvait ça très bien. Est-ce que tous les jeunes hommes ne s'étaient pas mis à porter les cheveux longs depuis quelques années? Elle préférait, de toute façon. Ensuite, il y avait eu la moustache — pendant un temps, Gerry aurait pu passer pour le frère jumeau de Frank Zappa! Puis les cheveux plus longs encore. Et encore plus longs, toujours plus longs. Gerry les avait laissés retomber sur ses épaules, Denise n'était plus très sûre d'aimer la tête de son mari, ça dépendait des jours. Et pour finir, Gerry avait adopté la barbe. La barbe!... Il avait maintenant les cheveux dans le dos et une énorme barbe qui cachait presque tout son visage!...

Mais au fond, quelle importance? Ses chums de musique étaient plus hirsutes encore. S'il n'y avait eu que cela!

Depuis quelques mois, il arrivait de plus en plus fréquemment à Gerry de ne pas revenir coucher, même lorsque le groupe était au chômage. Denis dormait dans la chambre d'amis — ou alors dans le salon — et c'est lui qui s'occupait de Justin, comme s'il en avait été le père. Ou alors Hélène, la petite sœur de Denise, s'en chargeait; l'adolescente demeurait à la maison, ce qui faisait de la compagnie à Denise.

Maintenant, Gerry allait de plus en plus souvent dormir à Montréal. Chez Pops Lulu. Il n'y en avait plus que pour lui, Lulu par-ci, Lulu par-là, son mari ne parlait plus que de Pops Lulu. À propos, est-ce que Gerry n'avait pas *vraiment* changé à partir du moment précis où cet homme-là était apparu dans le décor? Les cheveux, la barbe, les virées de trois jours à Montréal, tout ça?...

Malgré tout, elle ne détestait pas Ménard. C'était l'être le plus rigolo de la terre, il riait tout le temps, on aurait dit que la vie n'était pour lui qu'une énorme — et savoureuse — plaisanterie. Le plus doux aussi, le plus gentil des hommes. Mais d'un autre monde, cela se sentait. Denise n'était pas à l'aise avec la quantité d'inconnus que Ménard trimbalait avec lui, elle ne pouvait pas entrevoir l'influence que cet homme-là aurait à long terme sur Gerry. Tout cela lui faisait un peu peur.

Denise ne pouvait pas deviner que, le couple étant à peine installé rue Carillon, Gerry se ferait un autre chum à Montréal.

Celui-là aurait un peu le même type que Pops Lulu, mais en moins rigolo. Gerry l'appellerait *l'intello* ou *l'poète* et, au début, pour attirer son attention, lui lancerait continuellement sur un ton glacial :

« Hé !, Harel ! »

Denise ne pouvait pas savoir, non plus, que Pierre Harel était l'homme à la fois le plus patient et le plus déterminé de la terre.

***

En avril 1971, Lucien Ménard était parti à Rouyn pour travailler comme régisseur sur un plateau de tournage, celui de *Bulldozer*.

C'est comme ça qu'on avait connu Harel, le réalisateur du film. Pendant le tournage, il avait chanté à Ménard quelques-unes de ses compositions — car le cinéma ne constituait pas sa seule occupation, il écrivait aussi, et faisait de la musique en plaquant quelques accords sommaires sur une guitare.

Lui aussi faisait penser à l'école. Et c'était encore plus paradoxal qu'avec Pops Lulu. Car la première fois que Gerry avait conversé avec lui, Pierre Harel avait statué :

« Moi, j'sus un analphabète, ostie... »

Sauf qu'il parlait comme un professeur, comme Ménard, quand il s'emportait sur un sujet qui lui tenait à cœur, l'art populaire, la cause amérindienne, la justice sociale, l'identité québécoise; il utilisait presque les mêmes mots que Gaétan Montreuil le soir de la télédiffusion du manifeste du Front de libération du Québec... D'ailleurs, en 1968, Harel avait tourné un documentaire — *Taire des hommes* — sur l'émeute qui avait éclaté lors de la parade de la Saint-Jean-Baptiste, la fois où Trudeau avait eu l'air tellement suffisant, tellement baveux, tellement chiant, que le lendemain, il avait gagné ses élections! De sorte que les policiers avaient perquisitionné chez Harel en octobre 1970, emportant la pellicule de *Sombreros inutiles*, une comédie inachevée que personne ne vit jamais.

Pierre Harel était né à Sainte-Thérèse-de-Blainville d'un père professeur et d'une mère coiffeuse. Il avait vingt-sept ans. Treize ans plus tôt, alors qu'il étudiait au collège classique, il avait déniché une guitare et décidé de devenir chansonnier. Il avait d'abord écrit *Mon Ami*, une toune à un accord, le mi mineur, puis il avait accouché de *Joël le marin* tout de suite après avoir maîtrisé le doigté d'un deuxième accord, le fa mineur!

Il avait ensuite bifurqué vers le cinéma, emporté par le plaisir découvert lors d'un emploi d'été à la télévision de Radio-Canada. Après *Taire* et *Sombreros*, Harel en vint à *Bulldozer*. Le tournage en Abitibi fut un cauchemar, mais on vint à bout de ce curieux scénario mettant en scène une bande de marginaux tirant leur subsistance de leur activité d'écumeurs de dépotoirs et vivant des relations étranges dans une ambiance étrange... un scénario dont le potentiel commercial était égal à zéro.

Par l'intermédiaire de Ménard, Pierre Harel fut mis en présence d'Offenbach Pop Opera alors que Gerry et les autres s'exécutaient dans un hôtel de Saint-Jean-sur-Richelieu. Harel s'amena dans son énorme Cadillac blanche. Séduit à son tour par la musique que faisait le groupe, il fut vaguement déçu de constater que ces types-là ne semblaient pas savoir dans quelle direction aller ni comment utiliser leur talent.

Lucien Ménard l'avait prévenu :

«Y' faut pas que tu t'en fasses, Pierre, c'est une gang de toughs mais c'est des purs. Va les voir sur une scène, tu vas comprendre. Va les entendre, surtout... Toi, t'écris. Eux autres, y' font de la musique. J'suis certain que vous pouvez arriver à quelque chose ensemble...»

Lulu avait aussi plaidé devant Gerry :

«Harel, y' peut vous mener quelque part. Vous pouvez faire la musique de son film pis après, vous verrez : y' écrit, ce gars-là, on sait pas... Tentez l'expérience avec lui...»

Cette fois-là, à Saint-Jean, Gerry ne fut pas certain d'aimer le nouveau venu. Il n'arrivait pas à comprendre Lamothe, qui s'était tout de suite entiché de Pierre Harel comme, auparavant, de Ménard. En fait, Gerry prit *l'intello* en grippe dès le début. Car, contrairement à Lulu, Harel parlait de monter sur le stage, lui ! Et on sentait que c'était un homme qui avait besoin d'air, de place pour bouger, qu'il finirait — qui sait ? — par réclamer un micro pour chanter. Et ça, Gerry aurait du mal à l'accepter, il le prévoyait déjà. Il tenait à son statut au sein du groupe.

Néanmoins, en juin, Ménard réussit à convaincre Gerry de laisser l'autre participer à une répétition. Puis le groupe se retrouva pendant un mois à l'hôtel Central de Saint-Placide, non loin de la maison de campagne que Harel habitait à ce moment-là.

Au début, ce fut folklorique. Harel tapait sur des boîtes en fer blanc — destinées au transport du sirop d'érable ! — que l'on avait dénichées dieu sait où. Il fallut deux mois avant qu'il acquière de vrais congas qu'il battait en enfilant des gants de cuir noir pour ne pas se briser les phalanges. Après quelques semaines, Harel réduisit ses congas en miettes — sur la scène d'un hôtel de Saint-Georges-de-Beauce, avec la même rage que Pete Townshend, des Who, mettait à vandaliser ses guitares... — et annonça à Gerry qu'il était déterminé à chanter. C'était couru. Gerry lui dit :

« T'écris, toi, Harel ? T'es un poète ?... Ben écris des tounes pis tu les chanteras, ostie ! »

Harel écrivit *Jeannine* :

Jeannine, Jeannine
Fais-moi monter, j'sus trop bas...
Jeannine, Jeannine
Fais-moi descendre, j'sus trop haut

C'était un gros rock pur et dur. Mais en français. Une histoire abracadabrante que personne n'écouterait de toute façon parce que, sur scène, les instruments ensevelissaient immanquablement la voix. Gerry n'y croyait pas. Il fut plus que surpris lorsqu'on se rendit compte que la toune remportait un énorme succès auprès du public. Comme il l'avait fait mille fois, Harel expliqua à nouveau à Gerry, tout doucement, avec une infinie patience :

« On devrait continuer en français, Gerry, tu vois c'qui se passe avec *Jeannine*, y'a queq' chose à faire là.

— Ben non, Harel, tu rêves en couleurs, tabarnac ! Ça prouve rien, ça. Toi, t'étais pas là, t'étais dans le bois ou ben tu faisais des

153

vues, je l'sais pas... Mais nous autres, on a essayé en français. Des années de temps. On a faitte une demi-douzaine de records en français. Comme les Sultans. Comme les Hou-Lops, name it!... Qu'est-ce qui en reste de ça, à présent, hein? Rien. Y' sont touttes morts ces bands-là...

— Oui mais ça change, Gerry, le monde change, regarde autour de toi : l'Québec change!... Tu vois ce qui se passe dans les hôtels. Y' mettent la discothèque, le monde danse au boutte. Pis nous autres, quand on monte su'l'stage, le monde danse pus, y' écoutent... Y' faut leu' dire queq' chose, ostie, Gerry! Y' nous écoutent!

— ...

— Charlebois, y' a essayé, lui.

— Charlebois, Charlebois... Sa musique a pas de couilles, câlisse! Nous autres, on fait du vrai rock, c'est pas pareil pantoute, on fait du rock, Harel!... Pis du rock, c'est en anglais...»

Harel ne se considéra pas comme battu. Et Gerry, lui, se mit tout de même à y réfléchir. Il n'aimait pas beaucoup Harel, c'est entendu, mais il devait reconnaître qu'il arrivait à cet homme-là de dire des choses sensées.

À cette époque, les membres d'Offenbach Pop Opera s'escrimaient sur un blues qu'ils avaient assemblé morceau par morceau à partir d'un riff de guitare que Johnny avait expérimenté alors qu'ils tuaient le temps dans une chambre de l'hôtel Dix, à Val d'Or. C'était en avril 1970. Peut-être un peu plus tôt. Ou un peu plus tard. C'était difficile de se rappeler : depuis dix ans, ils se produisaient dix fois par année au Dix, c'était devenu un sujet de plaisanterie!

Mille fois, ils avaient refait cette toune-là d'une façon, puis d'une autre. Gerry essayait de nouveaux bridges sur sa B-3. Willie tentait des expériences, il reprenait sur sa basse le riff de guitare, ou essayait une ligne mélodique différente. En somme, on se servait de la pièce pour jammer pendant des heures lorsqu'on n'avait rien de plus important à faire.

Cet après-midi-là, les membres d'Offenbach Pop Opera la répétaient dans la salle déserte de la Nymark's Discotheque de Saint-Sauveur-des-Monts, où ils allaient se produire en soirée. La musique était tout à fait au point, il n'y avait plus à la retoucher. Au fil des mois, c'était devenu un blues très dur, plein de Hammond, de basse ronflante et de batterie agressive, avec lequel on arriverait bien à un résultat quelconque, un de ces jours. En fait, on sentait qu'on était sur le point d'y arriver. Gerry essayait des mots. En anglais :

That's why, that's why
I'm singing the blues...

Les mots clochaient, on s'en rendait bien compte. Gerry s'accrochait à un fil conducteur, puis à un autre. Mais ça ne sonnait jamais vrai. C'était déprimant. À bout de patience, il finit par hurler :

« Ce câlisse de blues-là, on va finir par faire de quoi avec, j'te jure, même si y' faut que j'passe ma vie d'sus !... C'est les paroles, ça vaut pas d'la marde... Harel ?... As-tu une idée, Harel, t'as toujours un' idée su' toutte, toi !... »

Pierre Harel, assis au fond de la discothèque, griffonnait sur cette sorte de napperon bon marché dont on se sert dans les comptoirs-lunch. C'était bien lui, ça, de s'isoler dans un coin pour noircir des feuilles de papier qu'ensuite il pliait et enfouissait dans ses poches.

« Attends un peu, Gerry, ça s'ra pas long... »

Les quatre s'écrasèrent sur des tabourets ou des caisses de bière et, pendant cinq ou dix minutes, comptèrent les mouches au plafond.

Puis Harel se leva et s'avança vers la scène en faisant le tour des tables laissées à la dérive et des chaises empilées les unes sur les autres.

Et il tendit un bout de papier au-dessus de la B-3 en disant :

« Tiens, Gerry. Essaye ça. »

Gerry jeta un œil.

« C'est en français... T'as la tête dure en câlisse, Harel, j't'ai dit que...

— Fais-moi plaisir, Gerry, essaye ça juste une fois... Si c'est pas à ton goût, on laissera faire, c'est toutte, mais essaye : ça coûte pas cher...

— O.K., O.K., on va essayer. »

Gerry adressa un signe de tête à Denis. *Clic, clic, clic, clic...* Johnny et Willie démarrèrent le riff, Gerry plaqua l'accord de mi septième de la main gauche en tenant le napperon plié en quatre de la main droite. Et il y alla, d'abord hésitant :

Câline de doux blues
Câline de blues, faut que j'te jouse...
Câline de doux blues
Câline de blues, faut que j'te jouse...
Ma blonde a sacré l'camp
J'ai rien qu'toi pour passer l'temps...

Puis il prit graduellement de l'assurance :

L'aut' soir, l'aut' soir
J'ai chanté du blues
L'aut' soir, l'aut' soir
Ça l'a rendue jalouse...

À mesure que la toune progressait, Gerry, Willie, Johnny et Denis se regardaient, émerveillés. On sentait qu'il se passait quelque chose. Gerry se mit à sourire et à chanter avec de plus en plus de conviction, oubliant même de rectifier son accent et roulant ses r comme jamais il ne se l'était permis...

L'aut' soirrr, l'aut' soirrr
Ça l'a rrrendue jalouse...

Au fond de la salle où il était retourné pour mieux entendre, Pierre Harel écoutait, ravi.

***

La vie procède par à-coups, dirait-on.

Pendant de longues périodes, il ne se passe absolument rien. Puis, brusquement, les événements se déchaînent, il survient mille choses à la fois, de nouveaux personnages apparaissent autour de soi, l'existence se transforme du tout au tout avant qu'on ait le temps de se rendre compte de ce qui arrive.

En moins d'un an, après l'accouchement — sans douleurs, somme toute — de *Câline de blues*, Gerry fit la connaissance de Stéphane Venne, un producteur de disques alors au sommet de sa gloire; de Lyse Lafontaine-Venne, ex-épouse du premier, qui mit littéralement un château à la disposition des musiciens; et de René Malo, un type bien implanté dans le monde du showbiz montréalais, associé en outre à Guy Latraverse, un des grands pontes de l'industrie du disque et du spectacle.

En moins d'un an également, Offenbach Pop Opera réussit à graver un premier microsillon et à obtenir ses premières couvertures dans la presse nationale. Il ne s'agissait plus seulement des hebdomadaires régionaux et des journaux à potins, comme au temps des Gants blancs. On changeait d'arène, on entrait visiblement dans les grandes ligues.

Pour commencer, *Jeannine* et *Câline de blues* déclenchèrent chez Gerry et Pierre Harel une frénésie de création telle qu'en quelques semaines, ils accumulèrent une demi-douzaine de nouvelles chansons. Quelques-unes tombèrent en désuétude mais d'autres restèrent et se frayèrent un chemin jusqu'en studio, au printemps 1972.

L'une d'elles, *Moody calvaire moody*, était une pièce relativement conventionnelle pourvue d'un beat rock enlevant et garnie tout au long des emportements de la guitare de Gravel. On se mit aussi à travailler une sorte de saga musicale, un medley interminable baptisé *Offenbach Soap Opera*, que l'on ne finissait plus de remanier et que l'on ne réussit jamais à coucher sur ruban magnétique. On fit *Bulldozer*, bien sûr, pour le film; une toune d'ambiance un peu allégée par la guitare de Gravel et hachée par la voix de Harel qui chantait, qui hurlait plutôt :

> *J'ai détruit tout ce que j'aimais*
> *Pour enfin voir mon visage*
> *Que je croyais caché à jamais...*

Enfin, Harel sacrifia à l'anglais dans *No Money No Candy*, une pièce qu'il voulait alimentaire, justement, Gerry ayant presque réussi à le convaincre que le fric, tout le fric, se trouvait du côté du marché anglophone.

Au fil du temps, d'ailleurs, leur relation s'améliora grandement. Tout le groupe était sous le choc, fasciné par cette chimie qui faisait en sorte que l'on savait maintenant où on allait.

Pierre Harel considérait vraiment ses nouveaux compagnons comme des musiciens formidables, inspirés, géniaux à leur façon, bien qu'il lui arrivât de les trouver carrément stupides dans la vie de tous les jours! Gerry entretenait encore des doutes sur la nouvelle orientation que Harel avait imposée au groupe. Le comble, c'était quand il chantait *Câline de blues* : il se trouvait toujours quelqu'un dans la salle pour hurler «Chante en français!...», tellement le texte était phonétiquement proche des sonorités auxquelles le rock anglo-saxon avait habitué l'oreille du public! Malgré ce doute, Gerry fonçait. Et il était heureux de ce qui était en train de se produire, même si cela avait peu d'effet sur les recettes nettes du groupe, toujours aussi frugales.

Gerry fut entièrement conquis lorsque Harel lui donna *Faut que j'me pousse.*

Harel avait écrit le texte et ébauché une mélodie. Il lui suffit ensuite de s'asseoir pendant dix minutes avec Gerry devant un clavier et la toune devint ce classique qui devait faire pleurer des hordes de freaks... Gerry était persuadé que Harel avait jeté ces mots sur papier en pensant à cet étrange couple qu'il formait avec Denise — car les choses se détérioraient rapidement entre eux deux.

> *J'sais pas si c'est moi*
> *Qui est trop petit*
> *P't-être ben qu'le vent m'emporte*
> *J'sais pas si c'est moi*
> *Qui est trop grand*
> *P't-être ben que j'mélange*
> *La vie et pis les vues...*

Harel se garda de lui dire que c'était plutôt son histoire *à lui* qu'il tentait ainsi d'exorciser : il était tombé amoureux fou de Mouffe, la compagne de Robert Charlebois, tout en entretenant une liaison avec la sœur de celle-ci, Dolorès (la douloureuse de la chanson). Inextricable. C'était un amour impossible, comme dans les vues.

Et on ne sut jamais quel rôle cette histoire joua lorsque, après avoir répété avec lui, les membres d'Offenbach Pop Opera refusèrent finalement de servir d'accompagnateurs à Charlebois, à la fin de 1971. Le groupe venait alors d'occuper pendant cinq semaines la scène du Cercle électrique (la grosse discothèque de la Côte du Palais devenue la mecque du rock à Québec), y remportant un succès fou. Le guitariste Marcel Beauchamp, qui s'était joint à

Offenbach pendant quelques semaines peu après l'arrivée de Pierre Harel, suivit toutefois Charlebois ; il allait travailler avec lui pendant de nombreuses années.

Les membres d'Offenbach Pop Opera se consolèrent autrement.

Graduellement, ils emménagèrent au 1620, avenue des Pins, dans une somptueuse demeure de deux étages abritant une douzaine de pièces, que Lyse Lafontaine louait de l'architecte Ernest Cormier, le concepteur de la maison qu'habitera plus tard Pierre Elliott Trudeau. On avait connu Lyse Lafontaine par le film *Bulldozer*, elle aussi, dont elle était devenue la directrice de production après avoir travaillé à la permanence du Parti québécois — et avoir abondamment pleuré la cuisante défaite de 1970...

La jeune femme venait de toucher un petit héritage : elle allait flamber quelque chose comme 60 000 dollars en un an tout au plus, se donnant le plaisir de faire de sa maison un *salon*, au sens où on l'entendait au siècle dernier (mais en plus rock'n'roll...), un salon où défileraient tous les jeunes loups de la mouvance culturelle montréalaise, qui atterrissaient là après avoir arpenté la rue Crescent et accepté le dernier service de la Casa Pedro.

Avec Lucien Ménard, Lyse Lafontaine se mit à agir plus ou moins comme gérante d'Offenbach Pop Opera, assurant la liaison avec l'agence Donald K. Donald qui, sporadiquement, bookait le groupe dans les hôtels de province.

À partir de ce moment, Gerry passa plus de temps encore à Montréal. En fait, ce que craignait Denise était en train de se produire : son mari pénétrait un autre milieu, explorait un monde qu'elle ne connaissait pas et dont elle se méfiait. C'était comme si Gerry commençait une autre vie. Elle sentait qu'il s'éloignait de Saint-Jean, qu'il s'éloignait d'elle. Et elle n'y pouvait rien.

Denise devait se résigner à lui faire confiance, à l'attendre patiemment lorsqu'il s'absentait pendant trois ou quatre jours, à faire son boulot de secrétaire et à s'occuper de Justin.

Gerry, lui, était complètement absorbé par ce qui se passait dans sa carrière. Parfois, il en avait le tournis. C'était passionnant, des tas de gens intéressants tournaient autour du groupe, des originaux qui le faisaient rigoler, des poètes qui le faisaient chier, d'autres rockers qui le faisaient triper — sans parler d'une grappe de jolies femmes qui allaient et venaient à travers tout ce monde. Il ne perdait pas le nord pour autant : si Harel était parvenu à accaparer le leadership du groupe sous l'angle éditorial, pour ainsi dire, Gerry gardait le contrôle des finances et de la logistique.

Ainsi, dans les premières semaines de 1972, c'est par Lyse Lafontaine qu'il entra en contact avec son ex-mari.

Stéphane Venne avait trente ans. En tant qu'auteur-compositeur-interprète, il avait enregistré trois microsillons en plus de créer la chanson-thème d'Expo 67, *Un jour, un jour*. Depuis l'Expo, justement, il avait graduellement abandonné la chanson pour se consacrer à la production de disques. Il s'était fait rapidement un nom dans ce domaine, et il travaillait maintenant avec toutes les stars québécoises de la chanson et des variétés. Mais le rock, ce n'était pas précisément sa tasse de thé... Lucien Ménard et Lyse Lafontaine parvinrent néanmoins à le convaincre de s'associer aux membres d'Offenbach Pop Opera. Venne se chargea de conclure une entente avec la maison Barclay, dont l'activité en terre québécoise était intense à ce moment-là. Barclay accepta en outre de distribuer le disque en France.

Au début de mars 1972, Gerry, Harel et les autres entrèrent au studio B, chez RCA, afin d'enregistrer un démo des tounes qu'ils entendaient graver sur leur premier microsillon. Deux mois plus tard, ils transportèrent leurs instruments dans le studio d'André Perry, qui occupait alors une ancienne église, un bel immeuble de briques s'élevant entre les rues Amherst et Wolfe, dans l'est de Montréal. Perry assigna Michel Lachance et Ian Terry à la console.

Le vingt juin, après quelques dizaines de nuits blanches, c'était terminé.

Ils avaient enregistré huit pièces. Les paroles de toutes ces tounes — sauf une : *High but... Low*, écrite par Gilles Rivard — étaient signées Pierre Harel. Les musiques étaient créditées au nom de l'un ou l'autre des membres du groupe mais, dans les faits, elles représentaient souvent l'aboutissement d'un travail collectif effectué au fil des mois.

On baptisa le disque *Offenbach Soap Opera*. Et on lui donna une pochette aux couleurs criardes qui était en même temps une sorte de gadget : elle pouvait être découpée et pliée de façon à se transformer en une boîte de détersif. Et on fit imprimer sur un des flancs : *Détersif puissant, lave plus blanc que blanc...* On se mit aussi en frais de préparer un lancement susceptible d'attirer l'attention des médias.

On songea tout de suite à l'hôtel Nelson, place Jacques-Cartier.

Ce secteur du Vieux-Montréal était considéré comme le quartier général des marginaux de tout acabit. Robert Lemieux, l'avocat des felquistes, y habitait. Les célèbres frères Dubois, de Saint-Henri, y faisaient la pluie et le beau temps. Au Nelson ainsi qu'à l'hôtel Iroquois, en face, défilaient tous les noms établis — et les aspirants au vedettariat — de la chanson et du rock québécois. Plus important encore, c'était un des lieux de prédilection des journalistes, qui n'avaient que quelques pas à faire, à partir des salles de rédaction de La Presse, du Devoir, de Radio-Canada ou de CJMS, pour venir jouir du spectacle de la faune peuplant le quartier.

Le lancement d'*Offenbach Soap Opera* eut lieu à dix-huit heures, le jeudi vingt juillet 1972, dans la cour intérieure de l'hôtel Nelson.

Les touristes qui sirotaient une limonade dans la petite salle de l'hôtel furent sans doute étonnés de voir ce qui se passait dehors... Car on dut refuser du monde dans la cour de l'hôtel, assiégée non seulement par les chums, les frères, les sœurs, les parents des membres du groupe, mais aussi par tous ceux qui comptaient dans le milieu du showbiz — sans parler des badauds attirés par la musique. Après avoir bouffé des moules et du poisson arrosés de sangria, les héros de la fête démarrèrent en effet une version particulièrement criarde du classique *Jumping Jack Flash* des Rolling Stones, avant de donner quelques tounes de leur microsillon. Le voisinage était à cran lorsque la débauche de décibels fut interrompue par une panne d'électricité...

La mère de Gerry était présente au lancement du disque de son fils. Elle avait toujours suivi sa carrière; cent fois, elle était allée l'entendre lorsqu'il se produisait sur la Rive-Sud. Mais depuis un an ou deux, elle avait un peu perdu le fil. Il est vrai que Gerry venait moins souvent à la maison.

Dans un angle de la cour intérieure du Nelson, en trempant ses lèvres dans un verre de sangria qu'elle sirotait depuis une heure, Charlotte Boulet regardait d'un œil perplexe cette agitation, ces jeunes hommes aux cheveux longs, ces jeunes filles qui tiraient sur de curieuses cigarettes desquelles montait une fumée dense, odoriférante.

Elle était à la fois heureuse et un peu effrayée.

« C'est bien, Gérald, j'suis fière de toi. Mais j'trouve que vous avez ben changé... Des fois, j'te reconnais pus, mon garçon. J'dis pas que c'est mal, c'que tu fais. C'est toi qui le sais, j'connais pas ça la musique, moi...

— Maman...

— J'veux jus' te dire de faire attention à toi, Gérald, y'a toute sorte de monde autour de toi... Pis j'pense que j'aimais mieux ce que tu faisais avant, tes amis étaient pas pareils, y' me semble que...

— Maman!...»

Et Gerry jetait des coups d'œil rapides autour de lui, pour vérifier si on se rendait compte que sa maman était en train de lui faire la morale!

Qui m'aime me suive

Si a' savait, ostie...

Gerry Boulet regardait sa mère, qui ne trouvait pas l'attitude à adopter à travers ces curieux personnages réunis pour le lancement d'un disque rock, dans la cour d'un hôtel de la place Jacques-Cartier.

Si elle savait, sa mère.

Elle ne pourrait pas comprendre.

Que son fils ait abandonné l'école alors qu'il avait du talent, à la rigueur, ça pouvait aller. Dans les familles d'ouvriers, on était habitué à cela, les jeunes s'emmerdaient dans les salles de classe, ils avaient envie de travailler et de gagner du fric. Parfois même, c'était indispensable : l'emploi qu'occupait le père ne suffisait pas à garantir des revenus suffisants, il leur fallait aider.

La musique aussi, elle pouvait l'accepter. Charlotte Boulet en était presque venue à penser comme son mari : c'était une folie de jeunesse, ça finirait par passer. Et puis on ne sait jamais.

Mais ce qui arrivait avec Denise, c'était plus difficile. Car la mère de Gerry savait. Les virées de trois jours, Justin qui ne voyait jamais son père, la quasi-commune de l'avenue des Pins. Elle était très proche de Denise. Les deux femmes étaient devenues des copines qui se racontaient tout, en buvant du café dans la cuisine de la rue Saint-Gabriel. Charlotte Boulet n'insistait pas mais, parfois, elle demandait à son fils avec un drôle de regard :

« Quand est-ce que tu viens nous voir avec Denise et puis Justin ?... »

Car elle les voyait rarement tous les trois ensemble. C'était un signe.

Et puis il y avait tout ce que Charlotte Boulet ignorait.

La dope, surtout. Ça, elle n'aimerait pas, mais alors pas du tout.

Dans la cour de l'hôtel Nelson, Gerry avait failli briser un tibia à Michel Lamothe en lui administrant un coup de pied sous la table lorsque celui-ci avait entrepris de raconter — devant les parents ! — ce qui s'était passé en studio avec Stéphane Venne. Lamothe avait hurlé :

« Ayoye, câlisse !... »

Et il s'était mis à se frotter la jambe en grimaçant.

Mais au moins il s'était arrêté de parler. Et lorsque la douleur s'était estompée, il avait changé de sujet.

D'ailleurs est-ce que c'était vrai ? Peut-être. À strictement parler, Gerry ne l'avait pas vu faire. En tous les cas, Willie le racontait partout.

Voilà l'histoire.

Après quelques jours passés à travailler dans le studio d'André Perry, Venne ne semblait pas très satisfait de la musique d'Offenbach Pop Opera. On le voyait errer autour de la console de mixage, tête basse ; après une prise, lorsqu'on écoutait le ruban, il ne disait rien, se levait et sortait, ou alors il laissait tomber en soupirant :

« Essayez encore une fois, les gars... »

Un soir, il réagit autrement. On était presque rendu à la fin. Il avait écouté toutes les pièces qu'on était venu à bout de finir — il y en avait six ou sept — et il avait déclaré :

« C'est bon, ça... C'est très bon ! »

Et Stéphane Venne souriait, il était aux anges ! Tout à coup, il aimait, il avait repris confiance.

Gerry s'était quelque peu étonné mais, bon, les tounes étaient *écœurantes*, non ? Alors pourquoi Stéphane Venne n'aurait-il pas aimé ?

Ils étaient tous sortis de l'ancienne église, tard dans la nuit, et en marchant sur la rue Sherbrooke vers l'ouest, Lamothe avait dit :

« Hé, Gerry, tu sais pas c'que j'y ai faitte, à Venne...

— Quoi ?

— Tu sais quand on a commandé une pizza, après la dernière take de *Moody calvaire*...

— Ouais.

— J'ai écrasé d'la mescaline jusqu'à temps qu'a'soit en poudre et pis j'ai mis ça su' la pizza, ostie !... Venne, y' s'est mis à triper, ça' pas été long !

— C'est pas vrai, Willie ?

— J'te dis !... »

Et ils s'étaient presque écroulés de rire sur le trottoir !

Au Nelson, il avait failli raconter ça à Charlotte Boulet, le grand Lamothe ! Elle ne l'aurait pas trouvé drôle.

Combien en avaient-ils accumulé, à eux tous, des histoires de dope comme celle-là ? Un sacré paquet. C'est un monde, la dope. Ça vient avec une sorte de mystique, c'est une religion au bout du compte. Il y a cette matière que l'on fume ou que l'on avale — et pour dire franchement, Gerry aimait autant la bière... — et puis il y a tout ce cirque que l'on bâtit autour. Le rituel de la transaction avec le pusher, *d'l'ostie d'bon stock, man...* Celui de la consommation, avec les quintes de toux, les fous rires et les exclamations obligées.

Puis il y a les histoires de dope, que l'on narre comme on raconterait les saints évangiles. Les belles histoires dans lesquelles se meuvent les gars *corrects*, ceux qui fument et qui sont *au boutte* ; les histoires à rire, ensuite, les histoires à rire des *straights*, ceux qui ne fument pas, qui n'ont pas les cheveux longs et qui ont un vrai job.

Gerry jouait le jeu. Comme tous ceux de son âge qui évoluaient dans ce milieu situé à mi-chemin entre celui des hippies à fleurs et celui des gars de bicycles.

À une occasion (c'était avant l'histoire avec Venne et on se trouvait en Abitibi : on était toujours là, finalement !), Gerry avait avalé de la mescaline, beaucoup de mescaline, et il s'était mis à discourir comme Jésus sur la montagne. Autour de la table, il y avait une demi-douzaine de paumés à l'écouter et à boire la bière qu'il leur faisait servir. Gerry traversait une phase dépressive, c'était un de ces jours où il aurait bavardé avec une chaise plutôt qu'avec ses chums de musique. Ça arrivait parfois. Il haranguait, donc, les gars *corrects* qui se trouvaient avec lui et qui l'écoutaient, bougrement impressionnés de se trouver là, à boire avec Gerry d'Offenbach.

Et lui en remettait.

Au bout d'une demi-heure, il était le meilleur musicien de la planète, deux tabs de mescaline plus tard, une sorte de génie, deux heures plus tard encore, un gourou entré en possession de toutes les vérités; trois joints après la mescaline et les douze bières, il était presque un dieu! Pas tout à fait, mais presque.

À la fin, il avait ordonné à ses compagnons, guère en meilleur état que lui :

« Suivez-moi, tabarnac !... »

Ou :

« Qui m'aime me suive !... »

Non, quand même, ça ne devait pas être à ce point-là...

N'empêche : ils étaient sortis de l'hôtel comme en une procession, lui et les autres. Après avoir traversé un boulevard, ils s'étaient retrouvés dans un champ noyé de soleil, marchant à la file indienne, Gerry devant, qui continuait à discourir comme Moïse conduisant ses fidèles vers la terre promise ! On l'avait vu passer, de loin, comme une cane avec ses canetons. Des *straights* avaient dû s'exclamer :

« Règarde donc le malade, dans le champ !... »

Gerry, après, ne s'était presque souvenu de rien. Il avait eu très mal à la tête et il avait vomi. Il avait fallu le mettre au lit et lui administrer des somnifères. Il se rappelait seulement qu'au début, il s'était bien foutu de la gueule des téteux qui buvaient sa bière, fumaient son hasch et avalaient sa mescaline en se prosternant devant le roi des rockers.

Ils voulaient un roi, ils en avaient eu un. *Ostie !* Si seulement, ensuite, il n'avait pas eu si mal à la tête.

L'histoire était devenue une histoire de dope, une autre, que Lamothe ou Harel racontait, les soirs de party.

Mais celle-là, Gerry ne l'aurait pas livrée à son père. Georges Boulet, déçu, lui aurait dit :

« C'est des folies, ça, mon gars. Prends un coup si tu veux, c'est pas à moi à te faire la leçon là-dessus !... Mais brise-toi pas l'cerveau avec ces cochonneries-là. »

L'homme était malade depuis presque dix ans, maintenant. Il entrait et sortait de l'hôpital à intervalles réguliers, subissait des interventions chirurgicales comme d'autres, l'hiver, vont en Floride. Malgré cela, on voyait que sa respiration n'était pas normale, le moindre effort le mettait en sueur. Mais il s'accrochait à la vie en se renfermant encore plus sur lui-même, comme s'il avait besoin de toute son énergie pour lutter contre le mal et que même le fait de parler lui semblait du gaspillage.

Lorsque Gerry allait rue Saint-Gabriel, il s'asseyait près de Georges Boulet et tous deux regardaient la télévision pendant des heures, n'échangeant que trois ou quatre mots.

Tout de même, l'homme s'informait des progrès du groupe sans décrocher son regard de l'écran et Gerry répondait en regardant droit devant, lui aussi.

«J'espère que ça va ben marcher, vot' record, Gérald...

— Ouais, ça devrait.»

Et Gerry se levait, marchait jusqu'au réfrigérateur, où il empoignait une bouteille de bière et l'ouvrait avant de revenir au salon.

Pas de doute, Gerry préférait la bière.

Au pied de l'autel

Offenbach Soap Opera n'eut pas le succès escompté. Après quelques mois, on constata que, malgré la publicité ayant entouré le lancement du disque dans le Vieux-Montréal, on n'en avait pas écoulé quatre mille exemplaires. Les stations de radio boudaient l'œuvre; seuls les animateurs de CHOM-FM faisaient tourner *Câline de blues* de temps à autre.

Pierre Harel, furieux, disait :

«La mafia d'la culture veut rien savoir de nous autres... Ces calvaires-là, y' le voient pas qu'on est les Rolling Stones du Québec, y' sont trop occupés à lécher l'cul des Français de France pis à essayer d'les imiter avec leur accent pointu pis leurs chansons quétaines... Des colonisés, tabarnac! Comment est-ce que tu veux qu'y' aiment ça, Gerry, quand y' t'entendent rouler tes r?... Y' pensent que t'es un habitant : y' peuvent pas comprendre, la gang de trous de cul...»

Gerry Boulet, lui, ne disait rien. Il en avait vu d'autres. Depuis qu'il faisait de la musique, il n'avait jamais vraiment réussi à percer le mur de l'indifférence élevé par le *système*, l'obstacle le plus cruel qu'un artiste peut rencontrer sur sa route.

C'était franchement déprimant.

En juillet, en août et en septembre 1972, Offenbach — on laissait tomber graduellement le suffixe *Pop Opera* — dut recommencer à se produire dans les hôtels de province, où on les payait mal, où on les logeait mal, où les facilités techniques étaient réduites à leur plus simple expression.

Mais où ils avaient tout de même le sentiment de se bâtir peu à peu un public.

Ce n'était pas comme à Montréal.

Ils se fichaient bien d'entendre Gerry rouler ses r, eux, les mineurs de La Sarre, les bikers de Lotbinière, les danseuses de

Matane — car les *gogo girls* venaient d'enlever leurs mini-jupes et dansaient nues dans les bars spécialisés.

Ceux-là comprenaient lorsqu'on leur donnait du rock. En québécois. Leur langue à eux.

Gerry ne les aimait que plus encore, ces durs qui étaient des marginaux. Comme lui, en quelque sorte.

À Montréal, d'ailleurs, rien ne s'arrangeait.

Il fallut trouver à se loger parce que Lyse Lafontaine, ruinée par un an de mécénat, dut se résigner à abandonner sa maison de l'avenue des Pins. On ne la revit plus par la suite. Les membres d'Offenbach, eux, se retrouvèrent à la rue. Peu exigeants quant à leur niveau de confort, ils dénichèrent un appartement de deux étages, rue Bleury, entre le boulevard Dorchester et la rue de Lagauchetière. Il s'agissait d'une sorte de taudis logé au-dessus d'une fabrique de chapeaux, dans lequel on emménagea tant bien que mal, en commune encore une fois, meublant les pièces d'un bazar hétéroclite que l'on ramassait dieu sait où.

Gerry continua à faire la navette entre Saint-Jean et Montréal en essayant de rassurer Denise, en regardant Justin grandir peu à peu. Et en auscultant les états d'âme de son frère, qui s'enfonçait de jour en jour dans une dépression sans remède. Sur scène, Denis était de plus en plus erratique. Dans la vie, lui qui n'avait jamais été particulièrement bavard était devenu carrément aphone. Avec une tête de condamné à mort, il pouvait passer des heures assis dans un coin à regarder le bout de ses chaussures. Il n'ouvrait la bouche que pour se plaindre des choses qui allaient mal, du groupe qui ne parvenait pas à décoller, de la vie qui était devenue impossible. Impossible. Rien de moins.

Comme un fait exprès, il lui arriva quelques malheurs en enfilade.

D'abord, un employé de la General Motors Acceptance Company débarqua chez les Boulet — Denis demeurait sporadiquement chez ses parents — et saisit la Pontiac GTO rouge qu'il avait achetée un an plus tôt et à laquelle il tenait comme à la prunelle de ses yeux. C'était la plus belle voiture qu'il eût jamais possédée et conduite. Mais il était incapable de verser les mensualités. Cela lui creva littéralement le cœur.

Peu de temps après, alors qu'Offenbach se produisait dans un hôtel de Saint-Georges de Beauce, il s'endormit avec une cigarette à la main — combien de fois Denise l'avait-elle prévenu?... — et mit le feu au matelas et à un mur de la chambre. Les flammes firent des dégâts mineurs, mais l'hôtelier présenta au groupe la note du sinistre. Par solidarité, chacun de ses membres accepta de régler une part des frais de remplacement du matelas et des travaux de replâtrage et de peinture. Mais Denis ne parvint pas à surmonter un sentiment de culpabilité qu'il traînait désormais toujours avec lui.

Pour finir, il était tombé amoureux de Danièle Brodeur, une jeune fille de Shawinigan qu'il avait rencontrée à l'été 1971, alors que le groupe occupait la scène de la Plage Idéale, non loin de chez elle. Elle avait vingt et un ans, elle était ravissante et elle dansait comme une sirène. Denis s'était mis à la voir de plus en plus souvent, quitte à se taper une ou deux fois la semaine la route séparant Montréal de Shawinigan. Ils commençaient à parler de mariage.

Bref, Denis était complètement écœuré de la vie de musicien. Sa blonde le poussait à quitter le groupe. Mais il ne savait vraiment pas comment annoncer cela à son frère.

C'est Harel qui commença par lui dire :

«Écoute, Denis. Tu peux pas continuer à mener une vie qui te rend malheureux... Si t'as pus le goût de faire d'la musique, arrête. Va-t'en, le vieux. Gerry va comprendre, j'vas y' parler, moi, pas de problèmes...»

Le lendemain, le vingt-deux juillet 1972, Denis et son frère roulaient en voiture entre la rue Bleury et la maison de leurs parents, à Iberville. Ils roulaient en silence. Gerry savait, sans que personne lui en ait glissé un mot. Alors qu'on était parvenu sur le pont Champlain, Denis se racla la gorge et laissa tomber tout doucement :

«Gérald...

— Dis-le, le vieux, ostie! Crache!

— J'suis pus capable, Gérald, j'sus écœuré de jamais avoir une maudite cenne : Danièle, a'...

— Quoi, Danièle?...

— Rien... C'est pas ça, Gérald... Dis pas qu'c'est encore une plotte qui décâlisse le band, ç'a rien à voir c'te fois icitte... J'veux pus faire de musique, Gérald, c'est toutte... j'aime pus ça, j'ai pus de feeling à faire ça.

— Dis-moi pas, le vieux, que tu vas m'lâcher toi aussi? Mon frère, tabarnac, mon frère!...

— Gérald...»

Denis en avait presque les larmes aux yeux.

«Tu vas en trouver un meilleur que moi, Gérald. Des drummers, y' en a à' tonne, des bons, des gars qui vont triper avec la musique que vous faites. Moi, j'en peux pus, j'vas jus' vous nuire si je reste...»

Le silence était retombé dans la voiture.

Parvenus chez les Boulet, rue Saint-Gabriel, ils s'étaient isolés chacun dans son coin. Charlotte Boulet n'osait pas parler, mais elle sentait qu'il se passait quelque chose. Son mari non plus ne parlait pas, mais lui, c'était son habitude. En deux heures passées chez ses parents, Gerry n'aligna pas plus de dix mots. En fin d'après-midi, sans avoir reparlé à son frère, il annonça :

«Salut, j'men vas...»

Et il franchit la porte.

Denis était dans sa chambre, celle qu'il avait partagée pendant des années avec son frère. Il était assis au pupitre de bois sur lequel était posée une liasse de feuilles jaunies par le temps, souillées par des années de manipulation, pleines de ratures et de numéros de téléphone notés dans le moindre espace libre. Cette liste avait mille fois servi pour solliciter des engagements. Elle énumérait la centaine de salles de danse et d'hôtels répartis sur tout le territoire du Québec, où, depuis les Double Tones jusqu'à Offenbach Pop Opera, il avait officié depuis dix ans avec son frère.

Denis entendit Gérald claquer la portière de sa voiture, puis celle-ci démarrer sur les chapeaux de roues et tourner sur la Cinquième Avenue en direction nord, vers Montréal.

Au bout d'un moment, Denis Boulet constata que le silence était retombé sur la rue Saint-Gabriel.

***

Gerry était brisé.
Le vieux l'abandonnait à son tour.
Son frère !

Celui avec qui il avait appris à s'amuser dans la rue, à se battre dans les cours d'école, à jouer au hockey et au baseball, à courir les filles, à faire de la musique.

Son frère!

Est-ce qu'il faudrait le haïr, lui aussi? Hein? Il savait bien qu'il en serait incapable. Haïr le vieux?... Hé! Il l'éviterait peut-être pendant un bout de temps, il lui ferait la tête pendant quelques mois, sans doute, dans les réunions de famille ou à d'autres occasions. Et il ne ferait plus jamais de musique avec lui, c'est certain, même si Denis lui avait dit :

« Si t'as besoin de moi un jour, Gérald, appelle-moi, ça m'ferait rien de taper encore su' mes drums pour un soir ou deux... »

De ça, il n'était pas question.

Mais le haïr? Non. Jamais. Il ravalerait sa peine, voilà tout, il se saoulerait la gueule à fond, un bon soir, et puis on n'en parlerait plus. En outre, Gerry devait penser à la suite d'Offenbach. Et, accessoirement, à sa position à lui au sein du groupe. Car cette vacance l'affaiblissait également d'un point de vue stratégique. Il n'aimait pas beaucoup ça. Il était de coutume que les décisions affectant la vie et l'avenir du groupe soient prises au vote. Démocratiquement! Évidemment, les deux frères étaient presque toujours du même avis, Denis faisait confiance à Gérald et, somme toute, entérinait ses décisions dans la majorité des cas. Ce serait différent maintenant. Gerry ne pourrait plus compter sur une voix supplémentaire quasi automatique...

Il faudrait voir qui remplacerait le vieux. C'était le problème le plus urgent.

Gravel suggéra Roger Belval, son chum d'école à Granby, son compagnon du temps des Venthols et des Héritiers, au chômage à ce moment-là. Du même âge que Lamothe et Gravel, Belval était aussi fou qu'eux de la musique : il avait étrenné sa première batterie à l'âge de douze ans. Son père, un restaurateur, ne partageait pas cette vision-là et, pendant un temps, avait assigné l'adolescent à des travaux de comptabilité.

La première fois, Roger Belval se présenta à l'appartement de la rue Bleury avec un T-shirt sur lequel était imprimé un magnifique dessin de perroquet. Harel l'apostropha en disant :

« Tiens, regarde donc l'wézo! »

Le mot s'incrusta. Même si la mère de Belval, lorsque les chums de musique de son fils lui rendaient visite, à Granby, se tuait à répéter :

« Y' s'appelle pas Wézo, mon garçon. Y' s'appelle Roger. Roger, avez-vous compris, là !... »

La trouvaille d'Harel était d'autant plus appropriée que Belval était un albinos — d'où le cheveu blanc et rare — et qu'il était pourvu d'un nez un peu cornu ainsi que d'yeux très doux, que l'on aurait dit toujours un peu effrayés. Un oisillon, c'était frappant ! Un jour, alors que Belval dormait rue Bleury, Harel cassa un œuf, plaça une moitié de la coquille sur la tête de Wézo et l'autre moitié juste à côté de son visage, au-dessus du drap qui le recouvrait jusqu'au menton... et il prit une photo ! C'était splendide. Un oiseau tout frais éclos !

Wézo, quoi !...

Outre ses caractéristiques ornithologiques, Belval se révéla un batteur accompli. En deux semaines, il fut parfaitement intégré à Offenbach et réussit à insuffler une nouvelle énergie au groupe.

C'est à ce moment-là qu'Offenbach se mit en affaires avec René Malo.

Malo avait trente ans. Alors qu'il étudiait à l'Université de Montréal, il avait monté une boîte à chanson, le Cabestran — selon un vieux mot du patois provençal repris dans une chanson de Félix Leclerc. Puis, il avait produit les spectacles donnés au Pavillon de la jeunesse d'Expo 67 avant de faire partie de la première équipe de la toute nouvelle télévision de Radio-Québec. René Malo s'était ensuite consacré à la production audiovisuelle avant de se tourner vers le monde du spectacle et de s'associer à Guy Latraverse dans Kébec-Spec, Kébec-Disc et Kébec-Film. Son bureau de la place Jacques-Cartier voyait défiler ensemble ou à tour de rôle Claude Dubois, Robert Charlebois, Diane Dufresne, Yvon Deschamps, Jean-Pierre Ferland.

Malo, qui avait vu et entendu Offenbach à l'hôtel Nelson, se montra plus qu'intéressé lorsque Lucien Ménard lui proposa de prendre le premier véritable groupe rock québécois dans son écurie.

Il ne savait pas dans quoi il s'embarquait.

Très tôt, en plus de voir au booking, il hérita des fonctions que Lucien Ménard occupait depuis une couple d'années mais qu'il avait de plus en plus de mal à assumer seul : materner les musiciens, se charger de faire leurs courses pour qu'ils aient à bouffer, leur prêter du fric au besoin, les sortir des impasses invraisemblables dans lesquelles, parfois, ils s'engageaient...

Car Gerry et les autres poursuivaient leur existence en conformité avec le style de vie qu'ils avaient développé depuis qu'ils étaient devenus de vrais rockers : musique, filles, alcool et dope.

Pour les habitués de la place Jacques-Cartier, ils étaient devenus des célébrités. Ils entreposaient des quantités industrielles de champignons magiques dans les réfrigérateurs à bière de l'hôtel Nelson. À une occasion, on les avait vus jeter deux douzaines de comprimés de mescaline dans une bouteille de vingt-six onces de vodka... qu'ils s'étaient dépêchés d'ingurgiter séance tenante. Lucien Ménard étant souvent le premier à rouler sous la table, c'est Malo qui accourait lorsque survenait un coup dur : petits ennuis avec la police ou les hôteliers, drames d'amour ou de cul, querelles intestines — car, entre eux, les membres d'Offenbach étaient incapables de se livrer à des discussions *ordinaires*, évidemment. Leurs débats se terminaient souvent par un échange de coups de poing, ou de bouteilles de bière vides qu'on se lançait à la tête avant de se réconcilier et de se donner l'accolade.

René Malo croyait avoir tout vu avec Claude Dubois, ce jeune chanteur qui n'était pas de tout repos lui non plus — et qui avait un jour emmené chez Malo, où il logeait, une sorte de chat sauvage, ou de lynx, qu'il fallait nourrir en garrochant à intervalles réguliers une pièce de viande crue dans la pièce où le monstre était confiné...

Or, c'était pire encore avec Offenbach.

Malo ne fut donc pas surpris outre mesure lorsque Harel lui téléphona de La Sarre, où le groupe était de service ce week-end-là, pour lui dire :

« On veut faire l'Oratoire, René.

— L'Oratoire ? Quoi, l'Oratoire ?

— On veut jouer à l'Oratoire.

— L'Oratoire ?... Y' a pas assez de salles à Montréal pour donner des spectacles, Pierre ? Qu'est-ce que tu veux faire avec l'Oratoire ?

— On veut pas jus' faire un show, René, on veut faire une messe, une vraie messe ! À l'Oratoire ! »

Entre eux, Harel et Gerry parlaient plutôt d'une *messe noire*. L'idée en valait une autre. Elle était venue à Harel, comme ça, alors qu'il s'emmerdait dans une chambre d'hôtel de l'Abitibi. Il s'agissait de créer un événement tout à fait spécial, de frapper l'imagination, de monter un truc qui ne s'était jamais fait auparavant. Gerry avait été emballé; encore une fois, des souvenirs d'enfance remontaient à la surface, il jouerait de l'orgue dans le chœur, derrière la balustrade...

Malo ne dit pas non. Les contacts avec les patrons de l'Oratoire s'engagèrent de plusieurs côtés à la fois. Harel mit dans le coup sa mère, qui connaissait du monde chez les membres du clergé. Lucien Ménard se mêla de l'affaire. Malo également. Même Stéphane Venne prit part aux premières conversations avec Marcel Taillefer, un père de Sainte-Croix alors directeur de la pastorale à l'Oratoire Saint-Joseph.

Celui-ci confia le dossier à un autre prêtre, Yvon Hubert.

Hubert avait trente-sept ans, portait les cheveux longs et était considéré, selon l'expression de l'époque, comme un prêtre *à la mode*. Il avait étudié la philosophie et la théologie à Ottawa, puis aux États-Unis, en Belgique et en France. C'était un religieux de l'ordre des Capucins. Les membres de cette communauté avaient la réputation de prendre au sérieux leur vœu de pauvreté, ainsi que la mission qu'ils avaient à remplir auprès des moins favorisés de la société. Bref, ils étaient en général plus proches des ouvriers et des chômeurs que des notables de la hiérarchie cléricale.

Après les chambardements provoqués par le concile Vatican II, tenu entre 1962 et 1965, Yvon Hubert avait été parmi les premiers au Québec à intégrer (avec l'aide de jeunes et obscurs musiciens : François Dompierre et Michel Donato) le chant et la musique populaires à la célébration de la messe, dorénavant dite en français. Il avait ensuite emmené ce concept à la télévision de Radio-Canada où, pendant toute une saison, l'office du dimanche matin obtint un auditoire de trois cent cinquante mille téléspectateurs, du jamais vu jusqu'alors. En outre, il avait enregistré quelques-unes des deux cents chansons composées pour cette série d'émissions.

À l'automne 1972, il donnait dans les églises des concerts populaires d'inspiration religieuse étonnamment bien faits, tant du point de vue de la qualité musicale que de celui de l'innovation technique : Hubert trimbalait dans les temples un système d'amplification quadraphonique !

Une première rencontre officielle eut lieu le soir du neuf octobre dans une salle de l'Oratoire.

La scène était presque hallucinante. Dans cette pièce austère, garnie de boiseries sombres et de meubles sévères, on voyait les deux hommes de robe mêlés à une bande de hippies hirsutes, Gerry et sa grosse barbe, Harel et sa mine patibulaire, Wézo et ses grands yeux... d'oiseau, Willie et ses cheveux aux épaules, Johnny et son faciès impénétrable. Lucien Ménard était là aussi. Toute cette horde essayait de se tenir à peu près convenablement, de ne pas blasphémer, de ne pas mettre les pieds sur les tables et de ne pas coller de gomme à mâcher sous les sièges.

Harel, avec sa grande gueule, parvint à présenter clairement — et avec respect — le concept aux deux prêtres. Ceux-ci se contentèrent d'écouter et de sonder subtilement les cœurs des membres d'Offenbach, cherchant à savoir quelles motivations au juste les animaient. Harel, à l'aise dans ce rôle, dit aux curés :

«L'Oratoire, c'est un lieu ben spécial : le temple sur la montagne, le lieu des célébrations... presque un décor de science-fiction ! Ensuite, ce qu'on vous apporte, c'est la résurrection d'un rôle que vot' Église a joué pendant des siècles et qu'elle a abandonné. L'Église, la gardienne du théâtre et de l'art !... Pis vous l'savez qu'y'a un lien entre la foi et l'émotion... C'est ça qu'on vous apporte, une aventure d'émotion ! »

Lorsque les rockers furent repartis, Marcel Taillefer, visiblement secoué, demanda à son confrère :

«Qu'est-ce que t'en penses, Yvon ?

— D'après moi, c'est positif.

— Est-ce que t'as une idée de ce que ces gars-là cherchent en montant un événement pareil ?

— C'est difficile à dire, ça... Mais j'pense que j'comprends un peu. J'suis pas prêt à dire qu'ils n'accordent aucune importance à la publicité qu'y vont en retirer : faut pas faire d'angélisme non plus ! Mais y'a aut' chose dans leur tête, j'suis certain. T'as écouté Harel ? Ils recherchent un accomplissement aussi. Une sorte de dépassement. J'sais pas exactement, mais j'ai confiance. C'est des gars qui ont du cœur, qui manifestent une forme de spiritualité...

— T'as confiance ?

— Oui.»

Il y eut un moment de silence, puis Marcel Taillefer reprit :

«Écoute : si tu penses que ça a du bon sens, j'suis prêt à embarquer. Mais à une seule condition : c'est toi qui t'en occupes de A à Z. Et puis t'en prends la responsabilité.

— D'accord.»

La *messe noire* aurait donc lieu.

Dans les jours qui suivirent, le haut clergé montréalais, mis au courant, ne s'opposa pas au projet; il est vrai que l'Église catholique, dont les affaires étaient en chute libre, ne pouvait pas se permettre de lever le nez sur une occasion de rejoindre les jeunes, qui ne pratiquaient plus.

L'organiste de l'Oratoire, Raymond Daveluy, fut mis dans le coup, tout comme une chorale de plus de soixante membres, les Chanteurs de la Gamme d'or. On fit imprimer des affiches portant la photo des membres d'Offenbach.

Yvon Hubert, lui, décida de voir de quoi il retournait. Le samedi quatre novembre, il fit l'aller-retour à Matane avec les musiciens dans un gros station-wagon bourré de bière et de haschisch, comme à l'accoutumée. Il assista au concert qu'Offenbach donna dans une salle d'école de l'endroit. Il fut comblé : il était tombé sur un des meilleurs shows que le groupe eût jamais donné, improvisant pendant des heures — paroles et musique —, rendant une qualité d'émotion que l'on parvenait rarement à atteindre. Le prêtre parvint à dormir au fond du véhicule en revenant à Montréal aux petites heures du matin. Il était certain, maintenant, qu'il ne s'était pas trompé sur la vraie nature des membres d'Offenbach : ces gars-là avaient du cœur. Et de la sincérité.

Le vingt-deux novembre, les répétitions débutèrent au Palais du commerce, rue Berri. Pendant huit soirs consécutifs, de dix-huit heures jusqu'à tard dans la nuit, les membres d'Offenbach et Yvon Hubert composèrent et mirent au point les huit pièces nécessaires pour le show. Le prêtre fournissait les mots — en latin, une langue qui, jugeait-il, se prêtait étonnamment bien au rock! Il composa aussi la musique de *Memento*, le chant qui suivrait immédiatement l'élévation. Autrement, Gerry agissait comme un véritable directeur musical.

Après huit séances absolument exténuantes, on parvint tout juste à terminer les pièces à temps.

Le lendemain, le vendredi trente novembre 1972, en début d'après-midi, le cirque s'emmena à l'Oratoire où, pendant des heures, ce fut un fouillis indescriptible.

On avait à mettre en place trois installations techniques distinctes : la quincaillerie de scène, d'abord, c'est-à-dire les instruments, les moniteurs, l'amplification de salle ; le dispositif d'enregistrement, ensuite, la console seize pistes de la firme Son Québec étant montée dans un camion — pas un vrai mobile : un *truck!* — à l'arrière de l'Oratoire ; les appareils de tournage cinématographique, enfin, puisque six caméramans allaient se charger d'immortaliser l'événement sur pellicule. En outre, quelqu'un — on ne savait plus qui au juste — avait eu l'idée de déployer un immense parachute de l'armée au haut du dôme afin d'atténuer l'effet d'écho propre à un endroit comme celui-là !

Une heure avant le show, pendant que Marcel Taillefer tournait en rond dans la sacristie, les membres d'Offenbach allèrent se geler la tête à l'extérieur pour chasser l'inquiétude : à peine deux cents billets avaient été vendus dans les boutiques des cégeps et des universités ainsi que chez les trois disquaires accrédités.

Puis les gens se mirent à arriver. Trois mille personnes entrèrent ainsi à l'Oratoire Saint-Joseph après avoir déboursé deux dollars vingt-cinq. En fait, d'autres encore ne purent entrer et attendirent à l'extérieur du sanctuaire, sous la neige qui s'était mise à tomber.

La messe débuta avec quarante-cinq minutes de retard.

L'étrange troupe de célébrants, Yvon Hubert en tête, entra en procession par l'arrière du temple, accompagnée de *La Chacone en sol majeur* de Louis Couperin, interprétée au grand orgue par Pierre-Yves Asselin (Daveluy n'avait finalement pu être présent). Le défilé progressa sous les projecteurs qui balayaient de rouge et de bleu cette fantastique enceinte, perçant difficilement l'épaisse fumée qui s'était mise à monter de la foule... parce que, dès que les lampes avaient été éteintes, chacun, dans l'assistance, avait mis le feu au petit joint prévu pour l'occasion !

C'était carrément irréel.

Les cinq membres d'Offenbach s'installèrent devant l'autel, la chorale derrière le célébrant. Et, avec le chœur, le groupe entonna *Pax Vobiscum*.

Là, les pépins commencèrent.

D'abord, la moitié de la puissance d'amplification sauta d'un coup. Au moment de faire *Memento*, l'un des temps forts de la soirée, les haut-parleurs restants se turent à leur tour. Aux dernières mesures de la pièce, Hubert glissa à l'oreille de Pierre Harel :

« Va voir c'qui se passe, essaie d'arranger ça et on reprendra la pièce après. »

Harel arrangea les choses et on reprit effectivement la toune, sous le regard amusé des journalistes accourus en masse à l'événement.

Lorsque toute la troupe se retrouva au restaurant Le Bouvillon, après la messe, on sut que les auditeurs de CHOM-FM, qui diffusait l'événement en direct, avaient eu droit dans le confort de leur foyer à une qualité de son infiniment supérieure à celle dont avaient joui les fidèles de l'Oratoire.

Gerry était un peu déçu, mais il ne s'était pas ennuyé un seul instant et il estimait que le groupe avait tout de même prouvé quelque chose.

Sa mère était venue l'entendre. Il lui avait parlé, après le show. Et pour la première fois depuis qu'il faisait de la musique, il avait eu l'impression que Charlotte Boulet était finalement heureuse, vraiment heureuse, qu'il ait choisi d'embrasser cette carrière.

Elle lui avait dit :

« C'était beau, Gérald, si tu savais à quel point j'suis fière de toi !... »

Cependant, les journaux du lendemain se montrèrent sévères. Sous le titre « Offenbach à l'Oratoire : un bingo qui aurait pu être un événement », La Presse écrivit : « Rien que des numéros individuels, gênants, s'enchaînant sans intelligence et sans émotion, avec ici et là quelques moments de vérité... et de ridicule achevé : le célébrant, parce que son micro ne fonctionnait pas, a repris une toune de son numéro de prêtre ! »

On ne fut pas beaucoup plus heureux avec les disques. Le 45 tours *Memento* n'obtint pratiquement aucune diffusion radiophonique. Le microsillon *Saint-Chrone de Néant*, lancé en grandes pompes par Barclay le vingt-six mars 1973, demeura une affaire quasi confidentielle. Enfin, la pellicule tournée à l'Oratoire ne fut jamais montée et le public ne vit jamais ces images.

Quant à Yvon Hubert, il entreprit, peu de temps après la messe de l'Oratoire, des démarches auprès du Vatican afin d'être dégagé de ses vœux. Il fut laïcisé par le pape Paul VI en 1975. Un an plus tard, il fonda les Publications Chant de mon pays, une petite entreprise spécialisée dans l'édition de musique en feuilles. En 1978, il épousa une Montréalaise d'origine franco-espagnole qui, l'année suivante, donna un fils, David, à l'ex-Capucin.

Hubert, bien que toujours croyant, avait décidé de poursuivre sa route en laissant venir à lui les joies de la vie laïque.

**

L'Oratoire eut des effets contradictoires sur la carrière d'Offenbach.

D'abord, l'événement, contrairement à ce que l'on escomptait, ne fit pas affluer les offres d'embauche au bureau de René Malo. Pour les rockers d'Offenbach, il demeurait toujours aussi difficile de vivre de la musique, rien ne changeait beaucoup sous ce rapport, ils durent retourner dans les hôtels pour des cachets qui ne grimpaient pas au-dessus de 1 000 dollars par week-end.

Dans le même temps, Offenbach profita d'une large couverture médiatique — plus abondante encore qu'elle ne l'avait été lors du lancement d'*Offenbach Soap Opera*.

De sorte qu'à moyen terme, le show de l'Oratoire finit tout de même par leur ouvrir des portes intéressantes.

Ainsi, au tout début de 1973, Offenbach occupa pendant plusieurs jours la scène de la Butte à Mathieu, un endroit qui, théoriquement, n'était pas destiné à ce genre de musique.

Puis, fin janvier, Malo monta l'ODD Show à l'Université de Montréal. Offenbach se produisit avec Claude Dubois et Diane Dufresne. Deux jours avant le show, Gerry avait dit :

«On va leu' montrer qu'on est pas jus' capables de chanter des messes, tabarnac!»

Ce soir-là, Offenbach fit scandale. Montés les premiers sur scène, ils terminèrent leur concert en s'accoutrant de déguisements absolument innommables — des tutus, des baby dolls, des paillettes, des frou-frous... — dont ils se départirent dans les dernières secondes pour quitter la scène nus comme des vers!

Pendant quelques jours, cela alimenta les conversations dans les autobus et sur les lignes ouvertes des stations de radio.

Encore une fois, La Presse se montra particulièrement sévère. Offenbach a offert «quelques bruits de fond pendant que son ineffable leader spirituel (Pierre Harel) se livrait, sur le devant de la scène, au plus ahurissant numéro de nullité qu'il m'a, depuis longtemps, été donné de subir», écrivit René Homier-Roy.

Les membres d'Offenbach commençaient à croire que Homier-Roy leur en voulait personnellement — c'est lui, également, qui avait signé le réquisitoire paru au lendemain de la messe de l'Oratoire...

Le samedi cinq août 1973, Offenbach se produisit à la Petite Bastille, à Québec. L'endroit était pourvu d'une immense scène, très haute, montée contre le mur sud de la cour de l'ancienne prison des Plaines d'Abraham transformée en auberge de jeunesse. Cette cour — en asphalte — était très grande et descendait en pente douce jusqu'au pied de la scène. Cinq mille personnes pouvaient facilement y prendre place. Gilles Valiquette, ex-guitariste de Jacques Michel, ouvrit le show, suivi de Richard et Marie-Claire Séguin, fraîchement sortis du groupe La Nouvelle Frontière. L'attraction principale était la chanteuse Véronique Sanson — qui apparut avec les bras drapés de pansements : elle avait subi un accident de la route l'après-midi même.

Entre les Séguin et la chanteuse française, Offenbach fit une entrée remarquée.

Les cheveux gominés, Harel portait un costume de scène blanc à la mode country que lui avait donné Willie Lamothe. Gerry avait endossé un puncho mexicain, les autres, l'uniforme du rocker pur et dur. Bref, ils débarquèrent comme un éléphant dans un magasin de porcelaine au milieu d'un show à saveur granola... et ce, à un moment où les chemises en macramé et les jupes en terre cuite étaient au sommet de leur popularité.

Offenbach donna les tounes de *Soap Opera* et quelques autres — du pur Harel — concoctées depuis lors.

Ils n'étaient pas sur le stage depuis dix minutes que le public se mit à protester. Cela commença par d'inoffensives huées mais, au bout d'un moment, les bouteilles de bière commencèrent à voler au-dessus de la scène.

Installé à l'arrière de la cour, un homme regardait tout cela avec des yeux ronds, incapable de comprendre pourquoi ces musiciens-là n'étaient pas vénérés par cette foule affamée de musique. C'était un fan d'Offenbach : chez lui, il avait écouté mille fois les deux premiers microsillons du groupe.

Cet homme-là était un Français de France.

Et il s'appelait Claude Faraldo.

Le meublé de la rue Lacroix

Les garçons souriaient lorsqu'ils les voyaient entrer. Un couple constitué de trois personnes, en quelque sorte ! Et les trois étaient plutôt gentils, souriants eux aussi. La petite demoiselle, très jeune, avec des yeux verts, de longs cheveux bouclés et un sourire de gosse choyée ; les deux hommes plus âgés, posés, peu bruyants, avec de sympathiques têtes d'artistes.

Ils débarquaient souvent au restaurant du Pot de fer, comme ça, en trio. C'était dans Saint-Germain-des-Prés et on y mangeait un fabuleux couscous. Ils arrivaient à pied, ensemble ou à tour de rôle, du pas lent de ceux qui viennent en voisins ; ou alors ils s'extrayaient d'une petite Fiat noire que l'un ou l'autre des deux hommes pilotait.

« Bonsoir, monsieur François !... Bonsoir, monsieur Guy !... » lançaient les garçons ; puis, avec une voix plus douce, en regardant Françoise dans les yeux : « Bonsoir, ma p'tite demoiselle ! » Les deux hommes s'appelaient François Rossello et Guy Descaux ; elle, c'était Françoise Faraldo. Après les civilités, tout le monde s'installait en remuant les chaises et en commandant des verres de blanc.

Rossello portait la barbe, était artiste-peintre et demeurait avec Françoise dans un minuscule meublé niché sous les combles d'un petit hôtel de la rue Lacroix, près de la place Clichy, dans le Dix-septième arrondissement, à Paris.

Descaux, déjà une demi-célébrité dans le milieu du théâtre, se permettait de saluer Marais et Cocteau. Il était spectaculairement beau et déjà à l'aise, financièrement. Au restaurant, c'est lui qui réglait le plus souvent l'addition. Et il lui arrivait de donner un coup de main à Rossello ; il croyait en ses talents d'artiste.

Le Pot de fer, c'était vraiment bien, même si c'était un peu loin des cinémas des Champs-Élysées, que le trio fréquentait beaucoup. Ou de la rédaction de La Tribune des nations, installée au 150, avenue des Champs-Élysées, près de l'Étoile, où Françoise travaillait comme secrétaire ; cet hebdomadaire progressiste axé sur la politique internationale ne revendiquait qu'un modeste tirage — entre dix mille et quatorze mille exemplaires, selon les périodes.

Le matin, Françoise s'éveillait tôt, passait le café sur le petit réchaud que l'on dissimulait dans le placard — la logeuse interdisait la cuisine dans les chambres — et, lorsqu'il faisait beau, le sirotait sur le minuscule balcon qui donnait sur les toits de l'ouest de la ville, sur Neuilly, sur la cime des arbres du Bois de Boulogne. Ensuite, Françoise se préparait à aller travailler pendant que François disposait ses pinceaux et ses couleurs. Il était difficile de circuler dans la pièce sans tacher ses vêtements : l'homme peignait de grands trucs encombrants qui prenaient toute la place et qu'il fallait contourner avec précaution en se déplaçant dans ce minuscule espace. De plus, les étagères branlantes disposées autour de la pièce foisonnaient d'une débauche de livres — des livres d'art, des livres anciens, des livres dégotés chez les bouquinistes des quais lors des promenades du dimanche après-midi.

Chaque matin, peu après sept heures, Françoise descendait les escaliers, disait au revoir à la logeuse, tournait à gauche ou à droite sur l'avenue de Clichy pour aller prendre le métro à l'une ou l'autre des stations Lafourche ou Brochant, à égale distance de la rue Lacroix.

Parfois, elle marchait même jusqu'à la place Clichy parce qu'autour, la rue était plus pittoresque, plus animée, plus chaude de vie.

Le matin, à cette heure-là, les putes terminaient leur nuit en bouffant des croissants dans les cafés, côtoyant les flics en civil qui achevaient leur quart de travail et cassaient la croûte, eux aussi, avant de rentrer au commissariat de la rue Truffault ou au Quai des Orfèvres. Les balayeurs municipaux nettoyaient les rues en se faisant presque écraser par les gros autobus verts, bondés de petit peuple. Les employés des commerces du boulevard des Batignoles et de la rue Biot lavaient les trottoirs à grande eau. Il y avait aussi tous ces gens de l'Algérie, du Maroc, du Proche-Orient, quelques Asiatiques aussi, qui remuaient des cageots, des caisses, toutes sortes de victuailles et de marchandises, ou qui entretenaient, dans une langue incompréhensible, des conversations animées qui devaient être réjouissantes puisqu'ils avaient toujours l'air de se marrer.

Lorsque Françoise passait devant eux, ils riaient plus fort encore en reluquant ses jolies jambes et ses arrogants petits seins, en se poussant du coude et en échangeant des remarques qu'il n'était pas utile de traduire pour comprendre à peu près... Il était arrivé que Françoise, lorsque ces badauds dépassaient les bornes, leur lance un retentissant : *Allez vous faire foutre !*... Mais le plus souvent, elle regardait droit devant elle et allait son chemin en haussant les épaules.

Françoise était plutôt timide.

Elle travaillait tout le jour dans un angle du secrétariat de La Tribune des nations. Puis, en fin d'après-midi, elle rejoignait Rossello — et Descaux aussi, la plupart du temps — au Pot de fer, ou dans un restaurant des Champs, ou dans quelque autre café de Saint-Germain-des-Prés.

À la nuit, Guy Descaux partait de son côté, le couple rentrait place Clichy et faisait l'amour. François était un homme très doux en ce domaine. Françoise ne connaissait rien à ces choses — elle n'avait que dix-sept ans — lorsqu'ils s'étaient rencontrés. De sorte que, tout de suite, l'entente avait été parfaite. Il explorait avec délice, interminablement, amoureusement, ce corps d'adolescente ; elle découvrait avec ravissement les plaisirs de l'amour, s'abandonnait volontiers aux belles mains expertes du peintre.

Sous les combles, dans l'emportement général, il fallait juste faire attention pour ne pas jeter par terre les toiles et les tréteaux !

Le fait est que François Rossello connaissait déjà un peu les filles. Il avait treize ans lorsque Françoise vint au monde à Charenton, à la limite sud de Paris, près du Bois de Vincennes.

Le père de Françoise, Marcel Faraldo, d'origine italienne, n'avait jamais connu la Sicile de ses ancêtres puisqu'il était né à Menton, tout près de la frontière avec l'Italie. Il avait épousé Émilienne Cœurtat à Paris, en 1926, alors qu'elle n'avait que seize ans. Marcel et Émilienne Faraldo eurent cinq enfants : de Jean, venu tout de suite après leur mariage, jusqu'à Françoise, née le trois octobre 1946, en passant par Solange, Arlette et Claude.

Claude Faraldo.

Celui-ci avait à peu près le même âge que François Rossello — c'est par son frère que Françoise allait d'ailleurs rencontrer le peintre.

Marcel Faraldo travaillait sur la chaîne d'assemblage des usines Renault, aimait les femmes et avait très tôt déserté sa famille pour courir dans Paris, revenant irrégulièrement à la maison. À la fin, il était parti pour de bon. L'homme allait mourir d'une hémorragie cérébrale en 1966 après avoir vécu malheureux, solitaire, dans un petit appartement du quartier Montmartre.

En somme, Émilienne Faraldo avait dû se résigner à élever seule ses gosses. En faisant de la couture. Ou des ménages pour les Allemands, pendant l'Occupation.

Après Charenton, la famille Faraldo s'était installée à Châtenay Malabry, puis à Malakoff, deux communes de la banlieue sud de Paris.

Au premier endroit, Françoise était toute petite, les Faraldo habitaient l'appartement du deuxième dans un immeuble de trois étages, à la limite de l'agglomération sise à une vingtaine de kilomètres de la ville. Derrière, on trouvait un boisé et une sorte de kiosque où, le samedi, on faisait de la musique et où Émilienne Faraldo, de sa voix magnifique, chantait à l'occasion des airs d'opérette.

Adolescente, Françoise était un peu garçonne, casse-cou, forte et endurante — elle était championne de course à pied dans les compétitions scolaires. Timide, elle se sentait souvent mal à l'aise dans ses apparats de fille, dans cette jupe foncée et cette petite blouse blanche qu'il fallait porter pour aller à l'école. Sauf pour les jeux, elle fuyait les garçons et préférait se réfugier chez elle où Émilienne, plutôt sévère avec ses trois filles, pouvait la couver.

À quinze ans, Françoise entrait à l'école de secrétariat. Moins de deux ans plus tard, la famille Faraldo déménageait à Malakoff, à quatre kilomètres à peine des portes de Paris. Cette fois, les Faraldo allaient habiter un appartement sans âme, niché au cinquième étage d'un immeuble qui en comptait une quinzaine sur le boulevard de Stalingrad, à deux pas de la place Gagarine où convergeaient une demi-douzaine de rues commerçantes de Malakoff.

Malgré le peu de charme de l'endroit, il y avait avantage à se rapprocher ainsi de la ville car, entre-temps, Françoise avait déniché son premier emploi à la Manufacture métallurgique de la Jonchère. La compagnie fabriquait du matériel de plomberie et ses bureaux se trouvaient place des Ternes. Même installée à Malakoff, il fallait que Françoise se tire du lit à cinq heures le matin pour attraper deux autobus, le métro de la ligne treize, un autre autobus encore, avant de s'écraser, déjà fatiguée, devant les montagnes de paperasse qui l'attendaient chez le fabricant de tuyaux.

Tout de même, la jeune fille était heureuse de gagner sa vie, d'échapper à la banlieue, à la grisaille des HLM et des rues de Malakoff.

Et cette chance, c'est son frère Claude qui la lui avait donnée : n'avait-il pas lui-même défrayé les cours qui devaient conduire sa sœur directement sur le marché du travail? Il adorait sa sœur, il la choyait, la protégeait, la câlinait, jouait au père, on se demandait parfois jusqu'à quel point il n'en était pas amoureux...

Claude Faraldo voulait devenir comédien. Il jouait dans des troupes d'étudiants avec François Rossello qui, à cette époque, hésitait encore entre le théâtre et la peinture. À Malakoff, les deux hommes répétaient interminablement des textes graves et solennels, retirés dans la chambre de Claude, pendant qu'on s'efforçait de faire silence dans les autres pièces pour ne pas les déranger. Rossello était timide, lui aussi. Mais un jour, il s'était néanmoins enhardi jusqu'à demander à la jeune fille de poser pour lui. Il allait réaliser des dizaines et des dizaines de dessins de Françoise, au crayon, au fusain, à la gouache, jusqu'à ce que, petit à petit, ils en viennent à former un couple et à songer à vivre ensemble.

Lorsque Françoise annonça à sa mère qu'elle emménageait avec François Rossello, place Clichy, ce fut, pendant un jour ou deux, un petit drame dans la famille.

***

Il y eut les jours heureux.

Puis, après sept ou huit ans de vie commune — difficile de dire quand exactement ça avait commencé : en 1971 ou 1972, peut-être? —, une certaine lassitude s'installa chez Françoise, à mesure que son amant s'enfonçait dans son art et qu'elle s'ouvrait à la vraie vie.

On aurait dit que, graduellement, ils habitaient deux mondes qui ne se rencontraient plus.

D'abord, le couple avait quitté Montmartre pour s'installer à Aubervilliers, dans un vrai studio d'artiste qui faisait partie d'un complexe construit par la municipalité, sur la rue Henri-Barbusse, à quelques centaines de mètres au nord du périphérique, non loin de la porte de la Villette. Françoise devait à nouveau se taper, deux fois par jour, une heure et demie d'autobus et de métro; rentrer tard à la maison en sacrifiant parfois les quelques dizaines de francs nécessaires pour se payer le luxe d'un taxi; se coucher, fourbue, pour se relever quelques heures plus tard, encore fatiguée, et recommencer le rituel.

Ensuite, elle avait changé d'emploi. Elle ne travaillait plus chez le marchand de tuyaux, ni à La Tribune des nations : Françoise bossait maintenant chez Barclay — les disques.

Le patron de la boîte, Eddie Barclay, était déjà une sorte de monument. Né en 1921, Barclay (Édouard Ruault de son nom véritable) avait créé en 1949 les disques Blue Star avec son copain, Boris Vian. Puis, deux ans plus tard, il avait fondé la Compagnie phonographique française, qui allait importer d'Amérique la technologie du microsillon, le 33 et le 45 tours. L'entreprise d'Eddie Barclay explosa véritablement lorsqu'il mit sous contrat Eddie Constantine, qui chantait *Cigarettes, whisky et p'tites pépées*. Tout en menant la grande vie, avec Rolls et champagne, Barclay inventa littéralement la musique pop française et tendit la main à plusieurs artistes québécois — Robert Charlebois et Diane Dufresne, notamment — dont les œuvres allaient être distribuées en France sur sa prestigieuse étiquette.

Les bureaux de la maison Barclay logeaient avenue de Neuilly. Des bureaux somptueux et fort bien fréquentés : Françoise y côtoyait des artistes souvent passionnants, souvent beaux, souvent enclins à lui faire un peu — ou beaucoup — la cour. Elle avait ainsi l'occasion de croiser des bonzes comme Jean Ferrat, des petits chanteurs rigolos comme Daniel Guichard ou Leny Escudero, ce dernier étant particulièrement prévenant pour la petite employée, l'invitant à dîner, lui offrant des fleurs...

Vraiment, c'était un monde!

On avait très vite donné à Françoise d'importantes responsabilités, des trucs intéressants à remuer : elle servait de bras droit à Danièle Pellissier, chef du service de la mise en marché, elle avait à se démerder avec les ateliers de pressage, les imprimeurs, les distributeurs. Elle aimait bien ce boulot.

Enfin et surtout, Françoise tournait en rond dans cette sorte de prison que devenait lentement le studio d'Aubervilliers.

Lorsqu'elle rencontrait son frère — rarement, parce que Faraldo était devenu un homme très occupé mais, tout de même, cela arrivait — Françoise se confiait :

«Je m'ennuie, Claude... Je l'aime bien, François, c'est certain. Mais il m'enferme, il me surveille, on dirait mon père!... J'sais pas... On rigole plus beaucoup, il est vachement sérieux, François, j'en ai marre de ses foutus livres d'art et des puces : on est toujours aux puces, Claude, le dimanche! Et à chaque fois, il déniche des trucs qui coûtent un fric fou... C'est bien, mais y'a plus que ça, toujours que ça et rien d'autre... Ça me tue!... Et puis il me fait chier à la limite avec ses amis qui font tous de la peinture et qui ne parlent que de ça! Ça ne finit plus : on se fait une bonne bouffe avec de bonnes bouteilles et puis, bla bla bla, c'est interminable... Ça ne m'intéresse pas ce qu'ils racontent, Claude, ça ne m'intéresse plus!...

— Ils sont comme ça, les peintres, Françoise... Ces gens-là sont très centrés sur eux-mêmes. Et puis, François, tu le connais bien, non? Ça a toujours été un type assez sérieux, c'est comme ça que tu l'as connu!

— Je sais bien, Claude, je sais bien... »

Il y avait un moment de silence.

«Je n'ai plus envie de lui, Claude... »

Un autre silence, encore. Interminable.

«Écoute, Françoise... Tu es jeune, tu es jolie, tu as un bon boulot. Fais ce que tu as envie de faire, mène ta vie, sors, vois des types! Mais ne t'enfonce pas dans des situations qui te rendent malheureuse, ne t'attache pas trop vite, ce n'est pas utile!... Réfléchis. Et puis, fonce, Françoise, fonce!... »

Elle ne savait plus. Il y avait ce problème lancinant, douloureux, apparemment insoluble. Et puis tout le reste, le travail par exemple, qui était de plus en plus accaparant.

Certaines semaines, Barclay mettait sur le marché plus d'une quinzaine de nouveautés sur 45 tours! La folie furieuse!

En une douzaine d'années, tout au plus, depuis l'envahissement des foyers par la télé et le transistor, on aurait dit que le monde avait basculé, il n'y en avait plus que pour les adolescents, comme en Amérique. Les jeunes existaient dorénavant par eux-mêmes, ils avaient du temps et du fric, ils imposaient leur loi, ils faisaient et défaisaient les modes. Et, surtout, ils bouffaient du vinyle à un rythme vertigineux!

Comme en Amérique. Pareil. Mais... complètement différent.

Le fonds de commerce de la chanson française est d'une richesse inouïe, inégalée. Au début des années soixante, les grands classiques règnent, incontestés, les Léo Ferré, Georges Brassens, Jacques Brel (à la fois belge et parisien...), Charles Aznavour, Gilbert Bécaud, Yves Montand.

Mais quelque chose commence à échapper aux Français. Il y a déjà Elvis Presley. Il y aura Bob Dylan et les Beatles. Puis les Stones, Jimi Hendrix, les Doors. Et Woodstock. Un monde, ça aussi. Mais un monde, qui parle un autre langage. Avec l'accent des villes plaqué sur des mots crus, sur des musiques électriques, violentes, garrochant une vision du monde qui échappera pendant longtemps aux artistes français. Ceux-ci ne vivent pas la même vie au même rythme, n'ont pas les mêmes déchirements, ne poussent pas les mêmes cris du cœur, ne peuvent rendre compte d'un tournant de civilisation qui n'a pas été initié chez eux. Ils ne comprennent pas ce qui se passe.

La chanson française panique, s'emballe, tourne à une vitesse folle, mais à vide.

C'est le yé-yé.

Le yé-yé sévit partout, c'est entendu, en Amérique aussi.

Mais en France, l'entreprise devenant vite gigantesque, extrêmement typée, l'industrie du disque entreprend ventre à terre une absurde compétition dont le vainqueur sera proclamé roi de la mièvrerie et de la médiocrité. Pendant un temps, on n'en aura que pour des Adamo et des Enrico Macias, des Mireille Mathieu et des Sheila. Il y a bien Eddy Mitchell ou Johnny Hallyday pour — parfois — tenter autre chose, mais ça ne colle pas vraiment, quelque chose cloche. D'abord, pourquoi ces gens se donnent-ils de pareils noms de scène ? Et pourquoi, en tout et pour tout, ne réussissent-ils pas à faire beaucoup mieux qu'une adaptation désincarnée de *The House of the Rising Sun ?*... Pourquoi, alors que Led Zeppelin monte le fascinant *Stairway to Heaven*, Nicoletta susurre-t-elle *Mamy Blue ?*

Il n'empêche que, chez Barclay, ce *Mamy Blue* causa toute une commotion. D'autant plus que le succès déferla en plein été alors que Françoise était seule au bureau — Danièle Pellissier était en vacances. Pendant des semaines, elle se défonça au travail, ne rentrant à Aubervilliers que tard en soirée pour s'écrouler dans son lit. Heureusement, il finit par y avoir, pour elle aussi, des vacances.

Depuis plusieurs années, à l'été, Françoise et son amant empilaient toiles, tréteaux, armes et bagages dans la petite Fiat que Descaux avait fini par leur donner, et filaient vers la maison qu'on louait à Levens, un minuscule village de la côte d'Azur, au nord de Nice. Un endroit paradisiaque comme il y en a plein dans les montagnes, derrière la côte, de Grasse à la frontière italienne en passant par Tourrette-sur-Loup, Saint-Martin-du-Var, Saint-Paul-de-Vence, cent autres lieux encore. Des oasis de paix où il n'y a pas la cohue des plages mais où le soleil brille tout de même. Et où il fait bon, le matin, boire un crème dans un café d'habitués inévitablement tenu par un Marseillais ayant l'accent et la bonne humeur des créatures de Pagnol.

En juillet 1973, cependant, le cœur n'y était pas.

Avant les vacances, Françoise avait dit à son frère :

« C'est François qui veut que j'y aille... Mais me retrouver comme ça une année de plus avec lui, ce n'est plus possible... »

Elle était tout de même partie dans le sud avec son amant. Mais au bout de quatre jours passés à ronger son frein dans la maison de Levens, elle avait annoncé à François qu'elle remontait à Paris :

« C'est ridicule, François. Je ne peux plus vivre comme ça, dans une situation en porte-à-faux. Je repars...

— Bien... Ça va te faire du bien, Françoise, qu'on se sépare pendant quelque temps, tu vas voir... Peut-être que... Je suis sûr que tu vas revenir et que ça va fonctionner à nouveau entre nous. »

Il était gentil. Il ne faisait pas d'esclandre. Il souffrait mais ne le montrait pas. Il était même allé jusqu'à reconduire Françoise à l'aéroport de Nice, où elle avait pris l'avion pour Paris. Au début, Françoise avait erré pendant quelques jours dans le studio d'Aubervilliers. Elle était allée voir sa mère à Malakoff. Puis, au moment de retourner au travail chez Barclay, elle avait bouclé ses valises et s'en était allée demeurer chez son frère, à Garches.

Depuis le temps, Claude Faraldo avait fait un sacré bout de chemin.

Après avoir fait joujou avec le théâtre et monté une pièce au Studio des Champs-Élysées, il s'était dirigé vers le cinéma et avait réussi à tourner trois films, dont deux longs métrages relativement bien accueillis par la critique et, jusqu'à un certain point, par le public. D'abord, *Bof*, en 1971. Puis *Themroc* en 1972, avec

Michel Piccoli, une sorte de film poétique sur la révolte d'un homme qui, à un tournant de sa vie, brise les liens maternels qui l'enchaînent, abat les murs, casse les meubles, couche avec sa sœur.

Des films d'auteur, pour le meilleur et pour le pire.

En parallèle, Faraldo avait réussi à gagner un peu de fric et à se fabriquer un tissu de relations qui lui faisait une vie complexe mais passionnante.

Il vivait sur l'avenue Henri-Bergson, à Garches, à une quinzaine de kilomètres de Paris par la porte de Saint-Cloud, dans une immense et vieille maison flanquée d'un énorme saule pleureur, pleine de recoins, pourvue d'un gigantesque hall d'entrée meublé d'un escalier de marbre, parcourue par un enchevêtrement de couloirs de service tortueux, construits par paliers, qui donnaient sur des chambres — une bonne dizaine! — aménagées dans les endroits les plus inattendus.

Mais le plus inattendu était encore la faune qui habitait ces lieux.

Il y avait d'abord Claude Faraldo, bien sûr, qui régnait en seigneur sur la maisonnée. Ensuite, Evelyne Vidal, une femme d'une cinquantaine d'années qui avait agi comme imprésario pour le compte de Serge Reggiani, d'Yves Montand et de quelques autres. Dans la même maison demeuraient aussi Hélène Vager et ses deux enfants, dont Laurence, avec qui Françoise allait vite devenir très copine. Deux ou trois autres femmes encore, plus celles qui ne faisaient que passer... Et, pour finir, la mère d'Evelyne Vidal, Jeanne, environ soixante-dix ans, qui allait et venait avec son petit chignon et son tablier, toujours devant ses fourneaux à faire la popote pour tout le monde, indifférente à l'étrangeté de cette vie de commune.

Au rez-de-chaussée de ce curieux domicile, la pièce de séjour, très haute de plafond, était presque comme un hall de gare, continuellement pleine de gens, de musique, d'alcool et de haschisch. Françoise avait dû se faire à tout cela. Elle était même arrivée à se sentir à l'aise dans cette agitation perpétuelle. Elle revenait de chez Barclay et se fondait au creux d'un immense coussin, elle farfouillait dans les disques et dans les livres, elle portait attention aux mille projets de son frère.

Par exemple, au moment où elle était arrivée à Garches, Faraldo répétait :

« Je pars pour le Canada dans quelques jours, Françoise. Je vais à Montréal, j'ai peut-être un projet avec des gars, là-bas, les gars d'Offenbach. »

Françoise connaissait l'existence du groupe. Chez Barclay, *Câline de blues* avait été gravé sur 45 tours pour le marché français et il lui était passé entre les mains.

Son frère continua :

« Écoute, écoute cette voix, cette musique, est-ce que ce n'est pas extraordinaire ?... »

Devant eux, les deux enceintes acoustiques crachaient :

> *P't' ête ben qu' l' amour est morte*
> *A' l' avait des ongles rouges*
> *Des yeux pleins d' or à fou*
> *Ça' été d' valeur qu' a jouse*
> *À vouloir me mettre à genoux*
> *Astheure faut que j' me recouse le cœur*
> *Y' est patché plein d'trous...*

Françoise ne comprenait pas la moitié de ce que le type racontait ! D'ailleurs, quelle tête pouvait-il avoir, ce chanteur ? Elle ne s'en souvenait plus ; au travail, elle n'avait jeté qu'un regard distrait sur les photos de promotion. À côté d'elle, reposaient deux pochettes de disque. Sur l'une, celle de couleur orange garnie de curieuses abstractions graphiques, on lisait *Offenbach / Saint-Chrone de Néant*. Sur l'autre, bariolée d'un vert et d'un rose agressifs, était inscrit *Offenbach Soap Opera*.

À l'intérieur du carton orange qui s'ouvrait comme un livre, on trouvait une photographie en noir et blanc.

On voyait six jeunes hommes très, mais alors *très* chevelus — sauf un qui était presque chauve. Un autre portait des lunettes. Celui du milieu, un peu à l'avant des autres, avait des yeux qui semblaient très doux et, à travers son anarchique pilosité, on devinait un sourire enjôleur. À force de tourner et de retourner la pochette, de consulter les autres photos, moins grandes, et les données techniques imprimées en petits caractères, Françoise avait fini par déduire que celui-là se nommait Gérald Boulet.

Sur *Offenbach Soap Opera*, on lisait simplement *Gerry (orgue, voix).*

Les prophètes

Les membres d'Offenbach se trouvaient à l'appartement de la rue Bleury — l'un après l'autre, ils venaient de se tirer du lit — lorsque le téléphone sonna. Gerry Boulet décrocha, émit un *ouais* approximatif puis garda le silence pendant de longues secondes. Sa part de conversation se limita pendant un temps à deux ou trois autres borborygmes tout aussi engageants avant qu'il ne se risque à débiter :

« Ouais, c'est nous autres qui a faitte ces disques-là, l'an passé. La messe noire, c'était...

— ...

— Pourquoi faire ?

— ...

— J'ai dit : pourquoi faire ?... Pourquoi ? »

Un très long silence.

« Si tu veux. C'est ben correct. Quand est-ce que tu veux venir ?

— ...

— J'ai dit : quand ? *Quand ?* Quand est-ce que tu voudrais venir nous voir ?... »

Gerry leva les yeux au plafond et murmura à ses chums de musique, intrigués :

« Y' comprend rien, tabarnac ! »

Après d'autres échanges avec ce correspondant apparemment dur d'oreille, Gerry raccrocha et annonça à la ronde :

« C'est l'boutte ! C'est un Français de France. Un gars qui s'appelle Faraldo. Y'a entendu nos records pis y' veut nous voir. J'sais pas trop pourquoi, j'ai pas compris où y' voulait en venir au juste. Y' va rappeler... »

On était en juillet 1973.

Claude Faraldo rappela, comme il l'avait promis. Et il débarqua à Montréal au début du mois d'août, quelques jours avant le show que le groupe devait donner à la Petite Bastille de Québec.

L'homme n'était pas dur d'oreille, mais il éprouvait encore de la difficulté — malgré l'audition répétée des disques d'Offenbach — à saisir le langage des rockers québécois qui ne faisaient d'ailleurs aucun effort pour lui faciliter la tâche !

Faraldo s'installa donc rue Bleury. Malgré ce problème de langue, il fut tout de suite à l'aise dans cette vie de commune somme toute assez semblable à celle que lui-même était habitué de mener à Garches, à cinq mille kilomètres de là.

Au début, il demeura vague sur ses intentions, écouta plus qu'il ne parla, observa les musiciens sur scène et dans la vie. Néanmoins, son idée se précisait : il ferait un film avec ces types-là. Il ne savait pas encore exactement comment il s'y prendrait — où il dégoterait le fric, de quelle façon serait mené le tournage... — mais il voyait ce qu'il immortaliserait dans ce film : l'énergie brute d'Offenbach, la façon de vivre et de créer de ces artistes hors du commun.

Claude Faraldo assista au show des Plaines d'Abraham et vit la pluie de bouteilles de bière volant au-dessus du stage.

Dans la camionnette qui ramenait le groupe à Montréal, aux petites heures du matin, il constata que Gerry et les autres n'en menaient pas large. Ils avaient beau crâner, ils n'en étaient pas moins amèrement déçus de l'accueil qu'on leur avait réservé à Québec — une douche froide, un rejet — un de plus... Harel était de nouveau en furie :

« Y' comprennent rien ! Tout c'qui les intéresse, c'est les boy-scouts, les Séguin, ces affaires-là. C'est décâlissant, ça' pas de bon sens... Pourtant, nos nouvelles tounes sont bonnes en sacrament ! Mais y' veulent même pas écouter... »

Claude Faraldo jugea le moment propice pour annoncer :

« Vous allez venir en France avec moi. J'vais m'occuper de tout, la maison, la bouffe, la dope... J'vous demande une seule chose : vous allez consentir à vivre devant la caméra. Nuit et jour. Lorsque vous mangez, lorsque vous buvez, lorsque vous faites de la musique. Tout le temps, pendant des mois, rien d'interdit... Je m'occupe de tout le reste. »

Faraldo fit une pause puis ajouta :

« Chez nous, en France, vous serez des prophètes ! »

Et en lui-même, il se dit : *tiens, c'est un bon titre, ça, « Viens chez moi, tu seras prophète »...*

L'idée ne déplaisait pas aux membres d'Offenbach.

Deux mois plus tôt, en juin, ils étaient allés à Paris afin de donner une série de quatre concerts au Musée d'Art moderne, avenue du Président-Wilson, dans le seizième arrondissement. C'est Lucien Ménard qui, avec René Malo, avait organisé le voyage en obtenant des subventions gouvernementales.

Le premier soir, Offenbach s'était produit sur une scène extérieure, dressée en face du musée. Même si la sonorisation n'était pas de premier ordre, la prestation avait fait suffisamment de bruit — au sens propre du terme — pour alerter la Gendarmerie. Les policiers avaient mis fin au concert en disant :

«On vous entend jusqu'à la Tour Eiffel! Allez, ouste! Les riverains n'en peuvent plus...»

Il est vrai que, du stage, on voyait au loin la Tour Eiffel et le Champ-de-Mars, de l'autre côté de la Seine et des Jardins du Trocadéro.

C'était la première fois que Gerry allait en France. Il ne le disait pas mais il était foutument impressionné, intimidé même, par ces Parisiens chiants comme ce n'est pas permis, sûrs d'eux jusqu'à l'absurde, arrogants comme s'ils avaient inventé l'univers. Mais voilà, on avait trouvé un moyen de leur en mettre plein la vue : Gerry avait chanté *L'Hymne à l'amour*, le monument d'Édith Piaf, à la façon Offenbach. C'est-à-dire avec une intro rock'n'roll pure et dure servant à amener sa voix qui assurait :

Je me ferais teindre en blonde
Si tu me le demandais...

Car on avait décidé de laisser la strophe au féminin! Et c'était extraordinaire pour les Français d'imaginer ce hippie à la grosse voix faire *teindre en blonde* sa longue et anarchique tignasse : cela avait fonctionné au point que, le premier soir, les gendarmes avaient attendu la fin de *L'Hymne à l'amour* pour intervenir...

Offenbach avait donné ses trois autres concerts à l'intérieur du musée, puis était revenu au Québec pour compléter l'enregistrement de la trame musicale du film *Bulldozer*.

Puis on avait oublié la France.

Mais voilà que la France venait vers eux en la personne d'un cinéaste aux idées folles, qui voulait les amener là-bas et les consacrer vedettes! *Prophètes*, qu'il disait!

Pourquoi pas ?

Ils iraient en France. « On va aller faire une vue ! » déclarait Gerry, presque sans y croire.

En août et en septembre, le périple s'organisa. Évelyne Vidal, qui allait produire le film (sous la raison sociale des Productions Filmanthrope), vint à Montréal pour mettre au point la logistique de l'affaire. Claude Faraldo s'envola pour Paris où il s'employa à obtenir des subsides de la Commission d'avance sur recettes, l'organisme gouvernemental d'aide à l'industrie cinématographique.

Aux fonctionnaires de la Commission, Faraldo expliqua :

« Je ne peux pas, ici, comme je l'ai fait pour *Bof* et *Themroc*, présenter un scénario précis, car il n'y a pas dans la nature de ce film les éléments d'un récit narratif, ni une forme chronologique qui permettrait une description suivie... « J'entends montrer six individus (à ses yeux, Lucien Ménard faisait partie du groupe) d'exception, vulnérables, violents, extrêmes, créatifs, dans une vie d'aventure... montrer la création spontanée, non érudite, dépouillée, faite uniquement d'une intense sincérité... montrer six individus étranges et proches dans un mode de vie inouï, à la recherche d'une limite pas connue... »

Et Faraldo conclut :

« Pour moi, longtemps, pour ma famille et nos voisins, ceux qui créent naissaient ailleurs, étaient des personnes biologiquement différentes de nous. Elles-mêmes et leurs créations étaient intimidantes, incriticables, complexantes. Le but politique du film est de contredire cette mentalité. »

Le cinéaste obtint les fonds pour tourner.

En octobre 1973, Ménard et Harel débarquèrent les premiers dans la maison de Garches. Dix jours plus tard, ils furent suivis de Lamothe et de Belval.

Début novembre, Johnny Gravel et Gerry traversèrent l'Atlantique à leur tour.

***

Françoise Faraldo savait que, le soir, en rentrant de son travail chez Barclay, il serait là.

Elle avait hâte de le connaître, de le voir en personne, de juger s'il correspondait à sa voix, rauque et en même temps d'une grande sensibilité; de constater si ce visage était aussi fascinant que les photos le laissaient présager. Elle prit un taxi, n'ayant ni la patience ni le courage de se taper le métro puis le train. Il faisait frais, presque froid; il tombait une petite pluie fine qui, en un instant, transperçait les vêtements et pénétrait jusqu'aux os. Parvenue à Garches, elle poussa la porte de la grande maison, et jeta un regard à droite, dans l'immense pièce de séjour.

Gerry était là.

Il était assis à même une sorte de petite estrade qui, au fond de la pièce, supportait le téléviseur et la chaîne haute-fidélité. Il semblait triste. Ou fatigué — à cause du vol et du décalage. Ou les deux.

Gerry leva la tête et vit Françoise.

Tout de suite, il sut que c'était elle. Celle dont Ménard avait eu le temps de lui parler en termes louangeurs, au point que Gerry s'était dit : *ben calvaire, Pops Lulu est en amour!*... C'est vrai qu'elle était mignonne. Elle ne savait pas trop ce qu'il fallait faire. Lui non plus. Elle vint vers lui avec un sourire un peu timide... Il lui dit, en prenant une grande et théâtrale respiration :

« Hum... Ça sent l'frais du dehors ! Ça sent bon en ostie... »

Que dire à cela? Elle éclata de rire.

« Bonjour! Moi, c'est Françoise... Toi, t'es Gerry, non?...

— C'est moi... »

Françoise n'était pas déçue : le musicien était bien comme sur les photos — sauf qu'il ne portait plus la barbe. À tout hasard, Gerry lui décrocha un de ces sourires dont il avait le secret. De sorte que la jeune femme se sentit rougir et préféra battre en retraite.

« Bon, eh bien... On se revoit tout à l'heure?... »

Et elle disparut dans le hall. Gerry entendit ses pas dans l'escalier et, à l'étage, le claquement d'une porte qu'on referme.

Charmante, vraiment. Ménard le lui avait bien dit. Et des yeux... des yeux clairs qui brillaient, à la fois pudiques et pétillants de malice. Depuis un an ou deux, Gerry avait eu quelques aventures à Montréal, l'une d'elles plus sérieuse que les autres — Denise était au courant, il lui en avait parlé. Mais aucune n'avait ces yeux-là... *Y' va falloir que j'y dise deux mots, à' p'tite Française*, se promit Gerry.

Et il alla dormir : son horloge interne marquait trois heures du matin.

Dans les semaines qui suivirent, Gerry et Françoise s'observèrent, intimidés l'un comme l'autre, conscients que tout le monde les regardait comme s'il était évident qu'il devait se passer quelque chose entre eux.

On voyait le leader d'Offenbach lui sourire, la frôler imperceptiblement et, aurait-on dit, sans le faire exprès. Il est vrai que cela arrivait rarement car, comme s'il s'était agi d'une entente tacite, Gerry et Françoise retardaient le moment de mieux se connaître. La plupart du temps, ils semblaient presque s'éviter. Ils faisaient de comiques efforts pour ne pas se retrouver l'un près de l'autre, se contentant d'échanger des œillades, de loin, tout en feignant de s'ignorer. Gerry s'occupait toutes voiles dehors des autres femmes qui circulaient dans la maison; Françoise, elle, était déjà très liée aux membres d'Offenbach arrivés les premiers. De sorte que l'un et l'autre n'avaient aucun mal à conduire cette rocambolesque parade d'indifférence mutuelle!

Par ailleurs, l'attention fut vite détournée sur un autre couple également en train de se former : Johnny et Laurence Vager se tournaient autour, avec les mêmes airs de ne pas y toucher. On ignorait alors que, pour ces deux-là, ce serait encore plus long que pour Gerry et Françoise.

À travers cela, il fallut s'acclimater à la maison de Garches, à cette nouvelle vie de commune, à la France.

Ce ne fut pas si facile.

Gerry n'était pas vraiment sûr d'aimer beaucoup les Parisiens, leur façon de parler — *y' peuvent ben rire de not' accent, eux autres : les as-tu entendus, tabarnac!* —, leur attitude vis-à-vis des étrangers. Il leur arriva, à lui et à ses chums de musique, de se livrer à de spectaculaires virées à Paris, de se faire voir dans les boîtes à la mode, de fréquenter le Crazy Horse et le Moulin Rouge. Ils s'y conduisaient de façon encore plus excessive qu'au Québec; ils barbaient le personnel, criaient à tue-tête, flirtaient avec toutes les filles passant à portée de voix, déclenchaient des bagarres. Une fois ivres, au milieu de la nuit, derrière des tables couvertes de verres et de bouteilles vides, ils tenaient des discours dont personne ne comprenait mot... pour le plaisir, justement, de ne pas être compris!

Aux garçons, dans les cafés, l'un ou l'autre lançait immanquablement :

«Emmène-moi une grosse Mol tablette, ostie!...»

Évidemment, il se faisait répondre :

«Je... Pardon, mais je ne saisis pas ce que dit monsieur...»

Et ils croulaient de rire sous la table!

Cela dura un temps. Puis Gerry finit par ne plus rigoler, victime d'une sorte de complexe face à ce pays qui, il le constatait plus ou moins confusément, avait une fantastique histoire derrière lui et baignait dans une mer de culture infinie. Un pays de mots — *touttes des grand' gueules, calvaire, même les waiters!* — dans lequel il ne se sentait pas à l'aise, lui, le petit rocker d'Amérique. Et il ne trouvait guère de consolation à savoir que ces déluges verbaux ne noyaient parfois qu'un désert d'idées. En France, tout ne finit pas par une chanson, comme le veut le dicton : tout débute et se termine par des mots...

De plus en plus, Gerry s'enfermait chez Claude Faraldo, refusant de sortir.

Les mots...

Il se mit à explorer la bibliothèque meublant la maison de Garches, feuilleta les œuvres des poètes maudits et goûta à tout, de Georges Simenon à Jean Genet. Faraldo lui indiquait parfois des trucs intéressants, ou pouffait de rire lorsque, tombant sur un texte qui lui plaisait, Gerry s'écriait :

«C'est bon en ostie... C'est qui l'gars qui a écrit c't'affaire-là?...»

Chez les frères, à Philipsburg, on avait forcé Gerry à lire, évidemment. Au début, les livres avaient excité sa curiosité, comme bien d'autres choses. Mais, au collège, ce n'était pas intéressant. On ne lui donnait jamais accès à des textes pernicieux, sensuels, vrais comme la vie.

De toute façon, à Garches, il n'avait que ça à faire, lire. Et boire, et fumer, et manger.

Au début de janvier 1974, les membres d'Offenbach se rendirent compte que, depuis deux mois, il ne s'était encore rien passé. Les préparatifs du tournage prenaient un temps fou et le film n'était pas commencé. On parlait d'une tournée en France et en Hollande, mais rien n'était certain : Faraldo, Ménard et Évelyne Vidal peinaient toujours pour trouver des engagements. Pire encore : on ne pouvait même pas faire de la musique parce qu'à Montréal, les instruments avaient été placés par erreur à bord d'un cargo en partance pour Rio de Janeiro! La B-3 voguait toujours quelque part sur la planète... et chez Faraldo, on devait se partager à trois ou quatre une petite guitare acoustique.

Gerry s'ennuyait — malgré le passionnant duel de regards qu'il menait avec Françoise... Il s'ennuyait du Québec, de Montréal, de Saint-Jean. De la télé, des tavernes, de la bière et de la bouffe. À Denise, qui envisageait de venir passer quelques semaines en France avec Justin, il écrivit : « Veux-tu mettre dans tes valises mes chandails *Son-Québec* et *Québec, on t'aime ben gros*... Et deux sacs de fèves au lard : j'aimerais ça en manger, ici, il n'y en a pas... »

En somme, dans l'hiver humide et désagréable du bassin parisien, Gerry et ses chums de musique rongaient leur frein.

Ne sachant pas à qui s'en prendre, ils s'engueulaient à propos de tout et de rien. Chacun trouvait sa manière d'être désagréable. Johnny et Wézo s'enfermaient dans un mutisme hargneux. Harel maugréait contre tout et commençait à s'en prendre à Faraldo lui-même : selon lui, le cinéaste les menait en bateau et le projet de film n'aboutirait nulle part. Willie et Gerry, enfin, se comportaient comme des coqs orgueilleux et querelleurs qui ne perdaient pas une occasion de se couvrir d'injures pour des vétilles.

Heureusement, à la fin de janvier, les choses se mirent à bouger.

On apprit d'abord que les instruments venaient d'être débarqués sur un quai du Havre. Ensuite, on sut que le tournage débuterait pour de bon dans quelques jours, le quinze février. Faraldo emmena toute la troupe à Malesherbes, dans le Loiret, une petite ville de cinq mille habitants sise à une heure de route de Paris. On emménagea dans une immense demeure que le cinéaste avait dégotée, dieu sait comment, un ancien couvent s'élevant, derrière une haute enceinte de pierre, au milieu d'un grand terrain garni d'arbres centenaires et d'une rivière. Au sous-sol, Faraldo fit aménager une sorte de studio de répétition dans lequel les instruments furent — enfin ! — disposés quelques jours avant que l'équipe de tournage ne s'installe.

C'est ce moment que Pierre Harel choisit pour quitter Offenbach.

Il n'en pouvait plus.

Harel détestait la France. Il avait littéralement le mal du pays. Depuis plusieurs semaines déjà, il disait à qui voulait l'entendre :

«Chriss, mes ancêtres sont partis d'icitte pour s'en aller rester au Québec, j'sus pas pour mourir en France, certain...»

Il en était venu à détester aussi Claude Faraldo — qui le lui rendait bien. Au fil des mois, les deux hommes avaient développé une ahurissante attitude de méfiance mutuelle et, à l'évidence, ils seraient incapables de travailler ensemble plus longtemps. D'ailleurs, Faraldo ne fit pas mystère du fait qu'il trouvait l'autre carrément indésirable.

Le cinéaste tenait à conserver le contrôle des opérations. La tendance naturelle de Harel était d'avoir la main haute sur la totalité de son environnement...

Pour cette raison aussi, Harel ne s'entendait plus avec ses chums de musique. L'inactivité lui pesait encore plus qu'aux autres, peut-être, et il n'appréciait plus du tout l'ambiance qui régnait au sein du groupe depuis quelques semaines. Comme aux premiers temps de leur association, Gerry et lui se regardaient à nouveau avec assez peu d'aménité.

À la dernière minute, la veille de son départ — qu'il avait planifié sans en parler à personne —, Harel annonça la chose à Gerry :

«Faraldo tourne avec vous aut' dans une couple de jours. C'est plus correct que j'm'en aille avant, Gerry. Parce que, pour moi, Offenbach, c'est fini : ça fait que j'ai pas d'affaire dans vot' vue...»

Et il ajouta avec une drôle de tête :

«...pis dans' vue de Faraldo!»

Harel fut tout de même un peu déçu de constater que Gerry semblait plutôt soulagé. Celui-ci lui dit :

«J'vas te dire, Harel, ça fait assez longtemps que tu m'donnes mal à' tête!...»

Gerry souriait et tentait de se donner l'air de blaguer. Mais l'autre n'était pas dupe.

Au fond, est-ce que ces deux-là s'étaient déjà vraiment compris? Ensemble, ils avaient inventé quelque chose, ils avaient créé le rock en français. Harel était plus conscient que quiconque de l'importance de cette œuvre encore embryonnaire. Il n'était pas un *analphabète*, comme il se plaisait à le dire, et il était capable de bien évaluer l'impact culturel des pièces d'Offenbach. D'autre part, il n'était pas une bête de scène comme Gerry. Celui-ci fonctionnait à partir d'un instinct qu'il avait développé en donnant des dizaines de milliers de tounes sur des centaines de scènes depuis plus de dix ans. Gerry avait appris à connaître intimement les gens qui l'écoutaient. Outre cet instinct, il possédait le charisme nécessaire pour les rejoindre.

Ils avaient formé une merveilleuse équipe. Mais sans avoir jamais parlé le même langage...

Harel rentra au Québec au début de février 1974. Il travailla à la sortie de son film, *Bulldozer*, qui connut un certain succès d'estime mais, c'était prévisible, fut un échec commercial. Il mit aussi en chantier une nouvelle œuvre, *Vie d'ange*. À la fin de 1974, il fit un saut en France et rendit visite à ses ex-chums de musique ; mais il constata qu'entre eux, les relations étaient pires encore qu'au moment où il avait renoncé à faire partie du groupe.

Pierre Harel tira un trait sur tout cela et revint définitivement au Québec où, pendant de longs mois, il disparut en forêt avec ses amis, les Amérindiens.

Le tournage débuta comme prévu le quinze février. On savait maintenant que le film s'intitulerait *Tabarnac* — on se demande pourquoi... Le cinéaste mit une dernière fois les choses au point avec le groupe :

« Nous allons filmer continuellement, presque sans nous arrêter. Oubliez la caméra. Ça peut sembler difficile mais, au bout de quelques jours, vous ne la verrez même plus. Ne *jouez* pas. Faites très exactement comme si la caméra n'existait pas... »

Un groupe de techniciens débarqua à Malesherbes et mit la maison sens dessus dessous. Il s'agissait pourtant d'une équipe restreinte composée de moins d'une dizaine de personnes. Leur matériel léger et peu encombrant consistait en deux caméras seize millimètres Éclair-Coutant — dont une était habituellement tenue par Faraldo lui-même — liées à deux magnétophones Nagra ; plus une petite quantité d'appareils d'éclairage puisqu'on tournait fréquemment à la lumière ambiante.

On ne se doutait pas à ce moment-là qu'au cours des vingt semaines suivantes, cette équipe consommerait plus de quarante mille mètres de pellicule — qu'on ramènerait au montage à deux mille huit cents mètres : une heure quarante-cinq de projection.

Faraldo comprit bien vite que ses vedettes étaient à leur mieux lorsque l'action se déroulait soit dans le local de musique du sous-sol, soit dans la grande salle à manger où on s'adonnait aux plus démentes parties de plaisir.

Gerry et les autres s'étaient ennuyés de leurs instruments et de la musique. La quincaillerie d'Offenbach étant arrivée peu de temps avant l'équipe de tournage, c'est au sous-sol que les caméramans et les musiciens passèrent d'abord une bonne partie de leur temps.

Ils répétaient leurs classiques, ou essayaient de composer, ou jammaient, tout simplement. Les caméras les saisissaient sous tous les angles, autant que possible en contre-jour, emmagasinant des images instables, continuellement mouvantes, tantôt ennuyeuses, tantôt irrésistiblement drôles.

Gerry renouait avec le double clavier de sa B-3. Il ajustait sa voix qui n'avait plus servi depuis un bout de temps. On aurait dit qu'elle était un peu différente. Plus grave, plus écorchée aussi. Elle avait vieilli, en quelque sorte. Gerry n'essayait plus d'emprunter des intonations, ou des accents, ou des tics vocaux, à l'un ou l'autre des interprètes qu'il entendait sur disque, aux chanteurs britanniques ou aux rockers américains. Il ne tentait plus de gommer ses propres particularités vocales; au contraire, ils les exagérait presque! Elle devenait vraiment particulière, cette voix, vraiment unique. Les autres s'en apercevaient aussi.

Pendant tout ce temps, les membres d'Offenbach s'habituaient à l'agitation de l'équipe de cinéma, autour d'eux.

La vraie folie débuta lorsque Faraldo déménagea ses caméras dans la salle à manger.

Là, on ne manquait de rien. Deux grosses enceintes Davoli montées sur trépieds fournissaient le fond musical — du Led Zeppelin et du Doors, la plupart du temps. Chaque vendredi, un camion venait livrer des quantités industrielles de champagne, de bière et d'eau minérale dont on chargeait à bloc les deux réfrigérateurs meublant le fond de la pièce. Régulièrement aussi, quelqu'un apportait des briques de haschisch.

Les caméras de Faraldo tournèrent ainsi des séquences complètement éclatées dans lesquelles chacun donna libre cours à sa folie personnelle. Lulu rit à s'ouvrir le ventre devant une table couverte de bouteilles de bière. Wézo hurla à la lune avec cette voix... d'oiseau carnassier qu'il cultivait à dessein. Willie chanta, fuma, chanta encore. Gerry barba même les policiers débarqués là un bon soir (c'était des comédiens mais il l'ignorait)... ou montra ses fesses à la caméra... ou se fit *teindre en blonde*, comme dans la chanson! Au petit matin, Faraldo braquait son objectif sur une scène de désolation : les musiciens dormaient n'importe où, sur des chaises, des fauteuils, un tapis, dispersés dans une pièce que l'on aurait dit dévastée par un ouragan.

Pendant deux mois, les membres d'Offenbach oublièrent presque leurs querelles et leurs angoisses. Ils eurent un plaisir fou à se comporter aussi mal pour le bénéfice de la postérité... tout en savourant à l'avance le plaisir qu'il y aurait bientôt à donner du gros rock'n'roll franco-américain sur des scènes de France et de Hollande.

Car Faraldo et ses aides étaient effectivement parvenus à mettre sur pied une tournée qui débuterait le treize avril et conduirait Offenbach à Clermont-Ferrand, Aix-en-Provence, Marseille, Châteauvallon, La Rochelle, Le Havre, Châlon, Montbéliard, Montpellier, Amsterdam, Rotterdam, La Haye, Utrecht, à d'autres endroits encore.

Les caméras suivraient la troupe. On embaucha l'ingénieur du son Mick Glossop, qui opérerait une console seize pistes installée à bord d'un camion destiné à suivre Offenbach. Les bandes serviraient pour le film et pour un disque, que — pourquoi pas? — l'on intitulerait peut-être aussi *Tabarnac*.

Ce fut splendide...

Plusieurs localités où l'on se produisit étaient de petites villes où l'arrivée de ce cirque ne passait pas inaperçue. D'autant plus que Gerry aimait bien, en roulant sur la rue principale, passer la tête par le toit ouvrant de la fourgonnette Volkswagen et hurler à l'intention des passants :

« Oyez, oyez! Y'a quat' Canadiens français qui reviennent icitte après trois cents ans pour vous chanter du rock'n'roll pis du blues! »

Les têtes se retournaient, incrédules...

Sur scène, comme c'était à la fois semblable et différent du Québec, Gerry se réconciliait tout doucement avec la France... Il lui semblait qu'en province, les Français étaient plus abordables, plus humains, plus ouverts qu'à Paris. On ne se moquait pas de son accent, on le savourait! Et Gerry le resserrait encore d'un quart de tour... Il montait sur scène comme si ce n'était pas vraiment sérieux, multipliait les blagues, s'amusait comme un enfant. Au contraire, la plupart des publics prenaient la musique d'Offenbach très au sérieux : ces types-là venaient de la mythique Amérique, jouaient un rock comme personne en France n'en faisait, étaient des maîtres en quelque sorte.

À Clermont-Ferrand, on donna un show dans une ambiance qui ne dépaysait nullement les membres d'Offenbach : ils se produisirent en effet, devant plusieurs milliers de motards réunis pour le Grand Prix de France. C'était impressionnant. *Des bikers français, ostie!* Peut-être parce que cette sorte de foule, justement, lui était familière, ce fut la seule fois où Gerry se sentit vraiment nerveux avant d'occuper le stage. Il se mit à bâiller — devant un Faraldo persuadé qu'il allait tomber endormi! — comme toujours lorsqu'il était saisi par le trac : c'est ainsi qu'il passait sa nervosité.

Comme au Québec aussi, les bouteilles de bière volèrent au-dessus de la scène à Utrecht, où le groupe ne fut pas vraiment apprécié...

Le seize juin 1974, le lendemain du show donné à Conflans-Sainte-Honorine, la troupe rentra à Garches. La tournée était terminée, le tournage de *Tabarnac* également : on revenait chez Claude Faraldo, abandonnant la maison de Malesherbes.

Le cinéaste disparut pendant plusieurs mois en salle de montage. Gerry et les autres allaient parfois le rejoindre, question de se voir sur l'écran.

Ce travail se révéla difficile, fastidieux. Surtout parce que Faraldo venait de décider de monter la bande sonore en... pentaphonie! Ce qui ne s'était jamais fait. Après une quantité phénoménale d'essais techniques, on en vint à la conclusion qu'il faudrait gonfler l'image pour la coucher sur une pellicule soixante-dix millimètres, et mixer les signaux enregistrés sur le ruban maître seize pistes — on possédait quarante heures de musique! — de façon à obtenir cinq canaux de diffusion sonore. Ce fut homérique : au studio SIMO, à Boulogne, des ingénieurs durent littéralement inventer une nouvelle console de mixage. Tout cela coûta une fortune.

Néanmoins, au milieu de janvier 1975, le film fut prêt. Du trente janvier au quatorze février, des projections de presse furent organisées dans la grande salle du Club 13, avenue Hoche.

La réaction des médias français apparut plutôt bonne, au bout du compte. Le très célèbre Delfeil de Ton écrivit : « Être une bande, vivre en bande, réussir à échapper à la solitude — solitude à un ou à deux —, réussir à ne pas entrer dans les petites cases que la société a préparées pour vous, avoir au moins une jeunesse, c'est une des choses que la société pardonne le moins. Elle a préparé ses petites cases, la société, pour que chacun vienne s'y mettre. Elle a mis des pièges en place, pour que chacun y tombe. *Tabarnac* dit merde aux petites cases et montre ses couilles aux pièges. Hou, le vilain film qu'on fera tout ce qu'il faut pour qu'il n'ait pas de succès ! »

Tabarnac n'eut pas de succès.

Le film sortit en salle commerciale le vingt-six février au cinéma Hautefeuille, équipé pour la projection en soixante-dix millimètres et son pentaphonique. Il y connut une brève carrière, situation aggravée du fait qu'il était impossible de le projeter ailleurs dans sa version originale. Curieusement, les bobines ne traversèrent pas l'Atlantique et les Québécois ne purent admirer les membres d'Offenbach vivant leur folie dans un ancien couvent de Malesherbes et sur les scènes du vieux continent...

Plus tard, la société de production mise sur pied pour tourner *Tabarnac* sombra corps et biens.

Et la pellicule disparut de la circulation si abruptement et si parfaitement qu'ensuite, pendant plus de quinze ans, on se demanda si elle avait existé.

Avec Françoise

Rien n'est jamais inutile.

Tabarnac n'avait pas fonctionné. Mais Gerry Boulet sentait confusément qu'il venait d'apprendre un certain nombre de choses sur la vie en général et sur sa vie d'artiste en particulier. Sur l'importance de suivre le chemin que l'on s'est donné et sur la nécessité d'avoir, pour survivre, une absolue confiance en soi. Cet épisode avait beaucoup renforcé l'image qu'il se faisait de lui-même. Devant Faraldo, un homme solide et sûr de lui, devant Harel, un type intelligent et déterminé, devant la caméra, un instrument inquisiteur et cruel, Gerry avait tenu son bout : les choses s'étaient passées à sa satisfaction.

En plus, il y avait Françoise.

Au moment où les membres d'Offenbach se préparaient à rentrer à Montréal, en mars 1975, elle et Gerry en étaient venus à former un vrai couple.

Et ce, malgré la sourde opposition de leur entourage, qui avait graduellement remplacé la curiosité amusée du début en un agacement de plus en plus visible devant ces deux êtres qui s'isolaient continuellement dans un recoin de la maison pour se livrer à leurs ébats amoureux. Malgré le séjour en Europe de Denise et de Justin, arrivés à Malesherbes en mai 1974 pour accompagner Gerry tout au long de la tournée du groupe en France et en Hollande.

Ce couple s'était formé tout doucement.

À force de presque s'éviter, tous deux étaient devenus, à distance, comme des complices. Fin décembre 1973, un soir, Françoise était tombée sur Gerry en entrant dans la grande salle de bain de l'étage. Il se lavait les mains.

« Oh pardon...

— Non reste, Françoise, attends une seconde. »

Ils étaient seuls dans la pièce. On entendait les autres parler et rire, en bas. Gerry avait fait quelques pas vers elle et, sans dire un

mot, la prenant par les épaules, il l'avait embrassée passionnément. Un baiser interminable... Françoise avait fini par se res-
saisir, pour reculer d'un pas et dire d'une voix chevrotante :

« Bon ben... j'te laisse. »

Et Gerry était devenu furieux ! Est-ce qu'elle n'aurait pas dû lui
tomber dans les bras et le traîner de force, si nécessaire... jusqu'à
la couche la plus proche ? Il avait claqué la porte et était allé
broyer du noir dans cette sorte de lit colonial qu'il avait fait sien,
dans un angle du salon. Une heure plus tard, Françoise était entrée
dans la pièce et l'avait vu, étendu sur le dos, les yeux ouverts, la
mine triste. Elle avait pris la précaution de fermer la porte avant
de s'approcher et de demander :

« Ça va pas, Gerry ?... »

Encore une fois, il n'avait rien dit en harponnant le bras de la
jeune femme et en la tirant vers lui.

Ils avaient fait l'amour toute la nuit.

Lorsqu'ils s'apaisaient, Gerry devenait plus volubile :

« Ça fait un bout d'temps que j'te regarde...

— Je sais ! »

Les yeux de Françoise étaient non seulement délicieusement
malicieux, mais gourmands aussi. Gerry adorait.

« Pis toi, on dirait qu'tu te sauves de moi.

— Écoute, Gerry, t'as pas vu ? Tout le monde nous observe
depuis que t'es là... C'est embarrassant, ça, et puis...

— Y' nous checkent, tu dis ? Ben attends un peu ! »

Il s'était levé, avait couru dans tous les sens avant de dénicher
une grande photographie servant à la promotion du groupe et
montrant Johnny, Harel, Willie et Wézo — en plus de lui-même
— qui fixaient la caméra ; tout nu, il avait ajusté une sorte d'énorme tabouret au beau milieu du lit et, grimpant là-dessus au risque
de se casser la gueule, avait fixé la photo au plafond, juste au-
dessus d'eux !

« Tiens, Françoise : y' nous checkent ? Ben y' vont avoir des
choses à regarder !... »

Et il s'était précipité sur elle pour lui faire l'amour à nouveau !

Le matin, sans avoir dormi, Françoise était partie au travail. Le
soir, elle était revenue s'étendre sur le lit colonial du salon. La
nuit d'après, tous deux s'étaient installés dans le lit de fer meublant la petite chambre de Françoise, à l'étage au-dessus.

C'était une façon de rendre la liaison officielle.

En janvier 1974, Françoise avait abandonné son emploi chez Barclay. C'était devenu impossible de mener les deux vies de front : le party sans fin avec la bande d'Offenbach et le train-train quotidien de la compagnie de disques.

En février, le couple s'était transporté à Malesherbes avec les autres, occupant, après le départ de Pierre Harel, le grenier du vieux couvent ; la pièce, immense, offrait un lit somptueux, des peaux d'ours sur le sol, des dentelles aux fenêtres.

En mars, Gerry s'était expliqué pendant de longues heures avec Lucien Ménard qui, depuis un certain temps, se montrait inquiet, irritable — peut-être avait-il vraiment été amoureux de Françoise, peut-être...

En avril, Claude Faraldo avait dû reprendre Gerry des mains des gendarmes après que, au volant de la bagnole prêtée au groupe, il eut arraché une série de poteaux indicateurs plantés en bordure d'une route de la banlieue parisienne !

Le vingt-deux mai, Denise débarqua à Malesherbes avec Justin, qui avait maintenant cinq ans.

Françoise se débrouilla pour disparaître avant l'arrivée de Denise. Elle passa d'abord quelques jours à Garches, puis fila en direction de Saint-Tropez où, pendant trois semaines, elle se considéra en vacances. Mais son ombre flottait toujours à Malesherbes. Tout de suite, Denise sentit qu'il y avait quelque chose. Peut-être Gerry ne l'avait-il pas accueillie avec tout l'emportement nécessaire ? Quoi qu'il en soit, elle était là depuis moins de quarante-huit heures lorsqu'elle lui lança :

« Si j'm'écoutais, Gerry, je retournerais à Montréal tout de suite... »

Il ne sut pas quoi lui répondre.

Néanmoins, Denise et Justin partirent en tournée avec Offenbach. Parfois on donnait une guitare à Justin — qui disparaissait littéralement derrière l'instrument ! — pour qu'il monte sur scène et présente le groupe de son père ; le petit bonhomme s'exécutait comme si c'était la chose la plus naturelle au monde... Pendant ce temps, sa mère regardait Gerry se livrer à la fête perpétuelle ; elle ne l'avait jamais vu aussi extravagant, aussi débridé. Au vrai, elle ne le reconnaissait plus.

Fin juin, lorsque toute la troupe revint à Garches, Denise fit la connaissance de Françoise. Elle sut tout de suite. D'ailleurs, Gerry ne fit aucun effort pour cacher sa liaison. Il lui dit :

«C'est comme ça, Denise... J'fais un trip comme ça dans l'moment. Peut-être que c'est mieux que j'sois tout seul pis qu'tu retournes à Montréal... Inquiète-toi pas, on va voir c'qui va arriver, je l'sais pas pour astheure...»

Peut-être Denise parla-t-elle de séparation ou de divorce? Car, en somme, ils ne vivaient plus ensemble depuis un certain temps déjà et, parfois, elle en avait vraiment assez de la vie qu'il lui faisait mener. Mais rien n'était clair. Comme Gerry, elle préférait rester dans le vague.

Le cinq juillet, Denise et Justin s'envolèrent pour Montréal. Au cours des mois qui suivirent, Gerry lui téléphona et lui écrivit à plusieurs reprises affirmant parfois : «Je désire que tu sois heureuse...» Ou alors, il semblait considérer que tout était terminé entre eux. En octobre, il lui écrivit : «Tu as tout appris sur moi et je sais que tu as toutes les raisons de m'en vouloir, mais je veux que tu saches que je t'ai toujours aimée et que je t'aime encore plus profondément que jamais. Tu as pris des décisions et je signerai ce que tu m'enverras, même à contrecœur. Tu seras toujours la femme de ma vie.»

C'était dans la nature de Gerry de faire une semblable déclaration à Denise, puis de courir se blottir dans les bras de Françoise, de qui il s'était tellement ennuyé alors qu'elle se faisait bronzer sur les plages de la Côte d'Azur.

Une fois Denise repartie, le tournage terminé et les membres d'Offenbach revenus à Garches, la vie reprit les couleurs de l'ennui et du désœuvrement, comme ça avait été le cas aux premiers temps de l'aventure française.

L'ambiance s'épaississait chaque jour.

À Garches puis à Malesherbes, on s'était habitué à recevoir toujours plein de monde, des amis, des visiteurs : on était parfois plus de trente dans la maison! Maintenant, il ne venait plus personne. Gerry et les autres n'avaient plus envie de voir des gens — et le signifiaient assez brutalement lorsque c'était nécessaire. De sorte qu'ils étaient de plus en plus livrés à eux-mêmes. Et replongeaient plus que jamais dans la trilogie alcool-dope-querelles.

Il n'y avait plus de camion pour venir livrer des flots de bière, le vendredi, comme à Malesherbes, mais on n'en manquait tout de même pas, il fallait juste aller soi-même l'acheter à l'épicerie, pas très loin. On n'était jamais à court de haschisch non plus, mais on gobait de plus en plus régulièrement de l'acide, dont les effets sont plus violents et plus imprévisibles.

Offenbach commença à se briser.

On se trouvait à la croisée des chemins. Depuis un an, le groupe avait été pris en charge par l'équipe de Claude Faraldo. La maison de production payait tout. On avait même acheté à chacun des bottes en peau de serpent qui valaient une fortune! En plus de la bière, de la dope, du gîte et du couvert, les musiciens avaient toujours de l'argent de poche et des voitures à leur disposition.

Cela allait bientôt prendre fin. Il fallait décider de l'avenir du groupe.

À ce sujet — entre autres, parce qu'on disposait d'une brochette de raisons pour se prendre aux cheveux —, les divergences de vue entre Gerry et Willie devinrent abyssales. À chaque prise de bec, le niveau de colère montait d'un cran. Il leur arriva de se battre, littéralement. Une fois, on les sépara au moment où chacun tenait un tesson de bouteille dans les mains. Les deux autres regardaient ces échanges, hébétés, ou entraient dans le feu de la discussion, la faisant basculer encore plus dans l'irrationnel. En somme, cela atteignit un point où, certains jours, on nageait dans un désespoir et une lassitude quasi métaphysiques que rien ne pouvait arranger.

Tout le monde se mit à traîner des têtes sinistres, hargneuses. Pendant des heures, personne ne disait un mot, nul ne se levait lorsque le tourne-disque s'arrêtait, et un silence lourd, effrayant, menaçant, pesait sur la maison.

C'est Françoise qui, plus fragile que les autres peut-être, fut offerte en sacrifice à cette monstrueuse ambiance que chacun avait contribué à créer.

Le soir du vingt-cinq septembre 1974, Françoise se trouvait dans la grande maison presque vide : les hommes étaient tous sortis, Gerry compris. L'avant-veille, elle avait fait de l'acide avec les autres. Mais elle sentait qu'elle ne s'en était pas remise; elle était déprimée, anxieuse, à bout de nerfs. Très tôt, elle monta dans sa chambre, décidant au dernier moment de faire un détour par celle d'Évelyne Vidal — alors en vacances en Italie — pour y prendre un somnifère qu'elle savait pouvoir y trouver.

Sans se dévêtir, Françoise s'écrasa ensuite sur son lit et avala tous les comprimés qui se trouvaient dans le tube, en évitant de réfléchir, en évitant même de pleurer.

Elle reprit conscience trois jours plus tard.

L'ambulance l'avait d'abord emmenée à l'hôpital de la rue Raymond-Poincaré, à Garches, où on l'avait tout de suite expédiée dans un centre anti-poison de Paris. Pendant ces trois jours, personne, sauf son frère, n'avait été autorisé à s'approcher d'elle. Les médecins n'étaient pas sûrs de pouvoir la sauver.

Chez Claude Faraldo, l'événement commença par jeter tout le monde dans la plus totale stupeur. Lorsque, avec tous les ménagements possibles, on annonça la nouvelle à Gerry, celui-ci commença par esquisser un sourire, comme s'il s'était agi d'une blague. Et il allait lancer un colérique *c'est pas drôle, ça, câlisse...* lorsqu'il se rendit compte que chacun, autour de lui, détournait le regard, les yeux pleins d'eau. Gerry demeura muet, immobile, pendant de longues secondes. Puis il monta dans la chambre de Françoise et y resta pendant des heures, sans boire, sans manger, sans permettre que l'on vienne l'y retrouver.

Le vingt-neuf septembre, on sut que Françoise était hors de danger. Faraldo prépara son retour à la maison : il ordonna que personne ne fasse allusion devant elle à ce qui venait de se produire ; il s'assura qu'on agirait et qu'on lui parlerait comme si rien ne s'était passé. Gerry promit de se conformer à ces directives.

Le trois octobre — le jour même de son anniversaire de naissance —, Françoise revint à Garches en fin d'après-midi. Dans le salon, son frère avait disposé un grand écran et un projecteur. On s'en servit pour visionner un des chefs-d'œuvre du cinéma soviétique, *Guerre et Paix* de Serguei Bondartchouk, inspiré du roman de Léon Tolstoï, une véritable saga qui durait plus de sept heures et demie... Pendant tout ce temps, personne n'eut besoin de dire un mot. Gerry et Françoise s'installèrent l'un contre l'autre au fond d'un fauteuil ; et il leur arriva même de dormir, rassurés, pendant la projection.

Dans les jours qui suivirent, Garches devint un endroit plus vivable, où il circulait un peu moins d'alcool et de dope, où les membres d'Offenbach s'efforçaient de ne plus se quereller. Il n'y eut même pas d'accès de découragement ou de reproches mutuels, lorsqu'on se rendit compte que le succès du film *Tabarnac* serait — au mieux — mitigé. Gerry et Françoise reprirent les choses au point où ils les avaient laissées avant l'événement, puisque c'était la seule attitude à adopter.

Quelques jours avant de repartir pour le Québec, Gerry lui dit :

«J't'aime, Françoise. Tu l'sais, hein?»

Il ne roucoulait pas comme les amants dans les films. Il lançait la phrase avec la même voix grave, forte et assurée qu'il aurait prise pour laisser tomber une évidence :

«Y' va faire beau demain...»

Voilà : pour lui, c'était évident. Il aurait à peine eu besoin d'en parler, mais il tonnait tout de même :

«J't'aime, Françoise!...

— Oui, Gerry, je sais.»

Elle ne pouvait pas s'empêcher de sourire. C'était peut-être l'aspect de cet homme-là qui l'avait le plus séduite : sa façon de dire les choses. Comme s'il était toujours sûr de posséder la vérité et, en même temps, avec une petite pointe de doute enrobée d'une mince couche d'humour, parce qu'il avait aussi besoin d'être rassuré... Il voulait qu'on lui confirme :

«C'est vrai, Gerry!»

Alors, Françoise disait :

«Oui, je sais...»

Et Gerry était heureux.

Ils se regardaient l'un l'autre, satisfaits.

N'était-ce pas le couple le plus improbable au monde? Lui, le rocker d'Amérique, avec un accent impossible et un caractère à l'avenant, franc et direct jusqu'à l'impertinence, homme de violence capable de se montrer doux comme un agneau, monstre d'énergie dont les piles devaient être fréquemment et tendrement rechargées! Elle, la petite Française passée de l'école au bureau, à la fois timide et affamée de vie, réservée et audacieuse, toute de raffinement et de délicatesse mais à l'aise au milieu de réjouissances rabelaisiennes, fragile et en même temps titulaire d'une force intérieure qui ne demandait qu'à s'affirmer...

Ils s'étaient apprivoisés à travers la folie d'Offenbach et l'anarchie de Malesherbes, en vivant les émotions d'une rocambolesque tournée et celles d'un drame personnel.

«Gerry, c'est terriblement égoïste, ce que j'ai fait en septembre. Je sais pas ce qui...

— Non, non, c'est correct : sens-toi pas coupable en plus! On n'en parle pus de ça, pus jamais. C'est correct, c'est fini.

— On n'en parle plus, d'accord.

— À présent, ben... J't'attends à Montréal.

— Oui... »

Gerry ne savait pas comment il ferait, une fois revenu au Québec. Il se disait qu'il verrait plus tard. Johnny lui conseillait justement :

«Tu verras plus tard, Ti-Cul, casse-toi pas la tête avec ça! »

Il pouvait bien parler, Gravel! Laurence Vager — car leur liaison à eux avait tout de même fini par prendre forme — le rejoindrait aussi à Montréal. Mais lui n'avait pas déjà une femme et un enfant de l'autre côté de la mer.

En outre, il était agaçant, Johnny, avec son *Ti-Cul*... C'était bien la seule personne au monde à oser encore lancer ce surnom-là à la tête de Gerry!

Un autre Québec

Une énorme surprise attendait Gerry Boulet à son retour au pays. En moins de deux ans, pendant qu'il tentait l'aventure française, la chanson, le rock, le disque, le spectacle québécois s'étaient complètement transformés.

Les promesses de 1967 avaient été tenues.

Après Michel Tremblay et Robert Charlebois, après les premiers essais maladroits d'Offenbach, l'art populaire québécois venait d'exploser, porté par la vague nationaliste qui, dix-huit mois plus tard, le quinze novembre 1976, allait faire asseoir soixante et onze députés du Parti québécois à la droite du président de l'Assemblée nationale, le côté du parti au pouvoir.

En France, Gerry n'avait pratiquement rien su de tout cela.

Il avait vaguement entendu parler de quelques noms, de Michel Rivard, de Serge Fiori, de Lucien Francœur, de Pierre Flynn, d'autres encore. Et il avait vaguement écouté quelques disques que des visiteurs rapportaient irrégulièrement d'outre-mer.

Mais il était loin d'imaginer l'ampleur de la mutation qui s'était effectuée ici. Il ne pouvait pas se rendre compte que les jeunes Québécois s'étaient mis, non pas à bouder le disque anglo-saxon, sans doute, mais à prêter une oreille de plus en plus intéressée à ceux et celles qui chantaient le Québec moderne sur des musiques contemporaines. Le Québec de la ville et des ruelles, celui de l'acide et de la poésie éclatée, celui du désespoir et des paumés, celui des amours difficiles et de l'impossible pays.

Vraiment, tout avait changé.

L'antique réseau des salles de danse était remplacé par celui des auditoriums, dans les écoles secondaires, les cégeps et les universités. À Montréal, l'industrie prenait de l'expansion, le disque québécois, de la vigueur. Le fric circulait. Des théâtres, des salles de spectacle ouvraient leurs portes — pour fermer parfois le mois suivant, mais enfin... — et suffisaient à peine à répondre à la soif du public pour des produits qui leur ressemblaient.

Finalement, la technologie du son, sur disque et sur scène, avait considérablement évolué. On pouvait maintenant enregistrer et monter des shows avec le même savoir-faire technique que démontraient ces Anglo-Saxons que l'on entendait sur disque ou que l'on admirait lorsqu'ils s'arrêtaient au Forum.

On aurait dit que la musique populaire québécoise était arrivée à son stade le plus productif alors même que, du côté des États-Unis et de l'Europe, les grandes maisons de disques plongeaient dans le disco.

Le genre, une sorte d'excroissance souvent insipide du rock'n' roll, était inévitable. Partout, les discothèques avaient poussé comme des champignons, elles étaient devenues les lieux de rencontre obligés d'une génération étourdie par l'éclatement de la famille et du couple, par le chambardement des valeurs et de la société, par la quête du plaisir des sens et par la peur de l'engagement. Le disco constituait le fond sonore idéal pour ces messes du samedi soir... De sorte que les discothèques développèrent un insatiable appétit pour les pièces rythmées comme des métronomes, absolument prévisibles, susceptibles d'être enchaînées sans heurts les unes à la suite des autres. Dès 1975, avec Donna Summer et quelques autres, le disco s'employa à répondre à cette demande jusqu'à ce qu'en 1977, le film et l'album *Saturday Night Fever* (notamment gravé par les Bee Gees) sortent cette musique utilitaire des discothèques pour la faire pénétrer sur un plus large marché.

S'ils n'avaient pas évité la vague yé-yé, les artistes québécois surent cependant contourner le piège du disco. Ils consacrèrent plutôt leurs efforts à inventer des musiques nouvelles couvrant la quasi-totalité de la gamme des genres populaires existants tout en les enveloppant dans un son original. Un son québécois.

Chez ces créateurs, à côté des Claude Dubois, Diane Dufresne, Plume Latraverse et quelques autres, s'agglutinait dorénavant une nuée de groupes. Octobre et ses pièces violentes, ancrées dans l'absurdité du quotidien. Maneige et sa musique faite d'une méticuleuse recherche esthétique. Le Ville Émard Blues Band, polyvalent, polymorphe, spectaculaire.

Il y avait surtout Harmonium et Beau Dommage.

Coup sur coup, en 1974 et en 1975, Harmonium enregistra deux microsillons, *Harmonium* et *Les Cinq Saisons,* qui, avec des pièces comme *Pour un instant* et *Un musicien parmi tant d'autres*, devinrent instantanément des classiques. Serge Fiori, le leader du groupe, inventa littéralement une façon de chanter presque incantatoire ainsi qu'une poésie joyeuse, imagée, colorée des utopies réchappées de l'ère granola. Et en même temps d'une efficacité redoutable qui se manifestait, dans les auditoriums et les arénas, par une communion totale entre le groupe et le public qui l'avait adopté.

Ce public attendait une grande œuvre et Harmonium était en train de la concevoir. Ce serait l'album *L'Heptade*, qui allait être lancé quelques années plus tard et s'avérerait l'un des disques les plus marquants de la petite histoire de la musique populaire québécoise.

En décembre 1974, trois mois avant le retour au Québec d'Offenbach, déferla le premier microsillon de Beau Dommage. Il devait franchir le cap stupéfiant des trois cent mille exemplaires vendus. Beau Dommage, c'était Michel Rivard, Pierre Bertrand, Marie-Michèle Desrosiers et Robert Léger, bien sûr, mais aussi Pierre Huet. Celui-ci ne montait jamais sur scène, mais il avait écrit les paroles de cinq des onze tounes — toutes des succès — du microsillon : *Le Géant Beaupré*, *Ginette*, *Un ange gardien*, *23 décembre*, *Montréal*.

L'écriture de Léger et de Huet se révélait extraordinairement savoureuse et rafraîchissante.

Elle faisait du groupe Beau Dommage le chantre de la ville, des gens ordinaires, des trottoirs du quartier Rosemont, des joies et des peines des adolescents et des jeunes adultes des années soixante-dix. Rivard et les autres l'ornaient d'une musique extrêmement mélodique, séduisante, qui n'était pas sans rappeler les constructions instrumentales et vocales des Beatles. Des Beatles qui auraient été élevés au *6760, Saint-Vallier, Montréal*...

C'est en compagnie du groupe Aut' Chose, la créature de Lucien Francœur, qu'à l'automne 1975, Offenbach se replongea vraiment dans l'ambiance québécoise.

Auparavant, Gerry et les autres occupèrent leur été en donnant une série de shows hétéroclites, devant des parterres parfois de cinquante, parfois de cinq mille personnes.

Un mois à peine après leur traversée de l'Atlantique d'est en ouest, c'est à l'hôtel Union de Saint-Hyacinthe qu'ils cassèrent la glace lors d'une série de quatre shows donnés du vingt-quatre au vingt-sept avril.

En mai, juin et juillet, Offenbach se produisit au Café Campus, à Montréal. Puis au Nostradamus, une minuscule salle du Vieux-Québec. Pour revenir à l'hôtel Nelson, leur port d'attache en quelque sorte. En outre, le groupe prit d'assaut la scène du Jardin des étoiles en plus de parcourir la province, s'arrêtant pour un soir dans l'église de la paroisse Saint-Gérard, à Saint-Jean-sur-Richelieu (ce n'était pas, cette fois, pour chanter une messe en latin...).

Enfin, le dix août, ils assurèrent la première partie du concert donné par le J. Geils Band à la Place des Nations.

On put ensuite s'adonner à la tournée en compagnie du band de Lucien Francœur.

À ce moment-là, Aut' Chose avait le vent dans les voiles. Le groupe venait d'obtenir un respectable succès de vente avec son premier microsillon, *Prends une chance avec moé.*

Lucien Francœur avait vingt-sept ans. Il était né à Rosemont et avait abandonné l'école à quinze ans pour s'enfuir à New York où la police l'avait retrouvé... et ramené au Mont Saint-Antoine, une institution pour jeunes délinquants. Au lieu de *vraiment* mal tourner, il s'était mis à écrire. N'importe quoi : un roman, des poèmes, des articles pour les journaux étudiants. Il s'était mis à lire. N'importe quoi : Jean-Paul Sartre, Paul Chamberland, Arthur Rimbaud, André Major.

Il fréquentait aussi des écrivains, des poètes : Gilbert Langevin, Patrick Straram, Pierrot Léger, Gaston Miron, les frères Hébert des Éditions des Herbes rouges. Francœur avait même publié chez eux exactement au moment où il était parti explorer Vancouver et Los Angeles.

Puis, revenu à Montréal, il récitait des poèmes sur scène avec des musiciens qui, derrière lui, ornaient de musique les mots qu'il lançait au public. Le groupe s'était même donné un nom : les Spoutniks de Saint-Guillaume ! Avec le guitariste Pierre Gauthier, Francœur avait ensuite fondé Aut' Chose, enregistrant bientôt un démo de trois tounes — *Ch't' aime pi ch't' en veux, Le Freak de Montréal* et *Pousse pas ta luck, O.K., bébé* — qui allait conduire à la conception d'un premier microsillon.

Francœur se voyait comme un artiste des mots plus que comme un musicien. Il vénérait les poètes maudits, bien sûr, mais aussi les Rolling Stones et Jim Morrison des Doors.

Bref, le treize août 1975, les deux groupes donnèrent le premier spectacle de leur tournée à la Petite Bastille, à Québec; par exception, deux autres rockers, Jacques Blais et Michel Pagliaro, partageaient l'affiche le même soir. C'était un endroit qui ne rappelait pas de très bons souvenirs à Gerry... En montant sur scène pour le soundcheck, l'après-midi, il dit à Francœur :

«J'espère qu'on se fera pas garrocher des bouteilles de bière, tabarnac!...

— Pourquoi y' nous feraient ça?...»

Évidemment, l'autre n'était pas présent lorsque Offenbach s'était fait conspuer par la foule agglutinée dans la cour de l'ancienne prison, en 1973.

Curieusement, les deux hommes se parlaient assez peu. Et il allait en être de même pendant toute la tournée. Francœur regardait parfois Gerry du coin de l'œil en se disant : *parle-moi d'un ostie de chanteur de brasserie!* Et l'autre pensait de son côté : *un aut' fatigant d'intello comme Harel*... Le chanteur d'Aut'Chose occupait plutôt ses temps libres avec Lamothe et Belval alors que le leader d'Offenbach buvait de la bière avec Gravel, ou avec Lucien Ménard.

Les deux groupes donnèrent une dizaine de représentations dans autant de villes du Québec. La tournée prit fin le mercredi huit octobre, à Montréal. À la salle Maisonneuve de la Place des Arts.

Après quoi, les chemins de Gerry et de Lucien Francœur se séparèrent. Pendant des années, ils n'allaient se revoir que sporadiquement, échangeant à chaque fois des banalités comme le font de vagues connaissances.

Tout de même, des événements étranges s'étaient passés depuis le retour au Québec de Gerry et de ses chums de musique.

D'abord, pour Offenbach, n'était-ce pas la chose la plus improbable au monde que de se retrouver sur une scène de la Place des Arts? Au début, lorsque le bureau de Guy Latraverse, organisateur de la tournée, avait confirmé la location de la salle, Gerry n'y avait pas cru. Il avait dit à Lamothe :

«On sera pas capable de faire deux tounes, y' vont nous déplouger : on joue pas mal plus fort qu'l'Orchestre symphonique, j'suis pas sûr qu'y'vont aimer ça...

— Pas de problème, Gerry, tu vas voir : ça va sonner comme un gros stéréo, c'te salle-là ! »

Et ils avaient fait la Place des Arts ! Bien sûr, les corridors grouillaient de flics, les employés de l'amphithéâtre avaient l'air d'être au martyre, mais enfin, la soirée avait tout de même eu lieu.

Et ils avaient récolté de bonnes critiques, en plus. Bien meilleures que celles inspirées par Aut' Chose, alors au sommet de sa gloire.

Au lendemain du show à la salle Maisonneuve, le quotidien Le Jour — tiens, une autre nouveauté... — titrait : « Dieu merci, nous avons Offenbach ! » Comme au Café Campus, au mois de juin. Cette fois-là aussi, les journaux avaient été dithyrambiques. « Un concert électrisant », avait-on écrit. Le Jour, encore, avait ajouté : « Cette rentrée en force galvanisait l'atmosphère du Café Campus où s'entassaient, en plus des cinq cents détenteurs de billets qui avaient fait la queue rue Decelles, une bonne délégation du show-business montréalais qui était anxieusement venue voir de quoi avait l'air Offenbach après un an et demi d'absence. »

Même le gratin montréalais de la culture s'en mêlait !

« Faut-tu aller en France pour pogner icitte ?... » s'exclamait le leader d'Offenbach, fasciné par ce qui était en train de se passer, assez mal informé du fait que plusieurs artistes québécois avaient en effet dû obtenir un *nihil obstat* français avant de connaître le succès chez eux...

Gerry classa ces petites victoires dans un coin de son cerveau et se pencha plutôt sur une affaire d'un autre ordre, une affaire progressivement devenue un problème inextricable.

Comme c'était le cas presque chaque soir, il devait décider s'il irait dormir avec Françoise. Ou avec Denise.

L'aventure torontoise

En mars 1975, lorsque l'avion ramenant de Paris les musiciens d'Offenbach se posa à Dorval, Gerry Boulet prit conscience de ce qu'il aurait à affronter.

Denise et Justin étaient ici à l'attendre. Tous deux demeuraient chez Georges et Charlotte Boulet, où ils s'étaient installés à leur retour d'Europe, parce que Denise n'avait plus d'emploi, plus d'appartement : en allant rejoindre son mari en France, elle avait entreposé ses meubles. De sorte qu'elle allait loger pendant près d'un an et demi chez les Boulet.

Gerry, lui, savait que Françoise arriverait dans moins d'un mois.

Un jour, il lui faudrait faire un choix. Et, dans un cas comme dans l'autre, ce serait déchirant.

En débarquant à Montréal — avec 60 dollars en poche ! — il alla d'abord vivre avec son épouse et son fils chez ses parents, rue Saint-Gabriel à Iberville.

Évidemment, Denise comprit vite que Françoise s'amènerait bientôt. Elle entendait son mari parler au téléphone avec cette voix que l'on prend quand le correspondant se trouve à cinq mille kilomètres. Mais Gerry ne faisait pas vraiment part de ses intentions, la situation n'était pas claire. Il louvoyait. Certains jours, en conformité avec sa lettre du mois d'octobre, il se conduisait comme si tout était terminé entre lui et Denise ; d'autres jours, on ne savait pas car il avait le don de laisser tomber des phrases ambiguës qui pouvaient vouloir dire n'importe quoi.

Au bout du compte, Gerry finit par se comporter comme il le faisait avant la France, à faire la navette entre Montréal et Iberville, à dormir à l'un ou l'autre endroit, selon l'inspiration.

Car, de retour au pays, le groupe occupa un appartement au 2104, rue Amherst, entre les rues Ontario et Sherbrooke. Le loyer était de moins de 80 dollars par mois. Les quatre pièces vieillottes occupaient le second étage d'un immeuble de briques, juste au-dessous de l'appartement qu'habitaient Lucien Ménard et sa copine de l'époque. Gerry avait réquisitionné l'une d'elles, la chambre, pour y installer un lit et un aquarium ; il aimait bien regarder nager les poissons, c'était son cinéma personnel. Wézo demeurait avec lui. Officiellement, Lamothe était retourné vivre chez son père à Saint-Hyacinthe, même s'il échouait toujours rue Amherst. C'était pareil pour Gravel, qui se trimbalait de Granby à Montréal.

En somme, c'était la commune, encore une fois.

Françoise, comme prévu, arriva au milieu d'avril. Avec Laurence Vager. Gerry et Johnny les accueillirent à l'aérogare. Ce fut une scène comme on en voit dans les films : les deux couples s'embrassaient à travers les valises et le va-et-vient, en riant, en pleurant, en se caressant les fesses.

Gerry disait, parce que Françoise n'était jamais venue au Québec :

«Tu vas voir, la Française, c'est pas comme chez vous icitte !...»

Et il était heureux comme un enfant ! Content de revoir Françoise, fier de lui montrer l'Amérique, de la voir s'extasier devant les escaliers garnissant les façades des maisons de Montréal, de lui ouvrir la porte du logis de la rue Amherst, même si c'était tout petit, et miteux, et atrocement meublé.

Belval les attendait. Il avait préparé de la bouffe, mis les petits plats dans les grands, il avait même lavé la nappe rouge à carreaux que l'on mettait sur la table dans les grandes occasions. Il était touchant, Wézo ! Il avait cuisiné des litres de sauce à spaghetti, sa spécialité — avec le pâté chinois. La cuisine française n'avait pas modifié ses penchants gastronomiques... Et il avait mis de la musique, car c'était aussi sa responsabilité de s'occuper de ça. Ce fut un repas animé. Tout le monde parlait en même temps. Françoise et sa copine Laurence oubliaient la fatigue du voyage pour rigoler avec leurs hommes.

La vie s'organisa ainsi.

Gravel emmena Laurence Vager demeurer avec lui à Granby, chez ses parents — et, dès le lendemain de son arrivée, fit connaître à la jeune femme les joies typiquement québécoises de la cabane à sucre. Gerry s'assura que Françoise défaisait son unique valise et prit bien soin de ne pas lui avouer qu'en son for intérieur, il ne savait pas encore, mais alors vraiment pas, comment il allait gérer sa vie amoureuse.

En fait, Gerry aurait bien voulu gommer ce problème, comme on passe un linge humide sur un tableau noir.

Il préférait ne pas trop y penser et s'adonner plutôt à la joie toute simple d'être de retour au Québec, à la joie de retourner sur des scènes familières, à l'hôtel Nelson, à Saint-Hyacinthe et dans les salles de province qu'il connaissait si bien. Celle aussi de se refaire une petite vie en vase clos, un peu comme sur la rue Bleury, ou comme à Garches et à Malesherbes : il y avait toujours plein de monde rue Amherst, il n'y avait pas besoin de sortir.

Lucien Ménard s'occupait de tout.

Il trouvait toujours du fric — dieu sait comment il s'y prenait! Il faisait les courses, achetait des cartouches de cigarettes, des caisses de bière et des montagnes de steak haché, accumulant les notes chez tous les épiciers de l'est de Montréal. Il parvenait toujours à dénicher le meilleur haschisch en ville. On fumait comme des défoncés et on s'écrasait devant le petit téléviseur noir et blanc qui meublait le salon, ou on mettait de la musique en réglant le volume au maximum, comme on l'avait toujours fait.

Pops Lulu obtenait aussi des engagements pour le groupe. Françoise fit ainsi connaissance avec les hôtels de province où Offenbach se produisait, avec les clubs de danseuses où Gerry et les autres se retrouvaient souvent, après les shows. C'était très différent des Folies-Bergères ou du Moulin Rouge. Les filles servaient de la bière, puis elles déposaient leur plateau et allaient danser, un sourire triste aux lèvres. Les danseuses cruisaient Gerry sans vergogne, se collaient à lui, exploraient du bout des doigts sa poitrine et ses cuisses même si Françoise était là à regarder! Parfois, celle-ci lançait à l'une d'entre elles, plus entreprenante que les autres :

«Hé toi, là!... Tu sais que c'est mon chum à qui t'es en train de faire ça?...»

Et l'autre répondait :

«Ah oui?... Chanceuse, tu dois être ben en maudit avec lui!...»

Et on sentait qu'à trois, la fille n'aurait pas détesté ça non plus! Gerry, lui, se contentait de sourire. Au fond, il aimait bien ces situations-là, où il se sentait désiré, choyé, aimé. Il chuchotait à l'oreille de Françoise :

« C'est pas grave, ça m'dérange pas. Elles sont pas méchantes, les filles... »

Lorsque la troupe rentrait à Montréal, Gerry devait à nouveau faire face à son problème matrimonial. Il hésitait, se torturait, il lui arrivait même de penser à retourner vivre avec Denise. D'autant plus que Françoise, le voyant au martyre, préférait lui dire :

« Tu peux peut-être essayer, Gerry, de retourner vivre avec elle... »

Presque chaque soir, c'était le dilemme : où dormirait-il ?...

Chaque fois, peu importe sa décision, il se réveillait insatisfait de la vie, déçu de lui-même, écrasé par son incapacité de trancher la question. Il ne pouvait pas s'empêcher d'entretenir l'espoir des deux côtés, il lui arrivait de se sermonner tout bas :

« Chriss que t'es mal faitte... T'es tarla avec ces affaires-là, ça' pas de bon sens !... »

Évidemment, cela devint intenable.

Au début de juillet, n'en pouvant plus, il annonça à Françoise qu'il retournait vivre avec son épouse et son fils. Denise passa le prendre avec la voiture de Georges Boulet, qui conduisait. De la fenêtre, Françoise regarda Gerry s'en aller. Elle était avec lui depuis à peine un an que, déjà, elle en avait vu de toutes les couleurs. Elle était infiniment triste mais ne dit rien. C'est Wézo qui laissa tomber un *tabarnac!* colérique ; il ne comprenait pas ce qui se passait, mais il voyait bien que c'était lourd, compliqué, pas du tout amusant.

Au bout d'une semaine, Françoise entendit des pas dans l'escalier, rue Amherst. C'était Gerry. En poussant la porte, il dit simplement :

« C'est moi. Je r'viens... »

Il ne pouvait plus demeurer avec Denise, voilà tout. Il ne savait pas exactement ce qu'il ferait, mais il vivrait rue Amherst. Avec Françoise. En fait, il était presque résigné à continuer comme avant, à recommencer à se torturer et à faire la navette entre Montréal et la Rive-Sud puisqu'il ne pouvait se passer de Françoise ni abandonner son épouse légitime.

Il ne s'en sortirait jamais.

Or, c'est Françoise qui partit à son tour. Pour la France. Ce n'était pas une vengeance comme celles dont les humains sont parfois capables : elle devait absolument quitter le Québec et rentrer chez elle afin d'obtenir de l'ambassade canadienne à Paris un visa d'immigrante. On le lui accorda facilement car, avant de partir, elle avait obtenu de Kébec-Disc, par l'entremise de Guy Latraverse, une lettre confirmant qu'un emploi l'attendait ici.

À la fin du mois d'août, Françoise était de retour et s'installait à nouveau rue Amherst.

Depuis son départ, les choses avaient quelque peu évolué.

Denise ne demeurait plus chez les Boulet. Elle venait d'emménager sur la rue Smith, à Saint-Jean-sur-Richelieu. Avec un homme. Gerry était à la fois soulagé et un peu jaloux — c'était bien lui, ça, d'être tout de même un peu jaloux !... Il pouvait revoir Denise lorsqu'il allait rendre visite à son fils et vivre tout bonnement avec Françoise, comme il le désirait, sans avoir à décider chaque soir dans quel lit il coucherait.

Le vingt-quatre décembre 1975, pour la première fois, Gerry put emmener Françoise chez ses parents, à Iberville.

Tout le monde fut intimidé, Gerry, Françoise, Georges et Charlotte Boulet, lorsque le couple poussa la porte de la maison de la rue Saint-Gabriel. Les parents de Gerry étaient debout, très droits, et donnèrent un peu cérémonieusement la main à Françoise. La mère de Gerry, surtout, ne savait pas quelle attitude adopter ; elle aimait bien Denise et elle ne comprenait pas qu'un couple puisse se briser comme ça : c'était contraire à toutes ses valeurs religieuses. Mais elle regardait Françoise et la trouvait séduisante et douce. *Bien élevée*, pensait Charlotte Boulet.

Peu après vingt-trois heures, les deux femmes partirent ensemble, sous la petite neige qui tombait, pour aller à la messe de minuit à la cathédrale de Saint-Jean-l'Évangéliste.

Gerry demeura avec son père, au salon. Ils parlèrent aussi peu que de coutume. À un moment donné, Georges Boulet dit cependant :

« Tu sais c'que t'as à faire, Gérald. Si tu penses que t'es mieux avec Françoise, ben reste avec elle... »

Georges Boulet comprenait ces choses-là aussi.

C'est pour ça que Gerry l'aimait tant.

**

Le mardi quatre novembre 1975, Offenbach présenta à la presse montréalaise son quatrième disque, *Tabarnac*, sur étiquette

London/Deram. Déjà en circulation sur le marché français, cet album double n'allait être livré aux disquaires québécois qu'en janvier 1976. *Tabarnac* comprenait quatorze pièces enregistrées sur scène lors de la tournée européenne.

Et il eut passablement de retentissement dans les médias nationaux. Encore une fois, Gerry n'en revenait pas.

« Y' parlent de nous autres, ça s'peut-tu !... » disait-il à Françoise en découpant — plus ou moins en cachette car il n'aurait pas aimé qu'on le voie faire ça... — les articles de La Presse, du Jour, du Devoir et du Journal de Montréal.

La Presse, si sévère à l'endroit d'Offenbach dans le passé, titrait maintenant : « Champion poids lourd du rock gaulois : Offenbach. » En ajoutant : « C'est comme un brûlant et brutal soleil qui serait enfin venu à bout de percer l'épaisse nuit du rock'n'roll québécois et du rock'n'roll and blues tout court. »

Plus qu'une retombée du prestige acquis par Offenbach du fait de son périple en France, *Tabarnac* était un jalon de taille dans le cheminement de Gerry et de ses chums de musique.

Le disque comportait quelques défauts agaçants. La qualité inégale du son, d'abord, puisque les pièces avaient été enregistrées en spectacle et que cette technique n'était pas très au point au début des années soixante-dix. Ensuite, il arrivait à Offenbach d'en faire trop. Trop d'interminables solos de guitare ou d'orgue, trop de bridges tarabiscotés.

Mais, d'une certaine façon, c'était aussi le premier *vrai* disque d'Offenbach, avec ce son qui caractériserait le groupe pour toujours. On n'avait plus l'impression d'un band assis entre deux chaises comme sur *Offenbach Soap Opera*, qui sonnait à la fois trop léger pour un groupe rock pur et dur et trop emporté pour être considéré comme un disque pop à visée commerciale.

Harel avait écrit les paroles de la majorité des tounes — une, *Québec Rock*, était de Michel Lamothe ; une autre, *Pourquoi j't'icitte*, de Roger Belval ; et on trouvait aussi la version Offenbach de *L'Hymne à l'amour* d'Édith Piaf. L'intello, le poète, avait accouché de très belles choses. *Dimanche blues*, à cause des mots, de la musique aussi, s'avérait un pur chef-d'œuvre, une sorte de remake de *Câline de blues* en plus dur, avec une femme jalouse du blues...

J'tais en train d'jaser ben tranquillement
Avec mon p'tit bébé
Y'a mes chums qui m'crient
D'l'autre bord d'la porte
Envoye donc, mets donc tes bottes
Viens-t'en avec nous autres
Viens jouer du blues...

On trouvait aussi *Ma patrie est à terre*, avec son...

...vieux char
qui rouille en Amérique du Nord...

Pour finir, *Tabarnac* présentait *Promenade sur Mars*, une pièce qui allait rapidement devenir un classique et dont les paroles avaient été écrites par le journaliste et écrivain Jean Basile.

Cette histoire-là, c'était du Offenbach tout craché.

Avant de s'envoler vers l'Europe, un soir de party, ils avaient échoué chez Basile et avaient littéralement arraché une page d'un recueil de poèmes qui traînait sur une table; en France, ils avaient mis l'œuvre en musique sans en parler à personne... Jean Basile n'apprit la chose que beaucoup plus tard lorsqu'il entendit son poème à la radio! Dans le magazine Nous de février 1976, le journaliste commenta : «Ils n'ont jamais dit que les paroles étaient de moi, pauvre poète... Ce que j'en dis, ce n'est pas pour me plaindre car sans eux, mon petit poème serait resté ignoré et personne ne l'aurait jamais applaudi. J'étais, pour l'espace de cette chanson, devenu Offenbach moi aussi, et je les en remercie. Comme devraient les remercier tous ceux qui les écoutent, car ils deviennent Offenbach eux aussi...»

Le magazine Nous, qui jouissait d'un certain prestige, avait demandé à Basile un long article sur Offenbach, un article illustré d'une photographie très léchée, très belle, réalisée en studio avec beaucoup de soin par Marc Daniels.

Pour Gerry et ses chums de musique, c'était nouveau, ça aussi.

En plus des bonnes critiques, on leur accordait une attention dont ils n'avaient jamais joui auparavant; on y mettait les formes, on les traitait comme si, soudainement, ils avaient acquis une certaine importance dans la grande fresque culturelle québécoise.

Gerry n'était pas au bout de ses surprises.

Il avait déjà remarqué que la radio — et pas seulement CHOM-FM — faisait davantage tourner les disques d'Offenbach. Trois ans après sa création, *Câline de blues* était devenu un classique. Mais un peu plus tard, le six décembre 1976 à minuit et une seconde, Gerry allait littéralement tomber en bas de sa chaise en entendant l'animateur Pierre Olivier annoncer la toune *Quoi, quoi*, qui deviendrait ainsi la toute première pièce à être diffusée sur les ondes de la nouvelle station radiophonique CKOI-FM !

***

Après le retour au bercail, après la rentrée à l'hôtel Nelson et dans les salles de province, après la tournée avec Francœur et le show à la Place des Arts, après la percée dans les médias, Gerry et ses chums de musique étaient prêts à franchir une autre étape.

Ils sentaient qu'ils avaient le vent en poupe, qu'Offenbach jouissait d'un préjugé favorable auprès d'une certaine tranche du public et des médias québécois. Ce n'était pas encore la gloire et la fortune, peut-être, mais même ceux qui étaient allergiques au rock reconnaissaient que ces musiciens-là étaient devenus des maîtres dans le domaine. Il s'agissait seulement de savoir à quel exercice il convenait maintenant de se livrer pour tirer profit de la conjoncture.

C'est à ce moment que Francine Loyer-Hershorn entra dans la vie d'Offenbach.

Depuis un certain temps, la jeune femme assumait la gérance de L'Évêché, la salle de spectacle de l'hôtel Nelson ; les membres d'Offenbach la côtoyaient donc régulièrement lorsqu'ils venaient s'y produire. Francine Loyer était veuve : elle avait perdu son mari, Robert Hershorn, en 1973. La vie avec lui l'avait mise en contact avec plusieurs artistes, du cinéaste Claude Jutra à Leonard Cohen en passant par Lewis Furey, qu'elle avait justement contribué à lancer à L'Évêché. Elle travaillait aussi avec André Perry, qui venait de déménager ses pénates de l'ancienne église de l'est de Montréal à Morin Heights, dans les Laurentides.

C'est Lucien Ménard qui, au début, arrangea les choses avec elle. Il avait un plan. Un plan personnel. Ménard voulait retourner en Europe pour y vivre. Tombé en amour avec la France, il savait pouvoir y travailler dans le domaine du cinéma, son premier champ d'activité.

Au milieu de 1976, c'est ce qu'il fit. Et on ne le revit plus.

Gerry prit très mal ce départ. On l'abandonnait encore une fois! Venant de Pops Lulu, c'était pire encore car cet homme-là était en quelque sorte le père spirituel d'Offenbach. Gerry avait pris l'habitude de se fier à lui pour tout — surtout depuis que Harel avait quitté le groupe. Ménard avait beau expliquer que lui aussi devait faire sa vie, qu'Offenbach était solide, que Gerry serait capable d'assurer le leadership nécessaire, celui-ci n'en était pas moins offusqué, déçu, peiné.

Mais il n'eut pas le temps de s'attarder sur ses états d'âme.

Car Francine Loyer avait un plan, elle aussi. Un plan pour Offenbach.

«Ce que vous devez faire, c'est un disque en anglais... Je peux vous aider, j'ai des contacts chez A & M...» dit-elle plus d'une fois aux musiciens.

Gerry n'avait pas d'objections.

Il avait écouté les conseils de Harel et Offenbach avait en quelque sorte inventé le rock en français. C'était énorme. Mais Gerry caressait le vieux rêve de connaître aussi le succès en anglais, d'exporter sa musique au Canada anglais et aux États-Unis. D'ailleurs, au Québec, quelques artistes, tels Pagliaro et Harmonium, tâtaient déjà les scènes de l'Amérique anglo-saxonne; c'était l'époque où les multinationales du disque tentaient des expériences comme celles-là. Alors, serait-ce péché d'essayer de forcer les portes du vaste marché s'étendant de l'autre côté des frontières de la province? De vouloir propulser le Québec hors de ses cadres traditionnels, même s'il fallait pour cela chanter en anglais?

Gerry, Willie et Wézo se sentaient prêts pour une telle aventure. Johnny, lui, hésitait. Il disait:

«J'sus pas sûr que c'est une bonne idée d'faire un record en anglais, Gerry.

— C'est c'qu'y a d'mieux à faire... Si t'as un' autre idée, Johnny, dis-la! Moi, j'en vois pas.»

On plongea.

Francine Loyer fit jouer ses contacts à Toronto et conclut bientôt une entente avec Gerry Lacoursière, le patron d'A & M Records/Canada. Cette dernière prévoyait qu'Offenbach graverait dix microsillons en cinq ans, en français et en anglais, les frais de production étant assumés par la multinationale.

C'était une chance extraordinaire pour le groupe qui, parti de rien quatre ans plus tôt, se retrouvait dans l'écurie d'une des plus grosses maisons de disques américaines, fondée par le trompettiste et compositeur Herb Alpert au début des années soixante.

À l'été 1976, Offenbach entra au studio Phase One, à Toronto. Pendant près de deux mois, on y travailla sous la direction de l'ingénieur du son George Semkiw. On logeait pas très loin, au Waldorf, un petit hôtel un peu vieillot traditionnellement fréquenté par les musiciens de passage dans la capitale ontarienne.

Fin octobre, *Never Too Tender* — que l'on avait d'abord voulu baptiser *Balls and Rods*, selon le titre d'une des pièces un peu olé olé du microsillon... — était prêt.

C'était un disque étrange.

Pas mauvais.

D'abord, techniquement, *Never Too Tender* était extrêmement bien réalisé, avec un son plein et riche : lorsqu'on écouta pour la première fois le ruban maître, ce fut comme une révélation pour Gerry. Ensuite, le disque contenait de bonnes pièces, dont certaines, *Love in Vain* ou *Balls and Rods* notamment, que l'on avait composées depuis plusieurs années déjà, faisaient toujours leur petit effet lorsqu'on les interprétait sur scène.

Mais ce disque ne ressemblait pas à Offenbach.

À Toronto, on avait visiblement mal saisi la personnalité du groupe et on en avait fait un band *canadian*, comme s'il s'était agi de musiciens de Vancouver ou de Regina. En plaquant, par exemple, un détestable écho sur la voix de Gerry, qui n'était plus la voix de Gerry. En jouant avec les genres et les ambiances, promenant Offenbach de l'intro quasi psychédélique de *Edgar* à la rythmique sirupeuse de *Sad Song* en passant par un blues aseptisé, aplani, moulé, presque censuré, *Everyday I Get the Blues*.

On glissa ce disque dans une pochette blanche garnie de deux photos, une de Gerry et une de Johnny Gravel, prises à la maison de Malesherbes, en France.

Le disque fut livré aux disquaires de l'ensemble du Canada le vingt-deux novembre 1976. Les médias canadiens-anglais marquèrent le coup mais ne succombèrent pas aux charmes de *Never Too Tender*. «Un début passablement impressionnant», estima le Toronto Star. D'autres, comme The Ontarian, écrivirent plutôt : «Des riffs éculés, du travail vocal laborieux... Pour être honnête, il reste encore à trouver un groupe québécois qui soit potable en anglais.»

Malgré cette douche froide, on organisa le trente novembre une présentation de *Never Too Tender* pour les médias montréalais.

Cette fois, ce fut glacial.

Quinze jours plus tôt, le Parti québécois avait été élu et René Lévesque venait de former le nouveau gouvernement du Québec! En chantant et en portant des drapeaux, des centaines de Québécois s'étaient livrés ce soir-là à une sorte de défilé de la victoire dans les rues de Westmount pour narguer les riches Anglais installés là depuis des générations...

Gerry n'avait pas prévu cela. Francine Loyer non plus. Ou plutôt, on n'y avait pas pensé; on n'avait pas envisagé que, politiquement, le disque anglais du groupe ne serait pas perçu comme une tentative de propulser des Québécois sur la scène internationale mais bien comme une sorte de trahison à la cause nationaliste.

En somme, le moment ne pouvait être plus mal choisi pour lancer une œuvre pareille.

Gerry dut passer des semaines à justifier l'existence même du nouveau disque d'Offenbach.

«Plusieurs se demandent pourquoi on a faitte un album en anglais, surtout après c'qui s'est passé le quinze novembre... Ben c'est p'tit, le Québec! T'as vite faitte le tour!... Et pis le rock'n' roll, ç'a pas de langue. D'la bonne musique, du bon rock, c'est international...», expliqua-t-il à La Presse.

Au Devoir, il dit :

«On peut pas continuer toute not' vie à jouer dans les clubs pis les cégeps d'la province... Le Québec, c'est trop restreint, on attend toujours qu'y' s'passe quelque chose pis la plupart du temps, y' s'passe rien...»

De sorte que les médias mirent un bémol à cette sympathie qu'ils avaient récemment développée à l'endroit d'Offenbach. À la limite du cynisme, Le Soleil titra : «Bonne chance, Gerry, Johnny, Willie et Wézo!...» La radio montréalaise fit peu tourner les tounes de *Never Too Tender*; les stations francophones jugèrent peu opportun de faire chanter des Québécois en anglais et les stations anglophones, bien alimentées par les groupes américains et britanniques, ne virent pas pourquoi elles encombreraient leurs ondes avec ces pièces qu'elles jugeaient plutôt moyennes.

Johnny se retint de pavoiser, mais on pouvait lire dans ses yeux :

« J'vous l'avais ben dit ! Tabarnac de record en anglais... »

La réaction de Francine Loyer, qui n'était pas précisément à ranger du côté des indépendantistes, fut d'affirmer :

« O.K. d'abord : on plonge en anglais, on va booker des shows dans le reste du Canada, on va ben voir ce que ça va donner... »

À la fin de 1976, Offenbach se produisit à Vancouver, Winnipeg et Toronto. Partout, l'accueil fut assez mitigé. À Vancouver, au Old Roller Rink, on les fit monter sur scène en première partie d'un folk-singer, de sorte que le rock lourd et bruyant d'Offenbach ne fit que détonner dans le décor. À Toronto, Francine Loyer se chargea elle-même de la location du New Yorker Theatre où elle mit à l'affiche l'un après l'autre ses deux poulains, Offenbach et Lewis Furey. Offenbach monta sur scène à minuit, le dix-huit décembre. Le show était enregistré par CHUM-FM, l'antenne rock de Toronto. Moins de quatre cents personnes s'étaient déplacées et elles eurent droit à un concert musicalement très au point, peut-être, mais à une performance de scène à peu près nulle : les membres d'Offenbach commençaient à être déprimés et on avait l'impression qu'ils s'acquittaient d'une tâche qu'ils n'avaient aucune envie d'accomplir.

« Le seul problème avec Offenbach, c'est leur manque de présence sur scène. Leur musique est enlevante mais, visuellement, le groupe laisse à désirer. Sur scène, ils ont l'air presque timides ! De plus, à aucun moment pendant les cent minutes qu'a duré le spectacle, l'un ou l'autre d'entre eux ne s'est préoccupé de remercier le public ou de présenter les pièces au programme », remarqua le Record Week.

Pire encore, le Toronto Star conseilla à la bande à Gerry :

« Offenbach serait bien avisé de garder une saveur québécoise au produit qu'il présente !... »

Quelques jours plus tard, au Colonial, une boîte rock du centre-ville de Toronto, le show fut littéralement un désastre. Des bonzes d'A & M Records/USA se trouvaient dans la salle et sortirent de là, déçus, en mettant une croix sur leur projet de préparer une sortie en grandes pompes de *Never Too Tender* aux États-Unis.

Francine Loyer était en furie.

Gerry, lui, n'en pouvait plus. Il avait l'impression que le groupe venait de se fourvoyer complètement, nonosbtant les contacts qu'il avait tout de même établis avec les milieux du rock et du spectacle torontois. Au total, il imputait la responsabilité de cet échec à la gérante d'Offenbach.

Michel Lamothe rageait, lui aussi. Mais lui en voulait à Gerry. Il lui dit :

« C'est toi, le leader du band, le boss, non ?... Ben fais de quoi, ostie ! Arrête de te cacher en arrière de ta B-3 pis donne un show, câlisse, parle, montre-toi la face !... »

Et Willie était bien près de penser que lui-même ferait mieux que l'autre si seulement on voulait bien l'écouter et lui donner un peu plus de place sur scène et, de façon générale, au sein du groupe.

Johnny Gravel et Wézo n'en pouvaient plus, eux non plus. Ils ne savaient plus à quel saint se vouer. Ils contemplaient Gerry et Willie qui recommençaient à se prendre aux cheveux. Ils regardaient Offenbach se diviser, se déchirer, se disloquer.

Comme en France.

Dans l'entourage de Gerry et des autres, on se rendit très vite compte que tout ne tournait plus rond au sein d'Offenbach. Des rumeurs commencèrent à circuler. Entre eux, les initiés se mirent à rédiger l'éloge funèbre du groupe d'un air entendu, en échangeant des potins — des vrais et des faux — sur le mal qui minait Offenbach.

Gerry faisait face. Lorsqu'on l'interrogeait, il se contentait de répondre :

« Ça va ben, pas d'problèmes, ça marche... »

Et il rageait encore plus en son for intérieur !

Dès le mois de janvier 1977, il fallut tout de même retourner en studio : il était urgent de graver un nouveau disque en français pour faire oublier l'étrange aventure de *Never Too Tender*.

On avait réuni suffisamment de pièces pour le faire : les musiques d'une bonne dizaine de tounes étaient prêtes depuis un certain temps déjà. Gerry avait composé la plupart d'entre elles en grattant la guitare dans l'appartement de la rue Amherst — car au fil du temps, il avait aussi appris à gratter la guitare, ce n'était pas plus compliqué que la basse ou l'orgue... D'autres mélodies avaient aussi été ébauchées avec Gravel et Lamothe lorsqu'on répétait, l'après-midi, avant un show. Une autre, enfin, était une musique du rocker noir Chuck Berry que l'on avait l'habitude, sur scène, de chanter en anglais.

Quant aux paroles, on les amassa un peu en catastrophe : les dernières tombèrent en studio au moment d'enregistrer ! Au grand désespoir de l'ingénieur du son, Ian Terry, qui commençait cependant à connaître les petites manies du clan Offenbach.

Michel Lamothe donna *La Jeune Lune* et Gilles Rivard, le vieux copain de Gerry, accoucha de *Rêve à Lachute* et de *À l'envers*.

Le disque sans titre — on lisait *Offenbach*, tout simplement, au-dessus d'une caricature du groupe particulièrement réussie — fut lancé dans l'après-midi du douze avril 1977 au Milord, rue Stanley. Le soir même, le groupe se produisit sur la scène de la boîte, présidant ainsi à la réouverture d'un endroit au passé prestigieux : le Milord était en effet installé dans les locaux jadis occupés par l'Esquire Show Bar.

Le nouveau propriétaire, André Laflamme, s'était mis en tête de redonner à l'endroit tout le panache de l'ancien Esquire.

Gerry était ravi.

Offenbach allait faire de la musique sur la même scène que le Paul Butterfield Blues Band, dix ans plus tôt ; sur la même scène que tous ces grands noms du rock, du blues et du jazz qui y avaient défilé.

Ce jour-là, il débarqua avant tout le monde rue Stanley.

La salle était déserte, mis à part deux ou trois employés occupés à nettoyer et à faire le plein des réfrigérateurs, derrière le bar. On entendait de la musique tomber du plafond : à l'étage supérieur, quelqu'un ajustait le système d'amplification de la discothèque, Le Palais d'or, que Laflamme avait installée au-dessus de la salle de spectacle, inchangée depuis le temps de l'Esquire Show Bar. Gerry fit lentement le tour de la scène toujours assise en plein centre de la pièce avec les mêmes rampes d'éclairage autour. Il caressa les colonnes rococo plantées un peu partout, en contemplant les horribles feuilles palmées sculptées à leur sommet. Dans les toilettes, il crut reconnaître quelques-uns des graffiti qu'il avait lus, le sourire aux lèvres, à l'époque d'Expo 67 !

Puis les gens se mirent à arriver.

Les gens d'A & M Records, d'abord. Puis ses chums de musique. Puis d'autres encore. Il apparut bientôt que, malgré le coup de froid de *Never Too Tender*, jamais Offenbach n'avait eu droit à une foule comme celle-là. Des membres de Beau Dommage débarquèrent, d'Octobre et de Maneige aussi. Puis des hordes de journalistes et des légions de ces incontournables pique-assiette que l'on retrouve à tout événement culturel digne de ce nom. En une heure, la salle fut pleine à craquer.

Lorsque les photographes de presse entreprirent de faire leur travail, ils eurent la surprise de voir qu'outre Gerry, Willie, Johnny et Wézo, trois autres personnages s'alignaient pour les traditionnelles photos de groupe : André Saint-Denis, Gilbert Langevin et... Pierre Harel !

Car Harel était revenu dans le décor. S'il n'était plus question qu'il monte sur scène, il avait cependant recommencé à côtoyer les membres d'Offenbach, à passer des soirées rue Amherst, à jeter des mots sur papier pour le nouveau microsillon : la version française de la toune de Chuck Berry, *Chu un rocker*, était de lui, tout comme *Le blues me guette* et *Victoire d'amour*.

Quant à André Saint-Denis, Gerry l'avait connu au moment du tournage de *Bulldozer*. C'était une sorte d'original. Frère du mime Claude Saint-Denis, il était aussi poète à ses heures. Mais il était avant tout un praticien de l'art de vivre, un peu comme Lucien Ménard. Pour Offenbach, il accoucha de *Dominus Vobiscum*, que l'on enregistra en studio avec le concours du violoniste André Proulx.

Gilbert Langevin, lui, était très différent et nettement plus âgé que les membres d'Offenbach. Né en 1939 au Lac-Saint-Jean, c'était un poète comme on se les imagine, cheveux longs, mine sombre, souvent entre deux vins. Il avait néanmoins fondé la maison d'édition Atys, en 1959. Neuf ans plus tard, il avait participé aux *Poèmes et chants de la résistance*, en plus de livrer des textes à Pauline Julien et de se consacrer à la fabrication d'une poésie pure et dure, souvent noire, une poésie de révolte et de désespoir.

Pour le microsillon *Offenbach*, il donna à Gerry *La voix que j'ai* :

> *Cette voix brisée par l'alcool*
> *La cigarette et les nuits folles*
> *Cette voix fêlée de fumée*
> *Tout angoissée presqu'étranglée*
> *Cette voix pleine de blessures*
> *De peines d'amour et d'aventures*
> *Cette voix remplie d'amertume*
> *De complaintes et d'infortune...*

Lorsque Gerry arriva rue Amherst avec, dans ses poches, ces mots de Langevin, il était dans tous ses états. Il dit à Françoise :

« Y' m'a dit qu'y' avait écrit ça en pensant à moi... Lis ça, Françoise, lis ça !... »

En quelques heures, Gerry composa la musique, d'abord à la guitare, puis à l'orgue. Il savait. Il avait tout de suite compris que cette chanson lui collerait à la peau pour le reste de ses jours. C'était un cantique, cette toune-là, un hymne ! *Cette voix*, sa voix, celle qui faisait qu'Offenbach était Offenbach, celle qui s'était vraiment placée pendant le séjour en France.

Au fait, on pouvait dire cela de bien des choses : on aurait pu croire que Gerry s'était servi de cet exil pour mettre au point sa vie et sa carrière au grand complet !

Par exemple : les mots.

C'est en France que Gerry s'était mis à vraiment triper sur les mots. À cause de Piaf, peut-être, ou des livres qu'il feuilletait chez Claude Faraldo. Écrire, c'est un talent qu'il ne possédait pas, il avait eu le temps de s'en rendre compte depuis qu'il faisait de la musique. Cependant, il était fasciné par les gens qui maniaient les mots avec habileté, qui leur faisaient dire ce que lui exprimait par la musique.

Ensuite, Gerry n'avait connu ni la Dépression, ni la guerre. Il n'avait que très vaguement entendu parler de la Bolduc et du soldat Lebrun, qui chantaient les petites gens, le *monde ordinaire*, de leur époque. Un peu plus de Willie Lamothe, à cause de Michel. Gerry avait regardé à plusieurs reprises le film de Leduc, *Je chante à cheval*.... Entre les deux séquences montrant l'Opéra Pop d'Offenbach en répétition, Lamothe disait :

« J'fais des chansons pour les gens qui ont d'la misère, qui sont pauvres, qui sont seuls, qui s'ennuient. C'est pour ça qu'mes chansons sont très faciles à comprendre... »

Cela avait frappé Gerry. Sans le laisser paraître, il y avait beaucoup réfléchi — il avait eu le temps pour cela, en France. Il savait, lui aussi, ce qu'étaient les mots de la rue, des petits, des paumés. Les idées et les émotions n'existaient pas que dans les livres. On en trouvait aussi sur les trottoirs et dans les tavernes, des joies et des peines, des espoirs et des révoltes, des plaisirs et des douleurs.

Le leader d'Offenbach aurait été incapable de s'expliquer là-dessus avec clarté.

Mais il était en train de développer un pif extraordinaire pour dénicher des textes qui racontaient ces choses-là et qui lui allaient comme un gant. À lui et à sa voix. Il *sentait* — ou ne sentait pas — les textes qu'on lui faisait lire. Il avait senti *L'Hymne à l'amour*. Il avait senti *Le blues me guette...*

> *Vous n'êtes pas là*
> *Chers amis quand je vois*
> *Au fin fond de moi*
> *Que le blues est froid...*

Dans ces moments-là, il n'écrivait pas de thèse, ni de lettre ouverte au Devoir. Il n'expliquait rien, se contentant de dire :

«C'est bon en tabarnac, Harel, c'que t'as écrit là!...»

Car jusque-là, les textes de Pierre Harel avaient parfaitement fait l'affaire. Mais il y en aurait d'autres à compter de maintenant : le microsillon *Offenbach* contenait les mots de six auteurs. Gerry avait même mis en musique un texte de Jean Genet, *Le Condamné à mort*.

À cause de tout cela, pour d'autres raisons encore, *Offenbach* se révéla un très grand disque.

Et il fut accueilli comme tel par les médias québécois, qui résolurent d'oublier l'épisode *Never Too Tender*. «On peut être rocker et intelligent», titra l'un. «Indiscutablement, Offenbach vient de pondre son meilleur album», écrivit l'autre.

«...et son dernier», passèrent à un cheveu d'ajouter les journalistes.

Dans le milieu, chez les gérants d'artistes et dans les salles de rédaction, sur la place Jacques-Cartier et dans les bars de la rue Saint-Denis, on était certain, maintenant, que la zizanie s'était installée à demeure au sein d'Offenbach. Personne n'aurait parié un sou sur la survie du groupe.

Gerry, au premier chef, était parfaitement de cet avis.

Pour la suite d'Offenbach

Il avait pris sa décision.

Ce serait cruel de démonter une entreprise qui venait d'accoucher d'une réussite comme celle du microsillon *Offenbach*, mais Gerry Boulet n'avait plus le choix. Ce n'était plus comme en France, c'était pire : les membres du groupe finiraient par s'entretuer si on ne les séparait pas !

En janvier, l'enregistrement d'*Offenbach* au studio Tempo s'était déroulé dans une ambiance à couper au couteau, certains jours. Avoir réussi à accoucher d'un tel disque dans un contexte comme celui-là relevait du miracle. Chacun sentait que c'était la fin et avait donné le meilleur de lui-même. Johnny avait tiré de sa guitare des plaintes déchirantes dans *La voix que j'ai ;* Wézo avait mis toute son énergie dans des beats emportés comme celui de *À l'envers ;* sur sa basse, Willie avait accouché de superbes lignes mélodiques, notamment dans *Le blues me guette.*

Après l'enregistrement d'*Offenbach*, cette ambiance s'était transposée rue Amherst.

La commune était bien finie. Tout le monde était rarement là en même temps et, lorsque cela se produisait, ce n'était que conciliabules à deux ou trois dans un coin, regards en biais, reproches et engueulades. Gerry se retrouvait la plupart du temps à deviser avec Gravel et Lamothe se collait à Harel — car le poète était toujours rue Amherst ! Wézo hésitait entre les deux.

Gerry et Willie constituaient incontestablement les deux pôles. Ils s'affrontaient constamment sur tout, la musique, l'orientation du groupe, le fric.

Ah ! le fric...

C'était encore plus compliqué qu'au temps des Gants blancs alors que, déjà, on se prenait aux cheveux pour une affaire de 2 ou 3 dollars. Par exemple, la question des droits d'auteurs n'était pas claire. Les disques rapportaient peu mais, tout de même, il était impérieux de savoir qui avait écrit quoi, qui avait composé quoi... et on ne s'en sortait pas facilement. Francine Loyer avait pensé mettre de l'ordre là-dedans en arrivant avec Offenbach, mais elle était partie — à Paris, comme Lucien Ménard. Elle n'avait pas résisté à l'aventure de *Never Too Tender* et aux tensions que cet échec avait exacerbées au sein du groupe. Francine Loyer était d'ailleurs un autre motif de querelle : Lamothe était plutôt porté à la défendre, Gerry rageait rien qu'à entendre son nom.

Au bout d'un certain temps, on n'eut même plus besoin de raisons pour s'engueuler.

D'une part, c'était clairement devenu une guerre de pouvoir entre Gerry et Willie, une lutte comme il y en avait eu — à ce qu'on pouvait en savoir — au sein de tant de formations rock à travers le monde. D'ailleurs, les groupes tombaient comme des mouches depuis que les Beatles eux-mêmes avaient annoncé leur séparation, en 1970.

On en était venu à se haïr. Viscéralement. Comme un couple qui s'est beaucoup aimé et qui passe irrémédiablement à la haine, de l'autre côté de l'amour. C'était devenu physique. Rue Amherst, Willie regardait Gerry du haut de son mètre quatre-vingt en roulant les épaules. Gerry serrait les poings ; il aurait avec plaisir arraché les yeux du bassiste dans ces moments-là ! Sur scène, même le public s'en rendait compte. Lamothe tenait sa basse comme s'il s'était agi d'une arme à feu et pointait le manche vers Gerry en adoptant une posture d'une éloquente agressivité ; l'organiste malmenait ses claviers en bouillant de rage. Après un show, il lui arrivait de lancer à l'intention de Françoise :

« J'vas toutte les câlisser là, c't'ostie de gang-là... Pis j'vas partir tout seul, fini les tabarnac de bands !... »

Le premier mai 1977, Gerry et Françoise quittèrent la rue Amherst pour emménager — seuls ! — dans un grand appartement de six pièces au 1294, rue Beaudry. Depuis quelques mois, Johnny et Laurence Vager s'étaient eux aussi installés à leur compte, rue Saint-Thimothée, et ne semblaient s'en porter que mieux.

Dès lors, il ne se passa pas un mois avant que la rupture d'Offenbach ne soit consommée.

Un après-midi, fin mai, Gerry convoqua les autres rue Beaudry. Tous les quatre s'enfermèrent dans la cuisine. Françoise disparut avec Laurence Vager, les laissant entre eux.

Il n'y eut pas de longs discours.

Gerry dit :

« J'pense ben qu'c'est fini, hein ?... »

D'abord, personne ne dit mot. Il n'y avait même pas de musique pour meubler le silence.

« Ouais, c'est fini... », laissa tout de même tomber Lamothe après une éternité.

« Moi, j'reste avec Gerry », fit savoir Gravel.

Gerry comptait là-dessus, bien sûr. Johnny !... Johnny n'allait pas l'abandonner, c'était impensable, il n'avait jamais eu le moindre doute à ce sujet.

Wézo restait tête basse dans son coin, misérable. Toutes les têtes étaient maintenant tournées vers lui. Il finit par murmurer, comme si au fond il ne désirait pas qu'on l'entende :

« J'pars avec Willie... »

Ce fut tout : ils avaient même dépassé le stade des prises de bec.

Il y eut un dernier show au Café Campus. Quelques semaines plus tard, Pierre Harel, Michel Lamothe et Roger Belval annoncèrent la formation d'un nouveau groupe : Corbeau. Dans le même temps, Gerry informa la presse qu'Offenbach continuerait d'exister — légalement, le nom lui appartenait — en alignant de nouveaux musiciens.

Auparavant, Gerry devait juste se débrouiller pour dégoter une nouvelle B-3. Lamothe était parti en emportant la Hammond financée par son père; il la revendit rapidement et à rabais, moins de 1 800 dollars.

Pour Gerry, ça n'aurait pas été pire si on lui avait arraché un bras.

**

Plus de groupe, plus de musique, plus de B-3.

Gerry broyait du noir, installé à la table de la cuisine de la rue Beaudry. C'était une table faite d'une feuille d'aggloméré posée sur des tréteaux. Françoise tournait autour de lui en faisant la popote. Au moins, on avait de quoi bouffer, c'était toujours ça de pris. Ce qu'il en avait mangé du beurre d'arachides, avec Willie, avec Wézo — ah! ces deux-là... —, assis sur un lit dans des chambres d'hôtel toutes plus minables les unes que les autres!... Il lui était même arrivé de saupoudrer d'ail ces infâmes sandwiches au beurre d'arachides, pour changer un peu le goût. C'était dégueulasse, mais différent.

Quinze ans qu'il faisait ça. *Quinze ans, calvaire!* Et où en était-il maintenant?

Devant lui étaient déposés les rapports de vente des deux derniers microsillons. Celui en français, *Offenbach*, s'était écoulé à huit mille exemplaires. *Never Too Tender*, qui avait pourtant été distribué d'un océan à l'autre, plafonnait à sept mille deux cents. Pas le Pérou!

De toute façon, le groupe n'existait plus, alors?...

Johnny, assis en face de lui, grattait une vieille guitare acoustique, une cigarette vissée au coin des lèvres. Il faisait chaud, on était en juin. Toutes les fenêtres étaient grandes ouvertes, laissant entrer plus de bruit que d'air frais.

«Johnny?

— Quoi?

— On r'commence.

— C'est sûr qu'on r'commence, qu'est-ce que tu voudrais qu'on fasse d'autre, ostie?...»

C'était bien Johnny, ça, de considérer la chose comme une évidence! Pour lui, il s'agissait de faire de la musique, c'est tout. Dans n'importe quelles conditions. Il se foutait presque que ça rapporte ou non, il lui suffisait d'être attelé à une guitare, de se trouver sur une scène à côté de Gerry et de sa B-3 et il était heureux!

Il était extraordinaire, Johnny.

Bien sûr, il ne pouvait pas savoir. Savoir que, pendant un moment, Gerry avait vraiment jonglé avec l'idée de faire carrière seul, de laisser tomber Offenbach, de se présenter comme étant Gerry Boulet, simplement, d'embaucher des musiciens qui travailleraient pour lui et n'auraient plus un mot à dire sur ce qu'il ferait ou ne ferait pas, plus rien à dire sur son orientation, sur sa musique, sur sa façon d'occuper la scène, sur le fric.

Il y avait pensé.

Mais il n'était pas encore prêt pour cela. Plus précisément, il n'arrivait pas à voir les choses de cette façon-là. Gerry avait toujours considéré le rock comme une affaire de groupe, une sorte de création à laquelle il était impossible de se livrer seul. On le lui avait toujours dit. Et il le croyait. *Les rockers, ça marche en gang, tabarnac!* Les rockers... Lui était un rocker. Lamothe et Wézo étaient des rockers. Harel aussi. *Touttes des rockers!* Et ça prouvait quoi, exactement?... Un de ces jours, il faudrait trouver une réponse à cette question-là.

En attendant, il avait peur d'une carrière solo.

Et puis il y avait Johnny.

«On r'commence, Johnny!

— Ouais...»

Gerry trouverait l'énergie pour le faire. Il y arriverait, ne serait-ce que pour faire chier les autres, là... comment est-ce qu'ils avaient décidé de s'appeler, déjà? Corbeau?... *Corbeau, tabarnac!* Il savait que ceux-là le détestaient cordialement. Et il le leur rendait bien.

À partir de ce moment et tout au cours de l'été 1977, Gerry et Johnny firent défiler plus d'une douzaine de musiciens dans le local de répétition d'Offenbach. On avait loué, pour faire de la musique, un garage donnant sur la rue Foucher, dans le quartier Villeray. Les policiers de Montréal apprirent rapidement à connaître cet endroit parce que Gerry et les autres réglaient toujours le volume de leurs instruments comme s'ils se produisaient au Forum et que les murs de la petite construction n'étaient pas insonorisés!

On entendait rugir la nouvelle Hammond de Gerry dans tout le quartier.

Évidemment, il avait réussi à s'en procurer une : il n'était pas question de *vivre* sans une B-3! Ça avait été compliqué. Françoise avait dégoté un peu de fric. Laurence Vager avait écrit à son père, en France, inventant une histoire abracadabrante — une boutique de mode qu'elle comptait ouvrir à Montréal ou quelque chose comme ça — pour lui emprunter un peu d'argent. De sorte que Gerry était à nouveau installé devant les deux claviers d'une Hammond et les flûtes d'un Leslie. La vie était déjà infiniment plus belle.

Ainsi équipé, il se mit donc, rue Foucher, à tenir de véritables auditions.

Il n'y avait pas de jury mais c'était tout juste. En fait, Gerry et Johnny tenaient le rôle de jurés et ils étaient impitoyables. Gravel ne disait rien. Lorsque ça allait, il se contentait de hocher la tête en regardant dans le vide. Lorsque ça n'allait pas, il ne faisait pas un geste et prenait un air désespéré! Gerry devait s'expliquer avec le candidat — ce qui n'était pas toujours agréable.

C'est le guitariste de blues Jean Millaire qui fut retenu le premier.

On fit sa connaissance par l'intermédiaire de Michel Sabourin, qui s'occupait à ce moment-là de la scène du Café Campus. Millaire avait fait ses premières armes avec le groupe Expédition, à la fin des années soixante, puis s'était produit avec tout ce que Montréal comptait de musiciens de blues et même avec des types de Détroit qui, pendant un temps, s'étaient installés au Québec. Adepte de la Stratocaster — comme beaucoup de bluesmen — il avait aussi travaillé avec François Guy, qui montait des revues musicales.

On retint aussi Norman Kerr à la basse et Pierre Lavoie à la batterie. Kerr faisait partie de l'entourage du groupe Octobre. Lavoie, un copain de Kerr, fut le cinquième batteur à être reçu rue Foucher. Lavoie était un bon musicien mais il avait un type vraiment particulier. Gerry le trouvait amusant, il le regardait continuellement avec un drôle de sourire. Par exemple, Lavoie tapait sur ses peaux les mains enserrées dans des gants de cuir. Et, avant de monter sur scène, il cirait ses chaussures!... C'était extraordinaire de le voir polir ses godasses puis s'installer à la batterie pour marquer le temps de *Chu un rocker* ou de *Balls and Rods*!

Pendant tout le mois d'août, les cinq membres de la nouvelle formation d'Offenbach répétèrent à s'en défoncer les tympans dans le garage de la rue Foucher.

En septembre, ils étaient prêts.

Les fans d'Offenbach aussi. Les *vrais* fans d'Offenbach étaient des gens très particuliers. Ils avaient accueilli la nouvelle de la scission du groupe comme une sorte de deuil dans la famille, ils refusaient d'y croire, se disant :

«Gerry va arranger ça, tu vas voir...»

Ceux-là faisaient la queue pour entrer à l'hôtel Nelson le mercredi vingt et un septembre 1977, lorsque le nouveau Offenbach fit sa rentrée montréalaise.

Ils en eurent pour leur argent. Gerry se tenait désormais debout derrière sa B-3 et menait un train d'enfer. Millaire et Gravel échangeaient des solos de guitare absolument déments : le nouveau était un guitariste de premier ordre et Johnny était toujours aussi inspiré. Lorsque le show fut terminé — on conclut avec *Chu un rocker* — Offenbach eut droit à une ovation debout de huit minutes.

Les fans du groupe, aux anges, avaient retrouvé leurs idoles. En version améliorée.

Les médias partagèrent cet avis.

La Presse statua : « Vous me direz qu'un batteur et un bassiste (Willie et Wézo), ça se remplace. D'accord. Vous me direz que les gros morceaux restaient, Gerry, le chanteur, et Johnny, le guitariste. D'accord, mais tout de même. Loin d'avoir perdu, Offenbach sort gagnant de cet échange. On les sent moins limités... » Le Devoir soupesa : « Certains affirment que tout être est indispensable, irremplaçable, *un être vous manque et tout est dépeuplé*, disait Lamartine. Offenbach, toujours à l'affût de la controverse, a décidé de prouver le contraire... Offenbach se porte mieux que jamais et témoigne de la vitalité du rock au Québec ! »

À la fin, trempé de sueur, Gerry sortit de scène avec un sourire comme il en avait rarement esquissé dans sa vie. Il avait gagné, encore. Mais cette fois, la partie avait été difficile, il avait risqué gros : Offenbach, sans Harel, puis sans Willie et sans Wézo, ce n'était tout de même pas évident.

Il avait réussi.

Au cours des mois qui suivirent, le groupe se produisit au Théâtre Outremont, rue Bernard, puis dans des salles de province. On tourna aussi en Ontario et on revint à Montréal, à l'hôtel Nelson.

Et il y eut un autre coup dur.

Millaire et Kerr étaient avec Offenbach depuis à peine huit ou neuf mois lorsqu'à l'été 1978, ils annoncèrent leur intention de quitter le groupe. Les deux musiciens avaient tout simplement envie de faire autre chose que ces éreintantes tournées dans les coins perdus du Québec et de l'Ontario ; au surplus, ils n'étaient pas certains de bien s'entendre avec Gerry. Néanmoins, cela se passa très correctement, ce ne fut pas un interminable et lourd psychodrame comme avec Willie et Wézo. Offenbach ne fut même pas forcé d'annuler des shows : Millaire et Kerr offrirent en effet à Gerry de demeurer disponibles en attendant leurs remplaçants.

Le nouveau Offenbach avait été éphémère.

Mais Gerry avait quand même eu le temps de constater que la présence d'un deuxième guitariste ajoutait beaucoup à la musique du groupe. Au début, Gravel avait bien rechigné un peu... Il aurait de la compétition, sur la même scène, juste à côté de lui! Mais, à la fin, il s'amusait comme un fou à échanger des solos de guitare avec un compère.

Gerry avait surtout compris qu'Offenbach, au bout du compte, *c'était lui*, sa voix, sa Hammond, ses cheveux et sa foutue tête de cochon! Offenbach, c'était Gerry d'Offenbach.

Bref, les auditions recommencèrent.

Il n'était guère facile de trouver un bon guitariste, un musicien qui serait non seulement bon techniquement et musicalement, mais qui s'ajusterait à l'esprit Offenbach. Au bout d'un moment, n'obtenant pas de succès dans ses recherches à Montréal, Gerry fit jouer ses contacts en Ontario.

On dénicha Doug McCaskill.

L'ex-guitariste des Stampeders tentait à ce moment-là de déterminer s'il devait ou non se joindre à une nouvelle mouture du groupe Lighthouse, lequel s'était fait remarquer au début des années soixante-dix en s'adjoignant un violoniste et un violoncelliste afin de donner une sonorité particulière à la formation. Le guitariste choisit plutôt de se joindre à Offenbach.

Malheureusement, avec lui aussi, l'aventure allait être de courte durée.

McCaskill ne parlait pas un mot de français.

Sur scène, lorsque Gerry, en couvrant le micro de sa main, indiquait aux autres :

«On enchaîne avec *La Jeune Lune*», McCaskill se tournait vers lui, bouche bée, yeux ronds, complètement paniqué. Et il demandait à voix basse :

«*Lô Jeûûûne Loune?*... What the fuck is that, man?...

— *La Jeune Lune!*... You know? Key of F... It gœs: Ta, ta, ta-ti-ta, taaa, ta, ta, ta-ti-ta... Key of F, man!...

— Oh!... *Lô Jeûûûne Loune!*... Key of F! All right, got it... O.K., man, *Lô Jeûûûne Loune*, yeah...»

Et il embrayait en hochant la tête et en plaquant l'accord de fa majeur dans le bas de son manche : *Ta, ta, ta-ti-ta, taaa, ta, ta, ta-ti-ta...*

C'est à cause de cela qu'au bout de deux mois, McCaskill abandonna Offenbach. Il est vrai qu'il fut également fort déçu lorsqu'il apprit qu'A & M Records, l'étiquette sur laquelle avaient été gravés les microsillons *Offenbach* et *Never Too Tender*, laissait tomber le groupe.

Le guitariste ne monta pas une seule fois sur une scène québécoise car, avec lui, on ne se produisit qu'en Ontario. Il ne put jamais constater par lui-même le degré de popularité dont le groupe jouissait à Montréal, ou dans le Bas du fleuve, ou au Lac-Saint-Jean.

Cependant, McCaskill n'était pas venu seul au sein du groupe de rockers québécois. Et son copain, lui, décida de rester avec Offenbach.

Ce copain, c'était Breen Lebœuf.

**

Gerry et Breen Lebœuf s'étaient rencontrés pour la première fois au début de 1977, au moment où Offenbach, déchiré par ses querelles, s'agitait sur les scènes ontariennes.

De leur côté, Lebœuf et ses chums de musique — qui travaillaient sous le nom de New City Jam Band — s'occupaient à crever de faim. Depuis des semaines, ils erraient sans but dans les rues de Toronto, tentant sans succès de décrocher des engagements. Leur moral était au plus bas. Le batteur du groupe était encore plus désespéré que les autres : il venait de passer vingt-six mois derrière les barreaux parce qu'il avait eu la mauvaise idée de vendre de l'héroïne à un policier fédéral... C'est lui qui, un mardi, débarqua chez Lebœuf avec une idée de génie :

«Breen, à' soir, tu viens avec moi. On va aller au Piccadilly pis on va essayer de se faire engager pour la fin de semaine. On va au moins gagner de quoi manger, goddam !... Ça devrait pas être dur. Y'a un groupe de Montréal, là, depuis la semaine passée. Y' s'appelle Offenbach.

— Connais pas.

— La salle est vide, les tarlas chantent quasiment rien qu'en français pis le monde aime pas ça... On va dire au boss de les jeter dehors. Pis on va y' dire que nous autres, on est prêts à les remplacer tout de suite...»

Le Piccadilly Tube était une boîte de Yonge Street dont la décoration tentait de recréer l'ambiance du métro londonien. On y servait du Guinness Stout; il y avait même un ou deux serveurs pour parler l'anglais avec un accent britannique. Lorsque Lebœuf et l'autre poussèrent la porte, ils trouvèrent une salle à peu près vide et quatre musiciens occupés à remplir ce glacial espace d'un rock comme jamais le Franco-Ontarien n'en avait entendu.

À l'entracte, Lebœuf fit un signe à l'organiste. Gerry et Johnny vinrent s'asseoir avec lui. Willie et Wézo l'ignorèrent. Lebœuf et Gerry firent connaissance, partagèrent des flots de bière, parlèrent de musique et de filles... de sorte que, à la fermeture, il n'était certainement plus question pour Lebœuf de tenter de déloger Offenbach — des chums!... — du Piccadilly Tube.

En sortant de là, Gerry dit :

« Y'est correct en ostie, ce bonhomme-là!... »

Johnny, lui, n'émit aucune opinion. À vrai dire, il n'aimait pas beaucoup la gueule de Breen Lebœuf. Il avait passé la soirée à détailler le Franco-Ontarien de la tête aux pieds. Les deux boucles d'oreilles. La chemise coupée et nouée au-dessus du nombril. Les jeans ajustés à ce point que le gars devait remiser ses couilles à gauche et sa queue à droite, il n'y avait rien à faire pour tout ranger du même côté. Enfin, les bottes à bouts effilés et à talons hauts.

« Des bottes de fif, tabarnac! » aurait commenté Johnny si on le lui avait demandé.

Il ne connaissait pas encore Breen Lebœuf...

Né à North Bay en 1949 d'un père franco-ontarien qui ne parlait qu'approximativement sa langue et d'une mère d'origine irlandaise qui détestait les frogs, il avait été inscrit à l'école française. De sorte que, devenu adulte, il se débrouillait bien dans les deux langues. En fait, il parlait l'anglais à la perfection et il s'exprimait en français avec un accent savoureux, utilisant les tournures de phrase typiques des francophones élevés ailleurs qu'au Québec dans le beau grand pays bilingue de Pierre Elliott Trudeau.

Très jeune, Lebœuf s'était adonné à la musique : à onze ans, il faisait partie d'un groupe, les Tri Tones, qui s'était par la suite transformé en Shadows puis en Prophets. Adolescent, Lebœuf aimait la musique, les groupes et les filles. Dans ses moments d'absolue franchise, au milieu de la nuit, une fois qu'il avait suffisamment bu pour perdre toute pudeur, il lui arrivait d'expliquer en baissant le ton :

« J'vas te dire : quand t'as quinze ans, que tu bandes sur les filles pis que, pour commencer, t'es déjà trois pouces moins haut que la plupart d'eux autres, t'es mieux d'avoir un avantage queq' part si tu veux pogner ! Moi, c'est de faire de la musique pis de monter sur un stage... »

Il n'était pas très grand, en effet — comme Gerry, en somme — mais il avait de grands yeux très expressifs. Fort intelligent, il maîtrisait un humour particulier qui lui attirait instantanément la sympathie de ceux qu'il côtoyait.

En 1969, Lebœuf quitta North Bay, sa famille, les petits groupes de garage et son job de professeur de musique pour aller habiter Toronto, où l'industrie du disque et du rock était florissante. Très vite, il eut l'occasion de graver quelques disques chez Revolution Records et chez Epic, ainsi que des jingles pour les stations locales de radio. En un peu moins de dix ans, il traîna ainsi ses savates et sa basse dans une bonne douzaine de formations, faisant l'aller-retour entre le jazz-rock sauté du groupe Chimo et les succès du palmarès qu'il fallait interpréter dans les hôtels de Blind River, Timmins, North Bay, Guelph, Peterborough, Port Hope et Cornwall.

En somme, il était loin de se douter qu'il deviendrait un jour un des piliers du plus important groupe rock québécois; et le meilleur chum de musique d'un homme comme Gerry Boulet.

N'empêche... La vie est ainsi faite qu'un an plus tard, Offenbach et Brutus — le nouveau groupe de Lebœuf — partageaient les services de George Elmes, imprésario du groupe torontois et agent d'Offenbach en Ontario.

C'est ce dernier qui, en avril 1978, entra en contact avec Lebœuf :

« Salut Breen !.. Y' a un gars de Montréal qui veut te voir. Gerry Boulet, tu l'connais, le chanteur d'Offenbach ?

— Ouais, je l'ai rencontré l'année passée au Piccadilly.

— Bon ben... Y' se cherche un nouveau bassman pis un autre guitariste. Y' serait peut-être intéressé à ce que t'embarques avec eux autres. Viens à Mississauga en fin de semaine, Offenbach joue là, t'en parleras avec Boulet. »

Lebœuf se rendit à Mississauga avec Doug McCaskill. La rencontre eut lieu dans les locaux de l'université où Offenbach se produisait. Kerr et Millaire étaient là, mais ils avaient déjà annoncé leur intention de quitter le groupe. Gerry en vint tout de suite aux faits :

«Comment ça marche ton affaire icitte, Breen?

— Bof... Pas pire. Mais on est un ostie de paquet de musiciens en Ontario, mon chum : on est dix mille inscrits à l'union!... Ça fait que c'est dur. Y' a des hauts pis des bas... Toi, t'as besoin de quelqu'un, j'pense?...

— Ouais.

— We can try, man, we can try...»

Le lendemain, de retour à Toronto, Lebœuf et McCaskill s'enfermèrent chez le bassiste avec leurs instruments, un tourne-disque et des exemplaires de *Offenbach* et de *Never Too Tender*. Quarante-huit heures plus tard, ils maîtrisaient à la perfection les subtilités des dix-sept tounes des deux plus récents microsillons du groupe québécois.

Un après-midi, moins d'une semaine après la rencontre de Mississauga, Lebœuf et McCaskill se retrouvèrent dans le local de répétition d'Offenbach.

Le groupe fit autant de vacarme qu'à l'ordinaire.

Et ce fut convaincant : Lebœuf et McCaskill bûchaient comme des damnés, ils enfilaient *Le blues me guette*, *Dominus Vobiscum* et *High Down* comme s'ils avaient interprété ces pièces-là toute leur vie.

À la fin, Gravel, qui ne pouvait toujours pas supporter le look décidément trop *Toronto* de Breen Lebœuf, consentit néanmoins à esquisser un signe d'approbation à l'intention de Gerry. Lavoie fit de même. Gerry dit simplement :

«O.K., les boys, bienvenue dans le club!... Là, on r'monte avec vous autres dans vot' coin : pour les deux prochains mois, on a des contrats partout en Ontario. On commence la semaine prochaine à Toronto : on ouvre le show pour Robert Palmer au Massey Hall... On r'tourne brasser la cage des Blokes, tabarnac!»

S'il avait compris le moindre mot de français, McCaskill ne l'aurait peut-être pas trouvé drôle... Mais il n'eut pas le temps de suivre des cours de langue seconde avant d'annoncer son départ.

Le guitariste John McGale prit sa place.

On fit sa connaissance par l'intermédiaire de Breen Lebœuf. Avec celui-ci, Gerry avait découvert la filière ontarienne. Et il était enclin à faire confiance à son bassiste, même pour le recrutement de nouveaux musiciens. Ensemble, Gerry et Breen rigolaient ferme, travaillaient dur et bien. Un solide lien professionnel doublé d'une grande complicité s'était tout de suite tissé entre eux.

McGale était originaire de North Bay lui aussi, mais il était un peu plus jeune que Lebœuf.

En plus de jouer de la guitare, de la flûte traversière, du saxophone, il composait. À Sudbury, il avait fait partie du groupe Nickel, puis il était retourné dans sa ville natale pour former un nouveau band, le McGale's Navy, qui n'allait nulle part. Ce type sympathique portait une abondante et ondulante crinière et paraissait encore plus jeune qu'il ne l'était en réalité. Il ne parlait que l'anglais, comme McCaskill.

McGale vécut les affres de l'audition, rue Foucher. Puis, à l'été 1978, il débarqua à Montréal avec armes et bagages et s'installa chez Johnny et Laurence. À ce moment-là, Breen demeurait chez Gerry et Françoise ; quatre mois plus tard, il allait s'installer dans ses meubles, rue Parthenais.

De sorte que les membres d'Offenbach se tenaient en rang serré, comme un clan, à l'intérieur d'un périmètre grand comme cinq ou six pâtés de maison, au cœur d'un quartier à la veille — on le voyait à certains signes — de devenir le village gai de Montréal. Fabuleuse ironie, étant donné la personnalité de ces gars-là ! Un peu plus tard, les musiciens emménageant dans un nouveau local de répétition, rue Plessis, tout allait être à la portée de leur main. Y compris le Bistrot à Jojo et les autres bars des rues Saint-Denis et Ontario.

Entre-temps, Gerry se chargeait d'initier le bassiste à la vie montréalaise :

« Vois-tu, Breen, Untel, c'est un ostie de bullshitter, tiens-toi loin de c'gars-là... Tel autre, y'est correct, tu peux le truster... Telle affaire, c'est politique, mêle-toi pas de ça, c'est plein de marde !... C'te compagnie-là, ça vaut la peine d'aller voir, on peut peut-être faire des affaires avec eux autres... »

Breen écoutait en prenant presque des notes... et en essayant de maîtriser Justin, une véritable petite peste d'une dizaine d'années maintenant, curieux comme son père quand il avait son âge. Il voulait tout savoir, tout voir, tout entendre. Il débarquait rue Beaudry avec un appareil de jeu vidéo qu'il branchait au téléviseur et qui émettait tout un concert de bruits hétéroclites. Même les chats, Boogie et Ti-Tom, en avaient le tournis!

D'autant plus que le logis de la rue Beaudry était une sorte de point de rendez-vous où il y avait continuellement des gens de passage puisqu'il servait plus ou moins de quartier général aux membres d'Offenbach.

Françoise ne pouvait pas voir à tout en même temps : quelques mois plus tôt, elle avait en effet trouvé un emploi parce que les revenus de Gerry accusaient des hauts et des bas un peu trop prononcés. Elle était devenue la secrétaire d'André Bélanger, lequel administrait diverses entreprises dans le milieu de l'industrie du cinéma ainsi que le Studio Marko, rue de Lagauchetière.

L'été 1978 fut rempli de petits shows, ici et là, dans des bars ou des hôtels, des petites salles ou parfois même des enceintes beaucoup plus vastes. Par exemple, Offenbach célébra la Saint-Jean-Baptiste en se produisant aux îles Saint-Pierre-et-Miquelon.

John McGale était heureux comme un Anglais qui aurait été autorisé à poser ses fesses dans le carrosse de la reine : dès le premier show qu'il donna avec Offenbach, à Louiseville, il fut stupéfié par la réaction du public. Il ne cessait de répéter à Breen :

«Ça s'peut-tu, man! As-tu vu les freaks?...»

En fait, il n'avait encore rien vu.

Du vingt-neuf août au trois septembre 1978, le groupe occupa le El Casino de la rue Sainte-Catherine, à Montréal. Un succès bœuf — sans jeu de mots : Breen chantait quelques pièces, sa voix s'intégrait bien au son d'Offenbach et les fans appréciaient cet ajout à sa juste valeur. En arrivant avec le groupe, le bassiste s'était entendu avec Gerry là-dessus :

«Pour que j'sois ben, Gerry, y' faut que j'chante une couple de tounes. J'veux pas t'voler ta job : j'sais ben qu'la voix d'Offenbach, c'est toi. Mais j'ai besoin de chanter une fois de temps en temps...»

Gerry avait jugé cela très convenable.

Au El Casino, Offenbach présentait en première partie plusieurs nouvelles chansons, dont *Quand les hommes vivront d'amour* de Raymond Lévesque, ainsi que *J'ai l'rock'n'roll pis toé* et *Ayoye*, un blues écrit sur mesure pour Gerry qui plongeait là-dedans à la limite de ses capacités vocales. En deuxième partie, ils interprétaient leurs classiques, les pièces *Câline de blues* et *Chu un rocker* déclenchant l'hystérie habituelle.

Trois semaines avant le El Casino, le dix août, Offenbach avait donné un show en plein air à la Montagne Coupée de Saint-Jean-de-Matha. Un gros show. Il avait fallu accorder trois rappels aux deux mille personnes qui ne finissaient plus de hurler à la lune.

Gerry était descendu de scène, épuisé, après avoir crié *L'Hymne à l'amour* pour clore le concert.

Et il était tombé sur Alain Simard.

Simard et son associé, André Ménard, étaient occupés à ce moment-là à bâtir ce qui allait rapidement devenir l'empire Spectel, un énorme truc regroupant le Spectrum, Spectra Scène, Spectel Vidéo, le Festival international de jazz de Montréal, les disques Audiogram, le Studio Morin Heights et une douzaine d'entreprises complémentaires.

En 1978, Simard et Ménard — considérés dans le milieu comme des puceaux : ils n'avaient que vingt-huit et vingt-cinq ans respectivement! — bookaient déjà Zachary Richard et Claude Dubois. Ils se servaient à l'occasion du nom de Spectra Scène mais, la plupart du temps, leurs affiches portaient simplement la mention *Alain Simard et André Ménard présentent...* Leurs bureaux occupaient un petit appartement de la rue Boyer, juste au nord du boulevard Saint-Joseph. Simard s'était jadis frotté à Offenbach lorsque, en tant que journaliste, il avait sévèrement critiqué la messe de l'Oratoire dans un petit périodique spécialisé. À ses débuts comme homme à tout faire dans le merveilleux monde du showbiz, Ménard, lui, avait eu l'occasion de coltiner la B-3 de Gerry lors d'un concert donné au Théâtre Cartier, à Québec, en 1975.

À l'arrière-scène de la Montagne Coupée, donc, Simard avait frappé sur l'épaule de l'organiste d'Offenbach qui n'en finissait plus de s'éponger avec une immense serviette :

« Salut, Gerry !

— Tiens, Simard !... As-tu aimé l'show, ce coup-là ?... »

Gerry avait une mémoire phénoménale pour les mauvaises critiques qui l'avaient hérissé...

« Ouais, c'est bon... Pas mal meilleur que dans l'temps. Avec tes nouveaux musiciens, ça a changé pas mal, j'aime ben ça, Gerry... Pis à part ça, comment ça marche, vos affaires ?

— Nos affaires roulent pas pire... Toi, ça' l'air de péter l'feu, ta business avec Ménard... Pourquoi tu me d'mandes ça? As-tu des propositions à me faire?...

— Ça s'pourrait, Gerry, ça s'pourrait... Si tu veux, viens m'voir à un moment donné pis on en parlera.

— Ça s'pourrait, Alain, ça s'pourrait... »

En gratifiant Simard d'un large sourire, Gerry s'enfouit sous la serviette trempée de sueur. Et il se promit d'examiner cette possibilité.

Il ne pouvait savoir qu'avec le tandem Simard-Ménard et avec les derniers arrivés, Lebœuf et McGale, Offenbach allait connaître ses plus grandes heures de gloire.

Gerry ignorait également qu'il faudrait auparavant remplacer Lavoie : celui-ci allait révéler ses faiblesses au cours des séances d'enregistrement de *Traversion*, le nouveau microsillon — en français — que l'on commençait à préparer à ce moment-là.

Lorsque le temps vint de dénicher un nouveau batteur, on pensa tout de suite à Robert Harrison.

Breen le connaissait bien.

Harrison était originaire de Cowansville. Comme tout le monde, il s'était agité au sein d'un million de groupes plus ou moins bons, plus ou moins — plutôt moins — populaires. Il était demeuré pendant un bout de temps en Ontario, puis Breen l'avait perdu de vue. C'est à Saint-Jean de Terre-Neuve qu'on finit par le dénicher. Le soir, il tenait le temps dans un orchestre de jazz; le jour, il jouait un petit rôle dans une émission de télévision pour enfants. Breen lui donna un coup de fil :

« Wanna be a rock star, Bob? Wanna play for Offenbach?... »

Quelques jours plus tard, Gerry et Breen se rendaient à Dorval afin d'accueillir le nouveau membre du groupe. Dans la voiture, Breen ne cessait de répéter à Gerry :

« Tu vas voir, man. Y'est au boutte, Bob. C'est un des deux ou trois plus heavy rock drummers au Canada... »

Breen avait une façon bien à lui de mélanger les deux langues officielles.

« Y' l'a en ostie l'backbeat, pis y'a un bon shuffle d'la main gauche... Tu vas voir, Gerry, c'est un câlisse de bon homme!... »

À Dorval, les deux hommes tournèrent en rond pendant une longue demi-heure, surveillant les arrivées, essayant de repérer leur homme dans la foule.

Puis ils eurent une apparition.

Venant des tourniquets où il avait récupéré ses bagages, le type remorquait de la main gauche une énorme boîte de carton. À son bras droit était suspendue une petite cage d'oiseau dans laquelle un chat se décrochait les mâchoires à force de miauler de frayeur et de désespoir. L'homme était plus que grassouillet — il avait pris au moins quinze kilos depuis que Breen l'avait vu, quatre ou cinq ans plus tôt — et sa tête était garnie d'une chevelure coupée court, au surplus couverte d'un béret à la française. Il arborait une moustache et une sorte de barbichette absolument indescriptible.

Pour finir, il fumait la pipe, comme un prof de philo !

Breen n'en croyait pas ses yeux. À voix basse, pendant que Harrison trimbalait son équipage dans leur direction, il dit à Gerry :

«Oh fuck, man, there he is...»

Gerry tourna la tête dans toutes les directions, ne vit rien qui puisse ressembler à un batteur rock... puis il dut se rendre à l'évidence : c'était *ça*, Bob Harrison.

«Non, non, non, non, non... Non, Breen, c'est pas lui, le gars qui s'en vient avec le chat ?

— Ben oui, c'est lui, Gerry...

— Ah ! non, Breen, qu'est-ce que tu m'fais là ? Qu'est-ce que c'est ça, tabarnac...»

— Harrison avançait toujours vers eux.

Et à mesure qu'il progressait, on ne pouvait faire autrement que contempler la boîte de carton qui le suivait tant bien que mal. Cette boîte semblait à la veille de s'éventrer; elle était déchirée de partout, émettait des grincements métalliques absolument sinistres et sa face supérieure était ouverte au grand jour. On finissait par voir à l'intérieur des morceaux de batterie, des pédales, des ressorts, des cymbales, un bass-drum entièrement couvert d'autocollants Molson... le tout pêle-mêle, pas attaché, pas ficelé : le batteur avait confié ce capharnaüm tel quel aux bons soins des soutiers d'Air Canada !

Lorsque Bob Harrison arriva enfin à la hauteur de ses deux futurs collègues, il se mit tout de suite à gueuler, avant même de s'être présenté ou d'avoir consolé son chat :

«Tu peux pas faire confiance aux tabarnac de compagnies aériennes, mon chum.... J'ai checké : y' manque deux bolts dans' boîte, y' m'ont perdu deux bolts, les ostie !...»

Gerry et Breen ne trouvèrent rien à répondre à cela.

Rock et jazz

En mars 1979, Robert Harrison succéda donc à Pierre Lavoie.

Car dès le soir de son arrivée, une fois qu'il eut assemblé son vieux kit Gretsch — en faisant son deuil de quelques écrous... — dans le garage de la rue Foucher, on constata que le nouveau batteur était à la hauteur de sa réputation. Que, malgré son béret, sa barbichette et son chat paranoïaque, il bûchait avec une énergie, une régularité et une imagination irréprochables. Et il était drôle comme un singe ; les autres sortaient des répétitions avec des crampes au ventre d'avoir trop rigolé. Enfin, c'était un joyeux fêtard, qui connaissait bien le mode d'emploi de la vie nocturne d'une grande ville.

Les membres d'Offenbach étaient parfaitement heureux d'avoir dégoté un pareil numéro !

Gerry Boulet ne pouvait s'empêcher de se dire que Harrison aurait été le bienvenu lors des séances d'enregistrement de *Traversion*. Car vraiment, à ce moment-là, on en avait sérieusement arraché.

D'abord, le financement avait été difficile à cause de la défection d'A & M. René Malo — que l'on avait perdu de vue pendant un bout de temps puis qui était revenu dans le décor — y était allé de sa poche pour environ 20 000 dollars ; Gerry avait réussi à rassembler quelques milliers de dollars de plus. C'était juste. Il n'y avait pas de folies à faire.

Ensuite, Offenbach avait étrenné un studio tout neuf, celui de Télé-Métropole, placé sous la raison sociale de T.M. Audio. L'endroit possédait deux grandes qualités : il était situé au beau milieu des différents repaires de la bande d'Offenbach et le coût de ses services était fort raisonnable : Malo avait de bons contacts de ce côté-là.

Par contre, on avait dû se battre pendant de longs moments avec les pépins techniques inhérents au rodage d'une nouvelle installation d'enregistrement.

Le son du studio était sec, mais c'est ce qu'on voulait. Gerry ne répétait-il pas :

«Ôte la reverb, ostie, c'est caca la reverb!... Mets ça dry, on n'a pas peur de montrer nos défauts!...»

Un nouveau parolier travaillait maintenant avec Offenbach : Pierre Huet.

Il venait parfois en studio, où il lui arrivait, à la dernière minute, de revoir et de corriger des textes. Souvent même, il tendait à Gerry, sur des bouts de papier, des strophes toutes fraîches. Le chanteur les faisait au microphone pendant que, derrière la console, Ian Terry — encore lui — montait électroniquement ces huit ou dix secondes de voix au milieu d'un enregistrement.

Six mois plus tôt, Gerry et Huet ne se connaissaient pas.

Huet, vingt-neuf ans, était un vrai Montréalais — somme toute assez rares dans la Métropole... Historien de l'art et illustrateur, il s'était joint à Michel Rivard au début des années soixante-dix, à l'époque de la Quenouille bleue, une troupe de l'Université du Québec à Montréal qui faisait dans l'événement multi-média. Cela allait déboucher sur les succès que l'on sait.

Huet n'avait encore jamais écrit pour d'autres que Beau Dommage, mais il y pensait. Par exemple, il fréquentait le bar L'Idéfix, rue Mont-Royal, où traînait aussi Paul Piché ; tous deux examinaient la possibilité de travailler ensemble.

En fait, Huet vivait à cent lieues des nuits rock'n'roll de la bande d'Offenbach!

En août 1978, lui et Gerry se rencontrèrent une première fois rue Beaudry ; une amie commune avait fait savoir à Huet que le groupe cherchait des paroles pour le microsillon qu'il se proposait d'enregistrer à l'automne. Huet débarqua chez Gerry avec un texte à la main : *Mes blues passent pus dans' porte*. Le leader d'Offenbach attrapa le morceau de papier et se mit à lire :

«Tout seul chez nous avec moi-même... Tassé dans l'coin par mes problèmes... Ouais, ça part ben. *J'ai besoin d'quelque chose d'immoral... De quelque chose d'illégal pour survivre...* C'est pas pire, ça, pas pire! *J'devrais appeler chez drogue-secours...* Quoi? *J'devrais appeler chez drogue-secours...* Voyons Pierre, j'dirai jamais un' affaire de même!...

262

— Lis la ligne suivante, Gerry.

— La ligne suivante... Attends un peu. ... *appeler chez drogue-secours*... Ah! oui : *On sait jamais, p't'être ben qu'y livrent...*»
Gerry s'esclaffa!

«*P't'être ben qu'y livrent...* Hé!... C'est un chriss de bon texte, ça, Pierre!»

Huet était ravi. En contrepartie, il reçut de Gerry une cassette sur laquelle on pouvait entendre McGale et sa guitare sur une toune — en anglais — qui deviendrait *J'ai l'rock'n'roll pis toé* une fois qu'il l'aurait revue.

L'homme accoucha de huit des dix pièces gravées sur *Traversion*. Il travailla la quasi-totalité de celles-ci de cette façon, à partir des musiques qu'on lui refilait sur cassettes et qu'il... mettait en français. Huet ne tenait aucun compte du sens des mots anglais plaqués là-dessus par McGale ou les autres. Il ne s'inspirait que de leur sonorité. Ainsi, sur *J'ai l'rock'n'roll...*, la strophe *And it's getting me down* devint *Y'a ton corps qui me damne*.

Le groupe enregistra *J'ai l'rock'n'roll...* en septembre au Studio Tempo, deux mois avant que ne débutent les véritables sessions de *Traversion* chez T.M. Audio.

En novembre et décembre, lorsqu'il passait au studio, Huet se rendait bien compte que tout n'allait pas pour le mieux.

Outre les ennuis techniques, on éprouvait des difficultés avec Lavoie, qui se révélait incapable de mettre en conserve les rythmes de certaines pièces. Il fit *Je chante comme un coyote*, *Mes blues passent pus dans' porte* et deux autres tounes. Mais il se planta tout à fait en risquant des contretemps un peu plus sophistiqués dans *Deux autres bières* et *Femme qui s'en va*.

Lavoie n'était pas un mauvais batteur, mais il supportait mal la pression, il s'énervait... et à la quarantième prise, sa performance était pire encore qu'à la première. Derrière la double vitre, Terry était excédé.

À la fin, Gerry prit Lavoie à part et lui annonça qu'il ne faisait plus partie d'Offenbach; lorsqu'il revint dans le studio, Gerry avait les larmes aux yeux.

Harrison n'étant pas encore apparu, on fit appel à un autre batteur, Pierre Ringuet, une véritable bête de studio qui débarqua les rythmes voulus en un rien de temps.

Après six semaines de travail, Offenbach accoucha de son huitième microsillon, qui se révéla l'un des meilleurs et des plus populaires que le groupe eut jamais gravés. Et ce, même si, au début, les ventes démarrèrent plutôt lentement. Il fut d'abord distribué sur étiquette Kébec-Disc puis sur CBS. Il allait être le premier disque d'Offenbach à franchir le cap respectable des quarante mille exemplaires vendus.

Une œuvre de Vittorio Fiorucci ornait la pochette. Gerry l'avait connu lui aussi par l'entremise de Lucien Ménard : Vittorio avait réalisé la séquence d'animation insérée dans le film *Je chante à cheval*... Depuis, il était devenu un ami personnel de Gerry. Pour le disque *Offenbach*, l'illustrateur avait livré un animal étrange, mi-homme, mi-bête marine — présageant ses fameux bonshommes verts qui contribueraient un jour à le rendre célèbre — ancré à une sorte de rocher.

« C'est ça !... Y'est pogné dans l'rock comme nous autres ! » s'était écrié Gerry en voyant l'œuvre.

À sa sortie, à la fin de février 1979, le microsillon fut fort bien accueilli par la critique, qui vit là un nouveau départ pour Offenbach. Selon La Presse, il s'agissait « d'un des disques les mieux faits, les plus énergiques, voire le plus *égal* même, d'Offenbach jusqu'à maintenant ».

Gerry était très satisfait.

Pendant les sessions d'enregistrement, lorsqu'il revenait rue Beaudry, il ne cessait de dire à Françoise :

« Ça va être bon en tabarnac !... »

Il avait rarement été aussi enthousiaste. À la fin, lorsqu'on écouta le ruban maître définitif, il sut tout de suite qu'Offenbach venait de réaliser un petit chef-d'œuvre.

D'abord, la musique du groupe s'était resserrée, les riffs étaient plus imaginatifs et plus précis, la B-3 de Gerry sonnait mieux que jamais, les guitares de Gravel et de McGale s'accordaient merveilleusement. Même la batterie, finalement, témoignait de cette énergie que Ian Terry avait réussi à transférer sur l'enregistrement.

Ensuite, avec Huet, Gerry avait fait le bon choix.

Le leader d'Offenbach n'entretenait pas une folle estime pour Beau Dommage — *d'la musique de fif*, pensait-il parfois en son for intérieur ! Mais Gerry avait compris lorsque le parolier lui avait expliqué sa démarche :

Gerry Boulet

1959

Françoise Faraldo-Boulet
Julie Boulet
Gerry Boulet
1989

Gerry Boulet
Charlotte Boulet
1989

Justin Boulet
Gerry Boulet
1989

Jean Gravel
Roger Belval
Gerry Boulet
Michel Lamothe
1974

Jean Gravel
Gerry Boulet
Pat Martel
Breen Lebœuf
John McGale
1985

Gerry Boulet

1960

Gerry Boulet
Marjo
1988

Gerry Boulet
Ian Tremblay
1989

Michel Rivard
Gerry Boulet
Lucien Francœur
1988

«J'essaie de voir quelle partie de moi-même j'ai en commun avec un interprète... Avec la gang de Beau Dommage, j'te l'dis, c'était quatre-vingt-quinze pour cent! J'ai moins de choses en commun avec vous autres, c'est sûr... Mais une partie quand même, Gerry, c'est là-dessus qu'on va travailler...»

En quelques semaines, Huet avait saisi l'*esprit Offenbach*. Il accompagna rarement les membres du groupe dans leurs virées en ville. Il ne devint l'ami intime d'aucun d'entre eux. Ses mots allaient néanmoins servir à bâtir quelques-uns des plus grands classiques d'Offenbach. Cela s'inscrivait dans la continuité du groupe et, en même temps, c'était du neuf. *Deux autres bières*, par exemple, était magnifique :

Tu vas voir l'heure
Des chaises posées su' es tables
Pis des meilleurs clients
Couchés en d'sous
Tu vas voir l'heure
Des serveurs moins aimables
Pis des grosses bières
Qu'on finit en un coup...

Même chose pour *Ayoye* — une toune d'André Saint-Denis, celle-là — que Gerry savait devoir être un classique, une des plus belles tounes d'Offenbach, un des moments de grâce de Gerry l'interprète :

Nous ne sommes pas pareils
Et pis pourtant
On s'émerveille au même printemps...
Ayoye, tu m'fais mal
À mon cœur d'animal...

Johnny Gravel poussait là-dessus un de ces solos dont il avait le secret, prenant le relais du saxophoniste Richard Beaudet dont on avait retenu les services exprès pour *Ayoye* (et pour *Mes blues passent pus dans' porte* que chantait Lebœuf).

Celui-ci, justement, se révélait une formidable acquisition. Presque trop.

Lorsque vint le temps de sortir un premier 45 tours, Gerry demanda qu'on place *Mes blues passent pus dans' porte* sur la face

B de *Je chante comme un coyote*. Contre toute attente, la radio s'empara de la face B !

Par la suite, Gerry mit un bémol à ses accès de jalousie et ne tenta plus jamais un pareil tour de passe-passe...

***

Au cours de cette période consacrée à l'enregistrement de *Traversion*, il est certain qu'on n'allait pas au studio de T.M. Audio tous les soirs. Il arrivait aussi que l'on sorte. Par exemple, à ce moment-là, les membres d'Offenbach fréquentaient beaucoup le El Casino.

C'était une sorte de rituel.

La plupart du temps, il y avait les cinq membres d'Offenbach. Plus les blondes. Plus une demi-douzaine de chums. Plus quelques autres qui s'ajoutaient en cours de route, entre deux arrêts dans les bars de la rue Saint-Denis. Ainsi, lorsqu'on débarquait dans la boîte de la rue Sainte-Catherine, le groupe se composait généralement de quinze ou vingt personnes.

On avait déjà un peu bu. Et il y avait toujours quelqu'un pour distribuer de la poudre. Car la cocaïne avait fait son apparition, Gerry y avait mis le nez, pour voir. Depuis un peu plus d'un an, il faisait une ligne de temps à autre. Maintenant, ça devenait plus régulier. Il en achetait peu, mais il se trouvait immanquablement un groupie d'Offenbach, pas loin, pour voir à ce qu'on n'en manque pas.

Bref, lorsqu'on arrivait enfin au El Casino, on était en forme pour le show.

Le lundi soir, la boîte présentait des big bands. Ce lundi-là, c'était celui de Vic Vogel.

Vogel était très hot à Montréal à la fin des années soixante-dix. Ses shows étaient courus. Depuis longtemps, Gerry avait le goût de s'asseoir devant les douze cuivres de Vogel et de triper sur l'incroyable son que rend une telle formation.

La caravane Offenbach s'installa donc juste au bas de la scène, en remuant des tables et des chaises, en commandant des flots de bière, en contemplant l'orchestre. Ils étaient dix-sept sur scène. Vogel, avec sa barbe et sa tête de bum de bonne famille, tapait sur son piano d'une main et dirigeait de l'autre. Le groupe interprétait des standards ainsi que des compositions de Vogel. C'était à faire dresser les cheveux sur la tête.

Chez Offenbach, c'était la frénésie.

« C'est-tu fort !... » ne cessait de répéter Gerry en battant furieusement du pied sous la table et en ingurgitant des gallons de houblon.

À la fin, alors que tout le monde était passablement éméché, Vogel annonça *Georgia on My Mind*. C'était trop. Les gars d'Offenbach se mirent à brailler dans leur bière. Gerry répétait, comme si le Saint-Esprit lui était apparu :

« Hé, Johnny, c'est-tu beau, ça, hein ?... Écoute ça ! Nous autres, on le joue mais avec les brass, c'est pas pareil, écoute les arrangements, tabarnac... Breen ! Entends-tu ça, Breen ?... »

L'un ou l'autre finissait par répondre, pour avoir la paix :

« Ouais, c'est bon en ostie... »

Gerry continuait :

« Breen ?... Tu sais c'qu'on devrait faire ?... On devrait faire queq' chose avec eux autres, avec Vogel pis sa gang !

— Es-tu malade, Gerry !... As-tu vu ça su'l'stage : y' sont dix-sept, man ! C'est un éléphant, ça. Ça va prendre deux autobus rien que pour les musiciens !...

— Bah, on va faire une shot, jus' un show. Icitte, en ville. Ça va aider pour lancer *Traversion*. Jus' une shot, comme la messe noire à l'Oratoire, c'tait au boutte, ça... On aurait besoin d'un' affaire de même. Tu t'en souviens de la messe noire, Johnny ?... »

Johnny émettait un faible *ouais*...

Gerry ne se considérait pas comme battu :

« C'est ça qu'on va faire, Breen, une shot avec Vogel !

— O.K., Gerry.

— Pis on va l'enregistrer.

— O.K.

— Pis on va faire un disque.

— O.K.

— Pis on va mettre trois, quatre choristes.

— O.K.

— Pis on va jouer nos tounes !

— T'es malade, Gerry. »

Après le show, Vogel s'attabla avec Gerry et sa bande pendant un moment. Dans les yeux du musicien de jazz, on pouvait lire :

Un' aut' ostie d'gang de rockers ben saouls! Qu'est-ce qu'y' veulent de moi, eux autres?...

Gerry lui exposa néanmoins le projet :

« Vic, j'veux chanter *Georgia* avec ton band !

— Gerry, you're not bald enough, you're not fat enough... and you're the wrong color !... » commença par dire le musicien de jazz, qui n'avait qu'une vague idée de ce qu'était Offenbach.

Mais Vogel finit par trouver Gerry et les autres plutôt sympathiques. Gerry jugea que Vogel était un *vrai*, qu'il y aurait donc moyen de s'entendre avec lui.

Victor Vogel était né en 1935 d'un père et d'une mère d'origine hongroise qui s'étaient connus ici après avoir immigré au Canada chacun de leur côté pendant la Dépression. Malgré l'interdiction de son père, le petit Victor avait appris à jouer du piano sur l'instrument acheté pour son frère aîné. En 1968, Vogel avait formé son fameux big band. En 1976, il avait travaillé sur la musique des cérémonies d'ouverture et de fermeture des Jeux Olympiques, avait réussi à mettre quelques sous de côté et considérait qu'il avait dorénavant le droit, dans la vie, de n'en faire qu'à sa tête.

Pour lui aussi, la musique était intimement liée au plaisir et à la vie, aux femmes et aux nuits blanches.

Gerry aimait bien cette attitude-là.

À partir de ce moment, il leur arriva à tous deux de partir en vadrouille — Gerry disait : « Tu vas voir, j'vas l'saouler, l'gros... » — et il advint aussi, un de ces soirs-là, que Vogel dut ramener Gerry à la maison en le traînant sous son bras ! Le jazzman était autrement baraqué que son nouveau chum de musique et il portait plutôt bien l'alcool...

Les deux hommes hantaient le restaurant-bar Le Script, en face de la Maison de Radio-Canada, boulevard Dorchester. Entre la bière et le cognac, chacun ajustait son tir. Gerry n'était pas certain d'aimer la façon dont Vogel parlait du rock'n'roll :

« Vois-tu, Gerry : le rock, c'est le p'tit frère du jazz, le p'tit frère délinquant, habillé avec des jeans troués, pas trop bright... Mais c'est pas une raison pour pas l'aimer pareil !

— Fuck you, Vic !... Le rock, c'est not' cœur, ostie, c'est la musique des trous d'cul comme nous aut' ! C'est not' fun, not' messe... Parle pas cont' le rock, Vic !

— Ben non, Gerry. C'est correct, le rock, c'est une révolte aussi, comme le jazz l'a été longtemps... C'est correct, le rock... C'est jus' que...»

Ils n'en sortaient plus.

On parvint tout de même à s'entendre sur les tounes que les deux bands interpréteraient ensemble : celles d'Offenbach. Et on convint qu'il y aurait une seule répétition dans un local du boulevard de Maisonneuve, le dimanche précédant les deux soirs de représentation au Théâtre Saint-Denis.

Harrison était arrivé à Montréal à peine quelques jours plus tôt. La veille de la répétition, on avait bu, on avait mangé des cigares au chou et on avait joué aux cartes toute la nuit rue Beaudry : le nouveau batteur avait empoché 650 dollars, Johnny et Gerry s'étaient retrouvés en déficit de 200 ou 300 dollars chacun... Bref, on se présenta boulevard de Maisonneuve avec de sérieuses gueules de bois.

Tout de suite, ce fut fort ardu.

Vogel avait préparé des partitions, mais seuls Gerry et Breen étaient vraiment en mesure de les lire. Harrison avait essayé... mais c'était désespérant. Et Lebœuf avait fini par lui arracher les feuilles des mains en disant :

«Touche pas, Bob, tu vas t'faire mal avec ça...»

Pour comprendre l'esprit dans lequel les choses se déroulèrent, il suffit de savoir que Vogel trouva tout de suite un surnom pour Harrison :

«Tape pas si fort, King Kong, on s'entend pus icitte!...»

Quant à Lebœuf, il se prit immédiatement aux cheveux avec Vogel. Dans certaines pièces, le bassiste devait interpréter les mêmes lignes mélodiques que le joueur de tuba, Andrew Homzy, et il estimait que le gros instrument de cuivre était mal accordé :

«Ça sonne faux, Vic, c'est épouvantable comment c'est faux...»

Vogel grimpa sur ses grands chevaux :

«This guy has more talent in his little finger than you'll ever have, boy! He knows music, he's graduated from McGill...

— Y'est peut-être toutte ça, ton gars, man... mais qu'y' s'accorde, câlisse!...» hurla Breen, rouge de colère.

Gerry, lui, jouissait du spectacle !

Quelque part, un de ses rêves d'adolescence se réalisait. Devant tous ces cuivres, devant ces deux dizaines de musiciens, il allait chanter comme il avait toujours voulu le faire, ornant de sa voix une instrumentation pleine, profonde, riche. Il allait interpréter *Georgia on My Mind* mieux que Ray Charles ne l'avait jamais fait!

Vraiment, il trouvait tout très bien.

Lorsque vint le temps de répéter *L'Hymne à l'amour* qu'Offenbach avait remanié à la sauce rock'n'roll, Vogel repêcha les partitions utilisées en 1962 lorsqu'il avait accompagné Édith Piaf lors de son passage à Montréal. Et, ému, il proposa de faire la pièce de cette façon-là — douce et langoureuse — plutôt qu'à la manière Offenbach.

Contre toute attente, Gerry ne protesta pas.

Pour lui, cette fusion du rock et du jazz était, en même temps que la réalisation d'un rêve, une fascinante expérience de chimie. Il avait versé les deux ingrédients principaux dans une éprouvette, il avait fait trois pas en arrière pour mieux observer... et il attendait maintenant de voir si le mélange allait ou non lui exploser à la figure!

Le vendredi trente mars 1979 à vingt heures, le Théâtre Saint-Denis était bondé.

Dans un camion, derrière l'immeuble, Ian Terry trônait à la console d'enregistrement vingt-quatre pistes de Filtroson, qui était branchée sur la quarantaine de microphones disposés sur la scène. Il était déjà entendu que l'on tirerait un disque de l'événement; Vic Vogel avait lui-même versé 5 000 dollars à la Guilde des musiciens afin de garantir les cachets de sa troupe. Avant même que le show débute, la foule était déjà en délire. On s'attendait à un événement. Ç'en fut un.

En première partie, Offenbach monta seul sur scène et interpréta presque exclusivement les tounes du microsillon *Traversion*, fraîchement sorti et peu connu du public. Le groupe enchaînait les pièces sans présentations, sans temps d'arrêt. Le son était affreux par moments — à la console de mixage, on mit un certain temps à s'ajuster. La foule commença à goûter le spectacle à partir de *Ayoye* et fut totalement conquise avec *Mes blues passent pus dans' porte*, la toune la plus commerciale de *Traversion*.

Après l'entracte, Vogel et ses musiciens montèrent sur scène vêtus de tuxedos blancs. (Au soundcheck, l'après-midi, Johnny avait prédit : « Y' vont touttes être habillés en blanc pis nous autres, en avant, on va encore avoir l'air d'une gang de crottés!...») Les quatorze cuivres s'installèrent sur trois rangées à la gauche de la scène; les quatre choristes étaient juchées sur un promontoire, les deux batteurs l'un derrière l'autre, Harrison à l'avant. Vogel et Gerry jouaient dos à dos devant les cuivres. Lebœuf, Gravel et McGale, au centre, disposaient d'un grand bout de scène pour bouger à l'aise.

La sonorisation fit encore des siennes au début de la deuxième partie, mais lorsqu'on aborda les classiques, *Faut que j'me pousse*, *Promenade sur Mars*, *Georgia on My Mind*, *Câline de blues*, *Teddy*, *Chu un rocker* et *L'Hymne à l'amour*, on sut que c'était gagné.

L'expérience de chimie était concluante.

Le lendemain, La Presse titrait : «Mariage réussi entre Offenbach et le Big Band de Vogel.» Le lundi, Le Devoir poursuivit sur le ton qui était souvent le sien lorsqu'il parlait d'Offenbach et, sous le titre «Le groupe Offenbach... ou les derniers hommes forts du Québec», statua que «...la musique trop préoccupée par ses biceps, a perdu de sa vitalité et de sa poésie. On sent qu'Offenbach est à l'aube de devenir un groupe de rock comme tant d'autres, comme tous ces robots qui défilent sur la scène du Forum et qui de spectacle en spectacle ont de moins en moins de choses à dire».

Gerry et les autres membres du groupe, eux, étaient trop épuisés pour profiter de cette grande réussite. En outre, Terry dut leur annoncer une mauvaise nouvelle : les bandes enregistrées dans le camion de Filtroson étaient à peu près inutilisables et il faudrait tout refaire — à la perfection, cette fois-là — lors du concert du lendemain.

On convint donc de remettre les festivités à plus tard et tout le monde alla dormir.

Le show du samedi soir fut nettement plus réussi du point de vue technique et les bandes se révélèrent impeccables.

On ne se doutait pas à ce moment-là qu'on mettrait des mois à compléter le mixage, que le processus (amorcé au Studio Tempo en avril et achevé chez Marko en décembre 1979) serait l'occasion de nombreuses remises en question. La première version, supervisée par Vogel, mettait les cuivres à l'avant-plan de façon... un peu exagérée au goût d'Offenbach et de Spectra Scène — car

Alain Simard était officiellement devenu, entre-temps, le gérant d'affaires d'Offenbach. On refit plus ou moins secrètement le mixage avec un son plus rock'n'roll qui plut aux radiodiffuseurs CKOI et CHOM.

On ne savait pas non plus que toutes les compagnies de disques, l'une après l'autre, refuseraient d'acheter les bandes de *En fusion*. À cette époque, les multinationales du disque abandonnaient en douce la filière québécoise, déçues des nombreux échecs encaissés au cours des années précédentes. Le microsillon devait être lancé presque un an après le show, le douze février 1980. Et il le fut sur étiquette Spectra Scène/Offenbach, tout simplement, puisque personne d'autre n'en avait voulu !

Certains durent s'en mordre les pouces.

La critique, unanimement, encensa l'œuvre. Et *En fusion* devint le premier disque d'or — cinquante mille exemplaires vendus — d'Offenbach.

Le show avec Vogel fut également monté pour la télévision sur la scène du Centre olympique de Bromont, le quatre août 1979, devant une foule de plus de sept mille personnes. Une foule bigarrée réunissant de bonnes gens de la banlieue montréalaise mêlés à un certain nombre de motards. Quelques-uns de ceux-ci démolirent d'ailleurs à coups de bâtons de baseball la voiture d'un spectateur qui avait eu le malheur de reculer sur une moto et de tenter de fuir sans dédommager le propriétaire...

Inspiré par cette ambiance, Gerry eut ce soir-là, avant le show, un mot qui devait rester célèbre dans les coulisses du showbiz. Sans vouloir mal faire, c'est certain, quelqu'un avait monté le buffet destiné aux membres d'Offenbach à partir de liqueurs douces, de fromages, de friandises, de jus divers, de plateaux de fruits abondants et variés.

Gerry, mis en présence du responsable après avoir vainement cherché partout la bière et les chips, regarda le type droit dans les yeux et lui lança sur un ton méprisant :

« Hé !... On mange pas de t'ça, nous aut', des frrruits !... »

***

Gerry ne mangeait pas de fruits.

Mais il lui arrivait de tomber de plus en plus abruptement dans la poudre, sans d'ailleurs que cela nuise à ses performances sur scène. Il développait une curieuse attitude vis-à-vis de la coke. Il en achetait toujours fort peu. Mais ne s'entourait-il pas — inconsciemment, sans doute — de chums qu'il savait bien approvisionnés?... En outre, il tolérait mal que Françoise l'imite, même si ses appétits à elle, en cette matière, étaient infiniment plus modestes!

Le dimanche trois juin 1979, le lendemain d'un show donné avec Vogel au Palais Montcalm, à Québec, une sonnerie d'alarme aurait dû retentir dans la tête de Gerry.

Ce soir-là, Offenbach officiait à la fermeture du El Casino, huit mois après s'y être produit pour la première fois. Le El Casino avait ouvert ses portes le vingt-trois novembre 1977. Dix-huit mois plus tard, c'était un constat d'échec pour Simard et Ménard, qui avaient pendant tout ce temps travaillé comme des damnés afin de rentabiliser la boîte et qui n'arrivaient pas à faire leurs frais.

« Toute l'énergie qui s'est développée ici n'est certainement pas perdue pour l'avenir... », avait lancé André Ménard au public en guise d'adieu avant qu'Offenbach ne monte sur scène. Il ignorait à ce moment-là qu'avec Simard, il ouvrirait bientôt le Spectrum à deux pas de là, déclenchant ainsi la fulgurante expansion de l'empire Spectel.

Bref, ce soir-là, Offenbach donna deux spectacles complets séparés par un entracte de quatre-vingt-dix minutes. Dans ce laps de temps, Gerry se tapa trois tonnes de coke dans les toilettes de la boîte et, lorsque vint le moment de remonter sur scène, il se rendit compte qu'il avait totalement perdu la voix. Lebœuf et McGale durent interpréter la majorité des tounes. À la fin, c'est le public qui chanta lui-même *L'Hymne à l'amour!*...

Après le show, Gerry répétait de sa faible voix :

« Tabarnac, qu'est-ce qui m'est arrivé là?... »

Il n'eut pas le temps de s'étendre là-dessus. Le lendemain, Offenbach s'envolait vers la France pour le premier des quatre périples que le groupe y effectuerait entre 1979 et 1981.

Chaque fois, il s'agirait de courts séjours destinés à mousser la vente de leurs disques et à donner quelques spectacles, souvent en compagnie des chanteurs français Jacques Higelin ou Bernard Lavilliers, devenus de bons copains des membres d'Offenbach. Le groupe ne réussit jamais à vraiment percer en Europe. Il obtint de flatteurs succès d'estime dans les milieux branchés, mais il ne fut guère capable d'aller plus loin.

Le jeudi sept juin, Offenbach enregistra une émission dans les studios parisiens de la chaîne RTL, devant un public d'une cinquantaine de personnes constitué majoritairement d'enfants traînés là de force et de dames d'un certain âge venues entendre des pièces de *Jacques* Offenbach ! Dix jours plus tard, les cinq musiciens se produisirent au Palace. Puis ils revinrent au Québec après avoir mis sens dessus dessous la suite dont ils disposaient dans un hôtel du Champ-de-Mars et avoir tourné en bourrique le pauvre chauffeur de la limousine Mercedes mise à leur disposition par RCA/France...

Ces excès finiraient un jour par mettre en furie le tandem Simard-Ménard.

Car eux avaient des projets pour Offenbach. Et pour Gerry.

D'abord, pas plus que la vedette du groupe, ils n'abandonnaient l'idée de voir Offenbach percer un jour en France ou, mieux encore, aux États-Unis. Ensuite, ils voulaient faire du groupe un géant de scène à l'échelle du Québec : ils envisageaient déjà une tournée comme on n'en avait jamais vu ici, une tournée des arénas avec trois camions-remorques, un tour bus, quinze techniciens, *comme si on emmenait les Rolling Stones à Matane !*... illustrait Ménard.

Enfin, à plus long terme — mais ça, ils se gardaient bien d'en parler —, ils voyaient Gerry mener une brillante carrière solo, un peu à la façon de Tom Waits. En 1978, ils avaient emmené Gerry voir et entendre Waits lors d'un de ses passages à Montréal. En sortant de là, Gerry disait :

« Bah... C'est du théâtre, ça... »

Mais Simard et Ménard étaient persuadés que Gerry avait apprécié le show et avait saisi le rapprochement qu'ils souhaitaient lui voir faire. Ils n'avaient pas tort : Gerry avait déjà commencé à se constituer une collection des disques de Tom Waits, qu'il écoutait avec de plus en plus de régularité et d'avidité.

Pour arriver à tous ces résultats, il était impérieux que les membres du groupe montent sur scène sans bouteilles de bière, sans cigarette au bec, un peu mieux vêtus; qu'ils se soumettent à une plus grande discipline de travail; qu'ils essaient de se donner des allures un peu moins machos. Bref, qu'ils pensent au moins un peu à leur image, nom de dieu !

C'était difficile d'expliquer ça à Gerry, ou à Johnny, de leur demander d'être autre chose que ce qu'ils étaient pour vrai, dans la vraie vie...

Sur *Traversion*, justement, Gerry ne chantait-il pas :

Je commence enfin à comprendre
C' qu' on voulait dire par « le silence est d' or »
Les limousines et les disques platines
Pour les avoir, faut faire le mort
Moi j' veux hurler, me faire entendre ben haut
Jamais r' descendre pour faire le beau...

En juin, Alain Simard essaya d'aborder ce sujet avec Lebœuf et McGale en les invitant à dîner dans un restaurant chic — et cher — de Paris. Il leur exposa quelques-uns de ses projets puis parla de l'image du groupe et des modifications qu'il était nécessaire, selon lui, d'apporter. Breen lui dit :

«Écoute, Alain, t'as peut-être raison : peut-être qu'on vendrait plus de records. T'as peut-être raison.... mais pour un autre groupe qu'Offenbach! Vois-tu : Offenbach, ça marche déjà, ça marche à not' goût. Les Québécois sont prêts pour un band comme ça, pis y' l'aiment tel quel...

— Breen, y'est pas question de changer votre musique, de toucher à votre liberté artistique... On veut pas que Gerry se coupe les cheveux, non plus, calvaire, c'est pas la question!...

— Alain, Alain!... Si tu penses que tu peux vendre ces idées-là à Gerry pis à Johnny, s'il vous plaît, j'veux être là pour voir leur réaction! Parce que j'sais c'qu'y vont dire...»

Ces divergences de vue entre Simard et Ménard d'une part et les membres d'Offenbach d'autre part, vinrent rapidement aux oreilles des journalistes. André Ménard, qui, le plus souvent, faisait face à la musique, ne contribua jamais à alimenter le débat sur la place publique. Il préférait dire :

«Offenbach, c'est des bons gars qui n'ont pas de problème d'image parce qu'ils sont tout simplement eux-mêmes, sans compromis. C'est un groupe qui a assez de témérité pour refuser de participer à un spectacle de télévision très important, à TVA, devant deux millions de spectateurs, parce que le réseau leur propose un passage en lipsync et non pas live... C'est ça, Offenbach!»

On put très tôt vérifier la difficulté qu'il y avait à convaincre Gerry et les autres de se plier au jeu de l'image et de la machine médiatique.

Le dimanche vingt-trois septembre 1979, à la salle Wilfrid-Pelletier de la Place des Arts, l'Association du disque et de l'industrie du spectacle québécois (fondée deux ans plus tôt) tint son premier gala, instituant la remise annuelle des trophées *Félix*.

Le but était évidemment de faire mieux sentir, surtout aux politiciens, le poids de cette industrie.

«On doit prendre conscience que nous ne représentons pas juste des cheveux longs et des artistes, mais qu'on est une industrie de plus de 100 millions de dollars!» répétait aux journalistes l'imprésario Guy Latraverse, chargé de l'organisation des festivités.

Un mois avant le gala, les membres d'Offenbach reçurent chacun un carton d'invitation — *entrée, 50 dollars; cravate noire exigée*. Ils apprirent aussi que *Traversion* était en nomination pour le disque rock de l'année, en lice avec April Wine (pour *First Glance*), Michel Pagliaro (*Pagliaro Rock and Roll*), Walter Rossi (*Six Strings, Nine Lives*) et Mahogany Rush (*Tales of the Unexpected*).

Gerry haussa les épaules :

«Y' partent un' ostie d'affaire pour se flatter l'un l'autre... Un aut' gammique! Moi, j'y vas pas.»

Il remplit néanmoins le bulletin de vote — puisque les membres de l'*industrie* étaient appelés à se prononcer sur le choix des vainqueurs — et le posta aux bureaux de l'ADISQ. Breen se moqua de lui. Johnny encore plus :

«Tu perds ton temps, Gerry...

— Je l'sais ben, Johnny... Je l'sais ben qu'la gang à Latraverse, y' vont gagner cinquante poupées pour leu' tabarnac de chanteurs tout croches, pis Simard va ramasser les autres...»

Alain Simard, justement, se mêla de l'affaire :

«Écoutez, les gars : venez au gala, on va vous payer l'entrée pis vous porterez c'que vous voudrez... Pourvu qu'vous soyez là!...»

Gerry fit savoir :

«On veut pas aller là... Toutte d'la marde... Quantité industrielle de bullshit...»

Tout ce qu'on demandait à Gerry, pour l'instant, c'était d'être présent à un gala! Simard soupira puis revint à la charge :

«Bon, d'accord. J'vas être obligé de vous l'dire : il faut que vous soyez à l'ADISQ parce que vous gagnez le trophée pour le disque rock de l'année!»

Ça, c'était autre chose! Gerry passa la consigne à ses chums de musique :

«Les boys, y' veulent nous donner une poupée!... Ça peut faire vendre des disques : on va y aller chercher notre poupée!...»

Ils allèrent à la Place des Arts pour recevoir leur trophée. McGale portait un chapeau de cow-boy; Lebœuf, une barbe de trois jours; Harrison, sa mine la plus patibulaire. Tout le monde était ivre — Gravel, pas suffisamment à son goût puisqu'il passa la soirée au bar, dans le hall de la salle Wilfrid-Pelletier! Devant les caméras de Radio-Canada, Gerry se chargea des remerciements habituels. Au grand soulagement d'Alain Simard, il fit comme il fallait, sans livrer le fond de sa pensée sur l'événement.

Cela aurait été d'autant plus mal venu que l'écurie de Gilles Talbot — celle de Kébec-Disc et de *Traversion* — venait de remporter huit *Félix!*

***

En apparaissant à la télévision dans le cadre du gala de l'ADISQ, Gerry et ses chums de musique venaient de se créer une niche dans l'imagerie populaire.

Depuis 1972 et surtout depuis 1975, Offenbach était un nom connu au Québec. Tout le monde, même ceux qui auraient préféré être coupés en rondelles plutôt que d'écouter du rock, savait que le groupe était une bande de mauvais garçons produisant une musique bruyante, peut-être, mais pas totalement dépourvue de valeur.

Cependant, les voir à la télévision recevoir un trophée, c'était autre chose. Ils devenaient les *mauvais garçons officiels* du monde du showbiz! Ils accédaient au vedettariat sans compromis apparents, libres de toute attache.

On commença à les regarder avec une sorte de respect.

Mais la vie d'Offenbach était ainsi faite que, quatre jours après cette consécration, les musiciens reprirent la route avec un seul technicien, entassant les instruments dans un camion pour se rendre au Centre paroissial de Thetford Mines. En septembre, octobre et novembre, le groupe donna ainsi une vingtaine de shows à travers le Québec, de l'Abitibi au Bas du fleuve, de Notre-Dame-du-Nord à Saint-Jean-sur-Richelieu.

Le quinze décembre 1979, Gerry et les autres entrèrent au Studio Marko, rue de Lagauchetière, afin d'enregistrer un deuxième microsillon en anglais, *Rock Bottom*. Ils disposaient cette fois d'un budget de production beaucoup plus substantiel que celui alloué à *Traversion* puisque la Société Radio-Canada — et le producteur Alain de Grosbois — avait décidé de participer au projet.

Encore une fois, Gerry était déterminé à risquer beaucoup sur un marché anglophone qui n'avait pourtant pas répondu à *Never Too Tender*, le premier clin d'œil qu'on lui avait fait. Gravel préférait ne rien dire... Mais avait-on le choix ? Qu'aurait-on pu trouver d'autre ? Le Québec est bien petit. Depuis un an, Offenbach avait récolté de gros succès, était allé au maximum de ce qu'un groupe autochtone pouvait espérer. Alors, restait la France. Ou l'Amérique anglophone. Gerry disait :

« Faut qu'on entre dans les ligues majeures, astheure ! »

Simard et Ménard réfléchissaient aussi. En deux soirs, le groupe, avec Vogel, avait drainé trois mille cinq cents personnes au Théâtre Saint-Denis. *Traversion* marchait bien. La radio embarquait enfin.

Pourquoi pas le Forum ?...

Alain Simard avait lancé le mot comme ça, sans vraiment y penser. Personne — des Québécois, s'entend — n'avait encore fait le Forum. Des shows gratuits, oui, bien sûr. Ou des concerts comme celui du Ville Émard Blues Band, en 1974, qui était fortement commandité et auquel moins de trois mille personnes avaient assisté. Charlebois avait aussi assuré la première partie de Steppenwolf. Et on racontait que Diane Dufresne envisageait de s'y produire.

Mais personne ne l'avait encore vraiment fait.

Alors, pourquoi pas ?

Le tandem Simard-Ménard commençait à voir grand. En 1979, leur chiffre d'affaires avait dépassé la barre du million de dollars ; Spectel Vidéo était lancé ; on s'apprêtait à démarrer, à l'été 1980, le Festival international de jazz de Montréal.

Alors vraiment : pourquoi pas ?...

Une nuit, Simard s'installa chez lui avec des liasses de papier et fit dix fois tous les calculs, mijota un plan de marketing, révisa ses chiffres dix autres fois : on pouvait y arriver avec l'entrée à 8 dollars 50, un peu au-dessous des Américains ou des Britanniques qui commandaient en général un billet supérieur à 10 dollars.

À sept heures du matin, Simard n'en pouvait plus. Il décrocha le téléphone et composa le numéro de l'appartement de la rue Beaudry. Gerry dormait encore, évidemment. Après douze sonneries, il parvint à attraper le combiné et à articuler :

« Ouais...

— C'est Alain !

— Alain ?... Tabarnac, Alain, as-tu vu l'heure ?

— Laisse faire l'heure, Gerry. J't'annonce une maudite nouvelle : vous allez faire le Forum ! »

Vingt secondes de silence.

« Qu'est-ce' tu dis ?

— Offenbach va faire le Forum, Gerry... Le Forum !...

— Ça marche pas dans' tête, Alain ? Tu serais mieux de t'coucher la nuit, pis de dormir... »

Gerry avait raccroché, s'était enfoui la tête dans l'oreiller, avait posé sa main sur la cuisse de Françoise, toute chaude à ses côtés. Et il avait essayé de chasser cette ridicule pensée de son esprit pour retourner à son rêve — qu'est-ce que c'était déjà ?... — brutalement et inutilement interrompu.

Il ne parvint toutefois pas à retrouver ce rêve-là. À la place, il y avait maintenant une grande scène montée à l'extrémité de la patinoire du Forum.

Et dessus, les cinq musiciens d'Offenbach.

Partis pour la gloire

Alain Simard contempla le combiné du téléphone pendant quelques secondes avant de raccrocher lui aussi. Il n'était pas offusqué ni étonné. Il souriait même ! Il était certain de ce qui allait suivre. De fait, trois minutes plus tard, il y eut une sonnerie. Simard décrocha tout de suite... et se fit crever le tympan :

« Yeahhh !!!... »

Simard ne souriait plus, il riait aux éclats ! Il imaginait la scène. Gerry devait être debout sur son lit, tout nu, en train de hurler et d'effectuer une dévastatrice danse de la joie aux dépens du matelas... Françoise, brutalement tirée du sommeil à son tour, secouée comme un pommier, devait sûrement lui dire :

« Veux-tu te calmer, Gerry, pis m'expliquer ce qui s'passe ! »

Maintenant, Simard était tout à fait décidé : on allait plonger.

Il fallait commencer par mettre la bande de Spectra Scène dans le coup, bien sûr. André Ménard, le premier. Et Denyse McCann, qui travaillait avec les deux autres sur la carrière d'Offenbach.

L'étape suivante consistait à réquisitionner le Forum, ce qui était plus compliqué.

D'abord, l'amphithéâtre était la chasse gardée de Donald Tarlton, le ponte de Donald K. Donald, et servait exclusivement, en pratique, aux groupes anglophones. Des frogs en vedette au Concert Bowl, on n'avait jamais vu ça ! Contre toute attente, cependant, tout se passa relativement bien de ce côté. Il est vrai qu'on était à quelques semaines du Référendum de mai 1980 et que personne ne désirait provoquer les hordes nationalistes...

Ensuite, il fallait apprivoiser cette vénérable institution, habiter le temple des Molson, pénétrer la mecque des Canadiens.

Le Forum, c'était gros. Et dispendieux. On dut verser à la Canadian Arena Company un dépôt de 15 000 dollars : le trio de chez Spectel emprunta la somme à parts égales, Simard à sa mère,

Ménard à son beau-frère, McCann à son père (les membres d'Offenbach, eux, risquaient leurs cachets dans l'aventure puisqu'ils consentaient à se produire sans garantie).

Mais ce n'était pas le plus frustrant. Le pire, c'était cette sorte de mépris que l'on sentait dès qu'on mettait le pied dans l'enceinte de la rue Sainte-Catherine. Combien de fois Ménard avait-il résisté à la tentation de hurler, pour se contenter de siffler entre ses dents :

« Y' nous traitent comme des minus, les ostie... Y'ont beau dire, c'est pas une place pour les Francos, icitte... »

Par exemple, lorsque Offenbach avait lancé le microsillon *En fusion*, le projet du Forum avait déjà été rendu public et le tandem Simard-Ménard avait trouvé intéressante l'idée d'inviter les joueurs du Canadien au party donné au Studio Marko. De belles lettres d'invitation furent rédigées, *le premier groupe québécois à donner un spectacle dans le temple des Glorieux... Offenbach aimerait donc vous recevoir...*, bla bla bla, ce genre de choses. Ménard apprit par la suite que ces lettres, dieu sait par quel malencontreux incident survenu dans la manutention du courrier, avaient été déposées dans les pigeonniers des hockeyeurs le *lendemain* du lancement...

Le soir du concert également, le personnel du Forum fit tout son possible pour emmerder les pouilleux d'Offenbach et leur équipe technique. On refusa de faire entrer l'automobile de Simard sous les gradins lorsqu'il se présenta avec Gerry et Françoise — faire ça à des rockers américains aurait déclenché une émeute... Plus tard, on refusa aussi d'ouvrir la porte de la rue Lambert-Closse aux musiciens, les obligeant à un fastidieux détour pour aller bouffer un steak au Texan, rue Sainte-Catherine, dans le court laps de temps entre le soundcheck et le concert.

Ménard rageait :

« C'est du mépris, ça. Pis j'pense que, dans c'bâtisse-là, c'est pas à' veille de changer !... »

Bref, il fallut faire avec.

De sa nuit blanche, Simard était sorti avec des liasses de papier noirci au crayon, des projections financières, des projets de publicité et même des schémas d'aménagement pour la scène du Forum. Pendant plusieurs semaines, le patron de Spectra Scène avait organisé des rencontres avec Gerry, les autres membres d'Offenbach, les principaux techniciens, afin de parcourir ces documents et de trouver des solutions aux problèmes qui se présentaient.

Par exemple, il fallait décider si la quincaillerie de son et d'éclairage serait entièrement suspendue, dégageant ainsi la scène, comme le faisaient les groupes américains ou anglais — finalement, on avait dû se résigner à ne suspendre que l'éclairage. On devait aussi décider s'il y aurait des risers, ces sortes de promontoires destinés à la batterie, aux claviers et à l'un ou l'autre des guitaristes ; et si oui, de quelle taille et de quelle façon ils seraient disposés. Il fallait discuter du dispositif d'amplification avec Yves Savoie, un type qui travaillait régulièrement avec Offenbach depuis quelque temps et qui était en train d'établir sa réputation comme un des grands magiciens du son de scène au Québec.

Tout cela prenait du temps et de l'énergie. Gerry était terrorisé par le gigantisme technique de l'événement — car on allait là en terrain inconnu pour un groupe québécois. Et il était toujours stupéfait lorsqu'on lui présentait les coûts de tel ou tel ajout, de telle pièce d'équipement *indispensable* qu'il fallait louer.

« Tabarnac, Alain, qu'ça coûte cher. Quand on va avoir fini de tout payer ça, y' nous restera pus une cenne !... »

Et puis, Forum ou pas, la vie continuait.

Entre le vingt-quatre et le vingt-neuf mars 1980, Offenbach et le band de Vic Vogel firent une mini-tournée du Québec, donnant des shows à Rimouski, Rivière-du-Loup, Chicoutimi, Québec, Trois-Rivières et Sherbrooke. Le mardi premier avril, quarante-huit heures avant le concert du Forum, ils se produisirent au Centre national des arts d'Ottawa devant un parterre aux trois quarts vide : moins de cinq cent cinquante personnes s'étaient déplacées.

Le producteur local, Richard Michaud, était au désespoir. Il venait de dilapider 4 000 dollars. Il disait à Gerry, misérable :

« J'en arrive à croire qu'les gens de la région de l'Outaouais sont toujours en arrière, qu'y' sont toujours dépassés par l'actualité artistique... »

Gerry se contentait de hocher la tête. Cependant, en revenant à Montréal, il était soucieux et ne cessait de répéter :

« C'est frustrant en tabarnac... J'espère que ça s'ra pas comme ça après-demain !... »

Il avait tort de s'en faire. Vingt-quatre heures avant le spectacle au Forum, plus de huit mille billets étaient vendus. Quelques semaines plus tôt, la vente avait démarré lentement, très lentement : le jour de l'ouverture des guichets, le seize février, on avait monnayé trois cents places tout au plus. C'est à ce moment-là que Spectra Scène avait jugé prudent de prévoir une première partie et avait pensé à Roy Buchanan pour l'assurer. Puis, celui-ci s'était désisté et on avait dû refaire la publicité pour plaquer le nom de John Mayall sur les affiches et les encarts dans les journaux.

Le trois avril 1980, tôt le matin, l'équipe technique commença à monter la scène, à suspendre les rampes d'éclairage, à brancher les consoles de mixage, les amplis de puissance et les enceintes acoustiques.

Autour de midi, Gerry et les autres membres d'Offenbach arrivèrent sur les lieux. Lebœuf à bord d'un taxi, un ou deux autres dans la grosse voiture noire que Simard avait louée ce jour-là et qui était conduite par Serge Grimeau. McGale débarqua du métro, sa guitare sous le bras !

Harrison se mit en frais de monter sa batterie. McGale entreprit d'accorder sa guitare à double manche — dont un était garni de douze cordes. Gravel, peut-être le plus calme, se contentait de flatter sa Stratocaster en faisant des expériences sur ses boîtes à effets. Gerry allait de l'un à l'autre, disait un mot aux quelques journalistes admis dans le saint des saints, revenait à sa Hammond, descendait de scène, remontait, redescendait.

Derrière sa console, Savoie paraissait détendu, lui aussi, même s'il savait que la quincaillerie dont on disposait n'était pas à la hauteur d'un endroit comme le Forum.

« Ça va sonner comme un gros radio, câlisse... » disait-il, déprimé, à ses assistants. Mais il se gardait bien de faire part de ses inquiétudes à Gerry et aux autres musiciens : ce n'était vraiment pas le moment...

Après les tests de son, en fin d'après-midi, Gerry, Françoise, les autres musiciens, Simard, Ménard, ainsi qu'un ou deux techniciens se retrouvèrent au Texan — après s'être heurtés à la porte fermée de la rue Closse...

Ce n'était peut-être pas une bonne idée. La bouffe passait mal, on essayait de blaguer avec un succès fort inégal. Il y avait des moments de silence crispé. L'écran du téléviseur, au fond du restaurant, donnait le bulletin de nouvelles de Radio-Canada. On voyait Paul Toutant devant la marquise du Forum. On ne pouvait cependant pas entendre ce qu'il racontait et on devait se contenter de lire l'affiche lumineuse, derrière lui :

AVRIL	3	CONCERT OFFENBACH	8 P.M.
	5	BOSTON	8 P.M.
	18	CONCERT APRIL WINE	8 P.M.
MAI	2	LES ÉTALONS ROYAUX	
		LIPIZZAN	8 P.M.
	7	CONCERT THE WHO	8 P.M.

Cela seul donnait la juste mesure de l'importance du concert au Forum... car pendant des années, Offenbach avait connu des hauts et des bas dans ses relations avec les médias.

Le groupe avait bien quelques partisans. Dans les périodiques spécialisés, par exemple. Ou même dans les grands médias : Toutant en était un, comme Bruno Dostie l'avait été au défunt quotidien Le Jour ; comme Georges-Hébert Germain et Pierre Beaulieu à La Presse ; ou Jacques Marois au Soleil de Québec ; ou Nathalie Petrowski au Devoir — mais elle, ça dépendait des jours. Obnubilée par le machisme d'Offenbach, il lui arrivait d'écrire *Gerry Tarzan Boulet!*...

Mais cette fois-ci, on était à la télé. Et pas à une quelconque émission culturelle bien enfouie au fond de la grille-horaire, non, on était aux *nouvelles de six heures!*

Ça ne s'était jamais produit auparavant.

En mastiquant laborieusement un steak qui ne voulait pas passer, Gerry se rendit compte subitement qu'Offenbach était en train de risquer le tout pour le tout : après avoir attiré toute l'attention sur lui, le groupe ne pouvait pas se payer le luxe d'un bide — ou même d'un succès mitigé — à Montréal ; on n'était pas les Rolling Stones, on n'avait nulle part ailleurs où aller !

Au surplus, on craignait pour le son, même si Savoie gardait pour lui ses doutes existentiels.

Tout l'équipement prévu n'avait pas été livré : on ne disposait que de vingt-quatre enceintes de chez Soloteck, huit S-4 et seize S-2, capables de rendre une puissance totale de seize mille à vingt mille watts. C'était insuffisant. Il aurait fallu quarante mille watts au bas mot pour être certain de ne pas manquer de jus !... La puissance d'éclairage, elle, était convenable : quelque chose comme deux cent mille watts. Mais on était conscient de ne pouvoir rivaliser avec la débauche de lumière que déclenchaient invariablement les groupes anglo-saxons.

À la fin du repas, Gerry lança, comme s'il avait voulu balayer toutes ces inquiétudes du revers de la main :

«Bof... faites-vous-en pas, les boys... On va les rocker, les freaks de Montréal!...»

Retour au Forum.

Le Concert Bowl (un aménagement qui rendait inutilisables environ le tiers des banquettes de l'amphithéâtre) était plein.

Les neuf mille deux cents sièges étaient occupés. On avait vendu quelques centaines d'autres billets pour des places debout. Il y avait en outre des dizaines d'invités, dont une brochette de pontes de l'industrie américaine du disque et du spectacle ameutés par Spectra Scène.

Au total, une foule criarde avec des bataillons de drapeaux du Québec — le Référendum... — sous lesquels, en attendant le début du show, des ti-culs habillés de jeans et de cuir flirtaient des hordes de filles en T-shirts.

Toute cette assemblée trépignait, criait, sifflait.

C'était à crever de peur!...

Entre vingt et vingt et une heures, dans la loge, pendant que John Mayall réchauffait la salle, Gerry bâillait comme jamais il ne l'avait fait auparavant... Il avalait tout l'air autour de lui, incapable de refermer la bouche, ne serait-ce que pour articuler quelques mots!

Vic Vogel, venu en curieux, rôdait quelque part dans les couloirs, sous les gradins.

Les autres membres d'Offenbach allaient et venaient, jetaient un œil sur la scène. Mayall se produisait torse nu et portait des shorts très courts. Il s'escrimait sur *Room to Move* et *Stormy Monday*. À cette époque, son étoile pâlissait déjà. Au bout du compte, il reçut des applaudissements polis, chaleureux même, compte tenu du fait que la foule attendait plutôt Offenbach.

Après Mayall, il y eut l'entracte.

Puis les grosses lampes jaunes accrochées au plafond du Forum s'éteignirent, la foule se mit à hurler, à brandir les traditionnels briquets et Offenbach monta sur la grande scène. Dans les coulisses, à la dernière seconde, il fallut littéralement les pousser dans l'escalier! Gerry, Johnny, Breen et les autres étaient pétrifiés, ils se sentaient comme des condamnés à mort allant à l'échafaud... Plus tard, aucun d'eux ne parvint à se souvenir des deux ou trois premières pièces qu'ils avaient interprétées! Après, ce fut plus facile. Le public délirait. On reprit confiance, puis on éprouva une griserie comme jamais on n'en avait connu auparavant.

Le show dura près de deux heures. Une petite section de cuivres et le violoniste André Proulx apparaissaient sur scène avec le groupe pour faire certaines pièces. Les gars d'Offenbach bougeaient peu; il est certain qu'on ne parvenait pas encore à maîtriser tout cet espace, à occuper un stage d'une telle dimension. Mais les ti-culs, dans le parterre, s'en fichaient éperdument et chantaient *Promenade sur Mars* avec le groupe.

Il y eut trois rappels. Offenbach revint avec *Chu un rocker*. Puis Mayall apparut avec son harmonica pour donner un *Câline de blues* complètement dément aux côtés d'Offenbach. Délire total dans les gradins. Enfin, Gerry chanta *L'Hymne à l'amour* et ce fut terminé.

Par son énergie, par sa rage de musique, Offenbach avait pallié une technique déficiente.

Après le show, couvert de sueur, Gerry sautillait comme un enfant dans la loge.

« Yeah, man! On l'a eu, tabarnac, on l'a eu!... »

Il embrassait tout le monde, Françoise, ses chums de musique, Simard, Ménard, Denyse McCann, les techniciens, puis encore Françoise. Il aurait embrassé les placiers du Forum si on ne l'avait pas retenu!

Après une demi-heure d'effusions, tout le monde se retrouva dans les bureaux de Spectra Scène. La compagnie était maintenant installée dans un loft de la rue Saint-Jean-Baptiste, à l'angle de la rue Saint-Paul, dans le Vieux-Montréal, un local qu'on avait repris de Michel Pagliaro et qui était suffisamment grand pour contenir la joie d'Offenbach après un tel moment d'émotion. Plus d'une cinquantaine de personnes, dont les musiciens de Mayall, passèrent la nuit là à ingurgiter des flots de bière, à fumer des barreaux de chaise et à marcher sur des lignes blanches.

Au petit matin, on s'arracha les premiers exemplaires des quotidiens montréalais.

La Presse titra « Offenbach : une ovation méritée », estimant que « la foule, si elle n'avait pas été vendue d'avance comme c'était le cas, en aurait eu de toute façon pour son argent, et davantage». Le Journal de Montréal affirma pour sa part que, dorénavant, «il y a une tradition québécoise à établir au Forum». The Gazette y alla de «Offenbach rocks Forum in first home ice concert». Et Le Devoir statua que «ce qui est important, c'est que la montagne a été escaladée, conquise et démystifiée. Dans l'histoire accidentée des groupes québécois, Offenbach a su résister au découragement et a su persévérer».

À cinq heures, Gerry était tout à fait épuisé mais toujours extatique. Dans sa tête, il revoyait sa carrière comme on repasse un film en accéléré, les Double Tones, les Gants blancs, la France, *Traversion*, Vogel... Écrasé dans un coin, il confia à Breen :

«Là, c'est vrai : on est partis pour la gloire en chriss, mon Breen !

— Ouais... Mais qu'est-ce qu'on fait après le Forum, Gerry ?... On s'en va-tu jouer au cégep Édouard-Montpetit, hein ?...»

On aurait dit que Lebœuf était effondré ; ses nerfs venaient de lâcher, il faisait des yeux ronds et ne parvenait même plus à sourire. Johnny, à peu près dans le même état, réussit tout de même à conclure :

«Ben ostie, on va continuer à faire d'la musique, c'est toutte, calvaire !...»

Gravel n'en démordait pas.

Les nanas du Café Cléopâtre

L'accueil réservé à *Traversion*, la spectaculaire fusion avec le big band de Vic Vogel, le Forum (le Forum!...), tout cela fit en sorte qu'à partir du printemps 1980, les membres d'Offenbach ne furent plus jamais les mêmes.

Après presque dix années d'efforts, d'échecs, de demi-succès et quelques éphémères moments de gloire, le groupe était enfin arrivé quelque part. Les cinq musiciens étaient incontestablement devenus les rois du rock québécois pur et dur.

Comme Johnny Gravel l'avait prédit, on continua à faire de la musique.

Mais maintenant, lorsque Breen Lebœuf parlait de rock stars, ce n'était plus par dérision. Lorsque Bob Harrison ou John McGale retournaient chez eux, rencontraient leurs amis d'enfance à Cowansville ou à North Bay, ils pavoisaient — ils auraient presque trouvé normal qu'on les accueille en héros. Lorsque Gerry Boulet se pointait quelque part, dans un bar, dans un restaurant ou chez des copains, il rayonnait, il prenait toute la place.

Comme Alain Simard l'avait prévu — sur une tout autre échelle, cela rappelait Jean-Paul Brodeur et les 45 tours qu'il faisait enregistrer aux Gants blancs! —, les cachets d'Offenbach augmentèrent sensiblement dès le lendemain du concert au Forum. Le groupe put monnayer en espèces sonnantes et trébuchantes le prestige obtenu en trois heures de travail sur la scène du Concert Bowl.

Il est vrai que les dépenses augmentèrent dans la même proportion : le groupe convint de ne plus se déplacer sans une sonorisation de premier ordre, sans une cohorte de roadies pour voir à tous leurs besoins. Il fallait bien sacrifier au folklore des héros du rock et faire tourner la roue de l'industrie culturelle!

Personnellement, Gerry n'était pas beaucoup plus riche, peut-être. Mais une aura l'enveloppait lorsqu'il se promenait sur la rue Saint-Denis. Ou sur le boulevard Saint-Laurent, dont la faune de paumés, de marginaux, de danseuses, de motards, de clochards, de putes et de bums, l'attirait irrésistiblement.

N'était-il pas le mouton noir du showbiz? La brebis galeuse de la chanson québécoise? Il aimait bien cette image-là. D'ailleurs, ne chantait-il pas cette sorte de rock de ruelle qui donne la parole à ceux qui n'ont rien, à ceux qui couchent sur l'asphalte, à ceux qui enfouissent des grosses Molson dans des sacs bruns pour les boire au nez des flics et qui dégueulent ensuite dans les fonds de cour de la rue de Bullion ou de l'avenue de l'Hôtel-de-ville?

À cette époque, Gerry se mit à hanter plus que jamais ce quartier, du Bistrot à Jojo au Grand Café, de La Cour au Café Cléopâtre.

Il partait de la rue Beaudry, le soir, et il arrivait que Françoise ne le revoie pas avant le surlendemain ou même trois jours plus tard. Il rentrait épuisé, ivre d'alcool, de coke, de conversations interminables et de musique jouée à tue-tête dans des mauvais haut-parleurs. Il rentrait parfois couvert d'ecchymoses lorsqu'il s'était battu — il n'avait peur de rien ni de personne mais, de temps à autre, cela lui attirait des ennuis.

Françoise le suivait parfois dans ses virées en ville.

Il l'avait même à deux ou trois reprises emmenée au Cléopâtre — au rez-de-chaussée, pas à l'étage où se produisent les travestis... Pour les mêmes raisons qui lui faisaient aimer la Main, Gerry s'était mis à apprécier les clubs de danseuses nues. Il les fréquentait déjà depuis des années, surtout lorsque Offenbach se produisait en province, mais il était maintenant en train de devenir un habitué.

Gerry s'octroyait le plaisir de contempler de jolies femmes dans un endroit où il était invariablement reçu en roi : tous les videurs, tous les barmen, toutes les filles tripaient sur Offenbach, ça ne pouvait faire autrement.

Le Cléopâtre, ancré sur la rive ouest de la Main entre Sainte-Catherine et Dorchester, c'était mieux que tout.

Gerry y était accueilli par un doorman large comme une armoire normande qui le faisait entrer avec la même obséquiosité qu'il aurait mise à recevoir un empereur. L'homme lui souriait à s'en décrocher les mâchoires, lui administrait une poignée de main à lui émietter les phalanges et, quitte à évincer une épave endormie dans son verre de bière, lui donnait la meilleure table — au fond, à droite — qu'il tirait cérémonieusement en remettant au carré une nappe rouge qui en avait vu d'autres. Puis il reprenait sa place près de l'entrée et rechaussait la mine patibulaire inhérente à sa fonction.

Ensuite, il n'y avait qu'à jouir du spectacle. Celui de la scène. Et de la salle.

Celui de la scène : une fille — la plupart du temps jolie, mais pas toujours — qui, en dix minutes, enlève le peu de vêtements qu'elle porte en se déhanchant sous les spots rouges, bleus et jaunes, sous le stroboscope qui découpe ses mouvements, qui jette par tranches de quelques millisecondes une lumière très crue sur ses seins, sur son dos, sur ses cuisses, sur son sexe lorsqu'elle se couche sur le dos, les jambes ouvertes, *pour la partie sentimentale de son spectacle*, comme le dit au micro un maître de cérémonie dissimulant derrière ses tourne-disques la frustration qu'il éprouve à ne pas faire carrière à CKOI-FM.

Celui de la salle : au bas du stage, le spectacle des hommes. Des vieux, des jeunes, pour la plupart venus en solitaires. Quelques-uns en complet-cravate mais la majorité en jeans et T-shirts, les cheveux longs, l'air triste malgré la musique et les filles. Puis, près du bar installé en retrait, à gauche, des attroupements de types en vestes de cuir qui ne sont pas là pour le show et qui se parlent dans l'oreille, vont au téléphone, reviennent, consultent leurs bracelets-montres et palabrent à nouveau, interminablement.

Un régal !

Gerry aurait pu rester là des heures, ce n'était pas compliqué et c'était amusant ; tout le monde lui offrait de la bière, les filles n'arrêtaient pas de tourner autour de lui.

Mais il finissait quand même par s'arracher à cette ambiance et à marcher jusqu'à la rue Saint-Denis, jusqu'au Bistrot à Jojo ou au Grand Café. Françoise en avait bientôt ras le bol et, après de vaines négociations, finissait par lui dire :

« Bon, eh bien... Reste si tu veux, Gerry, perds ton temps tant qu'tu voudras, moi j'retourne à la maison... »

Car, une fois sur sa lancée, Gerry n'entendait plus rien.

Au fil des heures, il y avait toujours plus de bière et plus de gens à sa table. Quelques bons chums, mais aussi une nuée de téteux qui ne voulaient rien d'autre qu'être vus avec lui et qui, pour cela, étaient prêts à lécher ses bottes et à lui offrir tout ce dont un rocker peut avoir besoin dans un bar de la rue Saint-Denis.

Gerry se rendait compte de tout cela. Mais la plupart du temps, il se contentait de hausser les épaules et de traiter ces parasites avec un mépris à peine dissimulé.

Parfois, le clan Offenbach apparaissait en ville dans toute sa splendeur. Gerry remorquait alors derrière lui une troupe de douze ou quinze personnes, comme lorsqu'on allait au El Casino.

Ou bien il partait seul avec Lebœuf. Ou avec Gravel. Ou avec Harrison, très souvent avec Harrison.

Ou encore avec Jean-Yves Bisson.

Mis à part ses compagnons de musique et Vittorio Fiorucci, peut-être, Bisson était en train de devenir le grand chum de Gerry, son confident, presque son conseiller à l'occasion.

En 1980, Bisson, trente ans, était un grand gaillard vif et un peu effronté, au moins aussi rigolo que Bob Harrison et encore plus fanatique de musique que les membres d'Offenbach.

Gerry et Bisson s'étaient rencontrés deux ans plus tôt, au moment où le groupe faisait la transition de Millaire et Kerr à Lebœuf et McGale. Avec deux associés, Michel Therrien et Michel Demers, l'homme administrait la firme Madrigal Inc., qui louait des studios de répétition à Côte-Saint-Paul et s'occupait de transport d'instruments ainsi que de sonorisation. Tous deux avaient bien des points en commun. Ils avaient connu la vie de collège et la fanfare; ils avaient traversé avec délectation l'ère des groupes yé-yé et, en 1967, avaient fait le grand saut dans le rock, la contre-culture et tout ce qui venait avec.

Bref, ils avaient tout de suite sympathisé.

Bisson était devenu un intime de Gerry, il avait une façon particulière de lui parler, en usant d'une franchise que peu de gens se permettaient avec lui. Il l'appelait *Ti-Père*, raillait ses travers, le comprenait à mi-mot. Lorsque les membres d'Offenbach se trouvaient en session d'enregistrement, Bisson était continuellement en studio avec eux. Gerry se fiait à l'oreille de ce drôle de type qui se révélait une sorte d'encyclopédie vivante du rock. Il lui demandait :

« T'es mon thermomètre, Jean-Yves : comment ça sonne, c'toune-là ? »

Entre eux, le running gag portait sur la pièce *Just a Gigolo*, que Louis Prima avait faite à une époque préhistorique. Bisson disait à son chum :

« Tu devrais la r'prendre, c'toune-là. C'est toi ça, Gerry, j'te vois chanter ça... Pis tu vendrais du record en ostie, aux États, partout, ça pognerait j'suis certain... »

Gerry disait *bof*. Ou ne disait rien. Il fut bien avancé lorsqu'en 1983, David Lee Roth reprit *Just a Gigolo* et en fit un succès de vente phénoménal à l'échelle de la planète ! Bisson ironisait :

« J'te l'avais ben dit, Gerry... »

Aussi, lorsqu'ils entraient dans un bar ou un endroit quelconque et que la sono donnait le *...Gigolo*, Gerry prenait les devants :

« Laisse faire, Jean-Yves : pas un mot, tabarnac ! »

Et les deux hommes éclataient de rire.

Ils allaient aussi aux courses de stock cars, aux États-Unis. Gerry, jouissant du vacarme des moteurs comme s'il s'était agi d'une musique, s'écriait à tout moment :

« C'est rock'n'roll en ostie !... »

Déjà passionné de hockey et de courses de stock cars, Gerry se découvrit en outre un penchant pour la boxe. Au Forum ou au Centre Paul-Sauvé, il se débrouillait pour obtenir des places dans le ring-side, où il se frottait avec plaisir au gratin de ce monde très particulier.

Aussi personne ne fut surpris lorsqu'on annonça qu'Offenbach ferait trois pièces destinées à garnir la trame sonore du film *Métier : boxeur*, un documentaire de quatre-vingts minutes réalisé par André Gagnon, un fan du boxeur Gaétan Hart. Le film fut présenté pour la première fois à Buckingham, d'où Hart est originaire, en septembre 1981, et fut lancé à Montréal à la fin du mois de novembre.

Outre Jean-Yves Bisson et André Gagnon, Gerry s'était fait d'autres copains. Mais ceux-là plaisaient beaucoup moins à Françoise.

L'un d'eux, Frank Harrold*, était passablement plus jeune que Gerry — il n'avait pas vingt-cinq ans — et était originaire de North Bay, comme Lebœuf et McGale. Petit et moustachu, il se disait photographe, s'emmenait à tous les shows d'Offenbach

---

* Voir l'annexe en fin de volume.

293

avec deux ou trois boîtiers Nikon pendus au cou, consommait des quantités invraisemblables de rouleaux de Tri-X et d'Ektachrome qu'on retrouvait des mois plus tard au fond d'une boîte, non développés, pleins de poussière, inutiles. Sur la rue Sherbrooke est, pas très loin de l'hôpital Notre-Dame et des différents repaires du clan Offenbach, l'homme habitait un appartement absolument splendide, un ancien cabinet de médecin qui comptait une dizaine de pièces garnies de boiseries, de lustres de cristal et de larges fenêtres donnant sur la ville.

On savait peu de chose de son passé.

Mais à l'évidence, Frank Harrold était cousu de fric. À ses rares allusions, on finissait par déduire qu'il s'était enrichi en quelques mois, en Ontario, en exhibant un calibre .38 dans des succursales bancaires. En fait, il se livrait à Montréal au trafic de la cocaïne sur une haute échelle, tout en essayant de faire reluire son image lorsque ses parents lui rendaient visite et s'extasiaient sur l'aisance matérielle que procure le métier de photographe.

Dans sa garçonnière de luxe, Harrold bâtissait des lignes de poudre d'un kilomètre de long, ouvrait des régiments de bouteilles d'alcool et faisait le compte des filles qui venaient profiter de l'abondance et se frotter à l'aréopage de rock stars — à commencer bien sûr par le leader d'Offenbach — dont il aimait s'entourer.

Gerry vécut rue Sherbrooke quelques-unes des nuits les plus folles de son existence. Il trouvait là tout ce qu'il croyait désirer. Pour Harrold ainsi que pour ceux et celles qui gravitaient autour de lui, les désirs de Gerry étaient des ordres, il n'avait qu'à claquer les doigts pour boire, pour sniffer, pour s'envoyer en l'air.

Les fins de nuit étaient toutes semblables.

Épuisé mais tout à fait éveillé à cause de la coke, il regardait les premières lueurs apparaître dans le ciel en caressant une fille — il avait toujours une fille à portée de la main — distraitement, repu de caresses et de sexe. Autour de lui, d'autres continuaient à festoyer. Des couples faisaient l'amour sur le tapis du salon. Parfois à trois. Ou quatre.

Avec ces trucs-là, il y a toujours un moment où ce n'est plus drôle. Cela se passe au petit matin, en général, quand on voit la ville prendre une couleur étrange, irréelle, et que les trottoirs sont déserts.

Gerry, alors, se mettait à penser. À rien de précis, à la vie, à *sa* vie. Pourquoi se livrait-il à de tels excès ? Difficile à dire. Le cul, oui, le cul. Il n'en avait jamais assez. Par moments, c'était une hantise. Il éprouvait un tel besoin de séduire que, chaque fois, c'était une joie d'y parvenir. Mais curieusement, ensuite, il n'était pas plus heureux, cela ne soulageait d'aucune façon la sourde angoisse qu'il éprouvait lorsqu'il se retrouvait seul avec lui-même, la grisaille lancinante qu'il connaissait, le cafard indélogeable qui l'assaillait dès qu'il baissait la garde.

Au petit matin, aussi, il se détestait un peu.

La mauvaise conscience qu'il ramenait rue Beaudry faisait pitié à voir ; il savait bien qu'il était en train de détruire un pan de sa vie, il sentait que Françoise se détachait de lui petit à petit.

Car elle avait de moins en moins de patience — c'est certain — et il lui arrivait de le laisser mariner dans son jus lorsqu'il était aux prises avec un terrible down de coke et que, des yeux, il quémandait son affection.

Parfois aussi, elle l'engueulait vertement. Le ton montait alors dangereusement. Elle n'était pas plus commode que lui dans ces occasions-là... Tous deux se chamaillaient et se bousculaient dans l'appartement en s'abîmant d'injures. À une occasion, Laurence Vager, témoin du petit drame, estima plus prudent de faire venir les flics ! Lorsqu'ils entrèrent rue Beaudry, Françoise les mit dehors, carrément, en leur disant :

« Sortez d'ici, vous autres, pis mêlez-vous de c'qui vous r'garde ! C'est une histoire entre moi pis mon chum, ça... »

De sorte que, souvent, Gerry n'avait plus qu'à retourner rue Sherbrooke et à redémarrer une ronde infernale qui durait trois jours encore, après quoi tout était à recommencer.

Gerry ne voyait pas ce qu'il aurait pu faire d'autre.

Ce cercle vicieux ne fut rompu que le jour où Frank Harrold décida d'aller vivre sous d'autres cieux, peu de temps après avoir été indirectement mêlé à un deal de coke qui tourna au vol pur et simple (une somme de 10 000 dollars disparut à ce moment-là), un vol dont fut victime un proche du clan Offenbach.

***

Sollicité par tant de plaisirs, Gerry vécut dans une espèce de brouillard les premiers mois d'une nouvelle décennie qui, pour le bon peuple autour de lui, s'amorçait sous le signe de la morosité.

D'abord, le vingt mai 1980, le Québec se refusa à lui-même le droit à une existence autonome en votant non au Référendum. René Lévesque avait perdu son pari. Dans une proportion de cinquante-neuf pour cent, les Québécois lui avaient refusé cette plate-forme qu'il entendait construire pour faire face à Ottawa. C'était vraiment la fin d'une époque, celle du nationalisme triomphant, et le début d'une autre — on allait bientôt s'en rendre compte —, l'ère de l'entrepreneurship, des *affaires* élevées au statut de religion.

Comme tout le monde, une fois les bureaux de scrutin fermés, Gerry s'affala devant le téléviseur et vit, dans la foule garnissant les gradins du Centre Paul-Sauvé, cet homme qui pleurait, un bébé dans les bras...

L'avant-veille, Offenbach et le big band de Vic Vogel avaient donné un show à Rockland, en Ontario, dans le cadre du Festival franco-ontarien. Comme à l'ordinaire, le clan Offenbach avait peu discuté de politique, malgré l'imminence de l'événement historique.

La politique, ce n'était pas un bon sujet. Aux yeux de Gerry, c'était un monde pourri : il n'avait pas changé d'idée là-dessus depuis l'adolescence.

En outre, le nationalisme québécois était un sujet presque tabou au sein d'Offenbach.

Chacun gardait le silence sur ses intentions référendaires. Gerry allait voter *oui*, c'est certain. Tout le monde était convaincu que McGale allait voter *non*, André Ménard le premier, qui disait :

«Ce chriss-là, y'arrive d'l'Ontario, y' parle même pas français pis y' s'en vient annuler mon vote!...»

Entre ces deux pôles, la navigation suivait un chenal plutôt étroit...

À vrai dire, la question nationale ne hantait pas Gerry : aux répétitions, le groupe travaillait souvent en anglais sans que personne ne soulève l'incongruité de cette situation. Lorsque le journaliste Pierre Foglia avait manifesté l'intention de côtoyer Offenbach dans les coulisses, Alain Simard et André Ménard avaient pris toutes les précautions nécessaires pour que cela ne se produise jamais.

«Tu vois-tu ça, Foglia qui arrive au local pis qui les voit pratiquer en anglais... On va se faire ramasser dans' Presse en ostie pis on n'a pas besoin d'ça!...», disait Ménard, dépité.

Ce n'était d'ailleurs pas le seul souci des gérants du groupe rock.

Si Offenbach connaissait ses heures de gloire et si l'empire Spectel était en train de s'assembler à un rythme plus qu'intéressant, l'industrie québécoise du disque et du spectacle, elle, vivait une période de stagnation inquiétante, que la déprime postréférendaire ne fit rien, par la suite, pour arranger. Malgré la brillante façade que constituait la présentation à Montréal de l'opéra-rock *Starmania* de Luc Plamondon et Michel Berger, il devenait de plus en plus difficile de graver un disque ou de monter un spectacle.

Avec le désengagement des multinationales du disque, avec la flambée des coûts de production, on constata que le profit était lié à la dimension d'un événement : seuls les très gros trucs, les événements d'exception — et les humoristes — paraissaient capables d'attirer la foule.

Dans le cas d'Offenbach, il fallait donc, comme on l'avait fait pour la fusion avec Vogel ou pour le show au Forum, aller plus loin encore, trouver autre chose, inventer un autre événement.

Tout de suite après le Forum, on se mit à travailler en ce sens.

Simard et Ménard entamèrent des négociations avec l'agent du vieux rocker noir Chuck Berry. On se livra à mille échanges de télex. Car, avec Berry, tout devenait très compliqué.

C'était un monument. On tenait pour acquis qu'il était le père du rock'n'roll.

Né à Saint-Louis en 1926, Little Charles Edward Anderson Berry avait passé une partie de sa jeunesse à l'école de réforme avant d'enregistrer son premier disque, *Maybellene*, sur étiquette Chess. Un énorme succès. Il avait fait ensuite *Roll Over Beethoven* (repris plus tard par les Beatles) puis, à la chaîne, des dizaines de pièces devenues des classiques du rock, de *Sweet Little Sixteen* à *Johnny B. Goode*. Au début des années soixante, il avait été condamné à deux ans de pénitencier pour détournement de mineure, puis s'était mis à avoir des ennuis avec le fisc, avec les producteurs, avec les compagnies de disques.

Berry était devenu amer, chicanier.

Ses exigences contractuelles frôlaient la limite du supportable. Pendant un temps, il demanda un supplément pour effectuer sur scène ce fameux *pas de canard* qui constituait sa marque de commerce! Son contrat prévoyait aussi que sa prestation devait être de quarante-sept minutes, pas une seconde de plus. On disait qu'il lui était arrivé de partir avec son cachet... sans donner de show! Partout, l'homme exigeait un band local de trois musiciens : un batteur, un organiste, un bassiste. Pas de guitariste, surtout pas de guitariste.

Or, à Montréal, le but de l'entreprise consistait précisément à le faire monter sur scène avec Offenbach, avec Gravel et McGale!

Berry, c'était l'idole de Gerry — depuis l'époque des Double Tones. Il l'appelait *le vieux* comme si, dans une vie antérieure, il avait élevé les cochons avec lui. Et il venait régulièrement chez Spectra Scène pour demander :

«Pis, Alain, ça avance-tu avec le vieux?...»

Ça avancait. Lentement. On avait finalement réussi à faire coucher sur le contrat que Berry se produirait avec Offenbach (incluant les deux guitaristes du groupe) moyennant un cachet de 20 000 dollars, la moitié devant être versée à l'avance chez son agent. Un cachet supplémentaire de 5 000 dollars était prévu puisque le concert devait être diffusé à la radio de Radio-Canada.

Bref, on finit par régler et Simard put annoncer au groupe :

«C'est faitte, les boys, on monte le show à la Place des Nations. J'espère seulement qu'on n'aura pas de trouble avec lui...»

Ce à quoi Gerry répondit, plein de confiance :

«Fais-toi z'en pas, Alain. On va s'organiser avec le vieux. Le bonhomme, c'est un rocker comme nous autres, tabarnac, on va se comprendre, tu vas voir...»

Simard ne se sentait qu'à demi rassuré.

Le concert eut lieu le jeudi sept août 1980.

Le matin même, Chuck Berry s'était installé au Grand Hôtel où il était arrivé à bord d'une rutilante Cadillac Séville louée à l'aéroport de Dorval.

Pendant que Berry s'ébrouait dans sa suite, on déroulait le tapis rouge à la Place des Nations. Spectra Scène et Offenbach avaient réquisitionné les services des meilleurs techniciens. Ceux-ci étaient en train de monter la quincaillerie de Bruit bleu, une firme de Québec administrée par Jacques Marois — l'ex-collaborateur du quotidien Le Soleil — qui disposait des équipements de sonorisation parmi les plus performants.

Lorsqu'en fin d'après-midi, Berry s'était enfin pointé à la Place des Nations, les ennuis avaient tout de suite commencé.

Il avait d'abord exigé le solde de son cachet avant de monter sur scène. Simard avait un peu tergiversé mais il avait dû se résoudre à verser 10 000 dollars au musicien. On gardait le cachet de la radio, 5 000 dollars, à titre de police d'assurance, en quelque sorte... Ménard avait cru judicieux de placer sa petite Volkswagen Rabbit juste devant la Séville de Berry dans le stationnement réservé aux musiciens et à l'équipe technique...

Ensuite, le vieux rocker avait refusé de participer au soundcheck.

Pour finir, une heure avant le show, Berry s'était mis à rechigner, à jurer qu'il ne se produirait pas avec les deux guitaristes d'Offenbach — il avait en main un papier, une sorte d'annexe contractuelle qui, disait-il, l'autorisait à exercer ce droit de refus, nonobstant l'entente particulière intervenue avec son agent. Dans les loges et les couloirs, derrière la scène, la température montait d'un degré par minute! Il n'y avait rien à faire pour convaincre Berry. Lebœuf s'était essayé de toutes les façons :

«T'as peur des autres guitaristes, Chuck?... T'es fou en ostie: c'est toi qui as inventé le rock'n'roll, man, t'as pas besoin d'avoir peur!...»

Il n'y avait rien à faire.

Le temps passait. On commençait à s'énerver sérieusement. Dehors, plus de cinq mille personnes avaient pris place devant la scène.

À un moment, Vic Vogel, devenu un ami de la famille, s'était pointé près des loges. Mis au courant de la situation, il avait demandé (suffisamment fort pour que Berry entende...) :

«Do you think that fuckin' asshole's gonna play or not?...»

Gerry commençait à voir rouge, lui aussi :

«Le boutte d'la marde, c'est qu'y' m'appelle *keyboards*! Y' est mieux d'arrêter de m'dire ça parce que j'vas y' casser ma B-3 su'a tête, le vieux chriss!»

Ce n'était plus *le vieux*, mais *le vieux chriss*!

Pendant qu'on l'observait du coin de l'œil, Berry se promenait de long en large près des loges et même sur le terrain de stationnement, autour de sa voiture... Tout de suite, Ménard avait chargé deux membres de son personnel de sécurité (les deux plus gros, deux bœufs dont on se servait pour policer les motards!) de surveiller Berry.

À la fin, sans savoir ce qui allait arriver, Offenbach était monté sur scène pour livrer la première partie du show. À l'entracte, on n'en savait pas plus. Tout le monde discutait ferme lorsque, tout à coup, on entendit le riff de *Johnny B. Goode* dans les enceintes acoustiques de Bruit bleu!

Chuck Berry était monté sur scène sans prévenir! Les techniciens avaient à peine eu le temps de regagner leurs postes de travail que déjà l'homme enfilait, tout seul, ses meilleures tounes les unes à la suite des autres. Sur le côté du stage, Gerry et ses chums le regardaient, médusés, ne sachant plus que faire...

Après *Rock and Roll Music*, Berry lança :

« So where's the band?... »

La foule se mit à scander :

« Offenbach! Offenbach! Offenbach!... »

Lui reprit :

« Where is this Offenbach?... Where's the band?... »

Gerry, Lebœuf, Harrison et McGale montèrent sur scène. Pas Gravel. C'est Françoise qui finit par convaincre le guitariste :

« Vas-y Johnny, le monde t'attend... Laisse faire le vieux, vas-y pour ton public, pour le public d'Offenbach! »

Gravel consentit finalement à y aller.

À partir de là, Berry se comporta de façon plus odieuse encore. Il faisait ses tounes en do dièse, ou en si bémol. Il brouillait complètement les rythmes en accélérant, puis en ralentissant, puis en accélérant à nouveau. Il regardait constamment son bracelet-montre. À un moment, alors que Johnny s'éreintait sur un solo, Berry s'approcha de l'ampli du guitariste d'Offenbach et actionna l'interrupteur... Paniqué, Gerry se dit : *Johnny va l'tuer, ostie!...* Mais non! La guitare de Gravel continuait de sortir haut et fort : à cause d'un problème technique, il avait branché sa Stratocaster sur un autre Davoli, à l'autre bout de la scène! Lebœuf rigolait : *Yeah! Right on, man! The band you can't kill!...*

Quant à Ménard, la fumée lui sortait par les oreilles. Pendant que Berry s'agitait avec Offenbach, il dit à ses deux bœufs de la sécurité :

« Placez-vous icitte, ouais, icitte... Pis si le vieux chriss essaye de débarquer avant d'avoir fini son set, r'pitchez-le su'l'stage, ostie!... »

Au rappel, sous des applaudissements monstres, Offenbach revint sur scène — Berry était censé les rejoindre — et mit en branle le groove de *House Lights*, une des tounes les plus récentes du vétéran guitariste. Une minute, deux minutes, trois minutes... Pas de Berry. Ménard se précipita dans la loge : plus de guitare, plus de valises, plus de Berry ! Il déboula jusqu'au stationnement : plus de Séville, l'aile gauche de sa Rabbit était enfoncée, Berry avait poussé la voiture de Ménard avec son char d'assaut et s'était enfui !

Au bout du compte, Offenbach termina le show en faisant *Chu un rocker*, la version d'une toune de Berry. Une sorte d'hommage in absentia !

Aux petites heures de la nuit, à La Cour, rue Saint-Denis, les membres d'Offenbach se partagèrent le cachet que Berry devait toucher pour les droits de radiodiffusion et qu'il avait oublié de réclamer en précipitant son départ...

Dans les journaux, les critiques furent néanmoins élogieuses et lorsque, plus tard, on apprit que les choses s'étaient assez mal passées entre Offenbach et Chuck Berry, les rockers québécois en sortirent grandis.

Après *Traversion*, Vogel et le Forum, on pouvait ajouter la saga Chuck Berry au tableau de chasse. Les gars d'Offenbach étaient assurément des *vrais*, ils étaient capables de bien paraître même dans les situations les plus abracadabrantes !

Inévitablement, leur ego ne s'en porta que mieux encore.

Pour achever le travail, Offenbach reçut, le dimanche cinq octobre 1980, trois trophées *Félix* (meilleurs microsillon rock, spectacle et groupe de l'année) lors du deuxième gala de l'ADISQ tenu à l'Expo-Théâtre. Seule Ginette Reno reçut plus d'honneurs : c'était d'ailleurs l'année Reno, l'année de *Je ne suis qu'une chanson*, un disque qui allait briser tous les records de vente établis au Québec puisque le compteur s'arrêterait, des années plus tard, à 386 000 exemplaires vendus.

Ce soir-là, les musiciens d'Offenbach se produisirent devant les caméras de Radio-Canada et, après le show, se firent remarquer en engloutissant, le cul douillettement posé sur le luxueux tapis rouge du Regency Hyatt, leur juste part du buffet gracieusement offert aux huiles du milieu !...

Après s'être empiffrés, les membres du groupe eurent un geste qui alla droit au cœur d'Alain Simard, d'André Ménard et de Denyse McCann. Ils offrirent un *Félix* à chacune des trois personnes qui s'occupaient d'eux chez Spectra Scène. Gerry, timide dans ces cas-là, dit nerveusement :

«Nous autres, on a nos poupées de l'année passée... Ça fait que... on a pensé que vous pourriez jouer avec celles-là c't'année! Ben... c'est pour vous dire marci pour le travail que vous avez faitte pour Offenbach : on a rocké en tabarnac depuis un an!...»

Le geste fut d'autant plus apprécié par le triumvirat qu'au cours des mois précédents, ils avaient eu à affronter Gerry sur un certain nombre de points au sujet desquels leurs vues divergeaient dramatiquement.

Les premières frictions étaient apparues au sujet de la pochette du microsillon *Rock Bottom*.

En janvier 1980, alors que les sessions d'enregistrement allaient bon train chez Marko, Gerry se présenta chez Spectra Scène et déballa un jeu de photographies en disant :

«C'est pour *Rock Bottom*... On a pris ça dans une cave, dans le Vieux-Montréal. Y'a fallu défoncer la porte, ostie, mais on n'était pas les premiers : c'était plein de bouteilles vides, les robineux couchent là, j'pense ben!... R'garde ça, c'est bon en tabarnac!»

Simard et Ménard n'en crurent pas leurs yeux. Sur les photos prises dans un immeuble désaffecté de la rue Saint-François-Xavier, on voyait les cinq membres d'Offenbach debout ou assis sur le sol humide de la cave; devant eux, une fille de dos, nue, les fesses bien en évidence, la tête enfouie dans ses longs cheveux noirs... Ménard s'écria :

«Es-tu fou, Gerry... Tu nous vois-tu mettre ça sur un disque : on va se faire crucifier, ça prendra pas cinq minutes!

— Pis après?

— Pis après?... C'est sexiste, c't'affaire-là, ça'pas de maudit bon sens. Tu sais c'que ça'l'air? Ça'l'air d'un line-up, ça'l'air de cinq gars qui viennent de passer sur une fille dans un fond de cave, Gerry, c'est ça que ça'l'air!...

— Ouais, ça fait un peu bum, André, c'est vrai. Mais c'est ça, Offenbach, pis c'est ça qu'on veut avoir sur not' record... C'est pas un viol, c't'e photo-là, c'est une belle fille devant une gang de gars, c'est toutte!

— Tu te rends pas compte, Gerry... R'garde autour de toi un peu, essaye de comprendre à quelle époque on vit : les féministes considèrent déjà ton groupe comme un ramassis de machos, tu vas pas leu' mettre ça dans les mains, non?...

— T'as peur de ta mère, Ménard! T'as peur de ta mère, c'est toutte!»

Gerry sortit en claquant la porte. Moins que jamais, il ne supportait d'être contredit. Bisson lui disait parfois :

« T'as une maudite tête de cochon, Ti-Père... T'empires de jour en jour ! »

Le fait est que, sous cet angle, Gerry ne s'améliorait certainement pas.

On mit donc des semaines à trouver une solution à cette histoire de pochette. Au bout du compte, on en vint à un compromis. Au Québec, la pochette de *Rock Bottom* serait ornée d'une photo du groupe croquée devant les vitrines du Café Cléopâtre ; en France, on se servirait d'une des pieuses images de la cave de la rue Saint-François-Xavier, mais *sans* la fille...

Toutefois, Simard et Ménard n'en avaient pas fini avec *Rock Bottom*.

Au début de mars, Gerry et Breen Lebœuf partirent pour Winnipeg afin de faire la promotion du microsillon au Canada anglais, où il était distribué par la multinationale CBS.

Dans l'avion, ils prirent quelques verres et Gerry se querella assez vigoureusement avec un agent de bord d'Air Canada. De sorte qu'à l'atterrissage, deux agents de la Gendarmerie royale du Canada les attendaient. Ils subirent une fouille en règle dans la salle des arrivées de l'aérogare mais ne furent pas arrêtés. Rendus à l'hôtel, ils réussirent à se faire foutre dehors sans avoir eu le temps de mettre le pied dans leurs chambres : dans le corridor, ils s'étaient malencontreusement engueulés avec un type qui se révéla le détective privé de l'établissement...

Le récit de l'aventureux périple vint aux oreilles des patrons de CBS. Simard et Ménard tentèrent de recoller les pots cassés, mais ils eurent fort à faire avec la compagnie ; elle venait de placer Offenbach sur sa liste noire.

Cela ne fut toutefois pas suffisant pour que Gerry mette fin à sa période olé olé : il n'abandonnait pas la trilogie alcool-dope-virées en ville et il ne décrochait pas de cette fascination qu'il nourrissait pour la marginalité sous toutes ses formes.

C'est lui qui, au printemps 1981, élabora un plan de marketing pour le lancement de *Coup de foudre*, le premier microsillon en français d'Offenbach depuis *Traversion*, que la troupe avait enregistré au Studio Tempo, rue Charlevoix.

On organisa d'abord, à la fin de mai, un concert-surprise au... Cléopâtre ! Pas au rez-de-chaussée, mais à l'étage, là où d'ordinaire se produisaient les travestis dans une ambiance unique à Montréal.

La radio n'annonça le show qu'à seize heures et, dans les minutes qui suivirent, ce fut une véritable ruée chez les disquaires du centre-ville chargés de la distribution des deux cents et quelques billets d'entrée gratuits. Pendant ce temps, les techniciens du groupe installaient un système de sonorisation de huit mille watts dans un espace tout juste assez grand pour loger un ghetto blaster ! Le malheureux propriétaire des lieux assistait à une véritable pagaille, d'autant plus que la radio de Radio-Canada s'installait elle aussi afin de diffuser le spectacle en direct.

Vingt minutes avant que l'on ouvre les portes, Breen prit Gerry à part et lui dit :

« As-tu pensé à une affaire, man : dans deux minutes, la place icitte va être pleine de bikers... Pis as-tu vu les gars qui sont là pour servir la bière ? Des travestis, man, touttes des fifs !... Ça va faire un ostie de mélange, ça, j'sais pas comment ça va virer !...

— Bah, on va ben voir... »

Et l'on vit.

Offenbach donna un sacré bon show. Les motards firent bon ménage avec les serveurs. Au total, l'événement fut une parfaite réussite.

Quelques jours plus tard — Gerry avait vraiment de la suite dans les idées — on lança officiellement *Coup de foudre* au Bar des miracles, un bar de danseuses de la rue Rachel installé dans un local tout en longueur campé à l'angle de la rue Rivard. À partir de ce moment, l'endroit devait être désigné sous le nom du *Bar-salon des deux toxons*, titre d'une des tounes du microsillon...

***

Entre-temps, Offenbach avait eu une autre occasion de démontrer son savoir-faire face à l'adversité.

Au début de novembre 1980, Offenbach fit un autre séjour en Europe pour une grosse tournée destinée à mousser la sortie de *Rock Bottom*.

Le groupe devait donner une douzaine de spectacles échelonnés sur un mois, à partir de celui du huit novembre à Epinay-sous-Senart, en banlieue de Paris, jusqu'à celui du cinq décembre à Melun, également près de la capitale. On s'arrêtait notamment à

Nantes, Nancy, Mulhouse, Poitiers, Poissy et Rouen. À Bordeaux, le vingt-neuf novembre, le groupe devait inaugurer la Quinzaine culturelle franco-québécoise. La moitié environ des spectacles de la tournée plaçait Offenbach sur la même affiche que Bernard Lavilliers.

Le samedi quinze novembre, le groupe se produisit au Studio 80, une discothèque de Strasbourg.

Depuis plusieurs jours, Bob Harrison filait un mauvais coton. Il était jaune. Il ne disait plus un mot. Il suait à grosses gouttes puis, l'instant d'après, il endossait trois chandails et grelottait comme un condamné à mort. Au Studio 80, avant le show, on l'avait isolé dans un coin en flanquant quatre projecteurs de mille watts autour de lui pour le réchauffer! Bref, il parvint à donner le concert mais, en sortant de scène, il s'écrasa et se retrouva à la salle d'urgence sans autre forme de procès.

Crise du foie.

Aiguë.

Plus de Harrison pour le reste de la tournée — pendant un moment, on se demanda même si le batteur n'allait pas y laisser sa peau.

Les shows du lendemain et du surlendemain, à Aix-en-Provence et à Toulon, furent annulés. Mais les jeudi, vendredi et samedi suivants, Offenbach devait se produire au Palais des glaces, une prestigieuse salle parisienne de sept cents places; il s'agissait des trois concerts les plus importants de la tournée, d'autant plus que le premier devait être diffusé en direct sur les ondes d'une station de radio FM.

Catastrophe.

Gerry et Lebœuf passèrent une dizaine d'heures au téléphone, dans les bureaux des disques AZ, à essayer de dégoter à Bruxelles, ou en Italie, ou en France, un batteur capable de bûcher du rock à l'américaine. On communiqua aussi avec André Ménard, à Montréal. Alors qu'on avait perdu espoir, celui-ci rappela Gerry et lui dit :

«J'pense que j'ai trouvé de quoi : la gang d'April Wine vient de finir une tournée pis leur drummer, Gerry Mercer, est prêt à aller vous dépanner.

— Mercer?... Y'est ben bon, Mercer, mais y' nous connaît pas, y' sait pas nos tounes, comment est-ce que tu penses qu'on va faire, on n'a même pas l'temps de faire une pratique, icitte!...

— Ben, c'est ça ou rien, Gerry, qu'est-ce que tu veux que j'te dise... J'vas t'arranger ça, inquiète-toi pas. J'le mets su' l'avion pis, tu vas voir, j'vas y' arranger queq' chose... »

Dans les bureaux de Spectra Scène, rue Saint-Jean-Baptiste, Ménard copia à toute vapeur vingt-deux tounes d'Offenbach sur une cassette, puis fourra celle-ci dans les mains de Mercer avec un walkman et un billet d'avion — aller simple — pour Paris. À dix mille mètres d'altitude, Mercer tapa pendant sept heures toutes sortes de rythmes sur ses cuisses, jouant avec conviction du bass-drum sur le repose-pieds, au grand désespoir du malheureux passager assis devant lui !

L'avion atterrit à l'aéroport Charles-de-Gaulle dix heures avant le premier concert.

On alloua au batteur trois heures de sommeil, puis on le remorqua au Palais des glaces pour le soundcheck et une courte répétition. C'était plus compliqué qu'il n'y paraissait. En spectacle, les arrangements n'étaient pas toujours exactement les mêmes que sur disque. Et puis il y avait les fade-out de studio qu'évidemment on devait remplacer sur scène par des finales que Mercer ne pouvait pas connaître.

À vingt heures, il s'installa néanmoins à son poste et les choses se passèrent somme toute assez bien. Lebœuf prit Mercer sous son aile et se fit fort d'indiquer au batteur, par des battements de cil ou des hochements de tête, les moments où on abordait un bridge, ceux où la batterie devait marquer un temps fort, ceux où on entrait dans une finale. Après deux heures de ces simagrées, Breen craignait d'esquisser le moindre geste, de peur de déclencher un inutile concert de cymbales !...

En outre, Plume Latraverse, dont Gerry avait fait la connaissance quelques mois plus tôt, se trouvait dans l'assistance.

La triste histoire de Harrison allait d'ailleurs beaucoup l'inspirer : sur *Coup de foudre*, on allait entendre une pièce intitulée *Palais des glaces (Sueurs froides)* qui raconterait :

> *L'gros Bob a bu soixante-deux bières*
> *Pour combattre le froid*
> *Y'a frôlé l'bord du cimetière*
> *Avec une cirrhose du foie...*
> *Qui c'qui était énarvé ? Gerry !*
> *Qui dormait pus la nuit ? Johnny !...*

Bref, Plume était là, au Palais des glaces, quelque peu éméché et entouré des Mauvais Compagnons — ses musiciens.

Gerry le repéra et l'invita à monter sur scène pour chanter avec lui, en rappel, *Câline de blues*. Ce que fit Plume. Il déroula ses deux mètres et s'amena au micro... mais on n'avait pas pensé à Gerry Mercer!... Plume regardait le batteur entre les cymbales et il essayait de replacer cette tête qu'il ne connaissait pas... On lisait sur son front :

«Tabarnac, y' s'est rasé la tête, lui, ou ben quoi?... Hé, c'est pas lui, c'est pas Harrison, ça... Où c'qu'y'est, l'gros Bob?... Pis qui c'est, ce gars-là?»

Mercer était au moins aussi surpris. Dans ses yeux à lui, on voyait :

«Who's that fuckin' drunk Frenchman doin' on stage... No security, here, fuck?...»

On finit tout de même par se comprendre.

Mercer termina la tournée en prenant de plus en plus d'assurance. Après la dizaine de shows que l'on réussit à donner malgré les pénibles circonstances, on fut tout à fait convaincu de l'infaillibilité d'Offenbach.

Harrison, lui, ne se remit de ses émotions — et de sa crise du foie — qu'après avoir perdu presque vingt kilos.

Rue Vieille-du-Temple

Gerry Boulet avait réagi bizarrement lorsqu'à Strasbourg, Harrison était tombé face contre terre.

On ne le reconnaissait plus.

Il avait la tête basse, il était découragé. Il parlait d'abandonner la tournée, lui qui d'habitude était toujours le plus fort, le plus déterminé lorsque survenait un coup dur. Gravel et Lebœuf se regardaient, consternés, et ne savaient plus quoi dire à Gerry pour le tirer de cette léthargie.

Qu'est-ce qui pouvait bien se passer dans sa tête?

À Paris, pendant qu'on s'escrimait au téléphone afin de dénicher un autre batteur, Lebœuf avait emmené Gerry faire un tour de ville en voiture — une petite Peugeot de location — pour tenter de lui remonter le moral :

« Qu'est-ce qui se passe, Gerry, c'est pas toi, ça?... De coutume, t'es fonceur comme le chriss, t'es pas tuable! Tu sais ben qu'on va la finir, la tournée, même si Bob est malade!

— Ah fuck, Breen. Ça vaut pas la peine, tu vois ben qu'on peut pas continuer sans Bob, ostie, penses-y : tu sais comment ça nous prend un bon drummer, tu l'sais, Breen... Pis là, on n'a rien, on connaît personne icitte, on n'a même pas nos charts avec nous autres : même si on trouve un drummer qui sait lire la musique, on est faitte... Ça va être le bordel total, tabarnac, j'te l'dis... »

Cette histoire de batteur s'était arrangée, finalement. Mais Gerry n'avait pas cessé de grogner pour autant. On aurait dit que tout allait mal pour lui, même si Offenbach se portait mieux que jamais. Le plus déprimant, c'est qu'il ne laissait rien savoir. En débarquant à Paris, il s'était réfugié chez Claude Faraldo, qui avait délaissé l'étrange maison de Garches et habitait maintenant une autre vaste demeure au 24, rue Vieille-du-Temple, dans le quatrième arrondissement. Gerry était resté très copain avec lui depuis l'aventure du film *Tabarnac*.

Là aussi, il errait en silence, se perdait dans ses rêveries — qui n'avaient pas l'air très excitantes. Il se saoulait la gueule et se précipitait sur la moindre ligne blanche.

John Lennon venait d'être assassiné, mais ce n'était pas une raison pour traîner ainsi pendant des semaines avec une tête d'enterrement.

Ça lui avait donné un coup, comme à tous ceux de sa génération. Toute une époque venait de tomber sous les balles tirées par Mark David Chapman devant le Dakota, l'immeuble s'élevant à l'angle de Central Park West et de la Soixante-douzième Rue, à New York, où logeaient Lennon et Yoko Ono. Gerry apprit la nouvelle par la radio en s'éveillant, le matin du neuf décembre 1980. Le Beatle était mort la veille, un lundi, à vingt-trois heures (heure de New York), dans la voiture de police qui le transportait, sirène hurlante, vers l'hôpital Roosevelt.

« C'est l'bout d'la marde, ostie, un autre qui r'joint Morrison pis Janis... », s'était contenté de dire Gerry. Et il s'était à nouveau retranché dans ses pensées.

Pour lui, la question n'était vraiment pas de savoir si Lennon était mort ou non.

Depuis son retour au Québec après l'épopée française de 1973-1974, Gerry n'avait pas cessé de voir sa femme, Denise, à intervalles irréguliers.

Il lui écrivait à l'occasion, lui envoyait des fleurs à son anniversaire. Il lui téléphonait, la nuit, lorsqu'il était ivre et seul, au milieu d'une virée en ville, et qu'il avait le cafard. Ou alors, il venait voir Justin et finissait par s'éterniser rue Smith.

Pendant un temps, Denise s'était mise en ménage avec un copain d'enfance de Gerry, Rémi Bélanger*, un homme au passé trouble condamné à vivre dans un fauteuil roulant depuis qu'il avait eu les jambes broyées par une voiture, en 1968. Adolescents, tous deux, Gerry et Bélanger, avaient fait les quatre cents coups ensemble; il était même arrivé un incident où, sans le vouloir, alors qu'ils se chamaillaient comme des enfants, Gerry avait légèrement blessé l'autre d'une décharge d'arme à feu. Ils étaient

---

* *Voir l'annexe en fin de volume.*

tout de même restés copains jusqu'à ce que, plus tard, la vie les sépare.

Denise et Rémi Bélanger avaient partagé leur vie pendant quatre ans. Mais l'homme acceptait mal son handicap, il n'était pas facile à vivre et la rupture était survenue en 1978, inéluctable, difficile comme toutes les ruptures.

Pendant toutes ces années, Gerry n'avait pas cessé de se soucier de Denise et de Justin, même s'il lui arrivait de passer des semaines sans les voir. Il s'inquiétait souvent pour eux — il savait que Bélanger pouvait être très dur avec les autres comme il l'était pour lui-même — et cela avait concouru à ce qu'il ne rompe pas tout à fait les liens avec Denise.

À partir de 1980, en entrant dans cette curieuse période de sa vie faite à la fois du bonheur d'être arrivé à quelque chose avec la musique et du mal de vivre qui le faisait sombrer dans les excès les plus autodestructeurs, il s'était trouvé une raison supplémentaire pour courir à Saint-Jean, certains soirs de déprime. Denise était en dehors de tout ça. Il fuyait avec elle de temps à autre, pour voir la vie sous un autre angle, pour faire la paix dans sa tête pendant quelques heures, loin de Montréal, loin du local de répétition d'Offenbach et des bars de la Main et de la rue Saint-Denis.

Bref, il lui arriva de faire l'amour avec Denise.

C'est cette histoire qu'il repassait dans sa tête, en France, dans la maison de la rue Vieille-du-Temple, où il laissait écouler les heures sans piper mot. Après des semaines, Gerry finit par émerger de ce silence et par dire :

« Y' faut que j'te parle, Claude... De toute façon, tu vas l'apprendre ça sera pas long, parce que Françoise va t'appeler, c'est sûr... »

Gerry hésitait encore.

Mais il finit par laisser tomber, à voix basse, comme s'il ne voulait pas vraiment qu'on l'entende :

« Denise est enceinte, Claude. Enceinte de moi. »

Les Rolling Stones à Matane...

S'arrachant à sa retraite de la rue Vieille-du-Temple, Gerry Boulet revint de Paris aux premiers jours de janvier 1981. Il lui fallut annoncer la nouvelle à Françoise. Il prit son courage à deux mains et plongea le jour même de son retour rue Beaudry, après avoir tourné malhabilement autour du pot pendant de longues minutes.

« Bon, Gerry, ça va... T'as queq' chose à me dire, hein ? »

Depuis quelques mois, Françoise avait vraiment moins de patience avec lui, Gerry s'en rendait compte encore une fois. Il n'était pas revenu de Paris depuis une demi-journée que, déjà, elle le trouvait visiblement un peu exaspérant.

« Allez ! Vas-y, Gerry, tu vas pas rester comme ça avec ton air de chien battu pendant une éternité, non ?...

— Françoise... Denise est enceinte.

— Ah oui ?... Mais c'est très bien, ça. De qui ?

— Ben... De moi.

— De toi ?...

— ...

— Denise est enceinte de toi ?... Bon dieu, Gerry, où est-ce que t'as la tête... »

Françoise courut s'enfermer dans la chambre en claquant la porte pendant que Gerry restait là, assis à la table de la cuisine, la tête entre les mains.

C'était brillant, tout ça !

Gerry se rendait compte de l'absurdité de la situation ; il devinait aussi que Françoise en avait ras le bol de cette vie qu'il lui faisait mener, de tous ses excès, de ses beuveries et de ses escapades avec Harrison, avec Bisson, avec Harrold. En d'autres temps, les choses se seraient peut-être arrangées. Mais Françoise avait vécu un coup dur un peu plus tôt, en septembre, en perdant un enfant après quatre mois de grossesse.

C'était trop.

Gerry sentait qu'à ce moment, elle serait bien capable de le quitter... et ça, il refusait de l'envisager, là, assis à cette table déprimante, dans cette pièce déprimante, après des jours déprimants passés à se ronger les sangs.

Trente minutes plus tard, Françoise revint dans la cuisine et, très calme, annonça :

«Écoute, dans quelques jours, je pars pour deux semaines à la Barbade avec Monique. On va avoir le temps de réfléchir tous les deux.

— Comment ça, tu pars à' Barbade?

— Mais oui, Gerry. C'était prévu. Monique et moi, nous nous sommes arrangées y'a plusieurs semaines déjà, pendant que t'étais en France. Mais ça tombe plutôt bien, tu trouves pas?... On va réfléchir chacun de son côté et puis...

— Reste ici, Françoise, c'est pas l'temps de partir, tabarnac, j'veux qu'tu...

— Pas question, Gerry! Cette fois-ci, j'fais les choses à ma façon...»

Gerry avait rarement entendu Françoise employer ce ton-là. Il était médusé.

«Profites-en pour réfléchir, Gerry. Parle à Denise. Peut-être qu'y' faut que tu retournes avec elle, non? Elle est enceinte, elle attend un enfant d'toi, peut-être qu'y' faut que tu essaies de vivre à nouveau avec elle.... Nous, on pourra continuer à se voir. Comme des amants, peut-être. J'sais pas, moi...

— Mais c'est avec toi que j'veux vivre, Françoise, j'veux qu'tu m'donnes un enfant...»

Il était misérable. La conversation s'arrêta là. Cinq jours plus tard, Françoise s'envolait pour la Barbade avec Monique Paiement, une choriste devenue une bonne copine à elle.

Gerry restait seul avec ce fabuleux casse-tête.

C'était bien lui, ça, de se mettre dans des situations pareilles. Il savait bien que depuis un an, sa conduite n'était pas irréprochable — *j'profite un peu d'la vie, câlisse, ça fait d'mal à personne!* — mais il comprenait mal qu'on lui en veuille pour ça, qu'on songe à le quitter. Il ne supportait pas la pensée que quelqu'un, n'importe qui, un chum, un musicien, puisse l'abandonner. Alors Françoise, encore moins! Françoise? C'était impensable. D'ailleurs, pourquoi ferait-elle ça? Est-ce qu'il n'était pas là quand il le fallait, est-ce qu'il ne partageait pas tout — enfin, presque tout — avec elle?

Il lui arrivait de voir aussi Denise, bon. D'un autre, on aurait dit qu'il jouait sur deux tableaux, qu'il menait une double vie. Mais de lui, Gerry, pouvait-on dire une chose pareille? Il agissait comme il pensait devoir agir, il aimait et il avait besoin d'être aimé, voilà, tellement besoin d'être aimé...

D'ailleurs, avec Denise, ce n'était pas plus simple, loin de là. Elle lui disait:

«J'espère que ça va être une fille. J'ai très envie d'une petite fille, une p'tite sœur pour Justin. Mais d'un autre côté, j'ai pas ben l'goût de l'élever toute seule comme j'ai faitte avec Justin, hein! T'a pas souvent été là, Gérald, depuis qu'y'est au monde!...

— Qui te dit que tu vas l'élever toute seule?...

— Gérald, t'es avec Françoise, non?

— Sais pas, Denise, y' faut qu'j'y pense...»

Voilà! C'était lui tout craché, ça aussi, de dire à Françoise *c'est avec toi que j'veux vivre*, puis de courir chez Denise et d'ajouter *y' faut qu'j'y pense*... Il n'en ferait jamais d'autres.

En janvier, en l'absence de Françoise, Gerry passa deux semaines à remuer une nouvelle brassée de sombres pensées, à consommer de la bière et de la télévision. Puis Françoise finit par revenir, radieuse, bronzée. Ses yeux ramenaient un petit morceau du soleil du Sud. Elle n'avait jamais été aussi belle. Elle était plus calme, aussi, ayant eu le temps de replacer les choses dans leur juste contexte. Gerry aussi, pendant qu'il tournait en rond dans la cuisine de la rue Beaudry.

Il savait, maintenant.

La situation était complexe, mais il fallait que Françoise reste avec lui. Il voulait vraiment un enfant d'elle — on avait déjà failli y arriver. Il voulait vivre avec elle, et vieillir à côté d'elle.

Gerry ne pouvait imaginer la vie autrement.

Il aimait Françoise, voilà.

Il avait eu ses torts, sans doute, c'était difficile à admettre mais c'était possible, après tout. Peut-être y avait-il une parcelle de vérité — il ne l'aurait confessé devant personne mais, pour l'instant, il devisait seul avec lui-même... — dans les reproches qu'on lui faisait de part et d'autre. Il n'envisageait pas vraiment de changer sa vie, il savait qu'il en était incapable. D'un autre côté, il pourrait essayer d'être plus présent auprès de Justin, par exemple. Et auprès de Denise, forcément; mais il s'efforcerait de lui être présent d'une façon *différente*...

Le soir du dix-neuf juin 1981, justement, Gerry se rendit chez Denise, rue Smith. Elle avait cessé de travailler depuis huit jours seulement, même si l'acouchement était imminent. Gerry voulait prendre Justin avec lui pendant quelque temps. Pour aller à la pêche peut-être, comme il le faisait souvent, ou en ville, simplement, au cinéma et au restaurant.

Ils venaient de terminer leur repas. Denise sentit une toute petite contraction, puis une autre, alors qu'elle et Gerry lavaient la vaisselle et faisaient du rangement. Denise dit :

« Avant qu'tu repartes, j'aimerais autant que tu m'conduises à l'hôpital, Gérald. J'pense pas que ce soit le moment, mais on sait jamais... »

Ce qu'ils firent. Sans se presser : Gerry prit le temps d'acheter des Gitanes à la tabagie, puis ils roulèrent tout doucement jusqu'à l'hôpital de Saint-Jean-sur-Richelieu.

Denise eut tout juste le temps de se rendre à la salle d'acouchement avant que le bébé ne naisse! Il était neuf heures cinquante. Elle crut d'abord qu'il s'agissait d'un garçon mais Gerry, qui était à ses côtés, lui dit :

« Ben non, Denise, c'est une fille, comme tu voulais !... »

Il était ému.

Elle était très belle, cette enfant-là, c'était sa fille, la petite sœur de Justin. Elle s'appellerait Marianne.

Un peu après minuit, Gerry embrassa Denise et partit dormir chez ses parents, à Iberville. Quelques jours plus tard, il reprenait la route avec Offenbach. Il ne devait serrer Marianne dans ses bras que cinq mois après sa naissance, le douze novembre. Ce soir-là, Denise fit une exception et laissa Gerry entrer chez elle puisqu'on célébrait le treizième anniversaire de naissance de Justin. Car, peu de temps après la venue au monde de Marianne, la jeune femme avait décidé de tenir Gerry à distance. Elle voyait bien qu'il ne quitterait jamais Françoise, qu'il avait arrêté sa décision et qu'il ne reviendrait pas vivre avec elle.

Au surplus, quelques jours avant que Marianne ne vienne au monde, Denise avait appris que Françoise était enceinte à son tour !

***

À l'été 1981, Marianne serait beaucoup trop petite pour voir *les Rolling Stones à Matane...* selon l'expression d'André Ménard.

Car lui, Alain Simard et Denyse McCann n'avaient pas abandonné leur idée de lancer sur les routes du Québec une tournée rock comme on n'en avait jamais vue ici. Gerry était également enthousiasmé par cette perspective : Offenbach allait encore une fois offrir de l'inédit, triompher des obstacles qui n'allaient pas manquer de se présenter sur ce terrain inconnu.

En fait, les problèmes commencèrent des mois avant que les musiciens prennent la route.

Dans les régions, dans les villes de province, il n'existait aucune infrastructure susceptible d'accueillir une tournée de cette dimension. Le seul précédent avait été, quinze ans plus tôt, les tournées de centres sportifs organisées par l'imprésario Pierre Gravel avec des groupes comme les Classels, les Gendarmes ou César et les Romains... On était bien loin de tout ça aujourd'hui. La logistique nécessaire s'avérait infiniment plus complexe et le financement d'un tout autre ordre. Or, Spectra Scène ne trouvait souvent comme interlocuteur, en région, que le directeur — à temps partiel — de l'auditorium du collège, ou le gérant du centre sportif qui n'avait jamais entendu parler d'Offenbach.

À un endroit, on dut jurer à un fonctionnaire municipal que son épouse ne serait jamais mise au courant de sa participation financière dans la tournée !

En somme, pendant que Gerry tentait de mettre de l'ordre dans ses affaires personnelles, en début d'année, le triumvirat de Spectra Scène affrontait les difficultés inhérentes à la mise sur pied d'une si gigantesque organisation.

Fin juin, les paramètres de la tournée Québec Rock étaient fixés.

Dans dix-neuf villes du Québec, de l'Ontario et du Nouveau-Brunswick, de Saint-Georges-de-Beauce à Granby en passant par North Bay, Moncton, Matane et Jonquière, Offenbach monterait sur scène après le groupe Garolou et Zachary Richard. En septembre, trois shows supplémentaires étaient prévus : la tournée se terminerait au Palais des sports de Sherbrooke, au Colisée de Québec et au Forum de Montréal. En première partie, en plus de Zachary Richard, le public de ces trois villes serait choyé avec Joe Cocker, une autre voix rauque devenue au fil des ans une des préférées des amateurs québécois de blues et de rock'n'roll.

En fait, il avait d'abord été question que le chanteur Claude Dubois se joigne à la tournée. Mais il venait de lui arriver un malheur.

Le mercredi huit avril 1981, Dubois fut appréhendé par la Gendarmerie royale du Canada au Holiday Inn de la rue Sherbrooke et accusé, le lendemain, de possession et de trafic d'héroïne. Pendant deux semaines, il fut détenu à Parthenais puis, le deux mai, il entra en cure de désintoxication au Centre Le Portage. Le cinq juillet, un jury le reconnut coupable des accusations portées contre lui. Le vendredi trente et un juillet, le juge Jacques Ducros le condamna à vingt-deux mois de prison — à purger au Portage — une sentence relativement clémente qui créa des remous dans l'opinion publique.

Claude Dubois ne devait reprendre sa vie publique que le seize février 1982, en apparaissant au Salon de la jeunesse de Montréal.

Spectra Scène dut par conséquent renoncer à ses services.

Lorsque le programme de la tournée fut coulé dans le béton, les membres d'Offenbach se montrèrent pétants d'enthousiasme. Ça allait être une tournée pleine de gros rock'n'roll, de fun et de... fric, sans aucun doute, on ne voyait pas comment il pourrait en être autrement.

«Une gang de gypsies su'a route !...», raillait Gerry, qui n'était certainement pas insensible à l'idée d'escalader une montagne de dollars à la fin de ce périple.

Yves Savoie fut nommé directeur technique de la tournée. Malgré son écrasante responsabilité, il manifestait autant d'enthousiasme que les musiciens. Avant de partir, il dit aux roadies qui travaillaient avec lui :

«Les boys, des tournées comme celle-là, vous savez que ça existe parce que vous avez lu des articles là-dessus dans les revues américaines... Ben aujourd'hui, on en fait une icitte, au Québec. Pis on manquera pas notre coup !»

L'équipe qui entourait Savoie était constituée d'une quinzaine de personnes — sans parler de la demi-douzaine d'autres employés du merchandising et de l'administration qui entrèrent dans la caravane Québec Rock. Jean-Pierre Cotton et Yvon Thibault étaient respectivement chef éclairagiste et directeur de plateau. On donna à cette équipe une quincaillerie pouvant fournir deux cent mille watts de son et d'éclairage, qu'on allait devoir monter sur vingt-deux scènes et transporter sur sept mille kilomètres.

À l'équipe technique, on donna aussi un tour bus loué aux États-Unis. C'était la première fois au Québec que l'utilisation d'un tel véhicule était prévue dans la logistique d'une tournée. L'autobus en question pouvait coucher douze personnes. Il était évidemment équipé d'un téléviseur, d'une chaîne haute-fidélité, de réfrigérateurs et tout ce qui permet d'y vivre — quand même un peu à l'étroit — tout en roulant.

La caravane Québec Rock comptait donc plus d'une quarantaine de personnes et plusieurs dizaines de tonnes d'équipement électrique et électronique (y compris les deux consoles de son de trente-deux et de vingt-quatre pistes) que l'on trimbalerait dans six véhicules, parfois sept, dont le tour bus, un autre autobus régulier pour les musiciens, deux camions-remorques et deux ou trois minibus assortis !

Cet équipage prit la route le jeudi treize août 1981, en direction de Saint-Georges-de-Beauce.

Le lendemain, on se produisit à Trois-Rivières. Le surlendemain, à Val d'Or. Le jour d'après à Rouyn... Et ainsi de suite jusqu'à Québec, le huit septembre. En quatre semaines bien tassées, la troupe bénéficiait de quatre jours de congé !

« Ça coûte 8 000 piastres par jour pour mettre ce cirque-là sur la route... Ça fait qu'on n'a pas les moyens d'arrêter », expliquait Ménard en haussant les épaules.

Pour tout le monde, et en particulier pour les techniciens, ce rythme se révéla très vite infernal.

Pour eux, la journée débutait à huit heures le matin lorsqu'ils descendaient du tour bus stationné devant un centre sportif et ne trouvaient en général qu'un déjeuner froid — du McDonald's acheté une heure plus tôt... — à se mettre sous la dent. L'avant-midi, on montait la scène, les instruments, l'éclairage et le son. L'après-midi, on procédait aux vérifications d'usage. Après le show, entre minuit et deux heures, on démontait le tout. Et on pouvait ensuite dormir dans le tour bus entre trois et huit heures, pendant qu'on roulait vers une autre destination !

On n'était pas parti depuis une semaine que, déjà, la fatigue se fit sentir. Dans la nuit du dix-neuf août, un roadie s'endormit au volant et conduisit son camion-remorque droit dans le sous-bois. Il fallut récupérer les spots des Éclairages Tanguay accrochés aux arbres...

Pour les musiciens, l'entreprise était éreintante aussi, mais c'était tout de même autre chose. Offenbach était alors à son sommet, tant au niveau de la qualité de sa performance que de sa popularité. Chaque soir, la foule donnait aux rockers une recharge d'énergie incommensurable. Ensuite, les musiciens dormaient à l'hôtel, ce qui était infiniment plus reposant et plus confortable que le tour bus des techniciens, et roulaient de jour en jouant au poker et en buvant de la bière dans un autobus climatisé.

Pour André Ménard et Denyse McCann, qui devaient maintenir un semblant de discipline et de bon sens dans ce voyage organisé (ça n'avait rien à voir avec les excursions de l'Âge d'or de Coaticook aux chutes Niagara...), l'aventure se révéla à la fois exténuante et périlleuse.

Dès le premier week-end, on affronta des problèmes imprévus. En Abitibi, les hôtes de la tournée Québec Rock étaient les membres d'un club local de motards, qui s'occupaient de la sécurité, du bar et de la billetterie. De sorte que, après les shows de Val d'Or et de Rouyn, le samedi et le dimanche, Denyse McCann se retrouva sur le trottoir de la ville du cuivre avec plus de 80 000 dollars en petites coupures dans une grosse valise!

Elle faisait des yeux ronds.

Elle dit tout doucement au trésorier des bikers :

«C'était supposé être des chèques certifiés, non? J'pensais que vous m'donneriez des chèques certifiés!...»

Le type, une espère d'armoire à glace tatouée et vêtue de cuir, lui répondit de sa voix caverneuse en la regardant droit dans les yeux :

«Comment tu veux qu'on trouve ça, la p'tite mére, un chèque certifié, un dimanch'au soir à Rouyn, ostie!»

La voiture de Ménard et de McCann fut donc escortée au motel par un escadron de gardiens de sécurité hirsutes, montés sur des engins pétaradants. Deux de ces épouvantails passèrent la nuit assis devant les chambres des représentants de Spectra Scène, de gros calibres à la ceinture, pour *faire sûr*, comme ils disaient, qu'il n'arriverait rien au magot et à ceux qui en avaient la charge.

Par moments, on touchait au folklore !

On se rendit vite compte aussi que, sur la route, la caravane Québec Rock était invariablement suivie par deux ou trois voitures supplémentaires à bord desquelles on reconnaissait toujours les mêmes têtes. C'était les pushers ! Quelques-uns parvenaient, à chaque arrêt, à prendre le contrôle du centre sportif et de ses abords, quitte à s'expliquer parfois un peu sévèrement avec les revendeurs locaux...

Quoi qu'il en soit, partout — sauf à North Bay où l'amphithéâtre était vide — la tournée Québec Rock remportait un énorme succès.

Les foules, faites de ce gros public d'Offenbach, enthousiaste, gagné à l'avance, étaient délirantes. À Ottawa, sous le titre «Une musique immuable, increvable», le quotidien Le Droit écrivit : «Offenbach en spectacle, ça vous fait à peu près autant de bien qu'un gant de crin : à la fin, vous êtes tout égratigné...» À Chicoutimi, Le Quotidien titra : «Offenbach, comme une boule de feu !» À Rimouski, le Progrès-Écho en remit : «Un superbe Québec Rock... Que de monde ! Que de rythmes !»

Après les hauts et les bas des derniers mois, Gerry se sentait à nouveau euphorique. Il était dans son élément, le rock'n'roll, la bière, les chums, un peu de dope, les fans qui l'adulaient. Une seule chose l'agaçait, comme ça avait été le cas avant le show du Forum : il trouvait la logistique de la tournée extrêmement lourde et coûteuse.

Après le show de Rouyn, pendant que Ménard et McCann dormaient sous bonne garde, Gerry et Breen Lebœuf montèrent par exception à bord du tour bus des techniciens afin d'arriver très tôt le matin à North Bay où ils devaient accorder des entrevues à la radio locale.

Gerry était passablement éméché.

Après une discussion futile sur leurs goûts respectifs — et divergents — en matière de bière, le ton monta entre lui et l'équipe technique en général ; entre Gerry et Yves Savoie en particulier.

«Finalement, vous êtes ben en ostie, vous autres les techniciens : le gros tour bus, la bière — d'la Heineken, calvaire, pas n'importe quoi !... Vous êtes gras dur... Vous êtes des stars, hein !

— Voyons, Gerry. Comment veux-tu qu'on fasse ?... Qu'on vous suive su'l'pouce pis qu'on boive de l'eau, c'est ça ?

— Toi, Savoie, as-tu pensé à c'que ça me coûte, vot' tabarnac de roulotte ?... C'est moi pis mes chums qui travaillent pour vous transporter comme des pachas, câlisse !...

— Tu penses qu'on travaille pas, nous autres ?... Hein, Gerry ?... J'vas te dire : on se fend l'cul pour toi pis les autres, on travaille dix-huit heures par jour pis on dort su'a route... Tu viendras coucher dans le tour bus, toi, tu vas voir c'que c'est... C'est pas le Hilton, sacrament !

— Ben tabarnac, si j'étais pas là, Savoie, tu serais chez vous su'l'chômage !... Vous êtes toutte une gang de cassés, ostie, vous avez même pas dix cents pour vous acheter La Presse, c'est moi qui vous fais vivre... Fait que... comptez-vous chanceux d'pouvoir dormir queq'part : l'tour bus, c'est moi qui le paye pour que toi, tu puisses coucher d'dans, Savoie !... »

Tous deux étaient allés trop loin et le sentaient confusément. Ils n'arriveraient pas à s'entendre là-dessus, ils n'avaient pas le même point de vue sur l'affaire. Gerry le savait, Savoie aussi. Les techniciens faisaient front commun avec celui-ci; ils étaient installés en demi-cercle et regardaient Gerry en silence, une étincelle de fureur dans les yeux. Au bout d'un moment, Savoie préféra clore la discussion en disant :

« Si c'est d'même, Gerry, moi j'débarque à North Bay. Tu t'arrangeras avec tes troubles, câlisse. Pis tu coucheras dans l'tour bus, tu vas être ben en tabarnac, tu vas l'avoir pour toi tout seul ! »

Et il était allé s'étendre sur la couchette du fond, trop en colère pour dormir, pendant que Gerry restait à l'avant avec Breen.

Au petit matin, à North Bay, André Ménard et Denyse McCann eurent fort à faire pour que la tournée ne tombe pas en panne cinq jours à peine après s'être mise en route. On supplia Gerry et Yves Savoie de mettre un bémol à leurs échanges.

On dit à Gerry :

« Qu'est-ce que t'as faitte, Gerry ?... T'es allé un peu fort, c'est vrai qu'y travaillent en ostie, les gars... »

On dit à Savoie :

« Ménage un peu l'chanteur, Yves ! Y'a une grosse responsabilité sur les épaules pis y' stresse un peu, c'est normal... »

Après le soundcheck, en après-midi, Gerry grimpa rejoindre Savoie à la console de mixage et dit, en déposant une caisse de vingt-quatre bouteilles de Pilsener importée devant lui :

« Tiens, Yves, vous goûterez à ça dans vot' tour bus !... Tu vas comprendre c'que j't'ai dit cette nuit : c'est pas mal meilleur que vot' Heineken ! »

C'était une manière d'excuse, le plus loin que Gerry pouvait aller.

La caravane Québec Rock put continuer à rouler.

Après vingt jours de cette vie épuisante, le vendredi quatre septembre, la troupe débarqua au Forum alors que débutait le weekend de la Fête du travail.

Cette fois, l'expérience d'avril 1980 aidant, on se prémunit contre les problèmes de son : Savoie doubla la puissance d'amplification dont on disposait dans les amphithéâtres de province et brancha trente-deux enceintes S-2, la moitié étant suspendues audessus et de chaque côté de la scène. Plus de treize mille personnes franchirent les tourniquets du Forum, une foule plus grande encore que celle enregistrée un an et demi plus tôt ; fait révélateur, un millier de ces spectateurs n'entrèrent au Forum qu'à vingt-deux heures, juste à temps pour voir et entendre Offenbach, quitte à rater les autres !

Zachary Richard ouvrit le show.

Joe Cocker vint ensuite et livra une performance plus qu'honnête. À trente-sept ans, il venait de connaître quelques déboires personnels. Il prouva qu'il était encore capable de livrer de façon remarquable les classiques de l'époque de Mad Dog & Englishmen, de *Feelin' Allright* à *With a Little Help from My Friends*.

Il triompha avec *You Are so Beautiful*.

Ensuite, Offenbach mit en évidence les tounes de son dernier microsillon en français et donna *Rock de v'lours*, *Pourquoi mourir d'amour* et *Le Bar-salon des deux toxons* avec une énergie communicative.

Unanimement, La Presse et Le Devoir parlèrent de « triomphe ».

Gerry et ses chums n'eurent toutefois pas le temps de savourer cette victoire puisque la caravane reprit la route le soir même pour s'installer à Sherbrooke, où le spectacle devait être enregistré pour la télévision.

Trois jours plus tard, le huit septembre, on débarqua cette fois au Colisée de Québec. Trente minutes avant le show, tous se dirent que c'était un de ces jours où il aurait été préférable de rester couchés...

D'abord, le Colisée restait désespérément vide — à peine cinq mille personnes se présentèrent finalement dans le grand amphithéâtre du Parc de l'exposition. Ensuite, Cocker fut incapable de chanter : laryngite aiguë. Les médecins n'y purent rien. C'était d'autant plus décevant que, contrairement au public des autres villes du Québec, celui de la Vieille Capitale n'était pas fait d'inconditionnels d'Offenbach et, pouvait-on supposer, se trouvait là au moins autant pour entendre Joe Cocker.

C'est André Ménard qui, après la performance de Zachary Richard, monta sur scène pour annoncer la mauvaise nouvelle. Il offrit de rembourser ceux qui sortiraient immédiatement du Colisée. Près de neuf cents personnes, une partie substantielle de la foule, se prévalurent de cette offre.

Une fin peu glorieuse pour une si grande tournée.

La troupe de Québec Rock se retrouva aux petites heures du matin dans une suite de l'hôtel Le Concorde, sur Grande-Allée. On se consola en se livrant à un party monstre qui fit frémir les employés de l'établissement. Calé dans un fauteuil au milieu de ce capharnaüm, Gerry dit :

« Y' reste rien qu'à passer à' caisse, astheure !... »

Il avait l'œil sombre : il savait déjà qu'il y aurait des problèmes avec le fric.

***

Le lendemain du party au Concorde, le tour bus retourna aux États-Unis et les techniciens rentrèrent chez eux ou reprirent la route avec d'autres artistes. Et on fit le bilan de la tournée Québec Rock, la première tournée de cette envergure jamais entreprise au Québec.

En un mois, Offenbach, Joe Cocker, Zachary Richard et Garolou avaient diverti près de quatre-vingt mille personnes.

Celles-ci avaient versé 593 400 dollars pour assister à l'un ou l'autre des vingt-deux concerts donnés à partir du milieu d'août jusqu'au week-end de la Fête du travail. Ces spectateurs avaient en outre consommé 34 800 dollars de bière et acheté — au livre — 1 400 dollars de T-shirts, de posters et de disques. Les revenus nets réalisés après la ponction opérée par les coûts locaux d'administration, de production et de main-d'œuvre, étaient de 352 000 dollars.

Offenbach reçut 61 600 dollars et des poussières.

Gerry s'attendait au double!

Jamais son groupe n'avait brassé des sommes de cette envergure. Méfiant de nature, peu porté à faire confiance à des hommes d'affaires, quels qu'ils soient, il entra cette fois-ci dans une guerre à finir avec les administrateurs de Spectra Scène, une guerre qui fut suivie passionnément pendant des mois par tout le milieu du showbiz montréalais.

Le leader d'Offenbach s'était déjà pris aux cheveux avec Simard, Ménard et McCann.

Il se souvenait de l'histoire de la pochette de *Rock Bottom*. Ou des interminables discussions autour de la direction que le triumvirat voulait imprimer au groupe.

Il y avait eu aussi l'affaire Corbeau.

Le groupe Corbeau, c'était l'épine au pied de Gerry, un fantôme personnel qui venait le hanter, l'épreuve placée sur son chemin pour lui faire mériter son ciel.

En 1977, la première mouture du groupe — avec Harel, Lamothe et Belval — avait été éphémère. Mais, un peu plus tard, l'entreprise avait repris vie avec l'arrivée du guitariste Donald Hince, de Jean Millaire (un transfuge lui aussi!) et surtout, en mai 1979, de la chanteuse Marjolaine Morin, que l'on appelait Marjo. Elle avait été mannequin, puis choriste. En décembre 1979, le groupe avait lancé son premier microsillon, simplement intitulé *Corbeau*. Puis en avril 1981, un deuxième, *Fou*. Le groupe préparait déjà *Illégal*, qui, en 1982, le propulserait en tête des palmarès — sans Harel : celui-ci allait quitter Corbeau comme il avait quitté Offenbach, sept ans auparavant.

Gerry considérait l'existence de ce groupe comme un affront personnel. Tous des anciens d'Offenbach, qui venaient piétiner ses plates-bandes! Avec, en plus, une fille pour chanter! Une *fille!*... Devant les journalistes, Gerry essayait de tempérer sa fureur, mais personne n'était dupe lorsqu'il affirmait :

«J'ai rien à faire ou à voir avec eux autres, rien de bien ou de mal... Y' font leur affaire, moi j'fais la mienne...»

En fait, il lui était arrivé de s'engueuler vertement avec Marjo un soir qu'elle était entrée par hasard au Script alors qu'il était occupé à lever le coude avec Vic Vogel. Les deux vedettes du rock' n'roll s'étaient alors livrées à un concours d'épithètes qui n'avait pas fait de gagnant.

À la même époque, Spectel Vidéo (une partie de l'empire Spectel administrée par Daniel Harvey) se chargeait de produire une émission intitulée *En scène*, diffusée simultanément chaque semaine sur les ondes de Radio-Québec et de CKOI-FM. *La Télé-stéréo*, disait le slogan. En mai 1980, Radio-Québec demanda à Spectel Vidéo de coucher sur ruban magnétoscopique un show de Corbeau.

Gerry l'apprit.

Il bondit instantanément dans le bureau d'Alain Simard.

« Tu vas pas m'faire ça, Alain, toi mon gérant personnel... donner une chance à nos pires concurrents, hein ?

— D'abord, c'est pas des concurrents : vous faites tous les deux du rock, mais c'est pas menaçant pour vous autres, Gerry, Offenbach, c'est plus solide que ça !... Ensuite, de toute façon, on n'a pas le choix : c'est Radio-Québec qui nous dit quoi produire, on n'a pas un mot à dire là-dessus...

— Si tu fais ça, Alain, c'est fini entre nous autres ! »

Et Gerry était encore sorti en claquant la porte. Il avait fallu des semaines pour arranger les choses entre eux.

Mais cette fois-ci, au sujet des finances de la tournée Québec Rock, c'était infiniment plus sérieux.

Dès les premiers mois de 1981, alors qu'on essayait de coller ensemble les morceaux de cette gigantesque organisation, il y avait eu des frictions au sujet d'une police d'assurance.au montant de 100 000 dollars que Spectra Scène était dans l'obligation de contracter sur la tête de Gerry : il fallait emprunter de fortes sommes pour mettre en branle la tournée, et les institutions prêteuses voulaient ainsi se prémunir contre un accident ou quelque malheureux événement susceptible de ruiner toute l'entreprise. Gerry n'aimait pas beaucoup l'idée... mais il avait fini par donner son consentement après de longues discussions.

Le pire vint ensuite.

Lorsqu'ils s'étaient associés, en 1978, Alain Simard et Gerry avaient conclu une entente sur les modes de partage des revenus tirés des activités du groupe.

Les shows bookés par Simard coûtaient à Offenbach vingt pour cent des cachets empochés. Lorsque Spectra Scène coproduisait un événement avec le groupe, la recette allait à soixante-dix pour cent aux musiciens et à trente pour cent à Simard, Ménard et McCann. C'est cette dernière formule que l'on utilisait le plus fréquemment.

Spectra Scène faisait exclusivement affaire avec Gerry à qui il appartenait de répartir les revenus entre les cinq membres d'Offenbach.

Au moment de planifier la tournée Québec Rock, Simard avait suggéré à Gerry de fonctionner selon un accord d'exception.

«Notre entente marchera pas avec une tournée de cette dimension-là, Gerry. Nous autres, on va faire de l'argent avant que vous en fassiez... pis j'pense que t'aimeras pas trop ça! D'la façon que la tournée est montée, avec les dépenses que vous allez être obligés d'assumer, tu vas commencer à faire du fric quand les salles vont être pleines à quatre-vingt pour cent. Pis tenir une moyenne comme celle-là sur vingt-deux shows, Gerry, j'aime autant te dire qu'on y arrivera pas...

— Qu'est-ce que tu proposes?

— Qu'on partage les recettes nettes à parts égales, Gerry. On partage toutes les dépenses à deux, si y'a un pépin, on l'assume à deux, si ça rapporte gros, on partage aussi.

— J'vas y penser.»

Gerry se méfiait, évidemment. Il refusa de signer quoi que ce soit. La caravane se mit néanmoins en branle le treize août. Après cinq ou six shows, Simard revint à la charge. Il tombait mal. À Trois-Rivières et en Abitibi, les amphithéâtres avaient été remplis non pas à quatre-vingt pour cent mais à cent dix pour cent de leur capacité! Gerry l'envoya paître :

«On reste à soixante-dix pour cent, Alain. J'sais pas ce qu't'as essayé de faire, ostie, mais là, c'est sûr qu'on signera pas de nouveau deal...

— C'est comme tu veux, Gerry, mais tu vas voir à la fin que j'avais raison...»

On en resta là.

En septembre, lorsque vint le moment de fermer les livres, Gerry et ses chums d'Offenbach furent médusés.

Ils n'avaient rien à foutre des dédales comptables, ils ne voyaient que deux chiffres : la tournée avait réalisé des entrées brutes de 630 000 dollars. La recette nette d'Offenbach était de 61 600 dollars.

Point à la ligne.

Cela n'arrangeait pas les choses que Simard dise :

« Si t'avais accepté un contrat spécial pour Québec Rock, Gerry, vous auriez touché 73 000 piastres... »

Quelques semaines passèrent, puis les avocats se mirent de la partie.

Tout ce que Spectra Scène et Offenbach avaient fait ensemble depuis un peu moins de trois ans fut mis sur la table, les shows, la tournée Québec Rock, les disques — Offenbach avait réalisé des profits de 44 000 dollars avec *En fusion*, *Rock Bottom* et *Coup de foudre*. En novembre, André Ménard se rendit rue Beaudry et tenta sans succès de donner une fin moins triste à cette histoire. Après des mois d'échanges entre une batterie d'avocats, Offenbach obtint 15 000 dollars, soit très exactement la somme que Spectra Scène concédait leur devoir pour fermer les livres.

Amer, déçu, convaincu d'avoir été floué tant avec la tournée Québec Rock qu'avec les disques produits depuis 1979, Gerry jura devant Dieu et les hommes que jamais de sa vie il ne mettrait les pieds au Spectrum, la boîte que ses anciens associés venaient d'ouvrir. Et que jamais, non plus, il n'adresserait la parole à Alain Simard — il n'entretenait pas la même hargne envers André Ménard.

Simard aussi était déçu de la triste fin de cette association. Au fil des ans, il était devenu très copain avec Gerry, ils étaient allés d'innombrables fois à la pêche ensemble dans la grosse station-wagon Chevrolet de Simard, dans laquelle on pouvait faire entrer un canot!

Sur son bureau, trônaient quelques photos croquées lors de ces expéditions. Alain Simard les rangea dans un tiroir, soupira et essaya de penser à autre chose.

***

L'hiver 1981-1982 s'annonçait difficile pour Gerry et pour Offenbach.

D'abord, Gerry dut se rendre à l'évidence : de la même façon que *Never Too Tender* avait échoué, le microsillon *Rock Bottom* n'irait nulle part. La percée d'Offenbach sur le marché anglo-saxon n'aurait pas lieu. Pas plus qu'en France.

C'était difficile à admettre.

On avait placé de grands espoirs dans *Rock Bottom*, plus encore que dans *Never Too Tender*. On avait investi près de 100 000 dollars là-dedans, une fortune ! Et beaucoup de temps. Il fallait comprendre maintenant qu'en dehors du Québec, le rock d'Offenbach n'avait pas de sens, ou n'avait pas sa place, en tout cas.

Comme en 1976, Offenbach se fit planter par plusieurs médias québécois à cause de ce microsillon, ce qui n'arrangea rien. La Presse écrivit : « Offenbach : *Rock Bottom* ou la perte de son identité. » Le périodique Québec Rock ajouta : « Offenbach a pris là un gros risque face au marché local. L'identification reste un facteur important pour le client québécois. »

Les chiffres de vente du dernier microsillon en français, *Coup de foudre*, ne cassaient rien non plus. Le disque était bon, mais il ne contenait pas de hits comparables à ceux de *Traversion*. Les paroles, cette fois, étaient d'André Saint-Denis, de Plume Latraverse et d'un nouveau copain de Gerry, Pierre Côté. John McGale, lui, avait pris plus de place pour ce qui est de la musique ; Gerry n'était pas certain d'aimer beaucoup cela.

Cette fois, Gerry n'allait pas se laisser abattre. De toute façon, il était trop en colère — contre Simard, contre le *système*, contre la vie ! — et trop dépité devant tout ce fric qui lui était passé sous le nez...

Comme il l'avait fait dix fois depuis vingt ans, il reprit les destinées du groupe en main. Il mit à jour son carnet téléphonique et annonça à ses chums de musique, un soir, rue Beaudry :

« On a faitte le Forum ?... Ben à présent, on va faire les p'tits clubs partout dans' province. On va se booker nous aut' mêmes, y'aura pas une cenne à donner à personne !... »

Il se cala dans son fauteuil, afficha un sourire sarcastique et conclut :

« Ça va être la tournée *bacon*, tabarnac ! »

Julie

Françoise attendait un enfant.

Le contraire eut été surprenant. Depuis son retour de la Barbade, à la fin de janvier 1981, elle était toujours au lit avec son chum ! Il ne la lâchait plus, il la poursuivait à travers l'appartement de la rue Beaudry comme un satyre, il lui faisait l'amour trois fois par jour. Françoise arrivait à peine à sortir pour aller travailler. C'était presque devenu une corvée...

« Mais arrête ! Tu penses vraiment qu'à ça... », protestait-elle pour la forme.

Elle n'y pouvait rien. Gerry Boulet désirait un enfant de Françoise, c'était clair. Il prenait les moyens qu'il fallait pour y arriver. Cette fois, il n'y aurait pas d'accident de grossesse, ils allaient parvenir ensemble à faire un petit bien à eux. Gerry se le promettait. Et le promettait à Françoise.

Elle ne demandait pas mieux, évidemment.

Fatalement, au début de juin, elle se rendit compte qu'elle était enceinte. Lorsqu'elle l'annonça à Gerry, il ne trouva d'abord qu'à dire, en écarquillant les yeux :

« C'est-tu vrai ?

— Ben, Gerry : tu penses pas qu'on a fait c'qu'y' fallait pour ? »

Et le futur père s'était mis à danser comme un dingue, à prendre Françoise dans ses bras — délicatement, tout de même, à cause de son état...

Elle riait de le voir s'agiter ainsi. En fait, elle se retenait parfois pour ne pas se payer un peu la tête de son homme, Françoise. Depuis quelques mois, depuis que Frank Harrold n'était plus dans le décor, depuis la grossesse de Denise, depuis la Barbade, l'attitude de Gerry se modifiait à vue d'œil. Avec elle, il était devenu d'une jalousie à faire peur. Il lui tournait continuellement autour.

Pas seulement pour la chose... mais aussi pour la mettre en garde (et c'était extraordinaire d'entendre cela de la bouche de Gerry !) :

« T'es mieux de jamais m'tromper, tabarnac, parce que... »

Ou alors, il lui susurrait des mots doux :

« Viens dans' chambre deux minutes, Françoise, tu vas voir que t'auras pas à t'plaindre, j'te l'dis... »

Dans ces cas-là, il était touchant ! Lui qui pouvait être si dur avec les autres, qui terrorisait tout le milieu du showbiz, qui était capable d'être macho comme pas un... cet homme-là avait alors la tête d'un garçonnet pris en faute.

Il avait eu peur, Gerry. Peur que Françoise le quitte. Maintenant, ils auraient un enfant ensemble et cela réglerait tous les problèmes.

Il arrivait encore à Gerry de partir en vadrouille et de ne pas rentrer de la nuit, bien sûr, il ne pouvait s'en empêcher. Il arrivait qu'on le rencontre encore sur la Main avec des filles accrochées à son bras. Mais ce n'était plus la même chose. Ce n'était plus la dégringolade dans la dope, dans l'alcool, dans le sexe, qu'il avait connue pendant un peu plus d'un an, jusqu'au milieu de 1981. Ses virées étaient moins fréquentes. Et la plupart du temps, c'était des histoires de gars. De chums de taverne incapables de se soumettre à un last call, déterminés à priver la ville de sa dernière goutte de houblon.

Gerry était plus souvent à la maison pour s'occuper de Françoise. Et s'occuper un peu de lui, aussi.

Il venait d'avoir trente-cinq ans.

Il en faisait apparemment peu de cas, ne discourait jamais sur son âge, sur le temps qui passe, sur des considérations de cet ordre. Mais il voyait bien qu'à trente-cinq ans, ce n'est plus tout à fait pareil. On n'a plus la même endurance à l'alcool, à la dope, aux nuits blanches. Il avait besoin de moins en moins de bière pour être ivre. Et de plus en plus besoin de dormir, la nuit, comme tout le monde !

Heureusement, il n'avait plus tout à fait les mêmes goûts non plus. Il commençait à drôlement apprécier, par moments, les soirées tranquilles à la maison. Les petits soupers avec Johnny Gravel et Laurence — rue Beaudry, Gerry préparait du ragoût de pattes, sa spécialité ; ou alors Johnny faisait des montagnes de frites, c'était son truc à lui, lorsqu'on se déplaçait rue Panet où le couple était maintenant installé.

Ou encore Gerry et Françoise allaient au Script, où on tombait parfois sur Vic Vogel. Ou bien au cinéma. Ou ils s'écrasaient devant le téléviseur, simplement, comme un couple de banlieusards.

Ils avaient un peu plus de fric. Ce n'était pas encore le pactole mais ce n'était plus la misère comme au début des années soixante-dix. Gerry s'était mis à offrir des petits cadeaux à Françoise, des attentions qu'on n'aurait pas attendues de lui : des boucles d'oreilles, des bagues, une adulaire — la pierre de lune était pour lui une sorte de fétiche.

Surtout, tous deux s'offrirent à cette époque un cadeau grandiose : ils achetèrent l'immeuble de la rue Beaudry dans lequel ils logeaient depuis 1977.

Gerry, propriétaire foncier !...

Mise à part la B-3, c'était la première chose de quelque valeur lui appartenant en propre depuis qu'il était né ; il en était très content et, en même temps, un peu écrasé par ce que cela comportait de responsabilités et de soucis pratico-pratiques. Ils avaient eu la maison pour presque rien. En plus de l'appartement qu'ils occupaient, l'édifice abritait cinq logements qu'on louait à une clientèle hétéroclite, des petits employés, des couples gais, des artistes sans le sou, parfois de véritables paumés. Quelques-uns payaient mal, ou étaient déraisonnablement bruyants. C'était extraordinaire dans ces cas-là de voir Gerry, pieds nus, avec juste un T-shirt sur le dos, frapper à la porte d'un de ses locataires pour lui ordonner :

« Baisse ta musique, tabarnac, y'est trois heures du matin pis on veut dormir ! »

Lorsqu'il n'était pas trop en colère, il ajoutait tout de même, comme un clin d'œil :

« T'es pas au Forum, icitte, bonhomme... »

Petit à petit, il avait entrepris de rénover l'immeuble, qui en avait bien besoin. Gerry courait les aubaines, les subventions à la rénovation, les ouvriers pas chers que l'on paie sous la table. Il ne s'en sortait pas si mal, finalement.

Ce tout nouveau statut de propriétaire avait un avantage : il lui occupait l'esprit avec autre chose qu'Offenbach.

Gerry était toujours passionné de musique, c'est certain ; mais il trouvait de plus en plus lourd d'avoir à porter le groupe à bout de bras. Car c'était toujours le cas, en fin de compte.

Par exemple, à la pire époque du conflit avec le tandem Simard-Ménard, Gerry avait eu à remplacer encore une fois le batteur.

Petit à petit, Bob Harrison s'était éloigné du groupe. Avec d'autres musiciens, il jouait dorénavant de la guitare et chantait du blues ; cela accaparait de plus en plus son temps. Un jour, on avait fini par lui dire :

« Y' faut qu'tu choisisses, Bob... »

Et Harrison avait opté pour une carrière solo.

De sorte que Gerry avait dû tenir de nouvelles auditions dans le local de la rue Plessis. Son choix s'était arrêté sur le septième batteur mis à l'essai, Pat Martel, ex-membre du groupe Aquarelle.

Ensuite, en décembre 1981, le leader d'Offenbach était entré en pourparlers avec Luc Phaneuf, administrateur de l'agence Showbiz International. Il gérait la carrière de Plume Latraverse depuis le début des années soixante-dix alors que celui-ci animait les folles nuits de Chez Dieu, place Jacques-Cartier, avec le docteur Landry et Pierrot Léger, les deux autres membres de la Sainte Trinité.

Gerry et Phaneuf s'étaient donné rendez-vous, un midi, au restaurant Vespucci, juste en face des bureaux de l'imprésario, rue Prince-Arthur. Ils n'avaient signé aucun contrat. Mais à la fin du repas, Phaneuf avait dit :

« Après ta tournée des p'tits clubs, j'vas t'arranger queq' chose, Gerry. Peut-être une tournée avec Plume, je l'sais pas, on verra... »

Gerry était alors occupé à monter la tournée *bacon*. Il avait confié la direction technique de l'affaire à Yves Savoie ; mais il avait tenu à entrer lui-même en contact, comme aux beaux jours des Kernels et des Gants blancs, avec les hôteliers et gérants de clubs à travers le Québec. Plusieurs n'en croyaient pas leurs oreilles lorsqu'au téléphone, ils entendaient :

« Salut ! C'est Gerry d'Offenbach. On s'rait intéressé à jouer chez vous... »

Il y en eut un ou deux pour s'esclaffer et laisser tomber en lui raccrochant au nez :

« Fais pas l'cave, Tex, je l'sais que c'est pour tes *Insolences* ! »

Gerry devait recomposer le numéro et s'expliquer un peu mieux... La tournée prit forme — elle débuterait le vingt-sept février et durerait un peu plus de trois mois — après qu'il eut passé des heures soudé au téléphone décorant le pupitre installé dans un coin de l'appartement, rue Beaudry.

Il pouvait en même temps prendre soin de Françoise, dont la grossesse était délicate.

Elle avait dû cesser de travailler. Dès les premiers jours de 1982, elle savait déjà qu'elle devrait accoucher par césarienne, son médecin l'avait prévenue : c'était plus prudent. Françoise désirait tellement que tout se passe bien. Elle n'osait pratiquement plus bouger! On lui avait dit d'éviter tout exercice le moindrement violent; de fuir même les escaliers, dans la mesure du possible. Alors elle lisait, ou regardait la télévision en écoutant Gerry négocier au téléphone les engagements d'Offenbach — c'était souvent hilarant!

Elle était contente. Et optimiste.

Le soir du vingt-cinq février, comme prévu, Françoise entra à l'hôpital Notre-Dame. Gerry l'accompagna et demeura avec elle jusqu'à vingt-deux heures. En partant, il lui dit :

«C'est demain qu'ça s'passe, Françoise! J'vas être là. Tu vas voir : ça va ben aller.»

Le lendemain matin, on la conduisit en salle d'opération, on lui fit une épidurale et le bébé vint au monde à dix heures sept minutes, le vingt-six février 1982. C'était une petite fille de sept livres et deux onces.

Elle s'appellerait Julie.

Gerry était là, le bas du visage recouvert d'un masque chirurgical, les cheveux engoncés dans une sorte de bonnet ridicule, mêlé à la demi-douzaine d'étudiants en médecine qui entouraient le chirurgien, l'anesthésiste et les infirmières dans la pièce bâtie autour d'une énorme lampe lévitant au-dessus de la parturiente.

Lorsqu'on eut coupé le cordon, Gerry prit le bébé dans ses bras. Même si c'était la troisième fois qu'il se retrouvait dans une situation semblable, il se sentait terriblement malhabile. Il aurait voulu avoir huit bras pour tenir Julie, pour être certain de ne pas la laisser tomber, de ne pas la casser : elle semblait tellement fragile! Françoise, en sueur, regardait la scène avec extase. Curieusement, la petite avait les yeux ouverts et semblait dévisager son père. Gerry dit tout bas :

«Julie me r'garde, Françoise, a' me r'garde!»

Et il riait et pleurait en même temps, euphorique, parlant tour à tour à Françoise et au bébé, persuadé que l'une et l'autre comprenaient au même degré sa joie et sa fierté!

Le personnel médical s'efforçait de s'occuper ailleurs, pour laisser les nouveaux parents épancher leurs sentiments pendant quelques minutes. Avec d'infinies précautions, Gerry déposa Julie dans les bras de sa mère, se pencha sur elles et leur tint un long discours que personne d'autre n'entendit...

Il lui fallut ensuite partir. En après-midi, il devait se charger des derniers préparatifs de la tournée qui allait s'ébranler dès le lendemain.

Il revint à l'hôpital le soir et Françoise s'endormit dans ses bras.

Tout doucement, Gerry sortit de la chambre et, dévalant la rue Plessis puis la rue Ontario, courut célébrer l'événement dans les bars de la rue Saint-Denis.

À une heure du matin, Gerry se rendit compte qu'il avait omis d'annoncer la bonne nouvelle à un de ses proches, un homme qui, au même titre que Jean-Yves Bisson, ou Breen Lebœuf, ou Johnny Gravel, était devenu un très bon copain à lui. Il introduisit une pièce dans le gobe-sous d'un téléphone public, composa un numéro et hurla dès qu'il entendit décrocher :

« Ça y est ! Françoise pis moi, on a un enfant : Julie, qu'a s'appelle... Tu devrais la voir, 'est tellement belle, pis a' me r'connaît, j'te dis, a' l'a pas arrêté d'me r'garder... Viens fêter ça avec moi ! »

Une demi-heure plus tard, Gerry rejoignit l'homme qui était allé l'attendre dans un bar de la rue Ontario, une bière posée devant lui, radieux comme s'il avait lui-même accouché de Julie.

« Salut l'père !... » hurla Michel « Mike » Blass dès qu'il vit entrer Gerry.

À fond d'train

Julie avait vingt-six ou vingt-sept jours.

Gerry Boulet n'avait pas vu sa fille — ni Françoise, d'ailleurs — depuis qu'elle était née. Car le lendemain de l'heureux événement, Offenbach avait pris la route afin d'honorer les premiers des soixante-quinze engagements contractés dans le cadre de la tournée *bacon* — une dénomination que l'on se gardait bien d'afficher en public !

Gerry et ses chums de musique voyageaient dans l'*Offenbazou*, le nom qu'on avait trouvé pour désigner la grosse station-wagon achetée d'Alain Simard à l'époque où on lui parlait encore. Les trois techniciens, Yves Savoie, Jean-Pierre Cotton et Denis Richard, prenaient place à l'avant du camion de sept mètres transportant les appareils d'amplification loués chez Bruit bleu et le fascinant système d'éclairage — des rampes comme au Forum, mais en miniature — conçu par les techniciens de chez Tanguay.

On était en mars 1982.

Les membres d'Offenbach se trouvaient dans un hôtel de Sainte-Marie-de-Beauce. Une heure avant le show, Gerry était dans sa chambre, occupé à ne rien faire. On frappa. Il alla ouvrir.

Et il eut la surprise de voir Michel Blass, portant Julie dans ses bras, qui lui tendait le petit bout de femme en disant :

« Tiens, Gerry : ta fille ! »

Françoise était venue avec Blass. Gerry ne s'y attendait pas. Lui qui, la seconde d'avant, était plutôt enclin à la déprime se mit à sourire, à faire des guili-guilis au bébé, à ouvrir des bouteilles de bière pour son ami Mike ainsi que pour Breen, Johnny et les autres accourus voir Julie. Les rockers faisaient attention de ne pas parler trop fort, pour ne pas faire pleurer la petite. Et, tour à tour, ils venaient se pencher sur elle, tout doucement, contemplant le bébé comme s'il s'était agi de la huitième merveille du monde.

Ça allait être une des plus belles soirées de la tournée. Françoise, Julie et Blass passèrent le week-end avec Offenbach. Gerry avait vraiment l'impression d'être en famille. Mike avait des allures de *mon oncle*. D'ailleurs, ce fut peut-être le moment où il se sentit le plus proche de cet étrange ami qu'il fréquentait épisodiquement depuis presque deux ans, nonobstant les carrières fort différentes qu'ils menaient chacun de leur côté...

Au début des années quatre-vingt, Michel Blass était considéré comme un des tueurs à gages les plus efficaces des milieux interlopes montréalais.

Une sorte de vedette, à sa façon, lui aussi.

Il était le frère aîné de Richard Blass. Celui-ci avait été abattu par la police dans un chalet de Val-David le vingt-quatre janvier 1975, trois jours après l'incendie criminel du bar Chez Gargantua dans lequel avaient péri treize personnes et dont le Chat — c'est ainsi qu'on surnommait Richard Blass — était l'un des auteurs présumés.

En 1963, Mike Blass, vingt ans à peine, avait été condamné à dix ans de pénitencier pour sa participation à six vols à main armée. Il était sorti de tôle en 1966 et, pendant près de dix ans, on n'avait plus entendu parler de lui. Puis, le douze juin 1975, au beau milieu d'une guerre des gangs qui faisait rage depuis quelques mois à Montréal, deux hommes furent abattus à la Brasserie Iberville. Soupçonné par la police, Blass préféra se livrer. Le premier avril 1976, il fut condamné à douze ans de réclusion, pour être mis en liberté conditionnelle au début de 1980.

C'est à ce moment-là qu'il fit la connaissance de Gerry, lors d'un gala de boxe au Centre Paul-Sauvé. Ils furent présentés l'un à l'autre par une amie commune, une fan de Gerry depuis ses tout débuts dans les petits groupes de Saint-Jean-sur-Richelieu.

Gerry et Blass fraternisèrent tout de suite.

Contrairement à la plupart des gens qui approchaient Blass, Gerry ne se montra pas du tout impressionné par la réputation du personnage. Il ne lui posa pas de questions, ne manifesta pas cette curiosité morbide que plusieurs éprouvent devant les hommes associés au milieu du crime.

Blass aimait bien cette attitude-là.

Il était un fan d'Offenbach. Au Centre Paul-Sauvé, il observa le musicien alors que tous deux prenaient place au bas de l'arène ; au bout d'un moment, il fut certain que Gerry était un homme en qui il pouvait placer sa confiance.

Françoise, forte des mauvais souvenirs qu'elle avait de Frank Harrold, commença par s'inquiéter. Gerry lui dit :

«C'est pas le même genre de bonhomme, Françoise... Mike, y'est correct avec moi. Pour le reste, c'est pas à moi de le juger : les juges sont payés pour ça!»

Blass avait beaucoup de charme. Surtout avec les femmes, évidemment. Il portait les cheveux mi-longs, la moustache et il n'avait pas ce visage dur, impavide, qu'on lui voyait sur les photographies publiées dans les journaux. Il était même très doux et savait se montrer discret et attentionné. Lorsqu'il débarquait rue Beaudry, il lançait à Françoise avec un large sourire :

«Salut, la p'tite!»

Françoise finit par l'adopter, elle aussi. Mike Blass se chargeait de lui remonter le moral lorsque ça n'allait pas entre elle et Gerry. En même temps, il allait soutenir les troupes au local de répétition de la rue Plessis, toujours prêt à offrir de la bière et de la poudre lorsque les musiciens affrontaient des fins de mois difficiles.

Graduellement, Blass prit de plus en plus de place dans la vie d'Offenbach. Il partait en province avec le groupe, donnait un coup de main avant et après les shows. Gerry et ses chums de musique s'amusaient ferme avec lui.

Blass conduisait une fourgonnette Econoline bleue et grise dont l'intérieur, garni dans les tons d'orange brûlé, était équipé de tous les gadgets — lit escamotable, frigo, téléviseur, chaîne haute-fidélité. Souvent, Gerry et les autres préféraient voyager avec lui plutôt que de monter à bord du véhicule réservé pour le groupe. C'était plus confortable. Et plus sympathique.

Breen faisait chaque fois la même blague : au moment où Blass tournait la clef de contact, il se bouchait les oreilles des deux mains en esquissant une grimace d'épouvante, comme s'il attendait une explosion! Bien sûr, il ne se passait jamais rien. Et Blass lui lançait en le regardant dans le rétroviseur :

«C'est correct, Breen... C'est pas encore pour c'fois icitte!»

Gerry, lui, se contentait de rigoler.

Il faut croire que le destin de Michel Blass n'était pas de périr dans un attentat à la voiture piégée...

Mais cela aurait pu arriver. Gerry ne posait pas de questions ; mais il voyait bien que, de temps à autre, Blass semblait préoccupé, nerveux. Dans ces moments-là — coïncidence —, Gerry tombait souvent sur une arme de fort calibre dissimulée sous une banquette ou derrière le frigo, en s'installant dans l'Econoline. Ou bien il ne voyait plus du tout son copain pendant des semaines. Gerry expliquait à Françoise :

« Je l'sais pas... J'sais pas c'qu'y' fait, c'temps icitte. »

Puis Mike Blass réapparaissait, détendu, à nouveau souriant, et reprenait la route avec Offenbach.

Comme Gerry, Blass aimait les enfants — il en avait quatre, deux garçons et deux filles.

Et les excursions de pêche.

Au fil des ans, il leur arriva d'aller se perdre tous deux sur un lac. Dans ces moments-là, au bout d'un ou deux jours passés à n'écouter que le silence et à ne voir que l'eau et les arbres, c'était difficile de comprendre la vie qu'il leur fallait mener en ville. Saisir la frénésie qui s'emparait d'eux dès qu'ils retrouvaient la civilisation. Cela ne durait pas, bien sûr. Gerry et Mike Blass finissaient par revenir. Le premier reprenait sa place derrière la B-3, l'autre disparaissait à nouveau pendant des semaines après avoir annoncé d'un air faussement détaché :

« J'pars pour queq' jours, Gerry. Si t'as affaire à moi, tu sais où m'appeler, y' vont m'faire le message... »

Gerry se mettait à éplucher les journaux chaque fois que Blass s'absentait ainsi. Il avait toujours un peu peur de ce qu'il allait y trouver.

Il n'avait pas tort.

Le vingt-six novembre 1984, son cœur se mit à battre un peu plus fort lorsqu'il lut, dévorant les lignes pour aller plus vite : « ...explosion au 1645, de Maisonneuve ouest... règlement de compte... quatre morts... bande de Paul April... » Dix mois plus tard, le quinze septembre 1985, Gerry n'eut même pas le courage de parcourir tout de suite l'article. Le titre lui en apprenait suffisamment : « La Sûreté du Québec arrête Michel Blass. » Il froissa le journal avec rage et le projeta avec une violence bien inutile.

Rien n'est aussi difficile à lancer qu'un journal chiffonné.

***

Les réjouissances de Sainte-Marie-de-Beauce ne furent qu'un court et agréable intermède au milieu d'une tournée quasi désastreuse. On avait pourtant pris la route avec un moral à toute épreuve. Avant de partir, Gerry avait expliqué aux journalistes montréalais :

«Le club, c'est la première école du rock, la vraie, la dure... On veut voir le monde un peu. On est écœuré d'chanter pour les gardiens de sécurité : au Forum pis dans les grandes salles, c'est rien qu'eux autres qu'on voit du stage!»

Malheureusement, l'enthousiasme tomba assez rapidement.

Il était prévu que l'on commençait par la Gaspésie. Dès les premiers jours, l'Offenbazou et le camion qui suivait affrontèrent les pires tempêtes de neige qu'il soit possible d'imaginer. En février, la côte atlantique est une région fort inhospitalière. Le moindre trajet devenait une aventure peut-être pas périlleuse, mais certainement fort éprouvante pour la patience et la bonne humeur des routards.

Ensuite, la maladie s'abattit sur la troupe. Jean-Pierre Cotton fut le premier atteint par une sorte de grippe intestinale qui, au bout d'une semaine, mit presque tout le monde — Gerry y échappa comme par miracle — sur le carreau. Cotton dut être rapatrié à Montréal et remplacé par son frère. Lebœuf eut tellement la frousse (il lui arrivait de perdre conscience sur scène) qu'il cessa de fumer et se mit à manger sainement et à faire du jogging entre les bancs de neige!

Quant aux conditions matérielles et techniques dans lesquelles on devait voyager et se produire...

Parfois, les hôtels où on officiait étaient tellement minables que les musiciens préféraient y aller de leur poche pour s'offrir, ailleurs, des chambres à peu près convenables. D'autre part, on ne parvint jamais à ajuster correctement les moniteurs de scène : Denis Richard, assigné à la console, devait se débrouiller pour pratiquer un métier qui n'était pas vraiment le sien et le résultat était navrant. En fin de soirée, on ne pouvait à peu près jamais compter sur personne pour charger les instruments à bord du camion : à cette heure-là, les manœuvres dont les hôteliers avaient (soi-disant...) retenu les services étaient en général trop ivres pour être de quelque secours.

Tout cela aurait été moins pénible si la paye avait été bonne.

Mais dès le départ, en Gaspésie, on se rendit compte que cela non plus ne se passerait pas comme prévu : le fric entrait au compte-gouttes, ce qui, pour une tournée *bacon*, était vraiment le comble ! Plus que pénible, c'était l'enfer.

En plein hiver, une bonne partie des Gaspésiens étaient au chômage et, plus souvent qu'autrement, on se produisit devant des parterres à moitié vides. Ailleurs en province — on fit vraiment le tour : de l'Abitibi à la Côte-Nord en passant par le Saguenay et les Cantons de l'Est —, on dut affronter certains hôteliers et gérants de clubs ayant une notion assez vague de ce qu'est l'honnêteté. Dans les petits bureaux miteux derrière les salles, Gerry s'assoyait parfois à une table au bout de laquelle traînait une arme à feu, comme par hasard...

Pris au piège, obligé d'accepter ce qu'on lui donnait, il ne pouvait que regarder son vis-à-vis en pensant : *si Mike était icitte, y' t'arrangerait ça, mon grand calvaire...*

Gerry aurait été étonné si on lui avait dit que deux ans plus tard, Blass s'occuperait effectivement de ce genre de choses !

À l'été 1984, bien après la tournée *bacon*, Blass fut en effet officiellement embauché comme road manager par Luc Phaneuf pour une série de spectacles qu'Offenbach devait donner en province ! C'était une sorte de service que l'on avait convenu de rendre à Blass : celui-ci avait besoin d'un prétexte pour assouplir les strictes conditions (entre autres, il ne devait pas se déplacer à plus de vingt-cinq kilomètres de chez lui) auxquelles les agents du ministère de la Justice assujettissaient sa liberté.

Gerry trouvait l'idée géniale. Après quelques shows, Phaneuf se déclara satisfait lui aussi. Il dit :

« Mike, c'est le meilleur road manager qu'on a jamais eu ! »

Il est vrai que Blass était efficace.

Lorsque le groupe débarquait dans un aréna, ou un amphithéâtre, Gerry présentait son copain :

« C'est Mike, not' road manager... »

Et il observait en souriant la tête du type à qui Blass serrait la main : certains en tremblaient presque...

C'était pratique.

Par exemple, pendant cette période, on n'eut jamais de mal à encaisser les cachets en fin de soirée !

À une occasion, lors d'un show donné en plein air à Saint-Gabriel-de-Brandon, une bagarre éclata juste au bas de la scène entre deux bandes rivales de motards. D'ordinaire, Gerry réussissait à calmer les esprits en invectivant les belligérants au micro. Mais cette fois, rien ne fonctionna. Les musiciens durent battre en retraite dans les coulisses de peur d'être blessés. Michel Blass leur dit :

« Attendez-moi icitte, j'vas régler ça, c't'affaire-là... »

On le vit faire le tour de la scène et aller se camper au beau milieu du champ de bataille. Les motards furent d'abord saisis de surprise. Puis trois ou quatre d'entre eux entourèrent Blass et parlementèrent avec lui à voix basse. Aucun n'esquissait le moindre geste. On ne vit pas d'arme. On n'entendit pas la plus petite injure. Au bout de deux minutes, Blass fit signe aux musiciens de revenir et Offenbach put reprendre le concert là où il avait été interrompu, devant un parterre devenu sage au point où on se demandait si, par un quelconque tour de magie, les hordes de bikers n'avaient pas été remplacées par une cohorte de chérubins écoutant religieusement une musique céleste ! Après le show, Gerry demanda à Blass :

« Tabarnac, Mike, qu'est-ce' tu leur as dit ?

— Oh ! rien de compliqué... C'est pas des mauvais gars : quand tu leur expliques, y' comprennent. J'leur ai jus' dit que c'était pas la place pour régler leurs p'tits problèmes. Que si y' voulaient de l'action, ben... qu'y' allaient en avoir, pas mal plus qu'y' sont capables d'en contrôler !

— Ah ! »

Gerry hochait la tête.

Quelques mois plus tard, il lirait : « La Sûreté du Québec arrête Michel Blass. » Sans le savoir, les policiers mettraient ainsi un terme à la brève carrière d'un excellent road manager.

Entre-temps, poursuivant la tournée *bacon*, Gerry devait se débrouiller lui-même avec les histoires de fric.

Car non seulement les hôteliers se faisaient-ils parfois tirer l'oreille pour allonger les dollars, mais encore payaient-ils en espèces, ce qui amenait un problème supplémentaire. On empilait les coupures de 10, de 20 et de 50 dollars dans une sorte de trappe plus ou moins camouflée sous le siège arrière repliable de l'Offenbazou. Il y avait parfois plus de 10 000 dollars, abandonnés sans surveillance, dans le coffre au trésor! Inexplicablement, on ne se fit jamais voler.

Le leader d'Offenbach avait prévu que le groupe récolterait entre 8 000 et 10 000 dollars par soir tout au long de la tournée. Souvent, on n'en toucha pas la moitié. Au début de juin, lorsque vint le temps de dresser les bilans comptables, Gerry se rendit compte que le groupe avait à peine amassé de quoi tenir quelques mois. Au surplus, il se trouva une nouvelle fois mêlé à une querelle de fric — à titre de patron, cette fois-ci. Les techniciens, qui avaient touché de modestes salaires pendant ces quatorze semaines et à qui on avait promis des primes substantielles, furent déçus de constater que leur enveloppe ne contenait que quelques centaines de dollars. Savoie, surtout, était en colère. Dès le début, il avait assisté Gerry alors que celui-ci complétait le booking. Il s'attendait à toucher environ 5 000 dollars. Il n'obtint pas le dixième de cette somme...

Gerry et Yves Savoie furent des années sans s'adresser la parole.

Au début de l'été 1982, le moral de Gerry était au plus bas. La tournée *bacon* l'avait fait maigrir, lui qui n'avait jamais pesé beaucoup plus de soixante kilos! Il était livide. Il était devenu ombrageux, colérique. Pendant plus de trois mois, il avait été l'homme-orchestre d'Offenbach, voyant au transport des instruments, aux cachets, à la cohésion musicale, à tout. Sa journée à lui n'était jamais terminée. De sorte qu'il avait recommencé à boire plus que de raison. Et à patauger dans la poudre. Lors du dernier show de la tournée, à Pointe-aux-Trembles, il était tellement bourré que tout le monde prévoyait qu'il serait incapable de chanter. Mais il l'avait fait.

Après tout cela, il n'avait plus de force.

Il n'y croyait plus.

Les autres membres du groupe s'aperçurent rapidement que Gerry commençait à prendre ses distances. Ils firent de même. Sauf pour les shows, évidemment, on voyait Breen de moins en moins. Même chose pour McGale.

Gerry s'enfermait souvent rue Beaudry, avec Françoise et Julie. Il était bien, chez lui. Il lui arrivait de mettre en fonction le répondeur téléphonique et d'oublier carrément le reste de la planète. De s'asseoir dans un coin et de contempler sa fille. Ou de s'écraser devant le téléviseur, le regard vide, et de ne penser à rien.

À l'occasion, il tentait encore quelques virées en ville. Mais ce n'était plus comme avant. Il avait le vin triste. Et il finissait invariablement ses nuits à entretenir des discussions sans queue ni tête avec quiconque se trouvait à portée de voix, pendant que le barman essayait de lui faire comprendre que le last call avait été donné une heure plus tôt.

Tout l'agaçait.

C'était même devenu une corvée que d'aller rue Plessis, où, pendant l'été, Offenbach se consacra à la préparation d'un nouveau microsillon : il était prévu que l'on entrerait en studio à l'automne. Pourtant, aux beaux jours du groupe, le local de répétition était bien l'endroit le plus amusant de la terre.

On se moquait de tout en faisant de la musique et en buvant de la bière.

On croisait souvent Pierre Bourgault, qui demeurait à côté. Et on s'interrompait pour potiner un peu avec lui — c'était bien le seul personnage politique, hormis Claude Charron et Gilles Baril, à qui Gerry daignait adresser la parole !

Même le propriétaire de cette demi-douzaine de garages aménagés en salles de répétition était un type divertissant. Il avait bricolé (ça lui avait pris des semaines !) une sorte de monorail destiné au convoyage des instruments de la rue au local d'Offenbach, au fond de la cour... mais la première fois qu'on s'en était servi, on avait trouvé tellement dangereux de suspendre ainsi la B-3 entre ciel et terre qu'en croulant de rire, on avait renoncé à actionner le curieux dispositif !

Maintenant, Gerry regardait d'un œil morne l'assemblage d'acier qui rouillait, inutilisé, sous le porche donnant accès à la cour.

Lorsque la quincaillerie du groupe entrait ou sortait et que les camions bloquaient la rue Plessis pendant des heures, il semblait au leader d'Offenbach que les voisins ne manifestaient plus la même sympathie amusée qu'auparavant. Les fenêtres se refermaient en claquant. Il y en avait parfois un pour hurler du pas de sa porte :

« Ça va-tu finir, c't'ostie de vacarme-là ?... »

Peut-être Gerry voyait-il tout en noir. Peut-être l'un ou l'autre des riverains de la rue Plessis avait-il toujours dénoncé ce *vacarme-là* sans qu'il y prête attention.

Gerry ne savait plus.

À la fin de 1982, tout le clan Offenbach — conduit par Mike Blass — roula jusqu'à Québec où on s'installa pendant une dizaine de jours à l'hôtel Clarendon, en plein cœur de la vieille ville. Et on enregistra le microsillon *Tonnedebrick* au studio P.S.M., situé dans une ancienne succursale bancaire au pied du cap Diamant.

Ce disque annonçait une rupture dans le son traditionnel d'Offenbach. John McGale avait composé huit des onze musiques meublant le microsillon; Gerry n'en avait fait qu'une, celle de *Prends pas tout mon amour*, sur des mots de Plume Latraverse. Pierre Huet, Pierre Côté, Marc Desjardins et Pat Martel étaient les autres auteurs mis à contribution sur *Tonnedebrick*.

Pour la première fois, une femme, Ève Déziel, écrivait des paroles pour le groupe. Aux journalistes, fascinés par l'intrusion d'un élément féminin dans ce *gang de machos*, elle dut expliquer :

« Je n'ai jamais senti une forme d'agression sexiste dans ce qu'Offenbach faisait... Écrire pour eux, ça m'a permis de sortir des choses d'une certaine violence que je n'aurais jamais vu chanter autrement. J'aime l'énergie et l'urgence d'Offenbach; j'ai toujours l'impression qu'Offenbach crie *au secours!*, et ce genre de mélange de vulnérabilité et de puissance permet d'aller très loin dans les sentiments humains... »

Questionné pour sa part au sujet de sa remarquable discrétion en tant que compositeur. Gerry soutint :

« Moi aussi, j'avais écrit pas mal de pièces, comme John... Mais moi, c'était surtout des blues. Pis j'trouvais que ça fittait pas dans l'orientation qu'on s'était donnée pour ce record-là... »

Le fait est que *Tonnedebrick*, inséré dans une pochette sur laquelle on voyait un énorme gant de boxe, était résolument rock'n'roll. Chez les disquaires, il se révéla décevant : les ventes démarrèrent encore plus lentement qu'à l'ordinaire. Le consensus s'établit rapidement autour du fait que le son de *Tonnedebrick* n'était pas très bon, inférieur en tout cas aux disques précédents. On mit cette autre déception sur le compte d'un problème de pressage.

Au surplus, au début de 1983, le disque tombait mal : depuis les derniers jours de 1982, la planète tournait autour d'une étoile ayant pour nom Michael Jackson. Il n'y en avait plus que pour lui.

Presque au même degré que le *Sergeant Pepper's* des Beatles quinze ans plus tôt, le microsillon *Thriller* allait se révéler un point tournant dans la petite histoire de la musique populaire et du rock.

Jackson, vingt-quatre ans, avait amorcé sa carrière avec sa famille alors qu'il avait encore la couche aux fesses. Les Jackson Five (Marlon, Jackie, Tito, Jermaine et Michael) avaient connu un succès considérable à la toute fin des années soixante avec des hits comme *I Want You Back* et *ABC*. En 1979, Michael Jackson avait entrepris une carrière solo, se construisant un style et une image destinés, trois ans plus tard, à faire recette.

Le microsillon *Thriller*, produit par Quincy Jones, contenait outre la chanson-titre une incroyable enfilade de succès : *Billie Jean*, *The Girl Is Mine*, *Beat It*... Le son était révolutionnaire. Tous les studios durent revoir leurs méthodes de travail.

Le lancement du disque fut accompagné de la diffusion de plusieurs vidéoclips absolument somptueux qui lancèrent pour de bon cette nouvelle forme d'art et dont le summum s'incarnait dans celui tourné pour la pièce *Thriller* : le petit bout de film réalisé par John Landis coûta plus de 1 million de dollars !

Quarante millions d'exemplaires de *Thriller* furent écoulés — sans parler d'un nombre impossible à évaluer de copies pirates lancées sur le marché asiatique. Au Québec, sept cent mille exemplaires du méga-hit passèrent entre les mains des disquaires : un microsillon par tranche de neuf Québécois, en incluant les bébés et les vieillards !...

En quelques semaines, l'industrie du disque venait d'être chambardée.

Face à cette sorte d'androgyne qui dansait et chantait comme un dieu, qui avait derrière lui des montagnes de fric et toute la puissance de la machine anglo-saxonne, les membres d'Offenbach se sentirent bien petits, tout à coup...

Ils faisaient de ces têtes, les purs et durs du rock québécois !

Malgré le succès mitigé de *Tonnedebrick*, Offenbach se produisit au Vélodrome olympique quelques jours après le lancement du disque, dans le cadre du Salon de la jeunesse. Le show était divisé en trois parties : Offenbach montait sur scène après un groupe que le maître de cérémonie présenta comme *une gang d'hurluberlus de la radio communautaire CIBL-FM...*

C'était Rock et Belles Oreilles.

Sur le côté de la scène, Gerry s'appuya contre un mur d'enceintes acoustiques pour voir de quoi le groupe avait l'air. Et il vit... Offenbach monter sur le stage : les humoristes livrèrent une imitation désopilante de la bande à Gerry ! La salle croula de rire. Gerry regardait son double s'agiter sur une B-3 en carton en remuant frénétiquement la perruque qui le coiffait et en chantant d'une voix épouvantable un simulacre de rock d'une totale débilité...

Gerry commença par rigoler, lui aussi. Puis les commissures de ses lèvres retombèrent. Il devint sombre, serra les poings et, tournant le dos à RBO, courut s'enfermer dans une loge.

***

Gerry et Plume Latraverse s'étaient rencontrés pour la première fois en 1980, alors qu'Offenbach était associé à Spectra Scène. Alain Simard avait organisé un show, dans le Bas du fleuve, réunissant sur une même affiche les deux monstres sacrés du rock québécois — ce soir-là, le patron de l'empire Spectel en avait d'ailleurs profité pour se blesser sérieusement en tombant au bas du stage !

Lorsqu'on les avait présentés l'un à l'autre, Gerry et Plume étaient demeurés chacun sur leur quant-à-soi, à la grande déception des groupies, autour, qui s'attendaient à quelque chose de spectaculaire de la part de ces deux légendes vivantes enfin mises face à face.

Or, rien ne s'était produit.

Gerry avait regardé Plume du même œil dont il avait gratifié Harel, ou Francœur, quelques années plutôt. *Un poète, ostie, un intello...* Plume, lui, avait l'habitude de parler du groupe de Gerry en disant *la gang, là, les Offenbach* sur un ton révélateur quant à son état d'esprit face à la bande de rockers.

Peut-être plus encore que Gerry, notamment parce qu'il avait pratiquement toujours travaillé en solitaire, Plume Latraverse était une sorte de monument au sein de la colonie artistique québécoise.

Il avait occupé les petites scènes des boîtes à chansons au cours des années soixante. Au début des années soixante-dix, il avait définitivement trouvé sa voie, livrant des tounes se situant quelque part entre le rock et la chanson au sens traditionnel, des pièces de paumé, de routard à la mode américaine, en même temps que des poèmes de révolte et d'anarchie à la façon française, le tout assaisonné d'un humour typiquement local. Entre 1974 et 1983, Plume accoucha d'une bonne dizaine de disques, de *Plume Poudigne* à *Autopsie canalisée*, en passant par *Chirurgie plastique* et autres *Pommes de route*.

Au fil des ans, Plume Latraverse s'était gagné un public à la fois fidèle et hétéroclite, qui reconnaissait en lui le roi des rockers et le prince des poètes.

Après la prise de contact de 1980, lui et Gerry s'étaient revus à plusieurs reprises. Plume avait jeté sur papier des mots pour Gerry — qui allait les utiliser sur *Coup de foudre* puis sur *Tonnedebrick*. Ils s'étaient mis à se fréquenter surtout pour le plaisir d'avaler du houblon et de passer des nuits blanches ensemble, à Montréal, et même en France.

Gerry vit bientôt qu'il était fasciné par le personnage — qu'il appelait *l'grand*, c'était couru... À cause des mots, bien sûr : il était évident que Latraverse avait un talent fou pour les mots, du génie même, sans doute. Cela séduisait toujours Gerry. Ensuite, Plume jouissait d'une intelligence et d'un charisme à faire peur : il pouvait soulever une foule au même degré qu'Offenbach mais, seulement armé de sa guitare acoustique, avec dix tonnes d'équipement en moins... C'était terriblement impressionnant.

Enfin et surtout, le grand était capable de mettre tout cela de côté et, dans les tavernes et les bars, de se comporter comme le plus bum des rockers de la ville... Cela enchantait littéralement Gerry !

Latraverse, lui, renifla le leader d'Offenbach un bon moment avant de vraiment l'admettre dans son cercle. En engloutissant des gallons de bière, il l'observait du coin de l'œil, finissant par sourire, franchement amusé au bout d'un temps par ce bum de la musique, ce chanteur sans voix, ce contestataire sans cause... En définitive, Plume décida pour lui-même que Gerry était un être

insupportable, grognon, imprévisible, affligé de tous les défauts...
mais en même temps sympathique et inspiré. Une sorte de poème
vivant, en quelque sorte !

Lorsque, au moment de décider s'il fallait accrocher Offenbach
à une autre locomotive, Gerry lui demanda conseil au sujet de Luc
Phaneuf, Plume répondit simplement :

« J'sais pas quoi te dire. Décide ! Phaneuf pis moi, on est un
vieux couple, ça fait un siècle qu'y s'occupe de mes affaires. Pis
ça marche ben. Mais pour toi, je l'sais pas, Gerry... »

Et Latraverse, qui les connaissait tous deux, avait du mal à
réprimer un sourire en s'imaginant l'imprésario désormais aux
prises avec *les Offenbach* !

Ça allait être en effet une étrange association. Phaneuf gérait la
carrière de Plume, c'est entendu, mais il avait débuté dans le métier
en pilotant Alexandre Zelkine — un folkloriste d'origine franco-
russe débarqué au Québec en 1966 pour y connaître une carrière
brève mais intéressante — et en produisant des spectacles de
Nana Mouskouri et de Monique Leyrac... Phaneuf était un homme
direct, les pieds bien ancrés au sol, qui ne détestait rien autant que
les querelles et les complications.

Or, le partenariat Phaneuf-Offenbach débuta... par une compli-
cation. L'homme d'affaires dit à Gerry :

« Après ce qu'Alain Simard a faitte avec vous autres, j'sais pas
comment on peut aligner vot' carrière, les gars... Y' vous a exposés en maudit : des gros shows, des grosses tournées. C'est pas
facile, à présent : on peut pas faire le Forum à touttes les deux semaines, Gerry !

— Ben trouve de quoi, Luc. J'peux te dire un' affaire, en tout
cas : on r'tourne pas dans les clubs... Tu m'avais parlé d'une
tournée avec le grand ? Ça s'rait au boutte, ça.

— Ouais... »

L'imprésario hésitait à s'engager. Il connaissait bien son pou-
lain. Au fond, Plume était un pantouflard. Plus encore que
Phaneuf, il détestait les problèmes et les contrariétés. Il se produisait la plupart du temps sans batterie parce qu'*un drum, c'est trop
compliqué à traîner*, avait-il un jour expliqué à son gérant !

Et Gerry pensait enrôler cet homme-là dans une sorte de remake
de Québec Rock ?... Bonne chance.

Pendant des semaines, tous les deux travaillèrent Latraverse, le prenant par les sentiments ou l'appâtant avec le fric, lui faisant miroiter la somme de plaisir que l'on trouverait à se livrer à un truc pareil ou tentant de le convaincre de l'originalité de la démarche artistique d'une telle tournée.

Contre toute attente, Plume finit par accepter.

On rédigea un contrat, que les parties signèrent en mars 1983 dans une petite salle à manger privée aménagée au fond du restaurant Vespucci, le havre de prédilection de Phaneuf, rue Prince-Arthur.

Mémorable formalité.

Vers onze heures trente, tout le monde se présenta, à temps pour dîner.

Il y avait Phaneuf, Plume et Gerry, bien sûr. Johnny Gravel. Martine Simard, une jeune — et ravissante — notaire de Québec. Ian Tremblay, un type du Lac-Saint-Jean qui servait de comptable à Gerry depuis quelque temps. Et Rocky, un géant de deux mètres et de cent cinquante kilos, à la mine patibulaire, un vieux chum de taverne de Latraverse que la notaire prit pour un honorable disciple de Thémis dûment accrédité au Barreau... Cela fit crouler le groupe de rire pendant des heures, la jeune femme s'entêtant à exposer mille subtilités juridiques à un homme qui se foutait comme de sa première chemise de la différence entre une requête en injonction interlocutoire et un panonceau de stationnement interdit!

Le contrat signé — cela prit moins d'une heure —, on put se consacrer aux choses sérieuses. Quelqu'un convoqua un pusher de sa connaissance et on se mit à fonctionner au pif. On prit bien soin de tenir les serveurs du restaurant occupés jusqu'à ce que la table disparaisse sous les bouteilles et les verres vides... de sorte que, douze heures plus tard, le groupe était toujours là.

Le lendemain, Luc Phaneuf se présenta au Vespucci, carte de crédit à la main, afin de régler la note. On lui présenta une addition longue comme la Déclaration des droits de l'homme sur laquelle étaient recensés un cocktail de crevettes, un potage aux légumes, une ou deux salades assorties et cent soixante-quatre consommations. Total (service non inclus) : 892 dollars !

La tournée À fond d'train était lancée...

Dès que la nouvelle fut communiquée aux médias, on comprit que la tournée constituerait un événement hors du commun. «Gerry et Plume, c'est comme les œufs et le bacon, la moutarde et le hot dog : la rencontre était inévitable. Deux *restants* de cours classique qui ont tout plaqué en versification et qui sont encore coincés entre deux cultures», écrivit Jean Beaunoyer qui, à La Presse, avait pris la succession de Beaulieu et de Germain à titre d'exégète d'Offenbach.

Par la suite, fort de l'expérience de Québec Rock, on n'eut aucun mal à mettre sur pied la logistique de la tournée, presque semblable à celle de 1981.

La caravane s'ébranla le vingt-sept juillet 1983 en direction de Saint-Jérôme, pour le premier d'une série de concerts qui connaîtrait son point culminant le dix-sept septembre au Forum de Montréal. Vingt-sept villes en cinquante jours : le rythme était moins exténuant que pour Québec Rock. *Pour pas avoir trop d'fun*, avaient convenu Gerry et Plume, les deux bands voyageaient dans des minibus distincts — le groupe de Latraverse était composé de Jean-Claude Marsan, Denis Masson, Izengourd Khnörh ainsi que Pierre Flynn, ex-membre du groupe Octobre, aux claviers.

Il y eut néanmoins quelques problèmes.

Le premier à se présenter concernait le... tour bus des techniciens! La tournée avait débuté sans que l'on ait jugé nécessaire de se munir d'un tel véhicule. Mais, au tiers du périple, les techniciens (cette fois-ci, Mario Bourdon était directeur de tournée) exigèrent qu'on leur en loue un. Gerry voyait rouge :

«Y' sont-tu fatigants, ces tabarnac-là! Ça va encore coûter un bras pis on va s'ramasser à' fin avec des peanuts, comme y'a deux ans...

— Je l'sais, Gerry, mais c'est d'même, ostie... Qu'y en callent un, un tour bus, pis qu'y nous sacrent la paix avec ça...» opina Latraverse, qui souhaitait surtout ne pas poursuivre la tournée en se chamaillant avec la cohorte de roadies chargés de la logistique d'À fond d'train.

Les techniciens *callèrent* un tour bus. À 800 dollars par jour...

L'autre pépin fut plus sérieux. À fond d'train jouissait d'une importante commandite de la Brasserie Molson, qui avait investi tout près d'un quart de million de dollars, en fric et en dépenses promotionnelles, dans l'aventure. À chaque étape, on voyait arriver un camion qui ensevelissait la troupe sous des montagnes de caisses de Molson ! Avant de partir, Phaneuf avait prévenu Gerry :

« Je l'sais qu'vous buvez d'la Labatt Bleue. Là, tu comprends : y'est pas question que tu t'promènes avec des bouteilles de Bleue en public... Versez ça dans des verres Molson, faites n'importe quoi, mais cachez ça ! »

Johnny Gravel se fichait éperdument de ces exigences promotionnelles. Entre deux arénas, il fit stopper le minibus d'Offenbach devant un dépanneur et courut échanger sa réserve de Molson contre une égale quantité de Bleue. Le commerçant n'eut rien de plus pressé que de rapporter la chose au représentant Molson de sa localité. Le téléphone fit le reste. Deux heures plus tard, à Montréal, Phaneuf se faisait enguirlander par une des huiles de l'empire du houblon. Celui-ci le menaça de mettre fin immédiatement à l'entente intervenue quelques mois plus tôt, privant À fond d'train d'un support publicitaire de premier ordre. Phaneuf sauta sur le téléphone à son tour et dit à Ian Tremblay, qui était du voyage avec les autres :

« Tu vas dire à ta gang de même pus penser à approcher d'une Bleue ! On vient de passer à deux cheveux de s'faire flusher par Molson, t'imagines-tu ?... »

Gravel, lui, se contenta de dire, comme Gerry au sujet des techniciens :

« Y' sont-tu fatigants, ces tabarnac-là !... »

Le samedi dix septembre, au Colisée de Québec, Plume, déguisé en chef de gare, prit bien soin d'ouvrir le show en ingurgitant une spectaculaire rasade de Laurentide (en réalité, la bouteille contenait de l'eau...) avant de s'écrier :

« Câlisse que l'Palais Montcalm est grand à soir !... »

En réalité, une heure avant que le show commence, Gerry et les autres étaient pleins d'appréhension. On se souvenait de l'échec de 1981 dans la Vieille Capitale. Mais cette fois-ci, le Colisée se remplit presque à capacité : plus de huit mille personnes prirent place sur la patinoire et dans les gradins. Le spectacle fut un immense succès. Le Journal de Québec parla du « délirant voyage de Plume et Offenbach ». En sortant de l'amphithéâtre, toute la troupe se rendit festoyer dans un bar de la Grande-Allée.

Sept jours plus tard, le cirque s'amena au Forum.

Quatorze mille personnes occupaient le temple des Glorieux. Toute la colonie artistique était là; même Diane Dufresne, qui s'était engouffrée dans la brèche pratiquée par Offenbach en 1980 et avait fait le Forum à son tour, se trouvait parmi les spectateurs.

Gerry et ses chums de musique, arrivés en limousine rue Sainte-Catherine, comprirent que c'était gagné à l'avance. Avant que le spectacle débute, déjà heureux par anticipation, Gerry dit à Phaneuf :

«On va leu' donner un tabarnac de show, Luc!»

À vingt heures, Plume monta sur les planches. Tout de suite, ce fut le délire. Comme l'avaient prédit les médias, le public de Montréal était vendu à l'idée de voir Plume et Gerry sur une même scène. Pour cette foule, c'était plus qu'un show. C'était une messe du rock et de la *québécitude* — des dizaines de fleurdelisés flottaient au-dessus du parterre —, une ode à la douce délinquance et à la folie urbaine.

Le spectacle fut grandiose.

Parvenu au micro, Plume hurla *En voiture!...* et démarra *P'tit pain... va loin* pour ensuite arracher son costume de chef de gare, dévoilant une splendide chemise hawaïenne! Pendant quatre-vingts minutes, enchaînant avec *La Ballade des caisses de vingt-quatre*, *Chambre à louer* et *La P'tite Vingnenne pis l'Gros Torrieu*, Plume chauffa à blanc le parterre. Il conclut en faisant *Bobépine* et *Jonquière* avant de s'effondrer — trois fois, comme le Christ — et de disparaître sur une civière, escorté par une Marie-Madeleine de pacotille...

Après l'entracte, Claude Rajotte, l'animateur vedette de CHOM-FM, présenta Offenbach.

Gerry avait décidé que l'on casserait la glace avec *Promenade sur Mars*, ce que le groupe n'avait jamais fait auparavant. Après plus d'une heure passée à écouter la voix de Latraverse, la foule serait saisie par les harmonies vocales de la magnifique toune de Jean Basile, avait-il estimé — d'autant plus que la qualité de l'amplification était nettement au-dessus de celle dont on avait joui lors des spectacles donnés précédemment dans le même amphithéâtre. Gerry ne s'était pas trompé : *Promenade sur Mars* fut accueillie avec frénésie. Offenbach fit dix-huit autres pièces, des plus récentes (*Madame docteur*, *Zimbabwe*) aux classiques *Ayoye*, *Mes blues passent pus dans' porte* et *Dominus Vobiscum*.

La grande finale, avec dix personnes sur scène, fut un véritable opéra bouffe. Gerry et Plume chantèrent ensemble *Le P'tit Train du Nord*, de Félix Leclerc, et *Câline de blues*. Puis, dansant comme des cinglés, ils firent *Let's Twist Again*, une toune dont l'origine se perd dans la nuit des temps...

L'ovation durait encore lorsque les cinq membres d'Offenbach sautèrent à bord de la limousine pour se rendre au Grand Café, rue Saint-Denis, dont la salle du sous-sol avait été réservée pour le party de clôture de la tournée À fond d'train.

Plume Latraverse ne festoya pas avec Gerry et les autres. Il préféra se rendre en compagnie de ses musiciens au bureau de Luc Phaneuf, rue Prince-Arthur, où d'autres réjouissances étaient prévues.

Aux derniers moments de la tournée, Gerry et Plume s'étaient brouillés.

«Y'a toujours queq' chose...» se disait Gerry encore une fois, peu enclin à considérer que lui-même, parfois, ne contribuait pas beaucoup à l'instauration d'un régime de paix universelle...

Dès l'amorce du projet, instruit par l'imbroglio qui avait suivi la tournée Québec Rock, on avait pris toutes les précautions nécessaires pour éviter la Grande Guerre du Fric.

Et on y était presque parvenu.

Il était prévu que les revenus de la tournée — moins les dépenses communes, qui étaient considérables, évidemment — iraient à Latraverse et à Offenbach dans une proportion de quarante pour cent chacun, et à Luc Phaneuf pour le vingt pour cent restant. Plus tard, les revenus du disque double tiré du show au Forum allaient être partagés de la même façon. Au total, plus de quatre-vingt-dix mille personnes avaient vu Gerry et Plume Latraverse s'ébaudir sur les vingt-sept scènes du Québec et du Nouveau-Brunswick envahies par À fond d'train. Aux guichets, on avait récolté 635 000 dollars. Après les frais de déplacement, de personnel, de location de matériel électronique, de cachets locaux, de commissions — et de tour bus —, les profits bruts s'établirent à 198 000 dollars.

Offenbach toucha 79 000 dollars.

Ce bilan comptable ne fut pas contesté. La guerre éclata simplement sur d'autres fronts.

Phaneuf dut intenter une demi-douzaine de poursuites contre des producteurs locaux qui, selon ses calculs, avaient négligé de lui verser l'intégralité des sommes dues après avoir accueilli le cirque Plume-Offenbach.

D'autre part, sur les questions de fric, Latraverse n'était pas plus commode que Gerry : il avait la réputation de n'être jamais très loin de ses sous.

Il avait frémi lorsque, quelques semaines avant de prendre la route, Offenbach s'était vu dans l'impossibilité de contribuer à sa juste part — 16 000 dollars — au financement de l'entreprise ; Phaneuf avait discrètement arrangé les choses. Ensuite, pendant la tournée, Gerry et Plume s'étaient pris aux cheveux à une ou deux reprises sous divers prétextes. C'était anodin. Mais, le soir du Forum, Latraverse prévint solennellement Phaneuf en voyant débarquer les musiciens d'Offenbach dans une Cadillac allongée :

« J'aime autant te l'dire tout de suite, Luc : la limousine des Offenbach, j'veux pas voir ça su' mon bill ! Moi, j'marche à pied, qu'y fassent pareil... »

Cela vint aux oreilles de Gerry. Lorsque lui et Plume se revirent par la suite, il se montra agressif. Et Latraverse, au bout d'un temps, finit par dire à la cantonade :

« C't'ostie-là, y' m'a écœuré une fois de trop. J'veux même pus y parler !... »

Le fait est que Gerry était de plus en plus de mauvais poil. Avec À fond d'train, il venait d'identifier une raison supplémentaire pour revoir sa foi en Offenbach. Non seulement le groupe était-il un fardeau qu'il devait traîner du point de vue de la logistique, de la création et de la cohérence, mais c'était aussi un boulet — pour ainsi dire... — sous l'angle financier. Il avait eu le temps de voir comment Plume, lui, fonctionnait : en solitaire, en capitaine, en maître après dieu sur sa galère, quitte à verser des salaires à ses musiciens, ce qui était infiniment moins lourd que d'avoir à partager la tarte en cinq parts égales.

À dire vrai, Gerry était un peu jaloux de Latraverse.

Et puis il y avait les journaux. Ceux qui, le lundi suivant le show du Forum, avaient publié des articles que Gerry avait découpés et précieusement conservés. Les critiques étaient très bonnes, là n'est pas la question. Les quatre quotidiens montréalais étaient unanimes pour titrer « Délire au Forum », ou « Plume et Offenbach ont tenu promesse », ou encore « Plume, Offenbach rock the Forum». Non, c'était autre chose. Deux toutes petites phrases concernant le groupe avaient attiré son attention.

Dans Le Devoir, il avait lu : «À l'heure où le gros rock *à quatre accords* (comme disent les méchantes langues!) semble céder la place à une musique plus sophistiquée, ces dinosaures de la musique québécoise peuvent sembler un anachronisme embêtant.»

Surtout, Gerry avait relu vingt fois, peut-être, ces mots de La Presse : «Samedi, au Forum, c'était trop fort, trop senti sur scène pour que ça ne soit pas la fin de quelque chose ou de quelqu'un...»

La fin de quelque chose ou de quelqu'un...

Gerry en était médusé.

La saga d'Offenbach Inc.

Gerry Boulet était entré par la porte de la cour, tout bonnement, sans attendre qu'on lui ouvre, après avoir vaguement frappé puis annoncé à tue-tête :

« C'est moi, Ian ! J'sus avec Johnny pis on a de quoi de ben beau pour toi... »

Ian Tremblay faisait la sieste. Réveillé en sursaut, il s'était précipité dans la cuisine juste à temps pour voir Gerry poser sur la table un énorme sac vert — du type utilisé pour les déchets domestiques.

« Tiens ! Douze ans, tabarnac, touttes les papiers sont là-dedans... Tu vas avoir du fun en maudit ! Douze déclarations d'impôt pour moi. Pis douze pour Johnny... Installe-toi, Ian, t'as pas fini ! »

Et Gerry s'était tiré une chaise, avait croisé les bras et esquissé un sourire ironique, attendant de toute évidence qu'on lui offre de la bière, pendant que Gravel regardait le sac comme s'il avait précisément contenu des détritus en état de décomposition avancée...

C'était à l'été 1979.

Gerry n'avait jamais de sa vie rempli une déclaration de revenus. Johnny non plus.

C'est comme ça qu'on avait connu Tremblay.

Depuis qu'il avait dépanné Paul Piché quelques mois plus tôt, Ian Tremblay était devenu une sorte de bouée de sauvetage pour les artistes, les musiciens, les techniciens aux prises avec le fisc. Il avait vingt-sept ans et n'avait jamais suivi de cours de comptabilité. Il avait plutôt été ouvrier de la construction, fonctionnaire (au ministère du Revenu du Québec, il est vrai), camionneur puis roadie pour Yvon Deschamps, Jean-Guy Moreau, Jean Lapointe, d'autres encore. À une occasion, il avait même coltiné la quincaillerie d'Offenbach ; c'était à Longueuil, quelques années plus tôt.

Puis Tremblay s'était mis à rédiger des déclarations d'impôt. Un hobby, en quelque sorte : il tripait sur les chiffres. Et d'une chose à l'autre, Alain Simard, qui venait de prendre en main la bande à Gerry, avait conseillé à celui-ci d'aller le voir avec son sac vert.

Le sac vert qui venait d'atterrir sur la table d'une cuisine de Brossard...

Tremblay mit un mois à débrouiller l'imbroglio.

Pour les cinq premières années, de 1966 — du temps des Gants blancs ! — à 1971, il n'y avait rien à faire : Gerry et Johnny n'avaient gardé aucune pièce justificative et se souvenaient à peine avoir gagné de l'argent. Tremblay rédigea une sorte d'affidavit certifiant que, pendant cette période, les deux hommes n'avaient pas touché suffisamment de fric pour accéder au statut de contribuables. Pour les années allant de 1972 à 1978, en fouillant bien, on trouvait quelques reçus épars, un certain nombre de talons de chèques, des liasses de contrats au libellé plus ou moins clair. Plus un ou deux documents vraiment pertinents, utiles et intelligibles que Gerry avait conservés par un concours de circonstances tout à fait inexplicable.

Car, à ces choses-là, Gerry et Johnny ne comprenaient rien. Et ne voulaient rien comprendre. Il n'y avait qu'à les imaginer un seul instant dans un antre de bureaucrates pour saisir l'incompatibilité totale existant entre Gerry et les formulaires roses, entre Johnny et les formulaires bleus.

Ils étaient terrorisés.

Depuis qu'ils avaient joint l'écurie Spectra Scène et que de grosses affaires se profilaient à l'horizon — on venait de faire les shows avec Vic Vogel et Alain Simard avait mille autres projets en chantier —, Gerry et Johnny vivaient dans la crainte obsédante de voir les agents du fisc débarquer chez eux. De les voir tout virer sens dessus dessous, éventrer leurs matelas, les traîner en cour, les emprisonner, les torturer sans doute, puis les abandonner baignant dans leur sang au fond d'une oubliette sombre et humide, infestée de rats et de cancrelats.

Gerry et Johnny ne pouvaient imaginer que, eussent-ils dansé tout nus sur le bureau du ministre du Revenu, les agents du fisc n'auraient même pas consenti à froncer les sourcils tellement les gains des deux musiciens, au cours de ces douze années, avaient été inintéressants du point de vue d'un percepteur d'impôt.

Néanmoins, ils furent médusés lorsque Ian Tremblay leur annonça :

« C'est faitte, pas de problèmes. Les deux ministères ont accepté vos rapports, vous avez pas une cenne à payer... la seule affaire, c'est qu'vous m'devez 500 piastres ! »

500 dollars ?... Gerry aurait donné sa chemise à Ian Tremblay ! Il ne finirait pas ses jours dans un cachot grouillant de vermine. Il n'aurait pas à remuer le moindre bout de papier, à essayer de comprendre la plus simple explication de quelque fonctionnaire... rien ! Sa chemise, vraiment !

Le sauveur en profita pour lui conseiller :

« À présent, Gerry, vous allez r'partir à neuf. J'vas te montrer comment tenir un livre au jour le jour, comment classer tes papiers, tout ça. Tu vas voir que ça vaut la peine au bout du compte. »

Tremblay fit une pause, puis ajouta :

« Y'a une aut' affaire qui pourrait être parfaite pour vous autres : une compagnie. Pour l'impôt, ça serait l'idéal, pis y'a peut-être d'autres avantages dont vous pourriez profiter. Je l'sais pas. Y' faudrait que je r'garde ça... »

Gerry ne dit ni oui, ni non. Depuis presque les tout débuts, le groupe Offenbach était constitué en société mais, du point de vue fiscal, cela ne rapportait pas grand-chose. Pendant près d'un an, Ian Tremblay explora les subtilités de la Loi sur les compagnies, chercha des façons ingénieuses et légitimes de placer Offenbach dans une meilleure posture financière.

Et, à l'automne 1981, Offenbach devint Offenbach Inc.; plus précisément, le groupe obtint une charte fédérale placée sous la poétique raison sociale de 108128 Canada Ltd. Quatre actionnaires, Gérald Boulet, Jean Gravel, Breen Lebœuf et John McGale formaient le conseil d'administration ; Gerry était président.

Les membres du groupe, ces quatre-là plus le batteur, pouvaient désormais toucher des salaires sous la forme de véritables chèques de paye hebdomadaires (259 dollars, au début), être imposés à la source, contribuer à la caisse de retraite de l'État et à... l'assurance-chômage !

C'était un des buts de l'entreprise. Et cela était parfaitement légal.

À partir de ce moment, les membres du groupe purent encaisser des prestations d'assurance-chômage lorsqu'ils traversaient une période où ils ne se produisaient pas sur scène. Leur vie professionnelle en devint beaucoup plus confortable : ils n'avaient pas à jouer jusqu'à épuisement dans le seul but d'avoir, le lendemain, de quoi bouffer. Ian et Gerry passèrent maîtres dans l'art d'aménager les périodes de paye de façon à inscrire les membres du groupe au rang des chômeurs lorsque, pendant des semaines, il leur fallait s'enfermer dans le local de la rue Plessis pour assembler de nouvelles tounes. Les avocats fédéraux tentèrent bien de contester le modus operandi de cette étrange compagnie — c'était une sorte de première chez les groupes rock du pays — mais la justice donna raison à Offenbach.

Ian Tremblay était parfaitement à l'aise dans ce rôle de comptable et de conseiller fiscal.

Les choses auraient pu demeurer éternellement ainsi si, au moment d'entrer en négociation avec Luc Phaneuf en vue de la tournée À fond d'train, Gerry ne lui avait pas demandé :

« Ian, tu vas t'occuper de toutte c't'affaire-là. Moi, j'sus fatigué, écœuré... Négocie avec Phaneuf, arrange-nous un bon contrat, occupe-toi des câlisses de chiffres !... J'veux pus rien savoir... »

Gerry avait appris à faire confiance au Jeannois. Non seulement Tremblay était un véritable magicien des chiffres, mais en outre, il affichait un calme olympien et maniait un type d'humour qui avait le don de faire voir à Gerry la vie sous un autre jour.

Bref, en mars 1983, Tremblay se retrouva chargé de mission au restaurant Vespucci, partageant la table avec un imprésario, trois vedettes du rock, une jeune notaire et un avocat qui n'en était pas un.

***

Ian Tremblay apprit la nouvelle en même temps que les autres. En février 1984, Gerry lui dit :

« J'vas l'faire, finalement, mon record solo. C'est arrangé avec CBS, je r'commence à travailler chez Du Berger la semaine prochaine pis on va finir ça : j'veux qu'y sorte en avril. Ça fait qu'on va s'grouiller l'cul, calvaire ! »

Tout le monde croyait que Gerry avait fait une croix sur cette lubie-là.

À la vérité, depuis un an, c'était difficile de savoir ce qu'il avait en tête. Une seule chose était évidente : il ne pensait plus à Offenbach. Même pendant la tournée À fond d'train, Gerry montait souvent sur scène comme un ouvrier entre au boulot. Et, dans ses temps libres, il abandonnait parfois ses chums de musique pour plutôt prendre un verre avec le garde du corps que Tremblay avait assigné aux vedettes de la tournée, Christian Labrèche, un type sympathique qui avait appris son métier dans les officines ministérielles.

C'est par Latraverse que Gerry avait fait la connaissance de Raymond Du Berger, l'âme dirigeante du Studio Multisons, installé au 1208, rue Beaubien est, au-dessus d'un supermarché. Plume avait trouvé l'endroit en 1982, en ouvrant l'annuaire téléphonique et en communiquant avec tous les *studios* qui y étaient recensés, y compris, parfois, les studios de massage!... Il s'était fort bien entendu avec Du Berger et avait complété chez Multisons son disque *Autopsie canalisée.*

Du Berger et son ingénieur du son, Jacques Bigras, œuvraient ensemble depuis 1980. Outre Plume Latraverse, ils avaient eu l'occasion de travailler avec André Gagnon, Céline Dion, Roch Voisine, d'autres encore. Ils savaient tirer de leur installation relativement modeste — une console seize pistes, à l'époque — des résultats surprenants.

La *lubie* avait pris forme au printemps 1983 alors que Gerry était en même temps occupé à préparer la tournée Offenbach-Plume.

Un soir, lui et Richard Paré, un guitariste, s'étaient présentés chez Multisons. Tout de suite, tous les deux s'étaient installés en studio et Gerry avait ordonné à Du Berger et Bigras :

«Partez vot' machine, on va vous faire une couple de tounes...»

On avait ainsi couché sur ruban les pistes de base de *Le Serre-volant* et *Le Roi d'la marchette*, deux poèmes de Plume que Gerry avait mis en musique.

> *J'bamboche d'un bord pis d'l'aut'*
> *Le long d'la Saint-Laurent*
> *L'jour, j'monte la côte*
> *Pis l'soir, je la r'descends*
> *Ça... Qu'y fasse chaud ou frette*
> *C'est moé le roi d'la marchette...*

Du Berger et Bigras étaient médusés. Gerry — qui était fin saoul! — avait atteint la quasi-perfection dès la première prise, après avoir quatre fois renversé sa bouteille de bière et dix fois failli s'écrouler au bas de son banc de piano... Ces prises-là devaient se retrouver, à peine retouchées, sur le microsillon *Presque quarante ans de blues*, un an plus tard!

Au cours des semaines qui suivirent, Gerry se livra à une bonne douzaine de sessions d'enregistrement. Il travaillait de nuit, arrivait en général déjà passablement éméché et, aux petites heures du matin, s'arrêtait lorsqu'il ne voyait plus clair. Il demandait alors des copies du matériel enregistré et repartait avec la cassette dans ses poches. Le lendemain après-midi, il lui arrivait de téléphoner à Du Berger et de s'exclamer, au comble de la satisfaction :

« C'est écœurant, c'qu'on a faitte, hier! Écœurant!... »

À l'été 1983, Gerry interrompit son travail sur *Presque quarante ans de blues* pour partir en tournée avec Plume. Pendant des mois, Du Berger n'entendit plus parler de lui. D'ailleurs, Gerry ne discutait plus de ce projet avec personne, on aurait dit qu'il l'avait carrément oublié.

Cela dura jusqu'en février 1984.

Là, Gerry se remit au boulot.

La firme CBS Disques/Canada, qui avait assumé à l'avance une partie des coûts de production, commençait à s'impatienter. Lui-même trépignait, de toute façon. Il fallait en finir.

Lorsqu'il avait commencé à travailler là-dessus, un an plus tôt, il était au comble de l'enthousiasme à l'idée de mettre Offenbach de côté pour voler de ses propres ailes, de tout décider par lui-même une fois dans sa vie. Mais il s'était bien vite aperçu que c'était plus facile à dire qu'à faire. Depuis presque vingt ans, il n'avait fonctionné qu'à l'intérieur d'un groupe. En studio, il se sentait perdu par moments. Il n'était jamais certain de prendre les bonnes décisions, il hésitait comme quelqu'un appelé à se mouvoir dans un univers qui ne lui est pas familier. Françoise venait parfois l'encourager. Ou le coltiner jusqu'à la maison — en l'engueulant vertement — lorsque, succombant à la pression, il était un peu trop abruptement tombé dans l'alcool.

Le disque fut achevé aux derniers jours de mars 1984.

Malgré une certaine angoisse qui ne le quittait pas, Gerry était relativement heureux du résultat, compte tenu qu'il s'agissait pour lui d'une première. Autour de lui, on l'était aussi.

Outre Latraverse, André Saint-Denis, Pierre Huet, Pierre Côté et Jean-Pierre Alonzo avaient écrit les paroles des neuf pièces contenues sur *Presque quarante ans de blues* — la dixième étant une toune instrumentale. Ils avaient développé les thèmes qui étaient chers à Gerry, assurant ainsi une continuité avec Offenbach, de cette fascination qu'il éprouvait toujours devant la marginalité jusqu'aux amours fugaces en passant par le poids du quotidien. *Quarante ans de blues*, la chanson-titre, pouvait être vue comme une sorte de fusion actualisée de *Je chante comme un coyote* et de *Câline de blues* :

J'ai presque quarante ans de blues
Y'a pas personne qui va me faire taire
J'ai presque quarante ans de blues
Y'a pas personne qui va me changer sur la terre
Y'a rien que c'te maudit blues
Ce blues qui veut m'promener en enfer...

Les premières critiques parurent dans les journaux du samedi quatorze avril. En général, elles étaient neutres. Les journalistes hésitaient à se mouiller. Par exception, le quotidien Le Nouvelliste de Trois-Rivières trancha au couteau : «Pauvre Gerry... Nous n'avons jamais rien entendu d'aussi peu naturel et d'aussi mauvais...» En serrant les dents, Gerry découpa l'article et le rangea au fond d'un tiroir. Cela suffit toutefois à lui donner un sombre pressentiment.

Tout se mit à mal aller. Après avoir tergiversé pendant plusieurs jours — CHOM-FM commença par placer le disque sur ses listes de diffusion —, les radios résolurent d'ignorer *Presque quarante ans de blues*. Le tournage d'un vidéoclip sur *Le Roi d'la marchette* se transforma en désastre lorsqu'un technicien laissa tomber la caméra dont on se servait : la firme locatrice confisqua la pellicule à titre de garantie pour couvrir les frais de réparation (tout près de 8 000 dollars) de l'appareil. On abandonna le projet.

C'était la guigne.

Le tableau fut complet lorsqu'on apprit que les disquaires n'avaient écoulé que huit cent quatre-vingts exemplaires de *Presque quarante ans de blues*.

Gerry ne fit aucun commentaire. À la place, il résolut de porter ces tounes-là sur scène.

En plus de celles-ci, il alignerait quelques classiques d'Offenbach, dont *Le blues me guette* et *La voix que j'ai*, ainsi que des classiques tout court, de *Shakin' All Over* à *Jailhouse Rock*. Pour donner le ton, il avait décidé d'ouvrir le show avec la plus belle pièce, peut-être, de Junior Walker & the All Stars, *What Does It Take*, bâtie dans le plus pur style de la maison Tamla-Motown, la mecque de la musique noire américaine. En lançant *Presque quarante ans de blues*, Gerry n'avait-il pas déclaré : « J'ai appris avec le blues et le rhythm'n'blues des années soixante. J'ai toujours chanté comme les nègres... »

Au début de novembre, Gerry donna une demi-douzaine de shows en province.

Il était traumatisé par l'échec du disque : ses performances accusèrent des hauts et des bas prononcés. À Lévis, il était tellement ivre qu'il tomba sous son piano en interprétant *Le Serre-volant*; à côté de lui, Michel Gélinas en fut tellement saisi que, pendant le reste de la toune, il ne fut plus capable de tirer que des *phhh phhh phhh* ridicules de sa flûte traversière!

Les vingt-deux, vingt-trois et vingt-quatre novembre 1984, Gerry se produisit au Club Soda, cette curieuse salle toute en longueur et basse de plafond, aménagée au-dessus des locaux d'un marchand de tapis de l'avenue du Parc.

Le soir de la première, l'endroit n'était rempli qu'aux trois quarts mais, cette fois, Gerry livra une telle performance que les médias lui accordèrent une note infiniment meilleure que pour le disque. « Gerry sans Offenbach, ce n'est pas tout à fait le Gerry qu'on connaît mais, certains soirs, c'est sûrement préférable. Plus relax, plus nuancé dans sa musique, plus rock'n'roll aussi, Gerry Boulet réussit un spectacle à sa mesure », statua La Presse.

Sur scène, outre Gélinas, Gerry était accompagné du claviériste Jean-Pierre Limoges et du guitariste Luc Gauthier, en plus de Breen Lebœuf et de Pat Martel.

Tous, sauf Gauthier, avaient participé à l'enregistrement de *Presque quarante ans de blues*. En fait, plus d'une douzaine de musiciens avaient défilé chez Multisons pendant ces sessions-là. Comme avec le big band de Vogel, cinq ans plus tôt, Gerry s'était livré à des expériences de chimie. Alain Lamontagne était venu garnir *Leurre du temps* d'harmonica. Sur *Pendant qu'j'suis là qui t'aime*, Gerry chantait en duo avec Kathleen Dyson. Il avait même réquisitionné son fils Justin pour jouer du bass-drum sur *Le Roi d'la marchette* !

Presque tout Offenbach était là aussi : Johnny, Breen, Pat. Gerry avait même demandé à Bob Harrison de taper sur sa batterie dans *Les Bleus d'mémoire* et *Nostalgie* — enregistrées par exception chez Tempo.

Les chums de musique de Gerry ne se faisaient pas d'illusions : Offenbach n'en avait plus pour très longtemps.

À temps perdu, Lebœuf et McGale s'agitaient déjà au sein d'une autre formation, le Buzz Band, qui se produisait dans les petites boîtes.

Johnny Gravel, lui, s'inquiétait carrément; il était depuis tellement longtemps avec Gerry qu'il avait du mal à imaginer ce que serait sa vie professionnelle une fois qu'Offenbach aurait cessé d'exister. Il mettait l'initiative de Gerry au compte de la mode, tout simplement : est-ce que tous les leaders de groupes ne gravaient pas un disque solo dans ces années-là? Mais, pas plus que les autres, il n'avait été vraiment surpris lorsque Gerry avait annoncé son intention d'enregistrer un disque solo.

Et aucun d'eux n'aurait songé à lui refuser un coup de main pour mener à bien cette entreprise.

Un seul homme, John McGale, était notoirement absent dans cette réorientation de carrière à laquelle Gerry se livrait depuis quelques mois.

Plusieurs fois, Gerry avait confié à Françoise :

«C'est pas un mauvais gars, John... Mais y' m'énerve en ostie, des fois ! Tu sais pas ce qu'y'a dans' tête depuis un bout de temps?... Y' veut qu'on fasse un aut' record en anglais, tabarnac !...»

Gerry avait conservé un souvenir cuisant des précédents efforts d'Offenbach sur ce terrain. McGale ne faisait pas partie du groupe lorsqu'on s'était planté avec *Never Too Tender*, mais il était là pour évaluer les dégâts de *Rock Bottom*. Or, il semblait n'avoir rien retenu de cette expérience. Parfois, Gerry n'était pas loin de donner raison à André Ménard qui, à l'époque, lui disait :

«Y' aura beau passer cinquante ans avec vous autres, McGale comprendra jamais c'que c'est, Offenbach !»

Le guitariste, lui, ne voyait pas pourquoi le groupe ne ferait pas une nouvelle tentative sur le marché anglophone. Depuis *Tonnedebrick*, il travaillait plus ou moins consciemment dans ce but. La musique d'Offenbach s'était modifiée; sa sonorité était plus *internationale*. Davantage au goût de McGale, en tous les cas — forcément, c'est maintenant lui qui composait la majorité des tounes.

Au début, Gerry rageait. Il demandait à Johnny :

« Dans quoi est-ce qu'y' nous embarque, lui ?... »

Mais Johnny — et Breen davantage encore — ne voyait pas les choses du même œil, surtout qu'il appréciait assez peu que Gerry manifeste de plus en plus d'indépendance par rapport au groupe :

« Chriss-moi patience avec ça, Gerry ! J'vas te dire : c'est quasiment John qui tient l'band depuis un bout d'temps... Parce que nous autres, on compose pus beaucoup, hein ? Toi non plus, tu fais pus grand-chose... »

Et Johnny jetait à son chum un regard de reproche !

Gerry avait son opinion sur le travail de McGale; visiblement, les autres voyaient les choses un peu différemment. Or, c'était dans la nature de Gerry de se taire, de se déconnecter littéralement d'une discussion lorsqu'il voyait que les choses ne tourneraient pas à son avantage quoi qu'il dise ou fasse. De sorte qu'il se désintéressa de la question, tout simplement.

C'est en haussant les épaules qu'en mai 1984, Gerry retourna au Studio Multisons avec les autres membres d'Offenbach pour enregistrer un démo composé d'une demi-douzaine de pièces en anglais pour l'éventuel microsillon dont rêvait John McGale.

Les choses ne se passèrent pas tout à fait comme prévu. Les tounes en anglais n'étaient pas vraiment prêtes, on le sentait. D'autre part, dix-huit mois après le lancement de *Tonnedebrick*, il était devenu nécessaire de placer un nouveau microsillon d'Offenbach dans les étalages des disquaires. On décida donc de compléter un disque en français, quitte — disait Gerry, pour éviter les problèmes — à retravailler plus tard le démo en anglais.

Rockorama fut enregistré et mixé au cours de l'hiver 1984-1985 aux studios Tempo et Multisons.

McGale avait composé la musique de neuf des onze tounes du disque; deux ou trois d'entre elles provenaient en fait du démo anglais enregistré en mai. En un temps record — moins d'une semaine ! —, Michel Rivard accoucha des mots plaqués sur six de ces mélodies, dont *Seulement qu'une aventure*, une des plus belles du microsillon, sûrement la plus évocatrice en tout cas, étant donné le cul-de-sac dans lequel le groupe était engagé. *La Louve* était aussi une très belle toune, que chantait Lebœuf. D'autres étaient moins réussies. Une ou deux ressemblaient assez peu à Offenbach — un ennui que l'on avait déjà éprouvé huit ans plus tôt avec *Never Too Tender*.

Enfin, la dernière toune du disque allait ainsi :

> *Y'est insondable comme une avalanche*
> *Aussi parlable qu'une gueule de bois*
> *Aussi sociable qu'un mur de planches*
> *Johnny qui ?*
> *Johnny qui vit seulement d'la guitare...*
> *C'que l'monde peut dire en vingt-quatre heures*
> *Lui il peut l'dire quand il s'accorde*
> *Sa guitare a' lui sert de cœur...*

...pas difficile de savoir de qui il était question ! Johnny avait lui-même composé la musique de cette sorte d'ode tendre et satirique issue du cerveau de Pierre Huet.

Outre Michel Rivard et celui-ci, Marc Desjardins et Jean-François Doré étaient les autres paroliers enrôlés pour *Rockorama*, le quatorzième microsillon d'Offenbach — en incluant le disque-compilation de 1975 et l'album live tiré d'*À fond d'train*.

Cette fois, à bien des points de vue, John McGale avait pratiquement tout fait.

Non seulement avait-il pris en charge la continuité musicale du disque — imposant notamment l'utilisation du synthétiseur et de la batterie électronique —, mais il avait aussi présidé au travail de mixage avec Ian Terry et Denis Barsalo au Studio Tempo. En compagnie d'un illustrateur de sa connaissance, Dave Sapin, il s'était aussi attribué la responsabilité de la conception de la pochette, faite d'un dessin haut en couleur d'une tête de loup affublée de verres teintés et d'une langue à faire saliver d'envie celle que les Rolling Stones avaient plaquée sur leur fameux *Sticky Fingers* en 1971 ! Pour finir, McGale fréquentait désormais assidûment le bureau de Luc Phaneuf, s'intéressant au marketing, à la distribution, aux ventes du disque.

Lorsqu'il vit la pochette de *Rockorama* et apprit de Phaneuf que McGale était presque nuit et jour rue Prince-Arthur, Gerry tira un trait sur Offenbach.

Il dit à Françoise :

« C'est fini, fini... J'sus pus capable. Ça me r'semble pus, c't'af-faire-là... »

Depuis des mois, il savait que cet instant arriverait bientôt. Ian Tremblay lui conseillait depuis longtemps de laisser tomber. Luc Phaneuf lui disait la même chose. Deux semaines plus tôt, celui-ci était venu lui rendre visite, rue Beaudry, et lui avait fait faire une sorte d'exercice fort révélateur :

« Prends un crayon pis une feuille de papier, Gerry, pis écris c'que j'vas te dire... D'abord, sur une vingtaine de lignes, raconte ta vie jusqu'à aujourd'hui... »

Gerry s'était mis à noircir la feuille, avec l'air appliqué qu'il avait toujours lorsqu'il écrivait : *Gérald Boulet, né à Saint-Jean-sur-Richelieu le... collège des frères... fanfare... épouse Denise Croteau, qui donne naissance à Justin... Offenbach... en France, il rencontre Françoise... Marianne, puis Julie... au Forum...*

Cela prit cinq minutes, tout au plus. Gerry releva la tête et dit :

« Fini ! J'viens d'écrire : *...décide de faire carrière solo.*

— Parfait. À présent, écris de la même façon ce que t'espères que va être ta vie à partir de maintenant et jusqu'à ta mort !

— Oh ciboire !...

— Ben oui... »

Gerry replongea sur sa feuille. Mais cette partie de l'exercice l'occupa pendant plus d'une heure. Il griffonnait encore lorsque Phaneuf se leva et sortit sur la pointe des pieds...

Deux semaines plus tard, cette étrange biographie traînait toujours sur le comptoir de la cuisine. Gerry l'avait agrippée machinalement en disant à Françoise :

« C'est fini, fini... »

Françoise ne trouva rien à lui dire. Elle se mit simplement à pleurer. Gerry n'essaya même pas de blaguer, comme il le faisait toujours lorsqu'il était ému. Il ne tenta pas de cacher ses larmes. Il marcha lentement jusqu'au téléphone et appela tour à tour Johnny, Breen, Pat et John. Il leur dit sur le ton le plus neutre possible :

« Salut... Meeting de band, demain. Chez nous. Vers midi... »

Cette nuit-là, Françoise le serra dans ses bras à lui briser les os. Elle ne parvint pas à dormir. Mais elle eut l'impression que Gerry, lui, cédait au sommeil aux petites heures du matin.

À midi, le lendemain, les cinq membres d'Offenbach étaient assis dans la cuisine de la rue Beaudry. On était au milieu de juin. Il faisait beau, mais frais. Les fenêtres étaient fermées. Les deux chats vinrent se frotter aux jambes des musiciens mais sortirent vite de la pièce, la queue bien droite et la tête haute, offusqués parce que personne ne s'occupait d'eux. Françoise disparut, elle aussi, à l'autre bout de l'appartement.

Ils n'osaient pas se regarder l'un l'autre. Ils étaient installés autour d'une grande table de chêne, une table de couvent, aurait-on dit, flanquée de deux longues banquettes, un ensemble que Gerry avait offert en cadeau à Françoise le jour du baptême de Julie. Sans en être absolument certains — sauf pour l'un d'eux, évidemment —, ils croyaient savoir ce qui était sur le point de se produire.

Le silence devenant vraiment trop lourd, et puisqu'il n'y avait pas moyen de procéder autrement, Gerry finit par dire :

« Bon ben... J'en ai parlé à Luc, j'en ai parlé à Ian... Pis j'ai ben réfléchi, j'ai pensé à ça comme y' faut... Là, euh... J'pense que j'vas lâcher. »

Vingt secondes de silence.

« Lâcher quoi ? » arriva à demander Breen, comme s'il ne le savait pas.

— Offenbach, c't'affaire... J'lâche Offenbach.

— Tu lâches Offenbach ?... Parle-moi d'une manière de dire ça, Gerry !... Tu lâches pas Offenbach : tu mets fin au groupe, c'est toutte ! T'imagines-tu qu'on va engager un frontman qui chante à peu près comme toi pis qu'on va continuer ?... »

Breen était rouge de colère. Son hypothèse était si franchement ridicule que personne ne prit la peine d'y répondre ; en d'autres circonstances, on en aurait ri à se décrocher les mâchoires.

Pat Martel eut peu de réactions ; il était le seul des cinq à ne pas siéger au conseil d'administration d'Offenbach Inc. et il estimait qu'il avait moins le droit que les autres de se mêler à la discussion dans un moment comme celui-là.

John McGale demanda simplement :

« Pourquoi ?... »

Gerry commença par lui jeter un regard sombre. Puis, après avoir entendu trois fois sa question, il se ressaisit et, sur un ton monocorde, lui parla d'Offenbach qui n'allait nulle part, de la carrière solo qu'il avait entreprise, du temps qui passe... Gerry évita soigneusement l'affrontement avec McGale.

Restait Johnny.

D'abord stupéfait, il avait ensuite réagi comme à son habitude, en gueulant :

« Tarbanac, Ti-Cul... Ça' pas de bon sens, c'que t'es en train de faire là ! Décâlisser l'band de même... Penses-y Gerry, ça marche ben, Offenbach, qu'est-ce qui t'prend de vouloir toutte arrêter quand on vient d'sortir un record ?... Après... ça fait quoi, là ?... quinze ans ? Après quinze ans, calvaire... Quinze ans !... Pis nos deux, plus que ça encore... Y'as-tu pensé, Gerry ?... »

Johnny faisait tout son possible pour être en colère. Mais il n'y parvenait pas. Le chagrin prenait le dessus. En prononçant *quinze ans, calvaire, quinze ans*, ses yeux s'étaient embués, sa voix s'était cassée et il s'était arrêté de parler en baissant la tête. Personne n'osait même plus bouger. À cet instant-là, s'il s'était écouté, Gerry lui aurait dit :

« Ben non, Johnny, ben non, c'tait une farce, c'est pas vrai ! Offenbach continue, Johnny... »

Gerry l'aimait tellement, Johnny ! C'était un vrai. Il n'avait pas besoin de faire de longs discours sur le rock et les rockers, Johnny. Il se contentait d'être ce qu'il est, un gars de band, un vrai gars de band, qui ne songeait qu'à gratter sa guitare et à faire de la musique, à donner un coup de main à ses chums et à avoir du plaisir. Si un rocker... — *hé !* — ...si un rocker était un être foncièrement bon et sincère, menant sa vie d'instinct en essayant d'en retirer le plus de satisfaction possible tout en aimant, en *aimant* ses chums... si c'était ça un rocker, eh bien, Gerry n'en avait pas connu beaucoup dans sa vie. Et Johnny était très certainement tout en haut de cette courte liste !

Et il brisait le cœur de cet homme-là...

Gerry ne parvenait plus à dire quoi que ce soit. Une boule grosse comme la terre bloquait sa gorge. Johnny gardait la tête baissée, ses cheveux cachant son visage. Plus personne ne parlait. On était prêt à fixer des yeux n'importe quoi, la table, le plafond, les armoires de cuisine, les chats qui étaient revenus fouiner dans la pièce... n'importe quoi, sauf Johnny.

Personne n'était plus en colère.

Au bout d'une éternité, Breen toussota et reprit, presque tout bas :

« Bon. Comment est-ce qu'on fait ça, Gerry ? Pour annoncer ça au monde, pour la compagnie, pour les records, toutte ça ?...

— Euh... »

Gerry était secoué. Il lui fallait pourtant régler l'affaire.

« Euh... Pour la compagnie pis les records, pas de problèmes. Ça continue. On reste toutes les quatre actionnaires. Ça peut durer des années, je l'sais pas : les records vont continuer à s'vendre un peu pendant un bout d'temps, j'suppose, pis l'argent va rentrer su' l'compte d'la compagnie pis on va splitter ça...

— Pis pour le monde ?

— Ça, j'en ai parlé à Luc aussi. Pis à Ian. On va faire des shows d'adieu, à l'automne. Deux shows, à Québec pis au Forum. La TV va faire queq' chose là-dessus, y' sont en train d'arranger ça.

— Ouais... »

Le silence retomba dans la pièce.

Un à un, les membres d'Offenbach se retirèrent. Johnny partit le premier. Gerry se débrouilla pour le saluer rapidement, il n'avait pas le courage de faire plus.

Lorsqu'il fut seul, Françoise revint dans la cuisine. Sans un mot, ils s'enlacèrent pendant de longues minutes, puis Gerry se détacha d'elle, marcha jusqu'à la chambre et s'écrasa sur le lit en poussant tout doucement la porte derrière lui.

Depuis le début de 1985, Offenbach n'avait pas donné plus d'une demi-douzaine de shows. À vrai dire, c'était devenu une corvée, ça aussi. De sorte que personne ne se plaignait vraiment de ces grands vides laissés dans l'agenda du groupe.

Le vendredi deux août, Offenbach se produisit néanmoins en plein air, au Centre de la nature de Verchères. Cinq mille personnes se trouvaient sur le site lorsque Gerry et les autres montèrent sur scène, à vingt et une heures trente. Les classiques du groupe déclenchèrent les réactions habituelles et survoltèrent la foule.

Les projecteurs s'éteignirent à vingt-trois heures quarante.

Et la violence débuta.

On aurait dit que les autorités n'avaient pas prévu qu'à minuit, ce soir-là, cinq mille fêtards répartis dans quelques milliers de voitures auraient à sortir en même temps du village par une toute petite route, après avoir écouté du gros rock'n'roll, bu des gallons de bière et fumé des montagnes de haschisch. Quelques policiers du poste de Sainte-Julie de la Sûreté du Québec se trouvaient sur les lieux. Lorsqu'ils tentèrent de mettre un peu d'ordre dans ce bordel, ils furent presque lynchés par la foule — cinq d'entre eux furent blessés — et leurs voitures de patrouille virées sens dessus dessous. Au bout d'une heure, l'unité d'urgence de la SQ débarqua en face de l'Hôtel de Ville de Verchères et, pour mettre fin à ces curieuses festivités, utilisa à profusion les gaz lacrymogènes. Huit personnes furent appréhendées.

Le lendemain matin, la rue Marie-Victorin ressemblait presque à Beyrouth ouest !

Les membres d'Offenbach n'eurent pas connaissance du début de l'émeute. Pendant que les roadies roulaient les fils, les musiciens vidaient tranquillement quelques bouteilles de bière à l'arrière-scène lorsque Gerry, humant le vent, dit :

« Tabarnac, c'est du gaz, ça !... »

On avait bien entendu des sirènes et aperçu au loin les lueurs de quelques gyrophares. Mais c'était dans l'ordre des choses : depuis des années, les shows d'Offenbach se terminaient rarement sans que la police n'ait à intervenir. En général, il ne se produisait rien de grave. Les flics se laissaient traiter d'*ostie d'chiens* pendant vingt ou trente minutes. Ils passaient les menottes à une couple de spectateurs plus fatigants que les autres — et parfois à un pusher, pour faire bonne mesure — puis rentraient au poste.

Ce soir-là, les policiers furent plus occupés...

Gerry dit :

« Gages-tu qu'on va avoir des problèmes avec ça ?... »

Un mois plus tard, lorsque les membres d'Offenbach annoncèrent à la presse la dissolution du groupe et la tenue de deux concerts d'adieu, ils venaient d'apprendre que le fabricant de cigarettes qui devait injecter 100 000 dollars dans la production de l'événement retirait sa commandite en invoquant les incidents de Verchères.

Il était écrit qu'Offenbach en arracherait jusqu'au bout avec ce genre de choses!...

Il fallut néanmoins organiser les spectacles d'adieu, qui seraient donnés au Colisée de Québec le vingt-cinq octobre, et au Forum de Montréal le vendredi premier novembre 1985.

Le groupe convint d'occuper seul la scène, sans première partie, et de donner un concert dont le programme comprendrait quarante tounes, pour une durée de plus de trois heures. Il n'y avait pas moyen de faire autrement. Depuis 1972, Offenbach avait enregistré cent quatre pièces originales! Trois douzaines de celles-là étaient des classiques que leurs fans ne leur pardonneraient jamais d'avoir oubliés dans leur *dernier show*.

Ces spectacles seraient les plus grandioses et, à tous points de vue, les plus complexes que le groupe eut jamais donnés.

La veille et l'avant-veille du show au Colisée, le groupe s'enferma avec une armée de techniciens dans un immense entrepôt industriel de la Rive-Sud. On assembla la grande scène de douze mètres de longueur qui servirait dans les deux amphithéâtres. Derrière, on déploya les gigantesques rideaux loués pour l'occasion et, au-dessus, on accrocha la totalité du dispositif d'éclairage qui serait ensuite transporté au Colisée et au Forum.

En deux jours, on ne parvint pas à répéter les quarante pièces placées au programme.

La scène était occupée par une telle collection de synthétiseurs, de batteries (acoustique et électronique), de microphones, de capteurs radio sur bande FM (pour les raccordements sans fil), d'amplificateurs et de moniteurs (branchés sur seize canaux distincts), qu'à certains moments, plus personne ne s'y retrouvait! Il fallait s'arrêter toutes les deux minutes pour régler un problème ou un autre. Palabres interminables. On réussit à faire vingt-cinq ou vingt-six pièces, puis il fallut démonter le tout et prendre l'autoroute 20 en direction de Québec.

Au Colisée, le show fut cousu de pépins techniques et d'erreurs attribuables à l'extrême nervosité des musiciens.

Les ennuis débutèrent dès la deuxième toune, *Taxi rock'n'roll*, lorsque l'émetteur branché à la basse de Lebœuf cessa de se comporter comme il aurait dû; il se mit à relayer, par saccades, des pointes de volume assourdissantes aux quatre amplis Peavey auxquels le récepteur était branché... À chaque soubresaut, les cinq membres d'Offenbach sursautaient comme si un réacté atterrissait sur le stage! Breen perdit toute concentration, s'emmêla dans ses paroles et, en sueur, conclut la pièce en marmonnant entre ses dents :

« Y'en reste trente-huit, on n'est pas sorti d'icitte... »

Puis à l'intention du roadie accroupi dans l'obscurité, sur le côté de la scène :

« Amène-moi une corde à linge, câlisse! »

Le technicien courut vers lui et brancha sa basse à un bon vieux fil — de huit mètres : Breen avait l'air d'un chien au bout d'une laisse... Le reste de la soirée fut à l'avenant. À la fin, dans la loge, Gerry ne trouva qu'à dire :

« J'espère qu'ça sera pas comme ça au Forum... »

Les dieux étaient avec Offenbach. À Montréal, tout se passa étonnamment bien.

Quelques heures avant le show, pourtant, la pagaille était encore plus totale qu'à Québec ou à l'entrepôt de la Rive-Sud.

En milieu d'après-midi, il fallut reculer la scène de six mètres — une affaire de rien! — afin de dégager deux mille sièges de plus : les douze mille places prévues étaient toutes réservées et des hordes de fans d'Offenbach affluaient toujours aux guichets. Ils allaient être plus de quatorze mille à prendre place au Forum. Cela entraîna une révision du dispositif d'amplification et Marc Lefebvre, l'ingénieur du son, dut écumer la ville pour trouver quelques milliers de watts de plus à brancher à sa console. De la même façon, on dut réajuster les éclairages et revoir l'angle de tir des quatorze projecteurs de poursuite installés pour l'occasion; au moment d'ouvrir les portes du Forum, des roadies maniaient toujours les douze treuils électriques auxquels étaient accrochées les rampes d'éclairage!

Au surplus, il y avait la télévision.

On avait décidé d'immortaliser sur ruban magnétoscopique — ainsi que sur disque : l'album *Le Dernier Show* allait être mis sur le marché le dix-huit février 1986 — le quatrième et dernier concert du groupe au Forum. C'est Jean-Jacques Sheitoyan, un expert dans ce genre de travail, qui réaliserait l'émission intitulée *Offenbach/Marci*, dont la diffusion à la télévision de Radio-Canada suivrait le lancement du disque.

Sept caméras, dont deux engins montés sur grues, entouraient la scène. On ne savait plus très bien quelles consoles de mixage et quels microphones appartenaient à qui. Des techniciens qui ne s'étaient jamais vus de leur vie se croisaient sur le stage, se marchaient sur les pieds, se regardaient comme s'ils se nuisaient mutuellement. Vers dix-huit heures, un de ceux-là dit à trois membres d'Offenbach montés sur scène pour jeter un dernier coup d'œil à leur quincaillerie :

« Débarquez du stage, vous autres... Vous avez pas d'affaire icitte !... »

C'était extraordinaire, ça, *vous avez pas d'affaire icitte !...* Tellement absurde que tous trois éclatèrent de rire et retournèrent dans leur loge en lançant un joyeux :

« Oui, m'sieur !... »

Ils ne revinrent dans l'enceinte du Forum qu'au moment où un régisseur courut leur dire que les lampes jaunes, au-dessus de la patinoire, étaient éteintes. Que leur public les attendait. Que c'était à eux de jouer.

Pour la dernière fois.

Après, il ne resterait plus du groupe qu'une phrase dans un livre, *Gerry d'Offenbach/La voix que j'ai*, rédigé par la journaliste Manon Guilbert :

« La voix de Gerry Boulet, sur la musique d'Offenbach, a fait hurler à la lune tous les assoiffés d'authenticité. Pendant près de vingt ans, elle a été l'âme du groupe. Malgré les mutations, les modes, les crises, elle a crié ses vérités avec chaleur, avec une intense générosité. »

Il resterait aussi, au fond d'une voûte bancaire, un tas de paperasse accumulant la poussière et portant, sur la feuille cartonnée du dessus, l'inscription *108128 Canada Ltd.*

La nuit du premier au deux novembre 1985

Françoise lui crie, la tête dans l'entrebâillement de la porte :
« Viens manger, c'est prêt !... »
Même s'il a faim, Gerry Boulet n'a pas envie de rentrer.
Assis sur une chaise de parterre, à l'extrémité du terrain, il contemple le vieux garage qui lui appartient désormais et dans lequel il compte installer un petit studio pour faire de la musique, après l'avoir revampé, refait l'électricité, garni d'une isolation thermique et acoustique. Il sait comment s'y prendre, l'ayant appris rue Beaudry. Ce sera merveilleux.
« Viens-tu, Gerry ? Ça va r'froidir... »
Il sourit. *Ça va r'froidir...* À chaque seconde depuis le début des temps et jusqu'à la fin de l'éternité, une femme, quelque part dans le monde, s'est servie, se sert et se servira de cette phrase pour appeler un homme... Ou un enfant. Françoise dirait : *C'est la même chose, Gerry, un homme pis un enfant... surtout dans ton cas !*
Merveilleux, ça aussi.

***

Le régisseur disparu, tous les cinq se levèrent, franchirent la porte de la loge et se dirigèrent, dans les couloirs percés sous les gradins, vers l'extrémité du Forum. Ceux qui se trouvaient là les regardèrent passer en s'écartant un peu, avec respect.
Quatre ou cinq filles étaient parvenues à se faufiler dans les coulisses. En le voyant, l'une d'elles cria *Gerry !...*, les larmes aux yeux. Il lui sourit, sans s'arrêter. Il avait faim. Aucun d'eux n'avait été capable de bouffer lorsqu'un roadie avait déversé dans

la loge des cartons pleins de victuailles, une heure plus tôt. Ils avaient débouché des bouteilles de bière, mais elles étaient demeurées à moitié pleines, sur une table. Vraiment, il aurait dû avaler une bouchée.

C'était stupide de penser à son estomac dans un moment comme celui-là.

Gerry, qui ouvrait la marche, arriva le premier sous l'arche donnant accès à la scène, à l'extrémité de la patinoire, là où se trouve d'ordinaire le filet du gardien de but. Dans le noir, en face de lui, la foule trépignait, hurlait, sifflait, brandissait des briquets allumés. Un autre régisseur, les oreilles enfouies sous un casque d'écoute garni d'un microphone, leur fit signe de s'immobiliser. Dans les enceintes acoustiques, on entendait un annonceur faire le petit laïus de circonstance.

Gerry, Johnny, Breen, Pat et John se regardèrent intensément pendant de longues secondes. On aurait dit que leurs yeux brillaient dans le noir. Puis, ensemble, sans que cela eut été planifié — jamais ils n'avaient posé un geste pareil! —, ils se serrèrent la main, tous les cinq, à se rompre les doigts. Ils n'échangèrent pas un mot, se contentant de ce contact physique. Gerry demeura pendant de longues secondes soudé aux bras de Johnny.

Puis le régisseur fit un signe et, à la lueur des lampes de poche qu'on tendait devant eux, les musiciens gravirent le petit escalier menant à la scène.

***

C'est froid, Françoise l'a pourtant prévenu... Mais ça n'a pas d'importance. Ils sont assis l'un en face de l'autre de chaque côté de la longue table de chêne qui a fait maugréer les déménageurs chargés de la trimbaler jusque là, un mois plus tôt. La table est placée en angle, à l'extrémité de la pièce de séjour qui sert à la fois de salon et de salle à manger. Installé dos au mur, Gerry peut voir Julie, occupée, sur le canapé trônant à l'autre bout du rez-de-chaussée, à garnir de couleurs un grand cahier à dessins.

«Ça va?

— Ouais.

— Fatigué?

— Non, non...

— Pas trop triste?

— Ben non, Françoise... Toutte est correct, r'garde : on est icitte, on a la paix, on va avoir le temps de s'installer comme du monde dans not' p'tite maison dans' prairie !... »

Il sourit aux anges chaque fois qu'il évoque sa *p'tite maison dans' prairie*. Ils habitent là depuis le deux octobre : le lendemain du déménagement, on célébrait l'anniversaire de Françoise assis sur les caisses de carton empilées partout ! Ils ont eu le coup de foudre tout de suite lorsque le courtier en immeubles leur a fait visiter la maison, l'été précédent.

Le terrain est immense, selon les standards urbains. Située dans le Vieux-Longueuil, la petite construction de briques — qui a l'air d'un jouet ! — s'élève à une intersection, rue Saint-Laurent, de sorte que deux côtés donnent sur la rue. Sur les autres faces, les fenêtres s'ouvrent sur des arbres, de la verdure, une pelouse, ainsi que sur le vieux garage, au fond.

Mis à part la cuisine construite dans une petite annexe, le rez-de-chaussée n'est qu'une grande pièce amputée d'un vestibule où prend pied l'escalier conduisant à l'étage. En haut, on trouve deux chambres, un bureau et une salle de bain. Ainsi qu'un escalier, encore, ou plutôt une échelle par laquelle on grimpe au grenier. Sous les combles, on installera dès que possible un coin pour Julie, avec du tapis et des lanterneaux, où elle pourra s'inventer un petit royaume bien à elle.

C'est important d'avoir un endroit pour commencer à se bâtir un petit royaume à soi.

Ils terminent le repas. Françoise dit :

« Tu veux qu'on sorte ?

— Pas à' soir. Y' faut qu'j'installe le synthé pis toutte ça... »

Tous deux regardent en même temps l'angle opposé de la salle à manger où, en attendant de rénover le garage, Gerry a commencé à disposer ses outils de travail. Le piano droit Yamaha, tout noir, sur lequel il arrive à Julie d'enfoncer quelques touches, est déjà adossé au mur.

***

Gerry courut jusqu'à la B-3 et, saluant la foule, fit basculer l'un après l'autre les deux interrupteurs commandant les générateurs de son de l'orgue. Johnny, Breen et John étaient déjà prêts. Après avoir ajusté son tabouret, Pat le fut aussi. Gerry lui adressa un signe discret. Le batteur frappa ses baguettes l'une contre l'autre et les premières notes du dernier show rebondirent sur les murs du Forum.

Ils commencèrent le concert avec *Ma patrie est à terre*. Puis, au fil des heures, ils firent *Je chante comme un coyote* et *Femme qui s'en va* en l'enchaînant avec *Le blues me guette*.

Gerry portait une chemise bleue, McGale un veston de la même couleur passé sur une chemise noire à motifs de fleurs; Breen avait endossé un chandail Harley-Davidson et Johnny était habillé de mauve. Pat Martel avait revêtu des pantalons de jogging et une sorte de camisole noire; il savait qu'il aurait chaud.

Après quelques pièces, on tamisa l'éclairage, trois des membres d'Offenbach sortirent de scène, McGale s'assit sur un tabouret avec une guitare acoustique et Gerry, à côté de lui, chanta *Georgia on My Mind* avec ce seul accompagnement.

Sa voix n'avait jamais été aussi profonde, aussi prenante.

Puis, touchant sa guitare au bottleneck, McGale démarra le riff de *Câline de blues*; après un couplet et un doux solo de guitare, les autres musiciens revenus sur scène se mirent à bûcher tous ensemble, poursuivant un *Câline de blues* électrique, dément, qui fit bondir les spectateurs sur leurs sièges!

Tous les cinq contemplaient la foule, partagés entre la joie et la nostalgie. À ce moment-là, ils savaient que les mêmes pensées, très exactement les mêmes, couraient dans leur tête :

«Comment est-ce qu'on va faire pour s'passer d'ça, après? Hein? Pour s'passer de c'feeling-là? On va être comme des junkies privés de dope... Qu'est-ce qu'on va faire, tabarnac?»

Ils n'avaient jamais été aussi heureux de faire de la musique. Ni, en même temps, aussi tristes...

***

Il ne sait pas encore exactement ce qu'il va faire. Aujourd'hui, il n'a pas à y penser, ce n'est pas si urgent. Mais il sait que ce ne sera pas facile. Au moment d'enregistrer *Presque quarante ans de blues*, il s'est rendu compte de la difficulté qu'il y a à ne plus faire partie d'un groupe lorsqu'on a travaillé de cette façon-là toute sa vie. À vrai dire, cela l'a littéralement terrorisé. Il n'en a pas parlé mais il sait que tout le monde, autour de lui, s'en est rendu compte. Il n'y a qu'à voir la ferveur qu'il a mise à boire pendant ces semaines-là!

Françoise sert le café et va s'asseoir à côté de Julie. Celle-ci a une tache d'un bleu vif sur le bout du nez. Et elle ne sera bientôt plus qu'une vivante palette de couleurs si elle n'arrive pas à maîtriser un peu mieux son pinceau!... Gerry rit tout seul, toujours installé à la table de chêne.

Il est décidé. Il prendra une ou deux semaines de repos puis il s'attellera à la tâche. En fait, la seule difficulté est de choisir, car il a envie de tout faire à la fois.

Des musiques de films, comme pour *Bulldozer* et *Métier : boxeur*.

D'autres tounes rock. Mais... comment dire... plus musicales, avec des cuivres — évidemment! —, du piano et de la guitare acoustique.

Une grande œuvre aussi, peut-être. Il a déjà son idée là-dessus. Jadis, il en a même parlé à des gens, à Alain Simard entre autres. Même qu'une fois, en conférence de presse — quand est-ce que c'était, déjà?... — il a évoqué la possibilité de faire monter Offenbach sur scène avec l'Orchestre symphonique de Montréal pour interpréter ensemble du Offenbach : du *Jacques* Offenbach! Un jour, Vic Vogel lui a dit :

«J'te vois en tuxedo, Gerry, avec un orchestre de quatre-vingts musiciens en arrière de toi!...

— Es-tu fou, toi? Pour commencer, j'm'habillerai jamais en pingouin, d'la marde!»

Mais peut-être que l'idée de Vogel n'est pas si bête après tout... Lui, Gerry, serrant la main de Charles Dutoit quelques secondes avant que celui-ci n'agite sa baguette pour faire groover son band — *y'a un ostie d'band, Charlie!...* — sur l'intro de *Georgia on My Mind*. Ce serait génial!

Et puis des petites boîtes aussi. Chanter devant cent personnes. Ou même dans le métro, pourquoi pas?... Chanter dans des endroits où ce n'est pas compliqué, où on n'a pas besoin de débarquer avec cinquante personnes et vingt tonnes d'équipement derrière soi.

Gerry rêvasse, les coudes posés sur la table de chêne, une tasse de café entre les mains. Julie a maintenant des taches de toutes les couleurs sur le nez. Françoise se lève en disant :

« Bouge pas, Julie, que j'te frotte un peu le visage. »

Françoise passe à côté de lui pour aller à la cuisine et revient armée d'une serviette humide avec laquelle, malgré les protestations de la petite, elle astique soigneusement la frimousse de Julie.

***

Il faisait une chaleur d'enfer. Les spots étaient encore plus nombreux à cause de la télévision. Entre les tounes, Gerry ne finissait plus de s'éponger en essayant de se soustraire aux lentilles des caméras qui fouinaient partout.

Offenbach enfilait les tounes l'une à la suite de l'autre, chacune plus intense que la précédente à mesure que s'écoulait le dernier show. Certaines prenaient une tout autre signification...

Faut que j'me pousse
Y'a rien à faire...

Après l'entracte, on donna la plus belle *Promenade sur Mars* de l'histoire du groupe. Puis *Dominus Vobiscum* et une dizaine d'autres encore.

Après *Chu un rocker*, après deux cents minutes de show, ce fut terminé.

Les cinq musiciens se réunirent au centre de la scène et saluèrent une dernière fois le public d'Offenbach, souriant pour ne pas pleurer, se saoulant une dernière fois de cette poignante clameur.

Dans la loge, ils ouvrirent des bouteilles de champagne. Puis ils roulèrent à bord d'une limousine en direction du Belmont, rue Saint-Laurent, pour un ultime party.

Alors que le soleil se levait, Gerry traversa le pont Jacques-Cartier en dormant presque sur l'épaule de Françoise, calé au fond de la banquette d'une énorme voiture conduite par un chauffeur en livrée. Quelqu'un avait déposé La Presse du jour dans l'automobile. Le journal titrait : « Le rock québécois est mort avec Offenbach. »

Parvenu chez lui, Gerry s'endormit à l'instant où sa tête toucha l'oreiller.

**

En s'éveillant quelques heures plus tard, il a l'impression qu'il vient tout juste de sombrer dans le sommeil. Mais il est deux heures de l'après-midi. Françoise est déjà debout. Gerry se lève, enfile ses jeans, descend l'escalier et sirote un café. Le voyant endosser un vieux chandail et une veste presque en lambeaux, Françoise lui dit :

« Tu t'en vas cultiver ton champ, Gerry ?... »

Autour d'une *p'tite maison dans' prairie*, il y a forcément un champ à cultiver. Il se contente de grogner, pousse la porte de la cuisine et descend dans la cour, où il agrippe une chaise de parterre et la trimbale jusque devant le garage. Gerry rêvasse en grelottant un peu. Le thermomètre n'indique pas beaucoup plus que quatre ou cinq degrés, le ciel est lourd et gris. On ne peut pas savoir s'il va pleuvoir ou neiger — un deux novembre, l'un et l'autre peuvent arriver.

Gerry remonte le col de sa veste, rentre la tête dans les épaules et demeure là une heure, peut-être plus. C'est Françoise qui, de crainte qu'il ne se donne une pneumonie, juge préférable de l'attirer dans la maison en criant :

« Viens manger, c'est prêt !... »

Même s'il a faim, Gerry n'a pas envie de rentrer.

La révolte de l'esprit et du corps

Pour se moquer de lui-même, il déclare lorsqu'on le questionne :

« J'sus en tournée, la Tournée internationale des maisons d'la culture, tabarnac !... »

Gerry Boulet part avec un piano électrique Yamaha, avec Johnny Gravel et Michel Gélinas. Et il se produit en trio dans les petites salles, les bars, les... maisons de la culture. Des salles de moins de cent cinquante places, la plupart du temps.

Il interprète des tounes d'Offenbach, quelques classiques du rock, *L'Hymne à l'amour* ; des nouveaux trucs aussi, qu'il teste sur ces publics bon enfant, peu intimidants, qui l'acclament comme un personnage mythique malgré la nature plus que modeste du show qu'il leur offre.

En tout cas, ça change du Forum !

Gerry a maintenant quarante ans.

Ça modifie drôlement les perspectives de franchir ce cap-là. Un jour, il a lu quelque part que Mick Jagger — à l'époque où il était encore jeune... — avait dit :

« Si je chante encore *Satisfaction* à quarante ans, je vais me suicider !... »

Gerry n'a jamais proféré une énormité de ce genre. Mais ça ne l'empêche pas de réfléchir. *Quarante ans...* se répète-t-il à lui-même, parfois, lorsqu'il est certain de n'être pas entendu. Et il fait une drôle de tête dans ces moments-là. C'est impossible de deviner à quoi il pense au juste. S'il songe à son passé ou à son avenir. À son corps qui porte moins bien la bière et la fatigue ou à ses enfants — on est en novembre 1986 : Justin est majeur depuis quelques jours, c'est tout dire ! — qui poussent sans qu'on s'en rende compte. À la vie en général ou à la musique.

Il pense beaucoup à la musique. Il y a un quart de siècle que la musique occupe son esprit, ça ne va pas changer parce qu'il a quarante ans !

Il lui arrive de s'ennuyer de la folie d'Offenbach. Incroyable, non ? Il a tant pesté contre le groupe, s'est tellement farci d'engueulades avec ses confrères, s'est mille fois juré qu'on ne l'y reprendrait plus à tenter de se fondre dans un tout alors qu'au fond de lui-même, il est un loner, il en est bien certain maintenant.

Seulement, il s'est écoulé un an depuis le dernier show, au Forum, et qu'est-ce qu'il a foutu depuis ce temps-là ? Pas grand-chose. La Tournée internationale des maisons de la culture ! Bravo ! Il a peu composé. Il n'a pas fait de musiques de films, il n'a initié aucun projet avec l'Orchestre symphonique, il n'a pas chanté dans le métro.

Il est en *période de méditation*, voilà, se dit-il. L'inspiration viendra à son heure.

D'ailleurs, il a déjà commencé à amasser des textes qu'il demande à l'un et à l'autre, ou qu'on lui envoie d'office : depuis des années, de purs inconnus lui font parvenir des mots, des poèmes. Il en a des caisses à la maison. Souvent, ça ne vaut pas grand-chose. D'autres fois, c'est intéressant. Gerry a pris l'habitude d'en mettre quelques-uns de côté ; il les relit de temps à autre en s'asseyant au piano, dans l'angle de la salle à manger, et en ébauchant des mélodies.

Depuis un bout de temps, Françoise est continuellement à ses basques :

« Y' faut que tu t'y remettes, Gerry ! T'as des choses à faire, t'as des choses à dire : tu peux quand même pas passer le reste de ta vie à jouer les vieilles tounes d'Offenbach, hein ?... Alors, prends l'temps de composer. Commence queq' chose, Gerry, grouille !...

— Ouais, ouais... »

À son nouveau chum Leduc, Gerry rapporte simplement :

« La Française, a' veut que j'me grouille... Remarque qu'elle a raison. Ça fait un an qu'j'ai rien faitte de nouveau. J'commence à tourner en rond en tabarnac... »

Richard Leduc a vingt-neuf ans. C'est un musicien originaire de Saint-Jérôme qui, avec un confrère, Bernard Duplessis, brasse des sons dans un petit studio aménagé dans un local de la rue Amherst. À cet endroit, on trouve deux ou trois synthétiseurs, une boîte à rythmes, un saxophone, une console de mixage, un magnétophone quatre pistes, un téléphone, l'annuaire de la Guilde des musiciens, deux chaises droites, une cafetière et deux tasses en plastique.

Leduc passe presque sa vie là-dedans.

Autrement, il va d'un engagement à l'autre, jouant du saxophone avec des musiciens et des petits groupes parfaitement inconnus, mettant au point des arrangements pour des chorales ou pour n'importe qui.

Gerry l'a rencontré par l'intermédiaire de Michel Gélinas : Leduc a remplacé celui-ci à quelques reprises dans le cadre de la Tournée internationale...

C'est un type effacé, un peu timide, qui n'élève jamais la voix, offrant ainsi un fabuleux contraste avec l'ex-leader d'Offenbach — une grande gueule patentée! — que Leduc admire néanmoins profondément. À son confrère Duplessis, il explique :

«J'suis pas un grand fan d'Offenbach : j'ai pas un disque d'eux autres, j'pense. Mais Gerry, c'est un phénomène! Y'a un talent fou, ce gars-là, c'est fascinant de l'voir aller!...»

Gerry, lui, prend le temps d'observer Leduc, de soupeser ses méthodes de travail, d'évaluer le style et le son que le musicien imprime aux tounes qu'ils font ensemble sur scène, à l'occasion. Il s'en trouve satisfait :

«J'l'aime ben c'gars-là. On va essayer queq' chose ensemble, ça sera pas long...»

L'occasion se présente bientôt.

Mis à part leur participation commune dans la Tournée internationale... (avec, en parallèle, quelques shows plus consistants), Gerry et Richard Leduc, en compagnie de Duplessis et de deux autres musiciens, enregistrent en 1987 *Café Rimbaud* dans un studio de Radio-Canada à la Cité du Havre. La toune sera couchée sur un disque également constitué d'autres versions de la même pièce par Michel Rivard, Lina Boudreau, Marie Bernard et Steve Faulkner.

J'écris dans un carnet de notes
Une mélodie au crayon feutre
Une chanson pour la radio
Demain je serai toujours là
À la même table qu'autrefois

> *J'aurai écrit une symphonie*
> *Un concert pour boîte à musique...*

Les paroles sont de Lucien Francœur.

Depuis quelques mois, Francœur est réapparu dans le décor. Il vient parfois vider une bouteille de bière rue Saint-Laurent, à Longueuil.

Gerry et lui se sont retrouvés le dimanche six avril 1986 lors d'un colloque organisé par l'Association des compositeurs, auteurs et éditeurs du Canada (la CAPAC) à l'hôtel Quatre Saisons, rue Sherbrooke ouest. Ils ne se sont à peu près pas vus depuis la tournée d'Offenbach avec le groupe Aut'Chose, en 1975. Sans s'éviter, ils sont tous deux un peu restés sur leurs impressions d'alors : *câlisse d'intello... chanteur de brasserie...*

Francœur a fait un bout de chemin depuis ce temps-là. Mis en quarantaine par le monde du showbiz, démoli par les médias, il a sabordé Aut'Chose et, en 1978, s'est exilé en France pour ne revenir définitivement au Québec qu'au début de 1986. Là-bas, il a continué à faire de la musique, à fréquenter des hordes de musiciens et, dans ses aller et retour entre Paris et Montréal, a réussi à se faire quelques amis à Radio-Canada — d'où le projet *Café Rimbaud*, un an après la fin de son exil.

Au colloque de la CAPAC, Gerry et Francœur font partie, en compagnie d'une brochette de paroliers, d'un atelier d'écriture au cours duquel Gerry et les auteurs s'échinent à assembler tant bien que mal une chanson — comme s'ils étaient dans une vitrine, exposés à la contemplation de tous! Rien ne fonctionne vraiment et, à un moment, les deux hommes se retrouvent installés devant un piano, à chanter comme des vieux matous s'égosillant au haut d'une clôture :

> *Le band a splitté*
> *Un soir dans le club...*
>
> . . .
>
> *Totalement rocker*
> *Absolument rocker....*

« C'est quoi, ça, Luciano ?... »

Gerry se met tout de suite à désigner l'autre sous le nom de Luciano.

« Ah, c'est un' affaire... C'est en partie une toune que j'ai composée, ça s'appelle *On achève bien les rockers*.

— C'est bon, Luciano ! Pourquoi tu fais pas un record avec ça ?

— Bof... Trop compliqué. J'veux pus faire de record... Ça marchera pas : au Québec, l'monde fonctionne encore su'l'beat des chorales pis d'*La Bonne Chanson*, ostie ! R'garde Fabienne Thibault : ça, c'est d'la mélodie pis d'la voix ! Qu'est-ce' tu penses que j'vas v'nir faire là-d'dans, moi ?...»

Quelques jours plus tard, Gerry peut visionner les rubans magnétoscopiques (au montage pour le compte de Radio-Québec) des shows d'adieu que Lucien Francœur a donnés au Spectrum les quatre et cinq octobre 1985. Aussitôt, il lui donne un coup de fil :

« Tabarnac, tu *chantes* su'l'stage ! Si t'es capable de chanter, pourquoi tu l'as jamais faitte su' tes records, hein ?

— Ah ! écœure-moi pas avec ça, Gerry... De toute façon, c'est fini, j'chante pus !

— Écoute-moi ben, Luciano : tu vas enregistrer ta toune, là, l'affaire des *rockers*. J'vas t'aider. Arrive !

— Bon... On peut faire une toune, Gerry...

— On f'ra pas une toune, on va faire un long-jeu... Arrive, Luciano ! »

Finalement, Gerry l'aime bien, ce type-là. Ce n'est plus comme en 1975. Tous les deux ont vieilli, chacun a eu le temps de faire la part des choses. À la réflexion, peut-être que Francœur n'est pas seulement un *câlisse d'intello*. Et que Gerry peut chanter ailleurs que dans les *brasseries* !... Rue Saint-Denis, on les voit de plus en plus souvent ensemble, chacun avec sa dope, Francœur et son joint, Gerry et sa bière. Tard dans la nuit, Gerry s'exclame :

« Quelle belle folie, Luciano !...»

Gerry en remet. Il fait du théâtre... comme Tom Waits, en somme !

En février 1987, après avoir enregistré quelques pistes dans un autre studio, Gerry et Francœur déménagent leurs pénates chez Multisons où, jusqu'en mai, ils travaillent sur le microsillon *Les Gitans reviennent toujours*. Gerry agit comme réalisateur, affinant les habiletés qu'il a commencé à développer en assemblant *Presque quarante ans de blues* ; il s'installe aussi aux claviers pour compléter l'instrumentation meublant quelques-unes des tounes de Francœur.

Connaissant la réputation du bonhomme, celui-ci est chaque fois stupéfait de voir Gerry débarquer en studio un peu avant midi, sobre comme un chameau, prêt à travailler dur pendant des heures sans hurler et sans continuellement appeler à la rescousse tous les saints du paradis. Il est vrai qu'il est étonnamment sage, Gerry, tout à coup. Parfois Francœur l'examine, vaguement inquiet, en s'interrogeant :

« Veux-tu m'dire c'qui l'travaille, lui ?... Y'est ben straight ! »

Francœur est aux anges. Jamais il n'aurait osé rêver de travailler avec un homme nanti d'une telle force créatrice, d'un tel bagage d'expérience, d'une telle connaissance de la musique rock et du travail en studio. Après avoir écouté le ruban maître définitif, en mai, il lui dit :

« Gerry, j'sais pas comment j'vas te r'mettre ça, c'que t'as faitte là. C'est impossible, j'pourrai jamais t'rembourser ça...

— Tu m'dois rien, Luciano... Pendant qu'tu faisais ton record, moi, j'ai maturé su' ton dos. Offenbach, c'est fini astheure dans ma tête. Là, j'sus prêt à faire mon long-jeu. »

Il est d'une telle gravité qu'il en est presque effrayant. Francœur le contemple pendant de longues minutes. Gerry est pâle, il a les traits tirés et des cernes sous les yeux.

Lucien Francœur ignore que Gerry est rongé par le doute, par l'inquiétude. Une grosse boule d'angoisse s'est logée en lui et ne disparaît plus : ces sentiments sont devenus physiques, il se sent mal dans sa peau comme jamais ça ne lui est arrivé dans le passé. Il a l'étrange sensation de sentir son esprit et son corps se révolter.

Offenbach, c'est fini astheure dans ma tête...

Ouais... Comme si Gerry pouvait faire une croix sur la moitié de sa vie, déchirer une partie de son être sans que cela fasse mal !

Le passé reste, indélébile.

Par exemple, il y a Johnny.

Ah ! Johnny... Son meilleur chum de musique, son vieux compagnon de route. Johnny, le parrain de Julie. Gerry n'ose même plus lui téléphoner ou aller le voir. Gerry n'a peur de rien ni de personne, bien sûr, mais se retrouver face à Johnny demande une dose de courage dont Gerry ne possède ces temps-ci qu'une bien petite quantité.

Pourquoi a-t-il toujours fallu que, sans le vouloir, il fasse de la peine à cet homme-là? Déjà, dix ans plus tôt, il l'a terriblement froissé en lui disant :

« On va prendre un deuxième guitariste avec nous autres, Johnny... »

Gravel, demeuré pensif pendant un moment, a murmuré d'un air triste :

« J'me fais vieux, Gerry?... Dis-le! Ça t'prend du... comment on dit ça, ostie... Ça t'prend *du sang neuf* dans ton band, hein?... »

Et Gerry n'a rien trouvé à répondre. Millaire est venu, puis McCaskill et McGale. Les choses se sont arrangées. Mais c'est resté délicat de distribuer les solos de guitare lorsqu'on assemble de nouvelles pièces au local de répétition ou en studio.

Et il faudrait qu'il dise à nouveau à Johnny un truc pareil? Pire encore, en fait : il faudrait que Gerry lui dise qu'ils ne travailleront plus ensemble? Que, sur son prochain disque — il va y arriver un jour ou l'autre —, il veut des guitares tout à fait différentes, qui ne ressembleront ni de près ni de loin à celles d'Offenbach? Dire ça à Johnny?...

Il ne s'en sent pas capable.

D'autant moins que Johnny, déjà atterré par la dissolution du groupe, s'est à peu près en même temps séparé de Laurence Vager, qui vivait depuis dix ans avec lui et qui est repartie en France.

La dernière fois qu'il a vu Johnny, après la Tournée internationale..., Gerry a préféré lui dire :

« Je l'sais pas c'que j'vas faire après. Je l'sais pas pantoute... J'te l'dirai quand j'aurai un' idée... »

Et ils se sont séparés.

Gerry y pense souvent.

S'il faisait encore partie d'un band, il irait vider quelques bouteilles de bière au local de répétition et il y aurait quelqu'un pour lui dire, pendant qu'il tripote tristement sa B-3 :

« Voyons, Gerry : c'est la vie, tabarnac! Arrête de badtriper là-dessus pis pense à l'avenir... »

Il y aurait quelqu'un pour inventer un blues — un autre! — avec lui. Mais Breen n'est plus là. Ni Pat. Ni McGale. Malgré tout, il était rigolo, McGale.

Pour finir, Mike Blass a disparu, lui aussi.

Appréhendé par la Sûreté du Québec un mois et demi avant qu'Offenbach ne fasse ses adieux au Forum, il a été condamné à la prison à perpétuité le sept février 1986 pour douze meurtres commis entre 1974 et 1985! Les quatre du boulevard de Maisonneuve plus huit autres. Des contrats. Gerry ne peut plus le voir. Mais il lui parle de temps à autre, car Blass a le téléphone dans sa cellule du Centre de prévention Parthenais, dans l'aile réservée aux délateurs : après son arrestation, il a décidé de collaborer avec la police parce qu'il craint des représailles.

Au téléphone, justement, l'homme résume succinctement sa situation à Gerry. Sans entrer dans les détails, ce n'est pas son habitude de lui parler de ces choses-là.

«Qui c'est qui t'en veut à c'point-là, Mike?

— Ah!... La gang de l'Ouest... C'est trop compliqué, Gerry, laisse faire : j'aime autant pas t'parler de ça.

— Pis t'es correct, là?

— Ouais, ça marche... Ça manque un peu de rock'n'roll, mais en tout cas!

— J'vas t'envoyer des cassettes, Mike!...»

Car Gerry nage dans les cassettes depuis un certain temps. Celles qu'il écoute. Celles sur lesquelles il couche des débuts de chansons, des airs, des refrains, de simples riffs.

J'sus prêt à faire mon long-jeu...

Hé! En fait, Gerry n'est prêt à rien du tout, à rien!...

Pourtant, il a fait des efforts pour s'astreindre à composer. À la maison, il a complété l'installation de son poste de travail dans l'angle de la salle à manger, près de la fenêtre qui donne sur la rue. À côté du piano droit, il a disposé le synthétiseur DX-7 qui lui sert à expérimenter des sonorités, ainsi qu'une boîte à rythmes Roland et un microphone; il a raccordé le tout à un magnétophone Yamaha quatre pistes spécialement conçu pour le travail qu'il a à faire. Qu'il *doit* faire, coûte que coûte...

Parfois, le matin, Gerry se lève et annonce :

«Bon : aujourd'hui, j'travaille, Françoise... J'ai une toune qui m'trotte dans' tête, ça va donner queq' chose, je l'sais... Si tu veux aller faire un tour avec Julie... Parce que ça s'peut que j'fasse un peu de bruit...»

Sous le synthé, toute la quincaillerie est branchée sur un petit amplificateur dont Gerry aime bien pousser un peu le volume lorsqu'il est seul à la maison.

Contente, Françoise s'éclipse en se disant qu'il va se passer de grandes choses, ce jour-là. Plusieurs heures plus tard, lorsqu'elle revient, elle le trouve assis au piano à chanter tristement des mots de Boris Vian qu'il a mis en musique à sa façon :

Je bois systématiquement
Pour oublier tous mes emmerdements...
La vie est-elle tellement marrante ?
La vie est-elle tellement vivante ?...

« Gerry !... »

...pour oublier
Que je n'ai plus vingt ans...

« Gerry !

— Quoi, tabarnac ?...

— Tu vas arrêter d'chanter ce truc-là ? C'est déprimant, Gerry, ça a pas de bon sens... »

Ou alors, lorsqu'elle revient, Gerry est affalé sur le canapé du salon, la tête entre les mains, plus découragé encore que la veille.

« Ça marche pas, calvaire, y'a rien qui marche...

— Voyons Gerry... Peut-être que ça n'a pas fonctionné aujourd'hui. Mais ça avance, quand même : t'as déjà des trucs dont t'es content, non ? Cesse de te torturer, Gerry, pis tu verras, ça ira beaucoup mieux ! »

Françoise est à bout d'arguments. Elle sait pourtant qu'au fil des semaines, Gerry a réussi à construire quelques mélodies qui sont très bien, même si lui n'y croit pas beaucoup — il ne croit plus en rien, de toute façon. Il en a quatre ou cinq, qui résistent à l'épreuve du temps et qu'il retravaille régulièrement en se servant du synthé pour ajouter de l'instrumentation. Il a baptisé l'une d'elles la toune-chameau, à cause du rythme qui évoque le pas nonchalant d'un animal traversant de grandes étendues désertiques. Elle avance bien, la toune-chameau. Peut-être même se servira-t-il sur cette mélodie-là d'un poème que Michel Rivard lui a donné quelques mois plus tôt. Un poème intitulé *La Femme d'or*. Très beau.

Curieusement, étant donné son état d'esprit, une autre pièce qu'il polit lentement est un rock emporté sur lequel on imagine tout de suite des cuivres joyeux, triomphants. Une ou deux autres encore sont des ballades.

Les cassettes traînent sur le dessus du piano droit.

Parfois, Gerry en prend une et l'insère dans la machine pour l'écouter dix fois de suite, comme s'il essayait de se convaincre qu'il est parvenu à un résultat, si mince soit-il. Il compte en donner des copies à quelques-uns des paroliers qui ont travaillé avec lui du temps d'Offenbach. Même à Plume Latraverse que, malgré tout, il voit encore à l'occasion.

Et à Denise Boucher.

Ils ont déjà échangé des cassettes de cette façon-là. En fait, la seule toune qui soit vraiment prête dans tout ce fatras accumulé sur le piano, c'est *Un beau grand bateau* — et la toune-chameau, s'il adopte définitivement les mots de Rivard.

Gerry a connu Boucher à l'été 1983 sur une terrasse de la rue Prince-Arthur. Il sortait du bureau de Luc Phaneuf; elle était venue en voisine, demeurant à ce moment-là au carré Saint-Louis. En prenant un verre, Denise Boucher donna à Gerry le texte de *Un beau grand bateau*. Le lendemain, il avait composé la musique et jeté la chanson sur une cassette pour donner celle-ci à la poétesse. À ce moment-là, on ne sut pas exactement quoi faire avec. Pauline Julien la chanta sur scène à une ou deux reprises. Puis le *...bateau* sombra dans l'oubli.

Mais Gerry et Denise Boucher, eux, ne s'oublièrent pas. Et se revirent régulièrement, formant le couple le plus étrange qu'il soit possible d'imaginer. Le chanteur rock et la dramaturge. Le macho et la féministe...

En 1987, Denise Boucher a cinquante-deux ans. Elle a d'abord été enseignante puis journaliste à La Presse, au Devoir et au Journal de Montréal. Neuf ans plus tôt, elle a écrit *Les fées ont soif*, une pièce faite de monologues et de chansons destinée à déboulonner les symboles féminins traditionnels, la mère, la vierge, la putain. Marie mère de Dieu y était irrévérencieusement représentée... La pièce fit scandale. Des groupuscules d'extrémistes religieux — des fous de Dieu à la sauce québécoise — organisèrent des manifestations. La pièce de Boucher alimenta les passions pendant plusieurs mois; on se pencha (avec *irrévé-*

rence...) sur la vie, tumultueuse il est vrai, de l'auteure. Denise Boucher était instantanément devenue une vedette.

Depuis ce temps, il est arrivé à Gerry de traîner en ville avec elle — Boucher n'a peur ni des nuits blanches, ni d'un verre, ni d'un petit joint —, fasciné par cette autre magicienne des mots.

Voilà : il va lui envoyer une autre mélodie pour qu'elle s'en occupe. Peut-être la toune devenue pour lui une sorte de symbole, celle sur laquelle, au synthé, il a commencé à plaquer des cuivres joyeux et triomphants.

Même s'il est inquiet et démoralisé, même s'il traîne partout son spleen et sa boule d'angoisse, Gerry sent qu'un jour ou l'autre, il va triompher. Avec un peu de chance, il va retrouver sa force intérieure.

Et mater la mutinerie de son esprit et de son corps.

***

Il y a un bout de temps que Gerry ne l'a pas fait.

Le vingt-quatre juillet 1987, vers midi, il dit au revoir à Françoise, s'assied derrière le volant de sa voiture et disparaît en direction du pont Jacques-Cartier.

Elle comprend : il ne reviendra pas avant deux ou trois jours...

De fait, Gerry passe deux nuits sans retourner chez lui. Le dimanche vingt-six, en début de soirée, il rentre à la maison — après avoir mis une heure à retracer sa bagnole, qu'il a pourtant laissée à l'endroit le plus prévisible qui soit : dans le stationnement du Palais du commerce, rue Berri !

Françoise est dans sa chambre avec Julie. La petite vient de s'endormir dans ses bras après une séance de lecture. Le téléviseur, au pied du lit, fonctionne sans le son. Il est un peu plus de vingt heures lorsqu'elle entend la clé tourner dans la serrure. Françoise sort de la chambre très vite, fermant la porte derrière elle.

« C'est toi ? » lance-t-elle du haut de l'escalier. Comme si ça pouvait être quelqu'un d'autre !

— Bonsoir Françoise, mon amour ! »

Gerry sourit piteusement en essayant de paraître enjoué... Il tente de se donner la tête d'un homme qui n'aurait pas passé les deux dernières nuits à bambocher en ville, sans téléphoner, sans donner de nouvelles, rien... Mais en réalité, il a cet air de chien battu qu'il adopte depuis toujours, sans s'en rendre compte, dans ces cas-là. Ses jeans sont sales à faire pleurer, il a une barbe de trois jours et une ecchymose à la joue droite.

« Tu veux m'dire, Gerry, où est-ce que t'étais ?... Tu te rends compte ?... Ça fait dix fois que j'te dis : appelle-moi, Gerry, tiens-moi au courant ! Fais c'que tu veux mais téléphone, tabarnac !... »

C'est trop drôle d'entendre *la Française* prononcer ce mot-là ! Gerry sourit, ce qui la met encore plus en colère !

« J'suis inquiète, moi, ici. J'sais comment t'es...

— Voyons, ma belle...

— Oh fous-moi la paix, hein !... »

Il tourne autour d'elle en lui caressant les cheveux, en essayant de l'amadouer, en lui collant aux fesses. Il la suit dans la cuisine, tourne avec elle autour de la grande table de chêne en tentant de l'entraîner sur le canapé du salon.

« Viens Françoise, on va aller s'coucher, tu vas voir, on va...

— Ah ben, y'en est pas question, hein !... Toi, tu vas tout de suite enlever ces fringues et puis tu vas aller t'installer dans la baignoire, allez !... Gerry, cesse de... Veux-tu... Gerry, la p'tite dort en haut... Enlève tes mains d'là, bordel, Gerry !... »

Il est de plus en plus piteux. Et entreprenant !

Françoise en profite un peu, bien sûr... Elle lui fait une de ces têtes ! Mais elle le regarde du coin de l'œil lorsqu'il a le dos tourné. Et, après l'avoir bien enguirlandé, elle finirait par lui sourire si elle ne le voyait pas grimacer de douleur, si elle n'apercevait pas Gerry qui se masse les entrailles à deux mains quand il croit ne pas être observé.

Depuis quelques semaines, d'ailleurs, elle l'a surpris à quelques reprises dans cette position, les mains sur le ventre, le visage caché dans ses cheveux. Elle lui demande :

« Ça va pas, Gerry ? »

Il lui répond invariablement :

« Ouais, ça va, j'ai jus' un peu mal à l'estomac... »

Il semble parfois torturé, moralement et physiquement.

Il est vrai que son père est très malade. Gerry parle à sa mère presque tous les jours au téléphone et il a de la peine, ça se voit. Il sait que ça va mal finir, que Georges Boulet ne vivra pas jusqu'à cent ans. Il va le perdre et ça ne sera pas très long. Que dire ?

Françoise connaît bien les liens qui unissent Gerry à son père, cet homme éternellement silencieux qu'elle a toujours vu occupé à combattre la maladie.

Elle sait que Gerry va très mal prendre ce départ lorsqu'il va se produire.

Mais Françoise ne sait pas que, depuis plusieurs mois, lorsqu'il travaille avec Leduc ou Francœur, il arrive à Gerry de s'interrompre et, la sueur au front, de lancer :

« Câlisse que j'ai mal au ventre !... Attends un peu, laisse-moi souffler deux minutes, on va r'commencer après... »

Il ne dit jamais rien d'autre.

La vérité, c'est que Gerry a peur. Peur de la maladie et encore plus de la médecine.

Ces douleurs-là sont inquiétantes. Au début, c'est une sorte d'élancement qui part du fond des entrailles pour ensuite irradier dans tout le ventre en provoquant des crampes douloureuses à faire pleurer. Un peu comme un ulcère à l'estomac — mais en plus sourd, en plus sournois, dirait-on — qui excite d'abord les nerfs sensitifs de l'abdomen puis, au bout de quelques heures, fait circuler la douleur de la racine des cheveux jusqu'à la plante des pieds. Vient un moment, se produisant de façon cyclique au fil des semaines, où les intestins ne fonctionnent plus normalement ; où la douleur et les crampes prennent du volume, envahissent non seulement la totalité du corps mais aussi l'esprit, puisqu'il n'est plus possible, alors, de penser à autre chose qu'à ce martyre. Certains jours, Gerry doit faire des efforts surhumains pour ne pas s'allonger en geignant et en envoyant au diable le reste de la planète.

En se mordant les lèvres pour ne pas hurler, il se contente de dire dans ces moments-là :

« Câlisse que j'ai mal au ventre ! »

À la maison, il en parle encore moins, évidemment.

Après avoir flâné au rez-de-chaussée pendant une grosse demi-heure, Gerry va s'enfermer dans la salle de bain. Françoise entend des bruits d'eau, elle comprend que Gerry s'est glissé dans la baignoire — dans sa tête, elle le voit toujours s'amuser dans son bain avec un petit canard jaune en caoutchouc, comme un gosse... C'est ridicule. Il hurlerait si elle lui racontait une chose pareille !

Au bout d'une éternité, Gerry revient dans la chambre et enlève son peignoir pour s'allonger à côté d'elle. Julie dort maintenant dans sa chambre; elle ne s'est pas éveillée lorsque sa mère l'a transportée dans son lit et a déposé un baiser sur son front avant de rabattre les couvertures. Gerry hausse légèrement le volume du téléviseur, pour le téléjournal. Mais il est évident qu'il n'écoute pas. Françoise, le dos appuyé sur trois ou quatre oreillers, parcourt un magazine quelconque en l'observant toujours du coin de l'œil.

Au bout d'un moment, elle se lève. Quinze secondes plus tard, elle revient en courant, complètement affolée :

« Qu'est-ce que c'est ça, Gerry ?...

— Ben quoi ?

— Y'a plein de sang dans le bol des chiottes !... Qu'est-ce qui t'arrive, Gerry, tu veux me l'dire ?...

— Bah, rien...

— Rien ?... Tu blagues, non ?... Tu vas m'faire le plaisir d'aller voir le médecin. Et puis tout de suite. Demain. Je m'en occupe demain, Gerry !

— Ouais, ben sûr, j'vas y aller... C'est pas grave, Françoise, ça doit être la poudre... Quand j'fais d'la coke, des fois j'ai mal au ventre un peu, c'est jus' ça...

— Raison de plus ! C'est dur, la coke !... Pourquoi est-ce qu'y faut toujours que tu t'bourres le nez avec ça ?... Et puis, ça t'est arrivé, déjà, de trouver du sang dans tes selles ?

— Bah, j'sais pas...

— Ça t'est arrivé, hein ? Non ?... J'suis sûre que ça t'est arrivé. Et puis tu m'en as pas parlé. Ah ! Gerry !... »

Il prend encore son air de chien battu. Françoise se recouche et pose sa tête sur la poitrine de Gerry.

« Promets-moi qu'tu vas aller voir le médecin... »

Elle se soude à lui, entourant sa taille de son bras gauche, les seins collés sur son flanc.

« Ouais, j'vas y aller. »

Françoise finit par s'endormir.

Couché sur le dos, Gerry garde les yeux ouverts et s'absorbe dans la contemplation du plafond.

Il a mal.

Mais surtout, Gerry a peur.

L'ennemi

Au début, personne ne pense jamais au cancer.

Ni celui qui, sans le savoir, en est atteint. Ni ses proches. Ni le médecin qui, le premier, va l'examiner et l'enverra peut-être chez un confrère spécialiste. Lequel ne pensera pas d'abord, lui non plus, au cancer.

Pour commencer, on ne court jamais à la clinique dès l'apparition d'une première anomalie dans le fonctionnement de son corps. Sinon on serait toujours là, qu'on se dit, à se faire examiner dans tous les sens et sous toutes les coutures. N'y a-t-il pas toujours, comme pour les voitures, une pièce de la mécanique qui ne tourne pas tout à fait comme elle devrait? Et puis, la maladie, est-ce que ce n'est pas pour les autres?...

Ensuite, parce que le bobo ne disparaît pas, parce que ça fait mal, parce qu'il le faut bien, on finit par aller consulter. Stéthoscope, tension artérielle, prises de sang, analyses d'urine peut-être, prescription, rendez-vous dans deux semaines, merci docteur... Quinze jours plus tard, même chose avec quelques tests en plus, une ou deux radiographies, re-prescriptions, re-merci docteur...

Tout cela prend du temps.

Et le temps est la chose dont dispose le moins celui qui est atteint du cancer.

Pendant que le temps — *son* temps — passe, le malade laisse le champ libre à l'ennemi, qui prend possession du terrain à son rythme, à son gré.

Le mot latin *cancer* signifie *crabe*.

Chez les Romains, on comparait la maladie à un animal qui, lentement, sournoisement, ronge de proche en proche les parties affectées. Du siècle d'Hippocrate à celui de Peyrilhe (un médecin français qui, en 1773, statua qu'*il est aussi difficile de définir le cancer que de le guérir...*), on n'apprit à peu près rien sur cette maladie mortelle : en 1802, la Société du cancer de Londres déclara simplement que *le cancer est un sujet complètement inconnu*. À ce moment-là, on avait néanmoins constaté, par les progrès de l'anatomie pathologique, que le cancer est une prolifération anarchique des cellules. Constaté que la maladie — l'animal, l'ennemi — s'assure d'abord le contrôle d'un territoire, d'une petite portion de l'organisme ; puis va faire campagne ailleurs, mène la bataille sur un autre front, un peu plus loin, un peu plus profondément.

C'est la métastase. Laquelle, le plus souvent, signifie la mort.

Au Canada, le cancer est la deuxième cause de mortalité pour les hommes comme pour les femmes, tout de suite après les maladies du cœur. Au total, près de vingt-six pour cent des Canadiens en meurent — et vingt-deux pour cent des Canadiennes.

Le plus inquiétant est que le cancer touche de plus en plus de gens. En 1991, on s'attend que cent neuf mille nouveaux cas seront diagnostiqués et que cinquante-sept mille Canadiens et Canadiennes en mourront. Le mode de vie et la pollution sous toutes ses formes sont souvent pointés du doigt, bien que l'on ait des preuves que le cancer sévissait déjà à l'époque où les Égyptiens bâtissaient leurs pyramides et momifiaient leurs défunts.

Le cancer le plus meurtrier est de loin celui du poumon, presque trois fois plus fréquent chez les hommes que chez les femmes. Les cancers du sein ou de la prostaste sont eux aussi de plus grands tueurs que le cancer du côlon ou du rectum, lequel, en Occident, représente environ dix pour cent de l'ensemble des tumeurs apparaissant chez l'être humain.

Cette forme de cancer atteint surtout les personnes de soixante à soixante-dix ans. Les médecins croient constater que la maladie, lorsqu'elle s'attaque à des personnes plus jeunes, est en général plus virulente — parce que son apparition dénote alors une faiblesse anormale des systèmes de défense de l'organisme et que les cellules déviantes, comme celles qui sont saines, sont plus robustes.

Au Québec, tout près de quatre mille nouveaux cas de cancer du côlon ou du rectum ont été diagnostiqués en 1990 ; dans le même temps, un peu plus de mille six cents personnes en mouraient.

La chirurgie, la chimiothérapie et la radiothérapie sont les trois armes aptes à combattre l'ennemi. Elles sont en général utilisées conjointement dans le cadre d'un programme de traitement souvent élaboré par des groupes de médecins travaillant en comités multidisciplinaires.

En schématisant à l'extrême, on pourrait dire que la chirurgie est utilisée pour retirer les tissus malades de l'organisme, alors que les deux autres formes de traitement ralentissent ou stoppent — dans les meilleurs cas — la multiplication des cellules déviantes. Celles-ci sont en effet plus sensibles que les cellules saines à l'effet destructeur des rayons X, du radium et du cobalt; de la même façon, le rôle des substances chimiques injectées dans l'organisme consiste à bloquer la division ou le métabolisme cellulaire.

Tout cela omet une des caractéristiques principales de la maladie : le cancer terrorise.

C'est peut-être pour cette raison que personne n'y pense, au début. En réalité, c'est sans doute la première idée venant à l'esprit de celui qui est aux prises avec des signes anormaux transmis par son corps, avec des douleurs intenables et des malfonctionnements inquiétants.

Mais celui-là a peur. Et, faisant taire cette sonnerie d'alarme qui retentit dans sa tête, il endure son mal et tente de continuer à vivre comme si rien ne se passait à l'intérieur de lui.

Pendant ce temps, l'ennemi gagne du terrain.

La vie devant lui

Au début, Gerry Boulet ne pense pas au cancer.

Plus exactement, il ne dit pas un mot. Même s'il est terriblement inquiet et fait une tête d'enterrement lorsqu'il erre dans la maison ou qu'il arpente la cour — l'été est magnifique — en surveillant les ébats de Julie.

D'abord, il n'aime pas beaucoup fréquenter les médecins.

En 1984, il a été opéré pour un calcul à la vessie. Pas grand-chose, finalement. Mais sur le coup, cette histoire — les examens, l'hôpital, le bistouri, tous les tripotages auxquels on l'a astreint — l'a considérablement ennuyé.

Puis, en septembre 1986, il est allé voir le Dr William Svihovec, un médecin que Françoise connaît pour l'avoir déjà consulté, afin de soigner une entorse lombaire qu'il s'est donnée en transbahutant la B-3 : il faut tout faire soi-même dans cette vacherie de métier... Pendant une semaine, il en a perdu le sommeil et a dû retourner chez Svihovec pour obtenir des calmants.

Enfin, en mars 1987, Gerry a revu Svihovec pour des crampes au ventre; il avait aussi de la difficulté à uriner, ça ne tournait pas rond dans ce coin-là. On lui a fait des analyses de sang et d'urine, un examen de la prostate, la routine habituelle. Gerry se souvient : il blaguait, malgré son mal au bide, pour couvrir la pointe d'inquiétude qui commençait à percer.

Il se rappelle aussi que le médecin lui a alors parlé de stress, de fatigue, de la vie de fou qu'il doit mener et de la nécessité qu'il y a, à un certain âge — *vous êtes pas vieux, monsieur Boulet, mais quand même...* —, à en demander un petit peu moins à son pauvre corps.

Bref, Gerry sortit de là avec l'inévitable prescription à la main. Pour un antibiotique. Il a bien dû s'accommoder de la chose puisqu'il n'est pas retourné voir le médecin par la suite.

Mais cette fois-ci, Gerry n'aime pas. Il n'aime vraiment pas. Et un problème dans cette partie-là de son corps, par-dessus le marché : il y a quelque chose d'humiliant à aller montrer son derrière à quelqu'un... De toute façon, n'est-il pas invulnérable ? Insensible à l'épreuve du temps et aux assauts de la maladie ? Est-ce qu'il va se laisser arrêter par quelques maux de ventre et un peu de sang dans le bol des chiottes ?

Mais Françoise a raison. Ce n'est pas la première fois...

Le matin du vingt-sept juillet 1987, en s'éveillant, Gerry sait qu'il n'y coupera pas. Il a à peine dormi de la nuit. Mais curieusement, le mal n'est plus là. Comme ces rages de dents qui disparaissent au moment où on entre dans le cabinet du dentiste.

Lorsqu'il arrive au bas de l'escalier, il entend :

« Un café, Gerry ?... »

Il la regarde par en dessous. Et sourit à s'en fendre les joues lorsque Françoise tourne les yeux dans sa direction. Il n'a plus mal ! Il va lui expliquer, tout à l'heure, que c'est fini. Pas besoin de voir un médecin pour tout de suite : il ira plus tard, dans quelques semaines ou quelques mois, pour vérifier, pour être bien sûr. Parce que tout de même, c'est préférable de...

« J'ai téléphoné, Gerry.

— Téléphoné ?... »

Comme s'il ne savait pas !

— Ben, à Svihovec.

— Au docteur ? Pourquoi, Françoise ?... J'ai pus mal, à matin. C'est passé. Hier soir, ça d'vait être...

— Demain, Gerry. Demain après-midi. »

Il était sûr qu'il n'y échapperait pas.

Françoise connaît son homme : s'il le faut, elle a bien l'intention de le ficeler et de l'emmener de force jusque sur la table d'examen !

« Tu vas y aller, toi, hein !... Écoute : du sang dans les selles, on blague pas avec ça.

— Françoise, j'te l'ai dit : c'est quand j'fais de la coke que ça arrive, c'est pas grave...

— Ben justement ! Si y'a quelque chose qui fonctionne pas avec ça, t'es aussi bien de le savoir tout de suite et de pas laisser traîner. »

Encore heureux que le médecin soit un bonhomme sympathique.

Le Dr William Svihovec est un généraliste au regard doux, un peu timide, plutôt grand et mince mais si effacé qu'il semble ne pas occuper d'espace dans son cabinet pourtant minuscule niché au-dessus des quais du métro, à Longueuil. Il n'a pas encore quarante ans, son patronyme est d'origine tchèque mais il est né aux États-Unis, dans une petite ville du Connecticut. En 1971, il est venu au Canada pour étudier à l'Université McGill. Il s'est pris d'affection pour Montréal, s'est installé définitivement ici et, au fil des ans, est devenu titulaire d'un français plus que correct, teinté d'un accent presque comique.

En septembre 1986, Svihovec n'avait pas la moindre idée de qui était Gerry Boulet. Il connaissait bien l'existence d'un groupe nommé Offenbach — il ne détestait pas la chanson et le rock francophones — mais il n'avait jamais vraiment prêté attention. En mars, une infirmière de la clinique le mit au courant en lui glissant à l'oreille alors que, patiemment, le patient patientait dans la salle d'attente :

« C'est Gerry, l'chanteur d'Offenbach ! »

Elle était rouge d'émotion et de plaisir ! Et ne semblait pas accorder d'importance au fait que le groupe n'existait plus.

L'après-midi du mardi vingt-huit juillet, Gerry et Françoise vont ensemble à la clinique. Pendant que Gerry s'enferme avec Svihovec dans le cabinet de consultation, Françoise reste dans la salle d'attente, parlant avec les infirmières, tripotant ces imprimés ennuyeux que l'on trouve inévitablement dans ce genre d'endroit.

« Salut docteur !... J'aime autant te l'dire tout de suite : moi, j'ai rien. C'est la Française qui veut que...

— Installez-vous là, monsieur Boulet...

— A' pense que... C'est parce que j'ai eu mal au ventre un peu, un moment donné, pis... »

Il semble à Svihovec que, malgré ses dénégations, son patient a moins d'entrain qu'en mars. Il est moins souriant, pose des questions et hoche la tête pensivement lorsqu'il lui dit :

« Ça peut être n'importe quoi, y' faut voir !

— Bon écoute, j'vas t'dire ce qui en est : ça va être moins long pis moins compliqué... »

Gerry lui narre la chose avec tout le détachement dont il est capable : il a régulièrement des douleurs au ventre — *y'a des fois qu'ça fait mal en câlisse...* — et, dans ces cas-là, ses intestins ne fonctionnent pas bien non plus. Du bout des lèvres, il complète : il lui est arrivé de trouver du sang dans ses selles.

Svihovec ne pense pas au cancer.

«Ça peut être n'importe quoi», répète-t-il.

Néanmoins, le médecin juge prudent d'envoyer Gerry en consultation auprès d'un spécialiste en gastro-entérologie. En août, Gerry subit à deux reprises une sigmoïdoscopie, un examen de la portion iléo-pelvienne du côlon, en amont du rectum, une procédure indolore mais certainement inconfortable.

On ne trouve rien.

Le temps passe.

Et il ne s'écoule pas que pour Gerry. Le vingt-six août, son père s'éteint.

Depuis une semaine, Gerry va tous les jours à l'hôpital de Saint-Jean-sur-Richelieu où Georges Boulet, horriblement amaigri, souvent inconscient, voit la vie lui échapper lentement. Les deux hommes se disent quelques mots lorsque le vieillard parvient à ouvrir les yeux. Comme ils l'ont toujours fait, ils ont des conversations faites de phrases courtes, où l'essentiel est sous-entendu. Chaque fois, lorsqu'il revient à Longueuil, Gerry est triste, taciturne; il s'enferme dans la chambre, ou dans le petit bureau, à l'étage.

Son père... Qu'il a aimé cet homme-là, pourtant distant, presque froid, trop pudique pour esquisser de véritables gestes d'affection... Quelle joie il ressentait lorsque, tout petit, il faisait équipe avec lui à bord du camion de la Dominion Blank Book; il se sentait grand et fort à côté de son père, qui conduisait ce gros véhicule avec tant de facilité... Quelle complicité tacite lorsque Georges Boulet se chargeait de transporter les instruments du groupe, au début...

Gerry aurait aimé lui dire... lui dire :

«Tu sais, l'père... j't'aime ben gros...»

Et l'homme lui aurait répondu :

«Moi aussi, j't'aime, Gérald...»

Mais cela ne s'est jamais produit.

L'après-midi du vingt-six août, Gerry tient la main du vieil homme lorsqu'il rend son dernier souffle, à l'hôpital. Ce soir-là, à Longueuil, après avoir tristement erré dans la maison pendant de longues heures, Gerry va boire en ville avec Vic Vogel et, pendant des heures, lui parle de celui qui vient de disparaître. Il lui dit :

« J'veux chanter pour mon père, à l'église. J'ai jamais vraiment chanté pour lui... »

Deux jours plus tard, Gerry installe dans la nef de la cathédrale de Saint-Jean-l'Évangéliste un orgue portatif Korg dont il se sert peu souvent, et chante pour Georges Boulet, comme il se l'était promis. Françoise tient un microphone devant lui, en tremblant un peu d'émotion.

Dans les jours qui suivent, Gerry se sent dépérir.

En plus d'être infiniment triste, il souffre désormais de crampes chroniques. Lorsque personne ne l'observe, il lui arrive de rester immobile pendant une éternité puis de tressaillir comme s'il sortait d'un rêve et de s'éponger les yeux. Il n'est plus guère capable de s'asseoir cinq minutes au piano sans se relever et lancer, tout en marchant autour de la pièce comme un fauve :

« Câlisse que ça fait mal ! Pis les docteurs qui m'disent que j'ai rien, ça s'peut-tu, tabarnac ! »

La plupart du temps, la douleur est telle qu'elle relègue l'inquiétude au deuxième plan : Gerry ne veut même plus savoir ce dont il souffre, il désire qu'on le soulage, c'est tout. Dans les pires moments, la pensée de la mort l'effleure. Pas vraiment parce qu'il la craint pour lui-même : ce n'est pas possible, il est à l'abri de cela. Mais parce qu'il vient de la voir de près, encore une fois, comme lorsqu'il y a eu l'accident de la route, au collège ; il vient de voir la mort s'en prendre à son père et il a la même réaction de stupeur, d'incrédulité et d'angoisse qu'il a eue, adolescent, dans la salle de classe à moitié vide, à Philipsburg.

Le vingt et un septembre, Gerry retourne chez le spécialiste. Cette fois, il y va seul, sans Françoise. Il entre en coup de vent dans le cabinet du médecin et déclame sans reprendre haleine :

« Ça fait dix fois que j'me fais fouiller dans l'cul, j'haïs ça en câlisse, j'peux-tu te l'dire !... Pis y'a jamais rien qui arrive, on dirait que j'ai rien, on l'sait pas... Ben chriss, j'rêve pas : ça continue à faire mal en maudit, ça s'améliore pas et pis j'en ai assez ! Ça fait que... on va faire c'qu'y faut, passe-moi des radiographies, fais n'importe quoi, ostie, mais trouve-le, c'qui marche pas ! »

Gerry est vraiment en colère.

Depuis la fin du mois de juillet, depuis que Françoise l'a forcé à s'occuper de son mal, il sent que son état se détériore — il était temps qu'il y voie. Maintenant, il n'y a plus de jours sans douleur, sans crampes; son système digestif ne fonctionne plus. Il a de plus en plus peur de ce qui se passe à l'intérieur de lui.

Le jour même, il subit une radiographie des intestins (précédée d'un lavement baryté), des reins et de tout le système urinaire.

« Le kit au grand complet ! » lance Gerry en se présentant devant le canon à rayons X, s'efforçant de garder la tête haute malgré cette innommable jaquette fendue dans le dos qu'on lui a fait revêtir et qui, à elle seule, pourrait rendre quelqu'un malade à en crever.

Re-spécialiste, dès que les résultats arrivent du labo. Il n'y a rien de clair encore une fois : Gerry sort de là en ne sachant toujours pas ce qui mine son corps. Mais n'a-t-il pas entendu le mot *tumeur* échappé dans un murmure par une infirmière ?... Il n'en est pas certain. Il a dû se tromper.

Le temps passe.

Fin septembre, découragé, il dit à Françoise :

« Occupe-toi d'aller chercher mon dossier. C'fois icitte, on va à Notre-Dame. »

Quelqu'un leur a recommandé le Dr Michel Émond, gastro-entérologue.

* * *

La voiture est stationnée rue Alexandre-de-Sève, en face du 2065, là où loge le Centre d'oncologie.

On est le jeudi premier octobre; c'est une belle et fraîche journée d'automne, le soleil brille. Mais ni l'un ni l'autre ne le remarque en sortant de l'hôpital et en marchant, tête basse, vers l'automobile. Il est seize heures trente : ils sont demeurés moins d'une heure dans le cabinet du médecin. Gerry s'installe au volant, démarre et roule vers Longueuil.

Au bout d'un long moment, il dit en se tournant vers Françoise qui est parfaitement immobile, tendue, le regard fixe comme si elle venait de voir la mort :

« Un cancer... Tu te rends compte? Ton mec a un cancer...

— Bon, un cancer... C'est pas la mer à boire, Gerry, tout le monde a un cancer en ce moment! Ça se soigne, un cancer... Pis un côlon, t'as vu ce qu'y' t'a dit, le médecin? On en a des mètres de côlon, Gerry! Y' vont t'en retirer un bout et puis voilà, c'est tout!...

Silence.

C'est bien ce que le médecin a dit en leur montrant les radiographies plaquées sur le négatoscope accroché au mur :

«...tumeur au côlon. Il faut intervenir le plus rapidement possible.

— Une tumeur? C'est quoi, ça, une tumeur?...»

Gerry a regardé l'écran, le médecin, l'écran encore.

«C'est une tumeur maligne. Un cancer...

— Ah!...»

Gerry a dit *ah!*... puis s'est tu. Tout cela s'est passé tellement rapidement. Il a dit *ah!*... et n'a plus rien entendu. Il voyait les lèvres de Françoise remuer. Et celles du médecin. Tous deux parlaient de lui. De son cancer.

Cancer.

Le silence s'éternise dans la voiture qui roule rue Saint-Laurent. On vient de dépasser le centre commercial et on arrive presque à la maison. Gerry freine devant un feu rouge mais continue à regarder droit devant lui, les jointures blanches à force de serrer le volant.

«Un cancer... Ah! ben tabarnac... Y' manquait rien qu'ça, un cancer...»

Il répète le mot, comme si le prononcer était déjà une forme de soulagement.

«Ah! Gerry... Cancer, cancer... Quand bien même tu le dirais vingt fois! T'es pas le premier à qui ça arrive et pis tu seras pas le dernier, tu sais... Alors? Cancer, cancer... Tu nous les casses!...»

Françoise crève de trouille, plus que lui encore si c'est possible. Elle ne sait pas très bien comment elle fait pour ne pas se mettre à pleurer. Ou à hurler. Elle aurait envie de faire les deux à la fois. Elle tremble. Heureusement, Gerry est trop sonné pour s'en apercevoir. Si, pendant une seconde, il regardait vraiment la tête qu'elle fait, il aurait peur *pour elle*. Lorsqu'elle descend de l'automobile, Françoise arrive à peine à marcher jusqu'à l'entrée de la maison.

En pénétrant chez lui, Gerry se transforme du tout au tout. Il se dirige vers le piano, remue des cassettes, fouille dans ses partitions, dans ses notes, vide ses poches, fait du bruit, manipule encore des cassettes, allume une cigarette.

« Y' faut qu'j'appelle Lucien, y'avait un' affaire à checker avec le master, pis on devait aller ensemble chez l'distributeur parce que l'lancement est mardi prochain, pis y' faut que j'y' parle avant qu'on rencontre l'autre, voyons, t'as pas vu mon carnet de téléphone, Françoise, je l'mets toujours...

— Gerry...

— ...su'l' piano pis là, je l'trouve pas, tabarnac, tu sais comment c'que j'ai pas d'mémoire pour ça, moi, les numéros, pis j'étais supposé appeler Lucien après-midi, je l'sais pas si y'est encore chez eux ou ben si y'est parti s'occuper de ça tout seul, y' va être...

— Gerry...

— ...en ciboire, Luciano, j'sais même pas où est-ce que c'est l'ostie de lancement, y' m'a envoyé une carte mais j'lai perdue pis c'est lui qui s'est occupé de ça, ça fait que l'lancement, moi, j'sais même pas...

— Gerry ! Écoute-moi une seconde !... »

Cette fois, Françoise a hurlé.

Gerry s'arrête au milieu d'une phrase et tourne la tête. Tous deux sont debout, à deux mètres l'un de l'autre. Ils se regardent, stupéfaits, les yeux ronds de frayeur et d'incrédulité. Le cancer. Très lentement, Gerry s'assoit sur l'extrême bord d'un des bancs longeant la table de chêne. Il ne parle plus, ne cherche plus le numéro de téléphone de Francœur. Tout doucement, Françoise prend place à côté de lui, pose une main sur sa cuisse.

« Gerry, tu entres mardi à l'hôpital.

— C'est ça que l'docteur a dit ?

— Oui.

— Ça s'peut, j'me rappelle pas exactement, là...

— Mardi soir à huit heures, Gerry.

— C'est parfait. J'vas pouvoir aller au lancement de Luciano. Y' faut que j'sache où, par exemple !... Pis je rentrerai après à l'hôpital. Vers neuf heures.

— Huit heures.

— Ah ! tabarnac... Huit heures, neuf heures... »

Julie va revenir d'un moment à l'autre de chez Audrey Senay, sa petite copine, où elle s'arrête toujours en revenant de l'école. Ils ne bougent pas — Françoise pose seulement sa tête sur l'épaule de Gerry — et regardent tous deux le vide, au milieu du salon.

« Gerry ?

— Quoi ?

— J'suis avec toi, Gerry. J'sais pas comment te dire, mais j'suis là... J'serai toujours là... On va traverser ça ensemble, c'est pas si grave. Pis après, on en rira, Gerry, tu vas voir.

— Pas de problèmes... »

Il laisse passer quelques secondes, puis se lève et se campe devant elle, les mains sur les hanches :

« C'est jus' une aut' guerre, Françoise... Y'a un ennemi qui m'attaque par en dedans. Ça fait que j'vas m'battre, c'est toutte... J'ai faitte ça toute ma vie, m'battre ! J'vas finir par gagner. »

Pour la première fois, il a parlé de l'*ennemi*, Françoise le remarque. Elle sait ce que cela veut dire : Gerry a décidé de haïr la maladie — la *haïr* —, d'en venir à bout à force de haine et de mépris. En un instant, sa physionomie s'est transformée. Il ne traîne plus cette mine accablée qu'il a depuis la mort de son père. En fait, il parvient presque à se donner un air triomphant !

« J'vas m'battre... »

Six jours plus tard, Gerry a la même tête, farouche, déterminée, lorsqu'il se présente au bar Il Était Une Fois, dans le Vieux-Montréal, où Lucien Francœur lance son microsillon *Les Gitans reviennent toujours*. En principe, personne ne sait, à part Françoise et Lucien Francœur, bien sûr, ainsi que Jean-Yves Bisson et Richard Lebœuf (sans lien de parenté avec Breen), un copain de Bisson qui a ses entrées auprès de tous les rockers de Montréal. Françoise et ces deux-là accompagnent Gerry lorsque, après la fête, il est admis à l'hôpital Notre-Dame.

Il s'installe dans une toute petite chambre privée, minable, déprimante — dont on l'extraira plus tard pour le placer dans une pièce plus spacieuse et plus claire du huitième étage, avec des fenêtres donnant sur le parc Lafontaine. Devant ses chums, Gerry fanfaronne :

« Let's go, ostie... Amène le bistouri qu'on en finisse !... »

Mais une fois les autres partis, resté seul avec Françoise, il dit plutôt :

« J'ai peur en tabarnac ! J'sais qu'ça va ben aller mais j'ai peur pareil... »

C'est un langage qu'elle ne lui connaissait pas.

L'intervention chirurgicale a lieu le matin du neuf octobre. Pendant quelques minutes, Gerry peut voir Françoise avant qu'on l'emmène au bloc opératoire. Assommé par les calmants qui le font flotter sur un nuage, il murmure :

« Pense un peu à moi... »

Et il fait une drôle de grimace, qui peut signifier : *on va voir, hein ?... On va voir...*

Françoise remonte au huitième étage et se met à faire les cent pas dans le corridor. Deux heures, trois heures... Au bout de cinq heures — on est en milieu d'après-midi —, elle voit le chirurgien, André Péloquin, encore vêtu de son uniforme de travail, sortir d'un ascenseur, se diriger vers elle et lui faire signe de le suivre dans la chambre de Gerry. Il a la mine sombre. Il referme la porte derrière eux. Françoise, alarmée, lui demande :

« Comment ça s'est passé, docteur ?

— Bien, bien... On a enlevé la tumeur au côlon, y'a pas eu de problèmes, ça s'est très bien passé... mais...

— Mais quoi ?

— Mais... Dans ces cas-là, la progression du cancer se fait par le foie ; alors, on vérifie toujours l'état du foie lorsqu'on opère... et... dans ce cas-ci, on a vu des métastases. Ce n'est pas une très bonne nouvelle...

— Qu'est-ce que ça veut dire, ça ?

— Euh... Le cancer a progressé... et il a atteint le foie.

— Alors, qu'est-ce qu'on fait, maintenant ?... Qu'est-ce qu'on peut faire, hein ? »

Péloquin ne dit rien. Il fixe le sol et, visiblement, cherche les mots qui conviennent. Françoise le regarde de côté, comme si elle ne comprenait pas vraiment ce qu'elle entend et qui est pourtant clair. Gerry, quelque part dans l'hôpital, est toujours sous anesthésie.

« Dites quelque chose !... Qu'est-ce qu'y faut que je pense, moi ? Hein docteur ? Qu'est-ce qu'y' faut penser ?...

— Écoutez... Ça peut être quatre mois, ou six. Un an même, ça dépend de...

— Quoi ? Qu'est-ce que vous dites ?...

— Peut-être un peu plus d'un an mais pas beaucoup...

— Quoi ?... C'est pas possible, ça, pas possible... Y'a sûrement queq' chose à faire ! On peut opérer, non ?... Ça s'opère, ces trucs-là, ça s'enlève ? On peut...

— C'est qu'il n'y a pas qu'une seule lésion. On en a vu deux, toutes petites... mais elles sont là, et il n'est pas possible de les enlever. Alors...

— Alors quoi ?... »

Six mois plus tôt, Gerry n'était pas malade. Quelques douleurs à l'abdomen, rien de plus, il n'en parlait même pas. Son seul souci était de composer. Il en arrachait avec la musique, c'est tout. Et il faudrait accepter que, maintenant, presque d'un jour à l'autre, il ait à lutter pour... pour *survivre* ? Ce n'est pas possible.

« J'veux le voir !

— C'est inutile...

— J'veux voir Gerry!

— Pour l'instant, il est inconscient, il ne vous verra pas... »

Gerry ne peut pas mourir, ce n'est pas possible. Françoise refuse d'envisager cela. En traversant le pont Jacques-Cartier, elle pleure à ne plus voir la chaussée.

**

Tout de suite en ouvrant le dossier, il se dit : ce type-là est foutu. Il a l'habitude. Combien de cas semblables a-t-il vus depuis qu'il a épousé cette profession-là ?

Le Dr Jacques Jolivet, trente-sept ans, a une tête de gamin malgré les abysses de douleur qu'il côtoie depuis des années. Il est cancérologue et spécialiste de la chimiothérapie, attaché à l'hôpital Notre-Dame.

C'est un homme qui, en général, préfère considérer les choses assez froidement. Dans le cas de Gérald Boulet, artiste, quarante et un ans, domicilié à Longueuil, l'espérance de vie est de deux ans au maximum. Plutôt dix-huit mois, en fait. *Cancer du côlon avec métastases au foie : deux lésions, la première d'un centimètre, l'autre d'un demi. Non décelées lors de l'examen pré-opératoire à l'ultra-son. Résection difficile, sinon impossible.* Tout est là, dans le dossier que lui a remis André Péloquin.

Ça ne veut pas dire qu'il n'y a rien à faire. Pour soulager la douleur. Et prolonger la vie du patient, peut-être.

Le seize octobre, Jacques Jolivet monte au huitième étage et se présente à la chambre de Gerry, qui se remet étonnamment bien de l'intervention chirurgicale pratiquée une semaine plus tôt.

« Salut, docteur ! »

En le voyant, Jolivet comprend immédiatement que cet homme-là va combattre. Il a l'air intellligent, fort, déterminé. Il n'y a qu'à voir à quel stade en est sa convalescence : à peine descendu du billard, il semble prêt à rentrer chez lui. Oui, il va se battre. Et en arracher.

« Pis, docteur, qu'est-ce qu'on fait, astheure ? »

On n'a encore rien dit à Gerry. Françoise a demandé au Dr Péloquin :

« Attendez un peu, pas tout de suite... »

Depuis une semaine, au chevet de son chum, elle-même ne s'est guère avancée sur le sujet. De toute façon, elle n'y croit pas. Gerry, mourir ? Impossible. Il y a une erreur quelque part. Alors, ça ne sert à rien de parler de ça. Il sera toujours temps si... D'ailleurs, Gerry se remet. Vingt-quatre heures après qu'on l'eut ramené à sa chambre, il affiche le sourire de la victoire et dit :

« T'as vu ça, la Française ?... Fuck le cancer, ostie, j'sus passé à travers !... »

Il est vrai qu'il la regarde bizarrement, parfois. Dans les yeux de Gerry étendu sur son lit d'hôpital, il y a une question. Dans ceux de Françoise, assise sur une chaise droite à côté de lui, il y a une réponse qu'elle s'efforce de dissimuler. Est-ce que Gerry a tout de même pu lire dans ces yeux-là ?...

Jolivet répond :

« Ce qu'on va faire, Gerry — il le tutoie tout de suite —, c'est de la chimiothérapie.

— Ah bon. De la chimio? Pourquoi?

— Parce que t'as des petites lésions sur le foie.

— J'pensais qu'y me l'avait enlevée, la tumeur?

— Oui, mais y'a autre chose...

— Des lésions, tu dis?

— Oui. Des métastases.

— Des métastases... »

Voilà.

Gerry a eu le temps de se renseigner. Discrètement, il lui est arrivé de poser des questions autour de lui. Et même, à la maison, pendant que Françoise avait le dos tourné, de consulter des ouvrages médicaux comme ceux qu'on trouve dans toutes les demeures, couverts de poussière, oubliés au sous-sol ou dans un débarras.

Des métastases. Il a compris.

Le médecin essaie de lire dans les yeux de son patient mais n'y parvient pas.

« J'sus pas sûr qu'on peut vraiment guérir ça, Gerry, j'sais pas... Mais on peut contrôler cette situation-là avec la chimio. »

Jolivet l'observe encore. Va-t-il enfin poser une question ? Celle qui, normalement, devrait lui venir à l'esprit ? Celle qu'ils posent tous : *est-ce que je vais m'en sortir, docteur ?*... Le cancérologue attend, décidé à dire la vérité. Mais rien ne vient. Au bout d'une minute, le patient demande plutôt :

« La chimio, quand est-ce qu'on commence ?

— Dans deux ou trois semaines, si tu veux. J'peux te bloquer un premier rendez-vous pour le neuf novembre.

— Dans trois semaines ? O.K., correct. Mais... »

Ses cheveux.

Gerry ne peut pas s'imaginer avec une autre tête que celle qui est la sienne depuis tant d'années. Sa tronche de bum sympathique. Sa tignasse de fauve, anarchique et sauvage. Les cheveux : pas touche !

« Non, tu perdras pas tes cheveux, Gerry. Le produit qu'on va utiliser est très doux. J'pense pas qu'y' ait de problèmes de ce point de vue-là », affirme Jolivet.

Dans les semaines qui suivent, Gerry va contracter une assurance supplémentaire : par l'entremise de Denise Boucher, il met la main sur une sorte de casque à usage médical assez peu courant à Montréal. Il s'agit d'un serre-tête réfrigérant destiné à être porté avant et pendant les séances de chimiothérapie. L'appareil bloque partiellement la circulation dans les vaisseaux capillaires ; le cuir chevelu est par conséquent fort peu irrigué par les produits chimiques injectés dans le sang et s'en trouve moins affecté.

Comme Jolivet l'a prédit, Gerry ne perdra pas un seul de ses cheveux.

Le vingt-neuf octobre, complètement rétabli, il reçoit son congé de l'hôpital Notre-Dame et revient chez lui.

Évelyne Vidal est là. Françoise l'a fait venir de France. Elle sait, au sujet des métastases et de ce qu'en pensent les médecins. Mais elle dit tout de même :

« Tu te rends pas compte à quel point t'es fort, Gerry ! Tu vas passer à travers ça les doigts dans le nez, voyons ! »

Et lui en est tout ragaillardi, comme un enfant à qui on jure qu'il est le plus courageux! Si on lui dit, c'est que ce doit être vrai. Gerry bombe le torse et il est exact que, soudain, il se sent beaucoup plus fort. Malgré les métastases.

Le neuf novembre, Gerry se rend rue Alexandre-de-Sève pour une première séance de chimiothérapie. C'est facile, pas très long et sans douleurs. Pendant dix ou quinze minutes, il n'a qu'à se tenir immobile dans un fauteuil inclinable pendant qu'on ajuste une aiguille à son bras et qu'on lui administre un mélange de 5-fluorouracile et de leucovorin, que Jolivet a choisis parmi la quarantaine de produits constituant l'arsenal pharmaceutique utilisé dans la lutte contre le cancer.

Il blague avec les infirmières, se plie, affable, à tout ce qu'on lui demande — il est vrai qu'on s'occupe de lui avec une affection toute particulière.

Pendant près de cinq mois, jusqu'au trente et un mars 1988, Gerry s'installera dans ce fauteuil à vingt-cinq reprises : chaque cycle de traitement l'astreint à cinq jours consécutifs de chimiothérapie, du lundi au vendredi, une semaine sur quatre.

Le vingt-neuf janvier, après deux mois et demi de chimiothérapie, Gerry a droit à une bonne nouvelle.

Ce jour-là, il subit un premier examen au scanner, un appareil extrêmement sophistiqué utilisant la résonnance magnétique pour donner des images détaillées et en trois dimensions des différents organes sur lesquels on le dirige. L'examen est encourageant : les tumeurs au foie n'ont pas progressé. Elles sont stables. Autant dire qu'elles ne sont plus inquiétantes.

Trois mois plus tard, le vingt-deux avril, deuxième scanographie. Mêmes résultats.

Le Dr Jolivet, qui connaît bien la psychologie des gens atteints du cancer, est certain que Gerry va crier de joie, ou se mettre à danser, ou lui sauter au cou! Aussi est-il plus que surpris lorsque, planté devant le négatoscope, le patient se contente d'esquisser un demi-sourire en disant :

«C'est bon, ça, Jacques... C'est bon... À présent, qu'est-ce qu'on fait?

— Pour l'instant, rien, Gerry. La chimio a fait son travail, on peut interrompre le traitement et voir ce qui va se produire.

— Bon. Marci, Jacques... »

Dans la salle d'attente, Françoise voit Gerry venir vers elle. Elle se lève et demande très vite :

« Alors ?

— C'est fini l'cancer, Françoise...

— Tu vois ? J'te l'avais dit, Gerry ! »

Elle s'accroche à son bras et marche avec une légèreté qu'elle n'a pas connue depuis des mois.

C'est fini.

Gerry se sent étonnamment en paix avec lui-même. Il n'a pas le goût d'en dire plus. De toute façon, il serait incapable d'expliquer ce qu'il ressent, de décrire le soulagement d'être, non pas guéri, mais en rémission. C'est l'expression consacrée : *en rémission*. Il a très bien compris ce qui s'est passé et ce qui, sans doute, va se produire ensuite.

Il sait.

Non, il n'est pas guéri. Mais il n'a plus mal. Son corps fonctionne bien à nouveau. Il a la vie devant lui, encore, comme avant. Au fait, c'est long comment, une vie ?... La machine voit des petites lésions sur son foie, des lésions qui ne grossissent pas, mais qui refusent aussi de disparaître. Bon. Tant pis. Qu'est-ce qu'il serait supposé faire ? Déchirer sa chemise, se mettre à hurler, ou à pleurer ? Pas le temps. Il lui faut vivre la vie qu'il a devant lui.

Il sait.

« Viens-t-en, Françoise. On s'en va à' maison... »

Rendez-vous doux

À sa sortie de l'hôpital, le vingt-neuf octobre 1987, Gerry Boulet devient en quelque sorte la victime consentante d'un doux complot. Il n'est pas sitôt rentré à Longueuil que Françoise lui dit :

« Maintenant, tu vas composer, Gerry. Tu vas sortir c'que t'as en dedans de toi. Tu ne penses plus à rien d'autre, tu ne fais plus rien d'autre. Je m'occupe de tout. C'est comme ça que tu vas être bien avec toi-même, tu le sais...

— T'as raison... C'est c'que j'vas faire. »

C'est parfait. C'est ce qu'il veut. *Câline de blues, faut que j'te jouse...* En robe de chambre, il se met à rôder dès le premier matin autour du piano et du synthétiseur. Devant ses outils de travail, il ne paraît plus en proie à cette panique qui le paralysait avant son séjour à l'hôpital. Ses gestes sont plus lents, plus pesés ; ses paroles, aussi. Comme s'il économisait ses forces, son énergie, pour l'essentiel. Françoise le sent heureux de l'issue de cette lutte qu'il a menée contre la maladie, même s'il le manifeste étrangement, sans débordements ni effusions.

Françoise voit à ce qu'il reste seul avec ses claviers. Elle devient un fantôme dans la maison, passant d'une pièce à l'autre sans bruit, emmenant Julie le plus souvent possible à l'extérieur pour manger, ou jouer, ou voir des amis.

Surtout, elle dit à Ian Tremblay, graduellement devenu le confident tous azimuts (et l'imprésario) de Gerry :

« Tu vas t'occuper de lui, Ian. Y' faut qu'il travaille, qu'il compose, qu'il fasse son disque. Fais-lui oublier la maladie, y' faut plus qu'il y pense... Y'a que la musique pour ça. »

Ian est d'accord.

Pendant toutes ces années, il a appris à connaître Gerry, lui aussi. Il sait ce que Françoise veut dire. Gerry doit créer. C'est ce qui l'a toujours tenu si fort, si *vivant*, qui l'a aidé à traverser toutes les épreuves, la pauvreté, les démissions, les trahisons. La musique seule peut vaincre l'ennemi retranché à l'intérieur de lui — ou peut-être vaincu car Gerry lui a affirmé : *j'sus guéri, Ian !*

Aux derniers jours de novembre, Ian communique avec un autre Tremblay, Pierre, qui vient tout juste de créer une nouvelle étiquette, Disques Double, dont l'écurie est à ce jour uniquement constituée de la chanteuse Marie Carmen. L'homme a à peine trente ans mais il œuvre déjà depuis plusieurs années — à titre d'agent de promotion — dans le monde du showbiz montréalais.

Au téléphone, Ian Tremblay lui demande :

« Serais-tu intéressé à t'occuper du prochain disque de Gerry Boulet ?

— Gerry ?... Son premier disque solo, ça' pas marché ben fort, hein... J'sais pas, Ian. Qu'est-ce qu'y veut faire c'fois icitte comme record ?

— Y' t'expliquera ça lui-même. Y'est sorti de l'hôpital le mois passé et pis...

— De l'hôpital, comment ça ?... »

Pierre Tremblay n'est pas au courant. Au fil des ans, lui et Gerry se sont vaguement rencontrés à quelques reprises, mais ils ne se connaissent pas vraiment. L'autre lui fait un résumé succinct des démêlés de Gerry avec la maladie et conclut :

« À présent, y' est guéri. Y' va être prêt à faire son record, ça sera pas long. Écoute, Pierre : j'vas parler de tout ça à Gerry pis on ira l'voir à Longueuil. Y' te fera entendre ses cassettes... »

La rencontre n'aura lieu que trois mois plus tard. En mars 1988, les trois hommes, Gerry et les deux Tremblay, s'assoient autour de la table de chêne, dans l'angle de la salle à manger. Gerry fait tourner ses cassettes, s'installe parfois au piano pour livrer de petits bouts de mélodie dont il a récemment accouché.

Au bout d'une heure, Gerry se rend compte que Pierre Tremblay s'enfonce dans le scepticisme. Il le dévisage pendant un moment puis lui demande :

« Pis ?...

— Écoute, Gerry : si tu veux faire un microsillon, y' faut que ton matériel soit plus avancé que ça... D'abord, t'as un public de base, les rockers : ça, c'est vingt-cinq mille records. Pis là, dans c'que j'ai entendu, t'as rien pour eux autres... Where's the beef,

Gerry?... Ça te prend aussi des tounes pour élargir ton public, ça t'en as, ça devrait aller si tu les travailles un peu... »

Gerry lui lance un regard noir.

Quelques minutes plus tard, les deux Tremblay repartent ensemble et, dans la voiture, Ian dit à l'autre :

« L'chanteur est en tabarnac après toi, Pierre !... Y' m'a parlé dans' cuisine : y'a eu l'impression que tu voulais y montrer comment faire une toune ! Y'a pas ben ben aimé ça...

— Qu'est-ce' tu veux, Ian.... J'en ai parlé autour de moi que j'm'occuperais peut-être du record de Gerry. Le monde me dit qu'ça marchera pas. Ça fait que... y' faut que j'y pense, moi aussi, pis que j'voie vraiment c'qu'y veut faire. »

Contre toute attente, Ian communique le lendemain avec Pierre Tremblay pour lui dire :

« C'est l'boutte, Pierre : Gerry vient d'me rappeler, y' veut travailler avec toi ! Y' trouve que t'as été franc avec lui pis y' trouve ça correct... On fonce... »

Gerry a fait son choix. Non seulement il a apprécié la franchise de Tremblay, mais il s'est renseigné : il a appris que ce type-là a la réputation de connaître son métier et le rock. Il s'est chargé de la diffusion du premier microsillon de Marjo (car la *fille* de Corbeau a abandonné le groupe pour se lancer dans une carrière solo !) et en a fait un énorme succès de vente : le disque *Celle qui va*, lancé en novembre 1986, est devenu en quelques mois un classique du rock québécois.

Pierre Tremblay fonce.

Auprès de Musicaction (organisme d'aide à l'industrie du disque financé par le gouvernement fédéral et les radiodiffuseurs), il obtient une avance de 37 000 dollars. Le ministère des Affaires culturelles du Québec accordera aussi une subvention afin de tourner un vidéoclip. Tremblay a calculé que la production du microsillon coûtera environ 40 000 dollars — et il s'avérera plus tard que ce budget était réaliste. Bien sûr, c'est peu : les Rolling Stones mettent un million de dollars sur la table avant de brancher les micros ! Mais on y arrivera. Surtout que le studio est bon marché : moins de 100 dollars l'heure.

Car, dès janvier, Gerry a communiqué avec Raymond Du Berger afin de réserver le Studio Multisons :

« En juillet, Raymond... Ça va nous prendre à peu près un mois. Un peu plus, peut-être. »

Du Berger est stupéfait. Jamais il n'a vu Gerry s'y prendre aussi longtemps à l'avance pour fixer des dates de studio ! Et il a senti dans sa voix une tranquille assurance qu'il ne lui connaissait pas. Au surplus, il le croyait malade, *très* malade. Or, il entend l'autre lui lancer :

« J'sus guéri, Raymond. Là, j'vas faire c'que j'ai l'goût de faire depuis longtemps. Attends d'voir ça... »

Au début de mai, Gerry met Richard Leduc au travail.

À mesure que, chez lui, Gerry finit de bâtir des mélodies, il apporte ses cassettes rue Amherst où Leduc les garnit d'intros, de bridges, de finales originales. En composant, Gerry néglige parfois ces détails-là... mais il a confiance en Leduc :

« Arrange-moi ça, Richard... »

Pendant plus d'un mois et demi, Leduc laisse tomber tout le reste et se consacre exclusivement — quatorze heures par jour, cinq jours par semaine — à la pré-production du microsillon de Gerry. Lorsque, une à une, les tounes sortent de chez lui, elles portent déjà ce son qui caractérisera le disque. Au départ, Gerry lui a dit :

« Y' faut oublier Offenbach : on va inventer un son pour ce record-là, on va mettre des cuivres, des claviers, des voix... Essaye des affaires, Richard, laisse-toi aller ! »

Gerry donne à son arrangeur des kilomètres de corde. Celui-ci en profite. Jamais il n'a relevé un défi aussi passionnant. Rivé à ses claviers, il orne patiemment les pistes de base d'une instrumentation de plus en plus riche. Les synthés lui donnent du piano, de la basse, des cuivres, des cordes ; la boîte à rythmes fournit la batterie. Il arrive que Gerry se fasse passer les bandes au téléphone, au fur et à mesure que Leduc les fabrique ! Ou alors, il entre rue Amherst, empoche une ou deux cassettes et court au Bistrot à Jojo où un petit cercle d'amis procède à une écoute attentive et critique. Le vingt mai, Leduc prend un congé de quelques jours lorsque son fils Antoine vient au monde. Puis il repart de plus belle pour un sprint qui durera jusqu'à la fin du mois de juin.

À ce moment-là, douze pièces sont assemblées. Chez Ian et chez Pierre Tremblay, on jubile : le démo est carrément génial. Le patron de Disques Double dit, tout à fait rassuré :

« Impossible que ça marche pas... J'ai jamais été aussi sûr d'un record que c'fois icitte ! »

Pendant que Leduc s'échine sur la musique, Gerry active sa chasse aux mots. En juin, il a retenu dix textes.

Il a le ...*grand bateau* de Boucher, *La Femme d'or* de Rivard — qu'il a adoptée définitivement — et les poèmes de Plume Latraverse, *Plus ou moins* et *Deadline*. Gerry a fait une drôle de tête en choisissant celui-là :

> *Mon deadline à bout d'bras*
> *Qui déchire le ciel pour sa survie...*

Hé !...

Au petit studio de la rue Amherst, cette pièce a été la plus frustrante à assembler. Après toutes sortes d'essais infructueux avec l'instrumentation électronique, Gerry a fini par dire :

« Y' faut qu'ça soit live, c't'affaire-là. Oublie ça, Richard, on trouvera un moyen d'la faire direct chez Multisons. »

Gerry a aussi en main *Maximum*, de son copain André Saint-Denis — qui, d'ailleurs, file un mauvais coton depuis un bout de temps : son cœur est malade. Est-ce pour cela qu'il a écrit :

> *Je veux mourir au maximum*
> *M'épanouir comme un vrai bum*
> *Chanter un blues*
> *Comme une prière...*

Ensuite, les textes de *City Night* et *Femme de béton* (qui ne seront finalement pas retenues pour le microsillon) sont entrés, eux aussi.

Enfin, Gerry a en main *Les Yeux du cœur*.

Et *Rendez-vous doux*.

Pour toutes sortes de raisons, cette dernière est devenue la pièce-fétiche du microsillon. Il ne s'écoule pas beaucoup de temps avant que Gerry décide :

« Ouais, on va appeler le long-jeu *Rendez-vous doux*, j'pense... »

Il est tombé sur ces mots-là un peu comme, quinze ans plus tôt, Offenbach a dégoté la *Promenade...* de Jean Basile. Un soir, alors qu'il se dirigeait vers un restaurant de la rue Duluth, Gerry s'est laissé accrocher par un poème placardé dans l'entrée d'une boutique d'importation :

Belles de jour
À leur démon du midi
Aux anges de l'amour
Et à leur diable de nuit...

C'est signé Jean Hould, un type de Grand-Mère qui, à travers l'exercice de cent métiers, a pris le temps de publier des trucs dans des revues littéraires et de gagner quelques prix. Gerry n'a jamais entendu parler de lui. Il entre chez le commerçant, demande le numéro de téléphone du poète et le joint. Au début de 1988, Hould se rend à Longueuil. Gerry fouille dans les cahiers qu'il a apportés, tombe sur un titre, *Rendez-vous doux*, et dit :

« C'est bon ça, Jean... Pars de l'idée, pis écris-moi queq' chose avec le même genre de sonorité. Raconte-moi une aventure... Un gars qui rencontre une fille, pis qui la trouve belle, pis qui la saute... Comme ça arrive dans' vie, hein !... Mais raconte-moi ça pour un public de sept à soixante-dix-sept ans. »

Quelques jours plus tard, Hould a trouvé. Ce sera :

Quand je me glisse dans sa chaleur
Et que je me perds dans sa douceur
Elle m'ouvre tout grand son cœur
Et moi je coule dans son bonheur...

Avec Leduc, Gerry va la soigner, celle-là. En mai, c'est la première toune sur laquelle ils travaillent. Elle va décider du son du microsillon. Lorsque Leduc en a terminé, Gerry attrape la cassette, l'insère dans son walkman, sort et fait dix fois le tour du pâté de maison. Au bout d'une heure, il revient et s'exclame :

« C'est ça, Richard, c'est ça. On continue dans ce style-là !... »

Le son de *Rendez-vous doux* est né.

Les deux textes qui manquent arriveront en studio lorsque Denise Boucher débarquera in extremis avec *Angela* et que Michel Rivard fera de même avec *Toujours vivant*.

Connaissant l'état de santé de Gerry, Rivard s'est torturé pendant des semaines avant de se mettre à écrire ; Gerry ne lui a donné aucune indication, ne lui a pas demandé de traiter d'un sujet plutôt que d'un autre. Rivard est donc dans ses petits souliers lorsqu'il s'amène avec cette toune-là :

Je suis de cette race
Qui veut laisser sa trace

> *En graffiti fébriles*
> *Sur le béton des villes*
> *Toujours vivant...*

Gerry ne va-t-il pas lui dire :

« J'sus pas mort, Michel, ostie ! C'est-tu l'temps pour un testament ?... »

Les deux hommes ne se connaissent pas très bien, au bout du compte, même si Rivard travaillait déjà avec Gerry du temps d'Offenbach. Comme Pierre Huet, Rivard ne vit pas dans le même monde de rockers que Gerry. Il ne fait pas la même musique. En avril 1987, il a accouché d'un microsillon splendide, *Un trou dans les nuages*, son cinquième disque (en incluant un album live) depuis qu'il s'est émancipé de Beau Dommage. *Un trou dans les nuages* est un disque à l'esthétique recherchée, polie, avec une instrumentation sophistiquée et un son époustouflant. Néanmoins, de la même façon que pour Huet, sa collaboration professionnelle avec Gerry s'est toujours révélée gratifiante et fructueuse.

Rivard est rassuré lorsque, après avoir lu le texte, Gerry se contente de dire :

« C'est très beau, Michel. Très beau... »

De toute évidence, c'est ce qu'il a envie de chanter.

L'espoir. La vie. Le côté éphémère des choses, aussi...

Le matin du lundi onze juillet 1988, à dix heures, Gerry stationne sa voiture rue Beaubien et pousse la porte de chez Multisons. Jacques Bigras l'attend, debout derrière la console AMEK Mozart vingt-quatre pistes installée depuis peu dans la régie du studio.

À deux mètres à sa gauche, un ruban deux pouces, vierge, est prêt à tourner.

***

Un observateur non averti qui, par quelque condamnation inusitée et cruelle, serait enchaîné pendant des semaines à une console d'enregistrement, en viendrait à voir dans le travail en studio l'activité humaine la plus déprimante et la plus ennuyeuse qui soit.

Les quatre ou cinq premiers jours, Gerry ne peut à peu près rien faire d'autre qu'assister, impuissant, aux interminables démêlés de Bigras et Leduc avec leurs machines.

En douze exemplaires, ceux-ci enregistrent une piste métronome puis une autre de synchronisation MIDI. Ils mettent ensuite en forme, pour chacune des tounes, une piste de travail sur laquelle on couche l'assemblage de sons monté par Leduc, rue Amherst; tout y est, les cuivres, la basse, la batterie, mais cela ne servira qu'à être projeté dans les casques d'écoute des musiciens qui vont enregistrer la vraie musique avec de vrais instruments. Enfin, Bigras et Leduc effectuent le transfert des synthés programmés destinés à demeurer sur l'enregistrement définitif.

Ça ne finit plus. Régulièrement, après avoir profondément soupiré une bonne dizaine de fois, Gerry lance, excédé :

«Bon ben, ostie... Amusez-vous encore un peu avec vos gadgets, moi j'vas aller prendre une bière !...»

Le dix-huit juillet, on peut commencer à travailler pour de bon.

Breen Lebœuf et le batteur Mario Labrosse entrent en studio. Leduc adore travailler avec ces deux-là. Breen est un bassiste d'expérience, à la fois efficace et discret, qui connaît évidemment bien les goûts de Gerry et peut en outre faire des suggestions intéressantes — la dentelle de guitare plaquée sur les cuivres, dans l'intro de *Toujours vivant*, est une idée à lui. Labrosse, moins expérimenté dans le rock, rivalise néanmoins avec l'autre du point de vue de l'invention. En trois jours, la rythmique des douze pièces est cannée.

Les séances qui suivent sont consacrées aux guitares. Trois instrumentistes défilent chez Multisons. Clément Giroux enregistre une demi-douzaine de tounes et trouve une intro géniale pour le *...grand bateau*. Plus rock, Richard Lemoyne excelle dans *Maximum*. Jeff Smallwood fait notamment *Angela*.

À partir de là, Gerry s'amuse vraiment. Avec la rythmique et les guitares, les tounes commencent à ressembler à quelque chose ! À la fin de la deuxième semaine de travail, lorsque Leduc, Michel Gélinas et le trompettiste Laflèche Doré ajoutent des cuivres pardessus tout cela, Gerry est au comble du bonheur.

Cela ne peut guère tomber mieux : après les cuivres, il ne reste plus que sa voix à enregistrer.

On y consacrera près de dix jours. Gerry est en pleine forme. La scanographie du vingt-deux avril l'a rassuré : il est toujours conscient que l'ennemi est là, tapi en lui, mais il se dit aussi que sa vie peut encore être longue. Pendant de respectables périodes, il ne fait plus de coke — même si c'était devenu épisodique —, ne boit plus, ne fume plus. Il lui arrive de *glisser*, bien sûr, comme il dit... Mais ce n'est rien. Il se relève et continue. Plus que jamais, il veut faire les choses à la perfection. Pour certaines tounes, des douzaines de prises sont nécessaires avant qu'il se déclare satisfait.

Le premier août, on approche de la fin. Ce jour-là, Gerry se consacre aux ...*yeux du cœur*. Bigras et Leduc constatent qu'il est pensif, distrait. La toune à peine terminée, il fonce dans la régie et ordonne à l'ingénieur du son :

« Fais-moi une cassette de ça... Vite ! »

Et il sort en coup de vent, laissant les portes ouvertes derrière lui. Bigras, interdit, questionne Leduc du regard. Celui-ci laisse tomber :

« Y' veut faire *Les Yeux du cœur* en duo. Avec Marjo. Mais ça' l'air compliqué en maudit ! »

En effet, ce n'est pas simple.

L'idée court depuis six mois. En février 1988, Gerry et Marjo se sont retrouvés face à face lors d'un party de la Saint-Valentin donné à L'Annexe, une salle de réception de Verdun dont Jean-Yves Bisson est un habitué. C'est lui qui a invité Gerry.

Celui-ci, particulièrement de bonne humeur, est déterminé à oublier les vieilles querelles et tout se passe si bien entre lui et Marjo qu'ils montent ensemble sur scène pour chanter de vieux classiques du rock sur la musique de Pedro & the Bellboys (!), le band embauché pour l'occasion. En fin de soirée, Gerry dit à Bisson :

« J'aimerais ça en ostie, une voix de femme sur une toune de mon record, Jean-Yves... »

Il ne cesse de fixer Marjo, assise un peu plus loin.

« Bonne idée, ça, Gerry... As-tu entendu la chanson de Cocker ? Y' chante avec... euh... la fille... j'sais pus, là... En tous cas, c'est bon en maudit ! »

Bisson veut parler de *Up Where We Belong*, que Joe Cocker et Jennifer Warnes ont lancée à l'automne 1982 et qui, depuis, n'a pas cessé de tourner à la radio. Au bout d'un moment, Gerry poursuit :

« Jean-Yves, demande à Marjo, veux-tu ?... Parle-lui d'ça, pis donne-moi des nouvelles. »

Il sait que Bisson est aussi très copain avec Marjo et Jean Millaire, qui demeurent près de chez lui, à Verdun. Quelques jours plus tard, Bisson relaie l'idée à la chanteuse. Celle-ci ne dit ni oui ni non. Plutôt oui, à la limite. Elle lui confie :

« Y'est pas comme j'pensais, Gerry. J'l'ai trouvé fin en maudit, l'aut' soir. Pas pantoute comme les Corbeau m'en avaient parlé... »

L'affaire en reste à peu près là pendant des mois.

À l'été, lorsqu'il entre chez Multisons pour enregistrer *Rendez-vous doux*, Gerry commence à trépigner. Il téléphone à Bisson et lui demande :

« Qu'est-ce qui arrive avec Marjo, calvaire ?... »

Bisson lui livre ce qu'il sait. Marjo vient d'effectuer un séjour en Italie avec Richard Lebœuf — un intermède dans sa longue liaison avec Jean Millaire. Depuis son retour, elle en arrache avec l'écriture des tounes destinées au microsillon qu'elle compte lancer en mai 1990. Déprimée, elle s'enferme pendant des jours chez elle sans voir personne. Ou alors elle se livre à de véritables razzias dans les boutiques de mode (elle ne porte pas la moitié de ce qu'elle achète, au point qu'un brocanteur du bas de la ville a pris l'habitude d'explorer ses poubelles : on y trouve de véritables aubaines, sans parler des brouillons de ses textes qu'elle jette comme si c'était sans valeur...).

Au vrai, Marjo hésite. Dans son entourage, certains lui conseillent de plonger dans l'aventure avec Gerry ; d'autres l'adjurent de n'en rien faire.

Sachant cela, Gerry prend les choses en main. Il confie d'abord son dilemme à Pierre Tremblay. Celui-ci rencontre Marjo :

« Décide, Marjo ! Quant à moi, y'a une chose que j'peux te promettre. J'vas te protéger des journalistes, d'la TV, toutte ça. J'vas te booker rien qu'une affaire : le gala de l'ADISQ. Tout le reste, j'm'occupe que tu te fasses pas écœurer avec ça... »

Tremblay est bien placé pour savoir que Marjo déteste la partie de son métier consistant à faire de la promotion. En la rassurant à ce sujet, il croit que le dossier pourra progresser.

Le premier août, puisque rien n'a encore bougé, Gerry décide de porter un grand coup. En sortant du studio de la rue Beaubien avec la cassette des ...*yeux du cœur*, il court au Bistrot à Jojo où il est à peu près certain de trouver Marjo, quitte à camper là jusqu'aux petites heures du matin ! Il n'est pas déçu. Une fois le bar fermé, *les chaises posées su'es tables...*, Gerry insère sa cassette dans l'appareil trônant derrière le bar, hausse le volume et ordonne :

« Viens danser un plain avec moi, Marjo !... »

Pendant quatre minutes et treize secondes, tous deux s'enlacent au milieu de la pièce. Doublant sa voix qui résonne dans les enceintes acoustiques, Gerry chante à l'oreille de la *fille* de Corbeau en lui décrochant à intervalles réguliers ce sourire dont il a le secret... Lorsqu'ils se retrouvent sur la rue Saint-Denis absolument déserte, l'affaire est entendue : Marjo viendra chez Multisons le vendredi cinq août, en début d'après-midi.

Ce sera une merveilleuse séance d'enregistrement.

Dans le studio, il fait une chaleur insupportable : à cause du bruit, on doit couper la climatisation lorsqu'on enregistre. Marjo a prévu le coup ; elle est sommairement vêtue d'un T-shirt qui lui arrive juste sous les seins et d'un pantalon de jogging. Gerry a attaché ses cheveux et porte une minuscule camisole bleue.

Vers treize heures, on entreprend de refaire la piste vocale des *...yeux du cœur*.

Mais la tonalité de la toune, en fa majeur, est trop haute pour la voix de Marjo. On n'avait pas pensé à ça. Normalement, au refrain, elle devrait chanter la tierce supérieure en superposition sur la voix de Gerry. Après quelques essais que celui-ci dirige installé au piano à queue, on convient plutôt de faire l'inverse : Gerry prendra la ligne haute.

C'est parti.

> *Aujourd'hui je vois la vie*
> *Avec les yeux du cœur*
> *J'suis plus sensible à l'invisible*
> *À tout ce qu'il y a à l'intérieur...*
> *Les yeux du cœur...*

Casque d'écoute sur les oreilles, Marjo chante en agitant les bras, en dansant, en souriant à Gerry qui s'époumone en face d'elle, de l'autre côté du micro multidirectionnel suspendu au bout d'une perche. Bien sûr, ça ne marche pas du premier coup. À tout bout de champ — la strophe de *...l'intérieur* lui donne du fil à retordre — Marjo s'exclame :

« Je l'ai pas c'boutte-là, câlisse... C'est quoi ? »

Gerry pouffe de rire à chaque fois! Après un autre essai, il la rassure :

«Mucho better, Marjo!...»

À la fin, on décide d'y aller en punchant : c'est-à-dire que Bigras, en enfonçant une touche, insère de nouvelles prises de la phrase défectueuse — autant de fois qu'il le faut — au cœur d'un enregistrement autrement impeccable.

C'est pratiquement terminé lorsque Raymond Du Berger entre en coup de vent dans le studio et annonce :

«Gerry! Gerry!... On barre les portes en bas parce que MusiquePlus risque de sauter icitte : y' viennent de m'appeler...»

Gerry regarde Marjo et dit tout bas en se donnant des airs de conspirateur :

«Top secret...»

Il a tort. Tout le milieu est au courant de ce qui se passe ce jour-là chez Multisons, de cette rencontre au sommet entre les deux légendes du rock québécois.

Plus tard, on les verra une seule fois ensemble sur scène — comme l'avait promis Pierre Tremblay à Marjo. Au gala de l'ADISQ, le vingt-trois octobre 1988, devant le gratin du showbiz montréalais assemblé à la Place des Arts et plusieurs centaines de milliers de téléspectateurs, Gerry et Marjo donneront *Les Yeux du cœur* avec un tel élan que la chanteuse en perdra une chaussure !

***

Dès le début d'août 1988, alors que le microsillon en est encore au stade du mixage (lequel ne sera achevé que le vingt-quatre), tout se met à aller très vite.

Gerry donne ses premières entrevues au Journal de Montréal, à MusiquePlus et à l'émission *Beau et Chaud* de Radio-Québec, pour annoncer la sortie imminente de son disque.

Un premier 45 tours est distribué le quinze août. Pierre Tremblay a choisi *Angela*, une des tounes les plus rock du microsillon, qu'il destine au public de base de Gerry, les vieux fans d'Offenbach. Cinq cents exemplaires sont pressés, à l'usage des stations de radio. Mais c'est la tuile : il faut détruire les disques à cause d'un défaut dans le transfert du ruban maître. En quarante-huit heures, un nouveau pressage répare l'erreur. Et on commence à entendre *Angela* à la radio.

C'est au cours de cette période que s'enclenche aussi le tournage d'une émission spéciale de télévision destinée à Radio-Canada, *Rendez-vous... avec Gerry*, produite par Guy Latraverse et Rénald Paré, conçue par la journaliste Carmel Dumas. Le plan de tournage prévoit que Gerry chantera dans le métro — ça, il en a vraiment envie! — le vingt-quatre septembre sur les quais de la station Place des Arts... On tournera aussi au Club Soda, le six novembre : Gerry pourra roder ses nouvelles tounes sur scène.

Tout cela lui semble vraiment parfait.

Mais le dix-neuf août, Gerry apprend qu'André Saint-Denis, son vieux copain, l'original, le poète, l'auteur de *Ayoye*, est décédé la veille. La mort rôde à nouveau autour de lui... Gerry est secoué. Son humeur s'en ressentira pendant plusieurs jours. Il jongle interminablement. Cela lui ramène des images de son père, le remet en face de la maladie — Saint-Denis est mort du cœur, à l'hôpital.

Qu'est-ce que ça veut dire, encore?...

Malgré cela, Gerry donne son accord à Carmel Dumas, qui désire planter sa caméra — une Betacam comme celles qu'utilisent les équipes du service de l'information — à l'hôpital Notre-Dame, le trente et un août, afin de coucher sur ruban magnétoscopique le déroulement de la troisième scanographie qu'il doit subir. Gerry ne doute pas un seul instant que les résultats seront semblables à ceux des deux fois précédentes.

Dans la salle d'examen, Jacques Jolivet se voit soudain entouré de la journaliste et de toute son équipe de tournage. Le médecin se prête de bonne grâce au jeu médiatique, fait préparer Gerry pour son passage dans l'énorme machine — le patient a l'impression qu'on le roule à l'intérieur d'une grotte! La caméra tourne toujours lorsque, une fois extrait de l'appareil, Gerry s'installe devant le négatoscope avec le médecin.

À ce moment-là, tout bascule.

Jolivet contemple les images sur lesquelles un œil habitué peut voir un foie parcelé de tout petits trous. La Betacam ronronne. Le médecin jette un regard furtif vers Gerry, observe à nouveau l'écran, puis dit :

« Les lésions ont grossi, Gerry... Regarde ici... et là...

— Ouais... »

La caméra roule toujours. Complètement sonné, Gerry ne trouve rien à dire. Son sourire a disparu et il regarde, hébété, l'image lumineuse. Jolivet reprend :

« En fait, ce qui s'est passé depuis six mois, j'pense, c'est que les métastases ont jamais cessé de progresser. Mais le processus était lent au point où on s'en est pas aperçu quand t'as passé les deux premiers tests...

— Ouais... »

Il n'arrive pas à détacher les yeux de ce morceau de son corps affiché de façon presque indécente et que tout le monde, autour, regarde comme une icône suspendue au mur. Gerry se secoue un peu en voyant que la caméra fonctionne toujours :

« C'est un coup dur, ça. On va essayer d'y faire face... »

Ces images ne seront pas utilisées dans l'émission de Carmel Dumas.

En sortant de l'hôpital Notre-Dame, Gerry refait le trajet qu'il connaît si bien, avec le même air qu'il a eu lorsque, onze mois plus tôt, le Dr Émond lui a appris qu'il souffrait du cancer. Lorsqu'elle le voit entrer à la maison, Françoise comprend tout de suite que Gerry vient d'encaisser un coup dur :

« Tu fais une de ces têtes, Gerry... Ça va pas ? Ça s'est mal passé avec la télévision ?

— Ouais... Non... Non, ça marche pas, Françoise.

— Ben quoi, qu'est-ce qui va pas ? Carmel est pas...

— Non, non... La TV, ça s'est ben passé, c'est pas ça... Françoise, les métastases sont là... En chriss à part de ça ! Y'ont grossi, Françoise, tabarnac, y'ont grossi !... »

Il pleurerait s'il était capable de le faire. Mais les larmes ne viennent pas. Quelle question se posait-il, déjà, il n'y a pas si longtemps ?... *C'est long comment, une vie ?*, qu'il se demandait ?... C'est ça ?... Il a maintenant la réponse : ce n'est pas très long, une vie. À Jacques Jolivet, Gerry n'a pas posé de questions sur une possible guérison ou d'éventuels traitements, n'a pas exigé de pronostic, rien. Maintenant, il lui faut réfléchir. En somme, qu'est-ce qui vient de changer dans sa vie ? Il ne les sent toujours pas, ces foutues métastases. Il est en forme plus qu'il ne l'a jamais été. Lui, Françoise et Julie sont heureux dans cette *p'tite maison dans' prairie* qu'ils ont eu le temps de rendre coquette au fil des mois. Son microsillon — un disque fabuleux qui va marcher, il en est sûr — va être lancé dans un mois...

Alors, hein?

Pendant quelques mois, il doit oublier la maladie. Il a encore du temps devant lui, tout de même : ce n'est pas possible que l'ennemi le terrasse en trois mois. Ou six. Ou même un an. Non, ça n'arrive pas, ces choses-là. Il va d'abord s'occuper de sa musique et ensuite, il va régler son compte à l'ennemi. Juré. Peu importe comment, il verra bien. Il faut seulement faire taire cette petite voix intérieure qui chuchote : *tu bluffes, Gerry, tu l'sais ben c'qui va arriver...*

Silence!

Lorsque Carmel Dumas vient installer ses caméras chez lui, dans le salon, pour une entrevue en bonne et due forme, Gerry confie, avec une infinie tristesse dans le regard :

« Une des choses qui m'importent le plus : les gens qui croient en moi... C'est ce qui m'a toujours faitte créer, les gens qui m'épaulaient... »

Une pause, puis :

« J'espère qu'ça va continuer comme ça... »

L'équipe de la télévision une fois partie, il attend que Françoise et Julie s'absentent elles aussi et, seul, il fait tourner le disque compact de *Rendez-vous doux* en programmant le lecteur pour qu'il donne à répétition la neuvième plage pendant qu'il laisse errer ses pensées.

> *Juste une dernière fois*
> *Avant de m'en r'tourner*
> *J'aimerais sentir ton corps*
> *Murmurer un mot dur :*
> *« S'il te plaît »... de rester...*

C'est du Côté. Un type extraordinaire, tout de même, celui-là !

> *Pour une dernière fois*
> *Avant de m'enfermer...*

Gerry a fait sa connaissance au printemps 1981 par l'entremise d'André Saint-Denis. Saint-Denis est mort maintenant... Pierre Côté est alors un concepteur publicitaire jouissant d'une forte réputation dans son milieu. Gerry se souvient : lorsque Côté lui a remis le texte du *...bar-salon des deux toxons*, il a adoré. Il lui a demandé un autre texte, puis un autre encore. De sorte que l'auteur a finalement accouché de quatre chansons pour le microsillon *Coup de foudre*.

Gerry était médusé : en quelques jours, Côté a sorti ces textes-là à toute vapeur, comme un magicien sort un lapin d'un chapeau, en marmonnant presque *abracadabra!*... Et c'était fascinant aussi — Gerry ne peut s'empêcher de sourire encore, sept ans plus tard, à cette pensée — d'imaginer cet homme côtoyant, le jour, les bonzes empesés de l'agence de publicité Cockfield Brown, rue Cathcart, et s'enfermant, le soir, dans un studio enfumé et jonché de bouteilles de bière avec la bande d'Offenbach !

Extraordinaire, Côté... Gerry a toujours senti qu'il avait une sorte d'instinct, de génie, ce type-là.

> *Pour une dernière fois*
> *Avant de m'en aller...*

Pierre Côté ne lui a-t-il pas remis ce texte en *mai 1984?*...

On the road again

Gerry Boulet passe l'automne 1988 à remuer toutes sortes de pensées, la plupart plutôt déprimantes, en essayant de cacher à son entourage ce qui se produit à l'intérieur de lui.

Avec Françoise, il ne réussit pas, c'est certain. Il a beau jouer au dur, faire comme si la dernière scanographie n'avait pas eu lieu, elle le connaît tellement bien. Lorsque Gerry rentre à la maison, elle voit tout de suite quelle journée il a passée, laquelle de ses préoccupations — le disque, les rapports avec la presse, ou la maladie — l'a le plus habité au cours des dernières heures.

Le cancer est toujours là, bien sûr, à travers tout le reste. Il se superpose à ses autres pensées, toujours, sans relâche, c'est un fantôme omniprésent qui circule continuellement dans sa tête. Il lui faut faire un effort pour vraiment se concentrer sur autre chose. Il doit pourtant y parvenir. Car le temps s'est encore accéléré : il a bien des chats à fouetter à ce moment-là.

Outre le tournage de l'émission spéciale de Radio-Canada qu'il lui faut terminer, il accorde, entre le vingt-neuf septembre et le vingt-six novembre, des dizaines d'entrevues aux journalistes de Montréal, de Québec et des grands médias régionaux. Son programme comprend également des présences à la télévision — des variétés et des talk-shows — tout au cours de l'automne et au début de l'hiver.

Le quatre octobre 1988, Gerry procède au lancement officiel du microsillon *Rendez-vous doux*.

Cela se passe au Tallulah Darling, au-dessus du Lola's Paradise, rue Saint-Laurent. Tout le monde est là, le showbiz québécois, les rockers de luxe, les journalistes. Rarement un lancement a-t-il donné lieu à semblable pagaille. Dans un angle du bar, des gens s'approchent de Pierre Tremblay et lui disent :

«Le disque est bon, Pierre, pis t'as fait faire une maudite belle pochette : tu vas en vendre au moins vingt-cinq mille!...»

Il se trouve un ou deux optimistes pour parler de cinquante mille exemplaires.

Gerry fait ce qu'il faut. Avant le cinq à sept, avant la débauche d'invités, les verres de champagne et la séance de dédicaces, il a donné une conférence de presse qui s'est déroulée à merveille. Les journalistes l'ont questionné sur sa maladie, bien sûr, et il a répondu :

«Ça fesse... J'ai eu peur de mourir pis ça fait un méchant buzz dans' tête. Mais *Rendez-vous doux*, c'est un disque d'espérance all the way!»

Il n'a rien dit des derniers développements médicaux qui bouleversent à nouveau sa vie. Il préfère agir comme s'il ne s'était pas rendu à l'hôpital Notre-Dame le trente et un août, il aime mieux parler de la tournée à venir — car Ian Tremblay travaille déjà à monter la tournée Rendez-vous doux.

Au cours des semaines qui suivent, le microsillon obtient de fort bonnes critiques dans les médias. La Presse écrit : «*Rendez-vous doux* est aussi vrai que peut l'être Gerry; les mots qu'on a mis dans sa bouche vont vous fouiller un coin de cœur que peu d'artistes savent explorer; sa musique est toujours adéquate, souvent un peu plus, à l'occasion carrément enivrante.»

Une note discordante vient de l'hebdomadaire Voir, selon qui «...il pue, cet album-là. Y'a quelqu'un quelque part qui semble avoir le goût de nous en passer une p'tite vite avec — ou sur le dos de — Gerry...» Il est vrai que l'hebdo ajoute tout de même : «*Rendez-vous doux* est un bon disque. Mais dis-moi, Gerry, est-ce bien là l'album que tu voulais faire?...»

«Parle-moi d'un' ostie de question!...» s'exclame simplement Gerry en lisant l'article.

Au total, il est seulement déçu que, dans les pages et sur les ondes de plusieurs médias, son œuvre soit mise en parallèle avec *Tendre Ravageur*, le microsillon que Pierre Harel livre en même temps que le sien.

«Offenbach pis Harel, ça va-tu me suivre toute ma vie, ça, tabarnac?...» se demande-t-il, réprimant mal un accès de colère.

Mais déjà, il doit penser à autre chose. Trois mois après le lancement de *Rendez-vous doux*, en janvier, Ian Tremblay lui annonce que les plans de la tournée sont fort avancés. Gerry devient songeur. Pendant des jours, il répète à Françoise :

« Y' faut que j'décide au sujet de... ben... d'mes p'tits problèmes. On part le deux février, Ian a toutte organisé... C'est une maudite grosse machine, un gros band. Pis ça va être bon en tabarnac, encore meilleur qu'au Club Soda !... »

Malgré tout, il sourit de plaisir anticipé.

« Mais là, y' faut que j'me branche... »

Françoise ne dit rien. Elle attend de voir. Mais depuis le trente et un août, elle a eu le temps de constater que Gerry a graduellement laissé tomber ses bonnes résolutions, comme si c'était inutile : il fait moins attention à ce qu'il mange, il a recommencé à boire et elle ne serait pas surprise qu'il soit revenu à la poudre, en dehors de la maison.

En réalité, Gerry n'a rien à décider en janvier.

Il a pris rendez-vous avec Jacques Jolivet pour le seize février ; c'est à ce moment-là qu'il lui faudra choisir définitivement entre la musique et... Il préfère ne pas penser à cela tout de suite. Pour l'instant, il n'y a rien d'autre à faire qu'attendre et aller répéter avec le band dans l'immeuble de L'Intro, une petite salle de spectacles de la rue Jean-Talon au-dessus de laquelle on trouve des studios spécialement destinés à cet usage.

Fin janvier, les répétitions durent une semaine.

Comme pour le disque, Leduc a préparé les arrangements dans son antre de la rue Amherst. En plus de revoir les tounes de *Rendez-vous doux*, il lui a fallu revamper plusieurs pièces d'Offenbach, quelques classiques du rock ainsi que la chanson *Ne me quitte pas*, de Jacques Brel, qui va devenir un des moments forts du concert. Les répétitions sont menées rondement, à raison de sept ou huit heures par jour. Un après-midi, Pagliaro vient faire son tour et Gerry insiste pour jammer avec lui, même si chacun est épuisé et ne pense qu'à rentrer à la maison...

À ce moment-là, le calendrier des spectacles est fixé jusqu'à l'automne.

Ian Tremblay a travaillé fort là-dessus depuis l'été 1988. Il a ouvert les négociations avec différents producteurs locaux avant même que ne débutent les sessions d'enregistrement de *Rendez-vous doux*. Tremblay a en outre affecté un homme au dossier : Béranger Dufour, un type du Saguenay-Lac-Saint-Jean, comme lui, qui a 36 ans et qu'on appelle simplement B. dans la vie de tous les jours. Dufour est un grand bonhomme, costaud, plutôt bon viveur, qui est loin de se douter, en prenant la route avec Gerry, que son job de garde du corps personnel du chanteur lui fera vivre des mois passionnants, certes, mais diablement éreintants.

Au début, avant que le microsillon atteigne les étalages des disquaires, Tremblay et Dufour ont du mal à vendre le show de Gerry aux gérants de salles. On leur demande :

« Gerry Goulet ? C'est qui, ça ?

— Boulet, avec un B. C'est l'ancien chanteur d'Offenbach.

— Offenbach, oui, oui, oui... Mais c'est pas tellement not' genre, ça, Offenbach, c'est rock'n'roll pas mal...

— Non, c'est plus tout à fait ça aujourd'hui. Gerry sort un album grand public : ça swingue en maudit, c'est sûr, mais c'est pas mal différent de ce qu'Offenbach faisait. Ça va être bon pour vous autres, ça, j'vous l'dis !... »

Des gens — pas les gérants de salles, évidemment, mais d'autres — croient même que *Gerry D'Offenbach*, c'est son nom, un nom à particule, comme en France !...

En somme, le booking démarre lentement, mais suit à partir de novembre la même courbe ascendante que les chiffres de vente du microsillon. Les premiers acheteurs sont des producteurs de Tracy et de Saint-Hyacinthe.

Au début, on vend à perte.

Le show coûte cher : il faut promener sur les routes du Québec un band de huit musiciens accompagné d'une demi-douzaine de personnes, techniciens et autres. Les coûts s'établissent à 6 000 dollars par jour. Or, on vend les premiers shows 4 000 dollars, en espérant que l'on se reprendra plus tard. De fait, les tarifs ne tarderont pas à monter à 6 000 puis à 8 000 et même 9 000 dollars dès la fin du mois de mars, après le gala de l'ADISQ, le Palais Montcalm, le Théâtre Saint-Denis et les critiques positives des médias. À l'été, quand on abordera la portion de tournée destinée aux centres sportifs, les revenus grimperont à 15 000 dollars par concert ; le dernier, le vingt-sept août 1989, rapportera 20 000 dollars. Il est vrai que, dans ces amphithéâtres, les coûts seront à l'avenant, il faudra une quincaillerie de son et d'éclairage plus puissante, une phalange de techniciens et un camion-remorque en plus.

La caravane s'ébranle le premier février 1989. Entre le deux et le seize, Gerry et ses musiciens ont six spectacles à donner en province, des shows de rodage dans des petites boîtes — parfois des salles paroissiales, comme au temps des Gants blancs! — avant de faire Québec et Montréal, en mars.

Gerry débarque à Jonquière vingt-quatre heures avant le premier show de la tournée Rendez-vous doux.

Il a fait la route de Montréal au Saguenay — cinq cents kilomètres — à bord de la Chrysler Laser de Dufour, seul avec lui. Les deux hommes en ont profité pour faire plus ample connaissance, cela sera utile plus tard. B. sait que Gerry a été très malade; il ne connaît cependant pas les détails et Gerry, avec Dufour comme avec les autres, se garde bien d'en parler. Dans la voiture, alors que l'on franchit le Parc des Laurentides par trente degrés sous zéro, Gerry déborde d'enthousiasme, sachant qu'il a monté un show terrible, ayant visiblement hâte au lendemain pour le premier vrai test devant un premier vrai public. Parfois, il est vrai, Gerry se perd pendant des kilomètres dans des abîmes de silence; dans ces cas-là, Dufour n'ose pas dire un mot.

Le jeudi et le vendredi, Gerry se produit au Palace, dans le secteur Arvida de la ville de Jonquière. Le Palace est une sorte de mini-Spectrum — ou mieux encore, un mini-Bataclan : la décoration vaguement rococo peut rappeler la célèbre boîte parisienne — de trois cent cinquante places, installé dans un ancien cinéma jouxtant les usines de la Société d'électrolyse et de chimie Alcan. Gerry est très populaire au Saguenay : en deux soirs, on doit refuser mille personnes.

Le premier show prend fin devant un parterre en délire — heureux présage pour la tournée! À la table des journalistes, où d'habitude on aime bien se cantonner dans une attitude de froideur professionnelle un peu blasée, les gens sont debout et hurlent!

Le samedi quatre février, la tournée Rendez-vous doux s'arrête à La Tuque. Puis la troupe revient à Montréal pour un congé de trois jours. On reprend la route le sept en direction de Rawdon. Le huit, on se produit à Hull.

Et le jeudi neuf février, à Mont-Laurier, c'est la catastrophe.

La veille, après le show de Hull, Gerry a sérieusement festoyé au bar de l'Hôtel de la Chaudière où loge la troupe. Il n'a pas dormi de la nuit. L'après-midi du neuf, en roulant entre Hull et

Mont-Laurier, Gerry hurle jusqu'à ce que Dufour s'arrête dans un dépanneur et fasse les frais d'un six-pack de bière. Dans la voiture, il en boit trois ou quatre; en arrivant à Mont-Laurier, il en siffle deux autres. Avec les médicaments qu'il gobe sur ordre des médecins, cela fait un curieux mélange.

Gerry est joyeux et triste à la fois. Dans les loges, il rit plein son soûl puis, l'instant d'après, devient grave et ne dit plus un mot. L'étrangeté de sa situation lui apparaît clairement, comme si l'alcool le rendait plus lucide. La trahison de son propre corps le met hors de lui. À un moment — la seule fois où cela se produira — Gerry éclate en sanglots, saisit Dufour par son col de chemise et lui dit, sur un ton et avec une voix que celui-ci n'a jamais entendue chez aucun être humain :

«B., l'année prochaine, j'serai pus là... J'vas être mort, tabarnac ! Mort, B., comprends-tu ça ?..»

Dufour ne sait pas quoi dire. Il a une boule dans la gorge. Après avoir avalé dix fois sa salive, il finit tout de même par articuler :

«Accroche-toi, Gerry, accroche-toi !... On va combattre avec toi... T'as besoin d'énergie, on va t'en donner, on va rester avec toi jusqu'à ce que tu sois ben... Accroche-toi, Gerry !...»

Il n'y a rien d'autre à faire. Gerry se calme un peu, mais il est toujours ivre.

Il lui faut tout de même monter sur la scène de l'auditorium de l'école polyvalente, une salle de quatre cent soixante places remplie à capacité. Dès les premières tounes, on comprend que Gerry ne se rendra pas jusqu'au bout du show. Il oublie ses mots, rate ses cues, descend dans la salle à tout propos pour fraterniser avec les gens !...

À l'entracte, il s'écrase, vidé, dans un fauteuil de la loge. Il dort. Profondément. Dufour prend Lebœuf à part — car Breen est de la tournée — et lui dit :

«Parles-y', c'est toi qui le connais le mieux, essaye de voir si y' peut continuer. On peut aller chercher un sac de poudre si y' faut, demandes-y' si ça peut le r'mettre assez pour qu'y' finisse le show...»

Lebœuf secoue un peu Gerry et risque :

«Gerry, Gerry... Écoute-moi une seconde. Si on t'amène une ligne, Gerry, penses-tu qu'tu vas être capable de finir le show ?...

— Nooonnn...»

C'est une plainte, un râle.

« O.K., c'est correct, Gerry. Endors-toi, take a rest... »

Lebœuf regarde Dufour et tranche :

« Annule, B., c'est impossible : si y' dit non, c'est non... Même avec d'la poudre, y' va juste mal dormir, c'est toutte... »

Dufour prend son courage à deux mains et se présente devant une foule exacerbée par le trop long entracte. Il annonce la fin précipitée du show — Gerry Boulet éprouve un malaise dû au surmenage — qui sera donné dans son entier à une date ultérieure. En attendant, la direction remboursera les billets d'entrée au guichet, à l'arrière...

Alors que la foule déserte la salle en maugréant, quelques journalistes viennent aux nouvelles. On s'en tient à l'explication officielle : malaise dû au surmenage. Le lendemain, à CFLO, la station de radio locale, on entend, en rapport avec ce que l'on désigne comme étant *les incidents du neuf février* : « Force est de se demander si Gerry Boulet se serait permis d'annuler en plein milieu d'un spectacle à Montréal... »

Pendant qu'une équipe de manœuvres roule les instruments dans le camion, Gerry émerge de son sommeil et on lui explique la situation. Il est triste à périr. Il répète :

« J'vous ai lâchés, les gars, c'est pas correct en ostie... »

Gerry a gâché le show. En plus, il se souvient vaguement d'avoir parlé de sa maladie et... de la mort, non ? Est-ce qu'il n'a pas prononcé le mot ? Il se jure qu'il ne fera jamais plus une chose pareille, qu'il ne succombera plus à une telle faiblesse.

Dufour le ramène chez lui, à Longueuil, aux petites heures du matin. Il ne dit rien à Françoise et s'écrase dans son lit. Il dort jusqu'à tard dans l'après-midi.

Ian Tremblay, lui, doit faire parvenir un chèque de 2 324 dollars à la Ville de Mont-Laurier, productrice du spectacle. Cette somme représente l'argent engagé dans la publicité et la promotion, les frais de billetterie, les salaires des employés de la salle, les machins et les trucs. On s'abstient de facturer les coûts de location de l'auditorium.

Mais on porte sur la note les 60 dollars 90 cents déboursés pour l'achat des deux caisses de vingt-quatre bouteilles de Labatt Bleue nécessaires au bien-être des membres de la caravane Rendez-vous doux.

***

Gerry a droit à quelques jours de relâche.

Les treize, quatorze et quinze février, il accorde une enfilade d'entrevues à des stations de radio montréalaises, CKVL, Radio-Canada International, CHOM, CKMF, CKAC, CIEL, CKOI, ainsi qu'au périodique Allo-Vedettes.

Le seize février, en avant-midi, Gerry et Françoise se rendent au Centre d'oncologie de l'hôpital Notre-Dame et ont une conversation avec Jacques Jolivet. Celui-ci a en main les résultats d'une quatrième scanographie pratiquée le dix-neuf décembre, confirmant les constatations faites lors de la précédente. Comme toujours, le médecin va droit au but :

« Aucun doute, Gerry, les métastases progressent... En terme de chimio, on t'a donné ce qui s'fait de mieux, crois-moi, c'est même un traitement qui n'est pas encore entré dans la pratique médicale courante. Maintenant, tu peux peut-être essayer une chimiothérapie administrée directement dans le foie : il va falloir t'opérer et implanter un cathéter...

— Ça peut-tu marcher ?... »

Gerry est capable de poser la question comme il aurait demandé l'heure à un passant. Il évite cependant les termes trop précis, ou trop chargés d'émotion...

« Honnêtement, Gerry, j'sais pas. J'sais vraiment pas, c'est pas évident. »

Silence.

« Y'a la chirurgie, aussi. Tes métastases au foie sont très petites, tu peux penser à la chirurgie, mais y' faudrait que tu fasses assez vite si tu envisages cette solution-là.

— Ouais mais là, c'est difficile. Le disque marche au boutte, j'suis assez content d'ça.

— J'ai vu ça, oui, c'est un gros succès, ton album...

— Et pis on est en pleine tournée, ça va ben en maudit, un gros show. Fait que... j'peux pas lâcher la gang tout de suite, comme ça, on a travaillé fort là-dessus... »

Françoise intervient :

« Gerry, y'a plus important que la tournée, tu penses pas ?...

— Ben... Ouais. Mais quand même, tabarnac, ça compte aussi, y'a pas d'folies à faire avec ça... »

Pense-t-il à Mont-Laurier ?... Pas vraiment. C'est encore plus simple : les gens qui l'entourent lui sont fidèles, il doit l'être aussi à leur égard.

Et puis c'est si bon, le succès. Le vrai.

«Je l'sais pas, Jacques, j'vas y penser pis j'te donne des nouvelles.»

Gerry sort du bureau du médecin en lui adressant le demi-sourire d'un homme qui aurait à accomplir une tâche agréable et réconfortante dans un contexte pénible et désespérant. Françoise regarde le bout de ses souliers en marchant vers la sortie. Dans la voiture, tous deux gardent le silence.

Parvenu rue Saint-Laurent, Gerry monte tout de suite à l'étage, passe sous la douche et enfile ses vêtements de chanteur : Béranger Dufour doit venir le prendre en début d'après-midi car on se produit à Shawinigan le soir même. En bas, dans la cuisine, Françoise prépare quelque chose à bouffer.

Gerry, dans la chambre, hésite à descendre, fasciné par son image, dans le miroir.

En somme, que peut-il faire?

Tout arrêter? Devenir un malade professionnel, en quelque sorte, et ne plus fréquenter que les médecins, les chirurgiens, les radiothérapeutes et les chimiothérapeutes, l'un après l'autre ou tous en même temps? Et, pendant ce temps-là, s'asseoir dans son fauteuil vert, en bas, dans le salon, et attendre? Attendre quoi, exactement?...

Tout arrêter, vraiment? Dire à Leduc, à Lebœuf et aux autres : *marci les boys, oubliez-moi pis faites autre chose*? Dire à Ian et à B. : *voilà, c'est fini, annulez toutte ça, moi j'débarque*?...

Tout arrêter et renoncer à chanter, bon dieu, à *chanter*? Peut-être pour de bon, inutile de se conter des histoires, peut-être à tout jamais?...

C'est au-dessus de ses forces.

Le cancer le tient, c'est entendu. Sans doute vaudrait-il mieux agir tout de suite, retourner sur le billard ou subir dieu sait quel autre traitement... Mais ça donnerait quoi, hein?...

Tandis que là au moins, il chante, il monte sur scène. Il donne le meilleur show de sa carrière, il a les meilleurs musiciens avec lui. Les gens l'adorent, ils grimpent aux murs, dans les salles! Toutes sortes de gens : des enfants, des adolescents trop jeunes pour avoir connu Offenbach, des yuppies de trente-cinq ou quarante ans réchappés de l'ère des hippies et de la granole, des dames de soixante ans qui le regardent comme elles regarderaient un fils...

Bien oui, est-ce possible ?... Il y a des mémés dans les salles, des mémés qui tapent du pied et chantent quelques strophes avec lui, *avec les yeux du cœur...*, qui viennent le rencontrer après le show, parfois, lorsqu'elles ne sont pas trop timides. Elles lui donnent l'accolade et l'embrassent sur la joue... Elles sont fantastiques, les mémés ! Gerry n'en revient pas, aurait-il pu imaginer cela, même un an ou deux plus tôt ?...

Et il lui faudrait renoncer à cela ?...

Ensuite, comme dans toutes ses tournées, tout au cours de sa vie, Gerry a un sacré plaisir à faire de la route avec les gars. C'est grisant. On n'a qu'une vie à vivre, n'est-ce pas, il peut en témoigner, bon dieu !... Alors, doit-il se refuser un pareil plaisir, la drogue de la musique et de la scène, des parties et des fans, est-ce qu'il n'a pas mérité de goûter à cela une dernière fois ?...

Enfin, le fric entre cette fois-ci, après vingt-cinq ans de hauts et de bas. Le disque marche, ça va être pareil pour la tournée, c'est certain.

Il n'aura plus à couper les cents en quatre.

Peut-être pourra-t-il aménager son petit local de répétition dans le garage, à l'arrière. Donner un coup de main à Justin. Inviter encore plus souvent Marianne à la maison et emmener les deux petites en vacances, n'importe où. Et puis lui, Françoise et Julie pourront s'offrir un peu de luxe. Des voyages, par exemple, comme les vraies familles en font à l'occasion.

Tous trois pourront être tellement heureux à vieillir ensemble, tout doucement... tellement heureux... Et puis le jour où il partira, plus tard, beaucoup plus tard, elles ne seront pas dans le besoin, Julie pourra étudier et, peut-être, faire de la musique...

Les larmes lui viennent aux yeux...

Il mourra un jour, c'est certain. Julie joue déjà du piano. Françoise en a tellement arraché depuis quinze ans. Alors lorsqu'il partira, plus tard, beaucoup plus tard...

Gerry secoue la tête, sort de la chambre et s'engage dans l'escalier. L'entendant venir, Françoise demande :

« À quelle heure il passe, Béranger ?

— Vers une heure.

— Tu veux manger un morceau ?

— Ouais. »

Il s'attable. La radio joue en sourdine. Julie est à l'école.

446

«Tu y as pensé, Gerry : qu'est-ce que tu vas faire ?

— Au sujet de quoi ?

— Ah, fais pas le con, bon dieu... Au sujet de ce que Jolivet t'a proposé ?

— Ben j'vas y penser, Françoise, on peut pas décider ça d'même, à midi... J'me sens ben pour l'instant, j'vois pas pourquoi j'ferais pas queq' shows, ceux qui sont déjà bookés. Et pis on verra après, hein, qu'est-ce' t'en penses ? »

Françoise ne trouve pas l'attitude à adopter. Elle sait bien que Ian et Béranger ont bloqué des dates presque pour un an à venir. Elle risque :

«Ça serait pas préférable que tu y voies tout de suite, non ?...»

Il faut tout dire à demi-mot.

«...tu crois pas, Gerry, que c'est plus important de penser à ta santé qu'à la tournée ?... La tournée, tu peux la reprendre plus tard. La maladie, elle, elle attendra pas, tu l'sais bien, Gerry...

— Écoute, Françoise : aujourd'hui, j'm'en vas à Shawinigan, j'ai pas l'temps de penser à ça. Si tu veux, on en r'parlera plus tard, inquiète-toi pas, on va trouver une solution...

— Mais Gerry...

— Inquiète-toi pas, Françoise... »

Elle voit bien que Gerry a pris une décision, même s'il ne le dit pas carrément. Et s'il a arrêté son choix, il n'en démordra pas. Tous deux sont encore à table lorsqu'on sonne à la porte. Dufour est là, sa Chrysler stationnée en bordure du trottoir, le moteur tournant au ralenti. Gerry embrasse Françoise, comme à l'ordinaire.

«Fais attention à toi, Gerry.

— Ouais. J'reviens cette nuit : demain, on joue pas loin de Montréal, tu pourrais v'nir si ça te tente ?

— J'irai avec toi.

— Embrasse Julie.

— Oui. »

Gerry referme la porte. La voiture disparaît.

Il s'est bien gardé de dire à Françoise qu'en enfilant ses jeans, une heure plus tôt, il a senti une toute petite bosse dans son dos, sur les côtes, du côté droit. Il l'a vue dans le miroir, l'a tâtée, ce n'est pas douloureux. Peut-être se trouve-t-elle là depuis quelques jours, il n'a pas prêté attention.

De toute façon, ce n'est pas utile pour l'instant d'inquiéter Françoise avec un détail comme celui-là.

***

Après Shawinigan, entre le dix-sept et le vingt-cinq février, la tournée Rendez-vous doux s'arrête à Tracy, Plessisville, La Pocatière, Montmagny et Saint-Hyacinthe.

Gerry a l'impression que, depuis Mont-Laurier, Béranger Dufour a quelque peu modifié son attitude. Il prend parfois des airs de garde-chiourme, le suit à la trace presque jusque dans les toilettes!... À l'hôtel, il réserve immanquablement la chambre voisine de la sienne et, après les shows, accompagne Gerry jusqu'à sa porte en disant, comme s'il était son père :

« Bon ben, Gerry, à' soir, on va dormir : demain, on a d'la route à faire pis on a un show d'main soir, y' faut être en forme... Bonne nuit, Gerry! »

Certains soirs, ça va. D'autres fois, Gerry irait bien festoyer un peu, boire un coup au bar de l'hôtel avec les gars, rencontrer quelques fans... s'amuser un peu quoi! Ce besoin de *vivre*, en somme, est plus urgent encore lorsqu'il a donné un show supérieur à la moyenne, lorsqu'il s'est défoncé sur scène. Ça a été comme ça toute sa vie, pourquoi faudrait-il qu'il en soit autrement aujourd'hui ?

Mais B. est toujours là, lançant invariablement du haut de ses deux mètres :

« On dort à' soir, Gerry... »

On jurerait qu'il n'a rien d'autre à faire, Béranger Dufour! Pourtant, il doit voir au respect des horaires, régler les problèmes techniques, assurer le lien avec le bureau de Tremblay à Montréal ainsi qu'avec les producteurs locaux, contrôler les relevés d'assistance, s'occuper des repas et des huit chambres d'hôtel nécessaires à chaque étape — pour une portion de la tournée, Véronique Harvey, l'assistante de Ian Tremblay, rejoindra la caravane afin de soulager Dufour de quelques-unes de ses tâches administratives.

Gerry comprend, évidemment. Il sait bien que, laissé à lui-même, il lui arrive de ne pas être très raisonnable... Parfois, après un show, B. lui fait fumer un joint de hasch. C'est une sorte de ruse. Depuis des années, Gerry ne fume pratiquement plus. Il a perdu l'habitude. De sorte que, quinze minutes après un tel traitement, il dort inévitablement comme un loir... et B. peut dormir tranquille, lui aussi!

Tout cela hérisse Gerry, parfois. Il se prend alors aux cheveux avec B., l'envoie paître de toutes les façons et avec tout le vocabulaire imaginable. Puis il fait la paix avec lui et le serre dans ses bras.

Le vingt-huit février, la veille de son quarante-troisième anniversaire de naissance, Gerry reçoit un disque d'or pour *Rendez-vous doux*, dont cinquante mille exemplaires ont été écoulés depuis son lancement, en octobre, et qui continue à se vendre à un rythme infernal.

La fête a lieu dans les locaux de MusiquePlus, rue Sainte-Catherine, et est diffusée en direct chez les abonnés des réseaux de câblodistribution.

Gerry rayonne. Tous ses chums de musique sont là, Francœur également, d'autres encore. On sent l'animateur Claude Rajotte un peu mal à l'aise avec lui, comme on peut l'être face à un malade à qui on rend visite à l'hôpital. À la fin de l'émission, après d'interminables palabres et quelques chansons, on offre à Gerry le traditionnel gâteau d'anniversaire.

En mars, la troupe doit affronter le Palais Montcalm, le Théâtre Saint-Denis et... la critique.

Par exception, Ian Tremblay a décidé que la tournée défierait le public et les journalistes de Québec avant ceux de Montréal. Il a expliqué à Gerry :

«Les tabarnac, à Québec, quand y' entendent pis qu'y' lisent la critique de Montréal, y' se sentent frustrés pis après ça, y' nous descendent!...»

Les mercredi et jeudi premier et deux mars, Gerry va donc se produire au Palais Montcalm, à l'ombre des fortifications de la ville. Il est un peu nerveux, ses musiciens aussi. Le mercredi matin, jour de son anniversaire, il s'éveille avec un fantastique mal de gorge. Inquiet, il court chez William Svihovec, qui l'examine rapidement, lui prodigue quelques conseils — qu'il sait parfaitement inutiles... — et lui fait une injection de democineol. En sortant de là, Gerry saute dans la voiture de Dufour et constate avec plaisir, en roulant sur l'autoroute 20, que son mal de gorge s'estompe.

Les choses se passent merveilleusement bien au Palais Montcalm. Le lendemain, les critiques sont dithyrambiques. Sous le titre «Un triomphe pour Gerry Boulet», Le Soleil estime que «un spectacle de ce calibre, le rock québécois n'en a pas engendré beaucoup». Le Journal de Québec est plus enthousiaste encore.

C'est donc avec un surcroît de confiance que l'on se prépare à affronter le Théâtre Saint-Denis, les lundi et mardi treize et quatorze mars.

Trop de confiance.

Les musiciens, estimant que la partie est gagnée, s'endorment presque sur leurs instruments. Au fur et à mesure que la soirée avance, Gerry se rend compte que la génératrice de Rendez-vous doux ne donne pas son plein rendement d'énergie. À la fin du spectacle, Gerry n'est pas très content de lui-même et de sa troupe. Ian Tremblay débarque dans les loges avec sa mine des mauvais jours. De fait, le mardi matin, les critiques sont mitigées. Pas négatives, non, mais pas aussi bonnes qu'à Québec. Les journalistes ont repéré la panne — au sens littéral du mot : on a en prime éprouvé des problèmes avec l'approvisionnement en électricité! La Presse titre tout de même : «Gerry Boulet : enlevant», mais le papier manque d'enthousiasme, concédant tout juste que, malgré le «son puissant, mauvais au départ, avec un orchestre qui vous écrase parfois toute la saveur du texte... on a quand même eu droit à quelques frissons, toute une gamme d'émotions».

Le mardi soir, le show est à l'inverse carrément génial.

Au total, le succès du disque et de la tournée s'annonce plus grand encore que ce qu'ont rêvé les plus optimistes. Au milieu de mars, le microsillon se trouve déjà depuis six semaines en tête du palmarès Radio-Activité. Des représentations supplémentaires sont prévues au Théâtre Saint-Denis en mars, au Palais Montcalm en avril, puis de nouveau à Montréal les six et sept juin.

Entre-temps, en avril et en mai, Gerry a droit à presque six semaines de congé, ponctuées seulement de quelques participations à des émissions de télévision — dont Les Démons du midi, qu'il ne refuse jamais parce qu'il aime bien le comédien Gilles Latulippe. De toute évidence très différents l'un de l'autre, ces deux hommes-là partagent tout de même certaines attitudes, telle une sorte de côté bon peuple qui leur assure la sympathie instantanée du public.

Gerry accueille cette pause avec plaisir. Sur scène, rien ne paraît de sa fatigue ou de ses malaises parce que les planches le transforment, lui font oublier tout le reste, déchargent dans son organisme une telle quantité d'adrénaline que ses cellules défectueuses baissent pavillon, pendant deux ou trois heures, devant cet assaut de vie. C'est l'endroit au monde où Gerry préfère se trouver. Cédant à l'exaltation, il dit parfois :

« Moi, je coucherais su' l'stage si je pouvais !... »

Mais après les shows et même à l'entracte, quand Françoise se déplace avec la troupe, elle doit le masser longuement lorsqu'ils se retrouvent seuls dans la loge. Elle ne peut faire autrement que de sentir la bosse qui, au fil des jours, enfle dans son dos... La première fois, elle a regardé la chose, horrifiée, et s'est exclamée :

« Qu'est-ce que c'est ça, Gerry, bon dieu ?

— J'sais pas, Françoise, j'sais pas... J'vas en parler à Jolivet... »

Et le visage de Gerry est devenu triste à périr, tellement triste qu'elle n'a pas osé insister. Il faudrait vivre avec cette bosse, désormais, avec ce rappel visible de la maladie qui ronge Gerry.

Après les supplémentaires au Théâtre Saint-Denis, la troupe de Rendez-vous doux prend la route le seize juin pour une série de vingt shows, la plupart dans des centres sportifs abritant des foules de mille cinq cents à cinq mille personnes. On se rend jusqu'à Havre Saint-Pierre, Sept-Îles, Forestville et aux Îles-de-la-Madeleine.

Le cirque devient une plus grosse machine encore et, outre Béranger Dufour, on embauche un directeur de tournée, Bernard Monfette, pour mettre de l'ordre dans cette anarchie. Le plus souvent, Ian Tremblay vient aussi. Il faut maintenant transporter dix-neuf personnes de ville en ville. Le cahier de bord de l'équipe technique stipule que les producteurs locaux doivent en outre s'assurer les services de douze manœuvres (*sobres*, stipule le contrat...), assembler une scène de douze mètres sur dix et mettre à la disposition des musiciens trois loges ainsi que... douze serviettes et douze bouteilles d'eau de source !

Gerry retrouve le feeling des grandes épopées d'Offenbach. C'est débile — et épuisant — comme une vraie tournée rock'n'roll. Impossible de ne pas boire un peu, de ne pas festoyer, de ne pas faire enrager Dufour... Gerry commet quelques excès à l'occasion puis sent le besoin de rester calme pendant deux ou trois jours. Il a une panoplie de médicaments à consommer de façon régulière. Et il a besoin de plus de sommeil. On a fini par fabriquer une énorme affiche pourvue du classique crâne posé sur des ossements croisés et portant la phrase *Ne pas réveiller sous peine de mort!* que l'on placarde devant sa chambre afin d'éloigner cette plaie de tous les hôtels de par le vaste monde : l'aspirateur du petit matin...

En fin de tournée, une équipe de MusiquePlus se joint au cirque, de Val d'Or à Berthierville. Ils craquent sur la *tournée des highways*... Depuis le début, dans les autobus — et les avions à l'occasion — B. extrait un accordéon de ses valises et chante une toune inspirée d'*Acadiana*, de Georges Langford :

> *Le highway mène au Mardi gras*
> *Chez les Cajuns de la Louisiane*
> *Mais la route qui mène aux États*
> *Elle traverse un grand embarras...*

De sorte que la pièce devient l'hymne de la tournée !

Fin juillet, il est temps que ça s'arrête. Gerry, épuisé, recommence à souffrir. Il dit en rentrant à Longueuil :

« J'sus tellement fatigué, Françoise, tellement fatigué... »

Il se cache pour grimacer de douleur et tâter la bosse, dans son dos.

On donne le dernier show de cette portion de la tournée au Pavillon de l'exposition de Berthierville. Par exception, il s'agit d'un concert d'une heure environ. Il est prévu qu'en fin de soirée, la troupe s'amènera au restaurant Napoli, rue Saint-Denis, pour une sorte de party de clôture.

Pendant deux ou trois heures, c'est la folie autour de la grande table, au fond du restaurant. Tout le monde est très content. La tournée est un monumental succès. La plupart de ceux qui sont là sont convaincus que l'on reprendra la route à l'automne — quelques-uns entretiennent bien une arrière-pensée là-dessus, mais ils la chassent autant qu'ils peuvent.

Gerry n'a pas pu s'empêcher de boire, bien sûr. Et, à un moment, sa tête se met à tourner. Trop de bière, trop de bruit, trop de monde, trop de lumière. Il se lève de table tout doucement. Quelqu'un lui demande :

« Où tu vas, Gerry ? »

Il répond sans se retourner :

«J'sors deux minutes... Je r'viens...»

Il franchit le seuil du restaurant, se mêle à la foule le temps de marcher jusqu'à la rue Émery puis de se rendre presque à l'angle de Sanguinet. Il suffit ensuite de parcourir cent mètres pour qu'il n'y ait plus personne autour de lui. Arrivé là, il s'assoit sur le trottoir, comme un mendiant, laissant sa chevelure cacher ses yeux. Les rares passants ne peuvent pas le reconnaître et font un détour pour l'éviter.

Gerry se met à chanter tout bas, tout doucement, pour lui-même, avec une voix encore plus brisée qu'à l'ordinaire :

Qui te soignera ?
Qui te guérira ?
Ta blessure est large comme le ciel
Ta brisure est grosse comme la terre...

Le chant de la douleur

...Ta brisure est grosse comme la terre
Tu souffres d'une peine de corps
Ils ont monté la mort contre toi...

« Stop, Gerry, stop!... »

Derrière la double vitre, Jacques Bigras parle dans l'interphone le reliant au studio. Cela lui donne une voix nasillarde qui semble sortir d'une boîte en fer blanc.

« T'as donné du volume depuis tout à l'heure, Gerry!... Y' va falloir reprendre. Essaie d'y aller plus égal. Pis éloigne-toi juste un peu du micro.

— O.K., Jacques. Pour le reste, ça va?

— Parfait.

— Denise?... C'est-tu à ton goût, Denise, tripes-tu un peu? »

Par la fenêtre perçant le mur du fond, dans la régie, on voit des flocons de neige tomber de gros nuages très bas, très gris, vaguement éclairés par les lumières de la ville.

On est le quinze décembre 1987, en fin d'après-midi. Cela se passe avant l'enregistrement de *Rendez-vous doux* et deux mois après l'intervention chirurgicale que Gerry a subie à l'hôpital Notre-Dame.

Denise Boucher est assise à la droite de Bigras, un peu derrière lui, comme si elle avait peur de trop s'approcher de l'impressionnante console de mixage. Elle semble perdue dans ses pensées; dans ces moments-là, ses yeux sont presque hagards.

« Hein, Denise?... Denise, tabarnac!

— Oui!... Pardon... Oui, c'est extraordinaire, Gerry, extraordinaire... »

Pour l'instant, elle ne peut dire autre chose. C'est Bigras qui reprend :

« Dix secondes pis on est prêt, Gerry... Ça roule. »

Gerry Boulet se redresse, laisse flotter pendant un instant ses mains au-dessus du clavier du piano à queue Yamaha que l'on a roulé au centre du studio principal de chez Multisons. Puis il plaque l'accord de si majeur et reprend :

> *Qui te soignera*
> *Qui te guérira...*

Cela s'appelle *Le Chant de la douleur*.

C'est la quatrième pièce que l'on couche sur ruban magnétique depuis le début de la session d'enregistrement, quatre ou cinq heures plus tôt. Après celle-là, il y en aura trois autres à faire. Comme il n'y arrivera pas aujourd'hui, il faudra revenir chez Multisons un peu plus tard.

Denise Boucher est émue aux larmes. Elle tient un fabuleux interprète pour *Jézabel*, cette sorte de tragédie musicale qu'elle a écrite lors d'un séjour en Espagne, un hiver, quatre ans auparavant. Quelques mois, en fait, après avoir fait la connaissance de celui qui était à ce moment-là le leader d'Offenbach.

Fascinante histoire que celle de Jézabel.

Au neuvième siècle avant Jésus-Christ, elle était la fille du roi de Tyr et l'épouse du roi d'Israël. Cette femme très belle, sensuelle, autoritaire, avait, dit-on, une influence néfaste sur son mari. On la détestait ou alors on lui vouait une sorte de culte. Elle trouva en la personne du prophète Élie, défenseur des fidèles de Yahvé, un adversaire à sa taille.

Denise Boucher expliqua tout cela à Gerry ; cette histoire lui donna littéralement le tournis ! Surtout que Boucher ajouta :

« Élie disait : *Plaignons les fils dont la mère est reine...* Vois-tu, Gerry, la guerre qu'Élie a menée contre Jézabel a été un tournant dans l'histoire. Ça' été le début de la civilisation du patriarcat... »

Gerry ne fut pas très impressionné par le sort de la malheureuse reine. Mais lorsqu'il revint chez lui et se mit à lire les textes de Boucher, il fut conquis, subjugué. Ces trucs-là avaient une ampleur, une profondeur, une beauté — voilà : une beauté — qui le transportaient.

Tous deux se revirent à de nombreuses reprises pour travailler sur *Jézabel*. Ou pour vider quelques bouteilles, simplement. Ou pour aller donner au Centre national des Arts, à Ottawa, une sorte de lecture-spectacle de la tragédie.

Gerry fut ravi de l'expérience. Par la suite, il se dit que c'était extraordinaire, tout de même, de penser que lui, le rocker, le bum, l'ex-capitaine de ce *ramassis de machos* qu'était Offenbach, allait réaliser un de ses rêves de jeunesse avec un personnage comme Denise Boucher.

Il ne ferait peut-être pas *Giselle*, mais il ferait *Jézabel*.

Car, quinze ans auparavant, Gerry s'était mis à rêver à un ballet-rock — comme on dit : un opéra-rock — au moment où il participait au tournage de *Tabarnac*, en France.

Le vingt-cinq septembre 1974, il avait même écrit à son épouse Denise : « D'ailleurs, ce ballet pourrait être notre histoire... » Depuis ce temps, il avait noirci des tonnes de papier en essayant de mettre cette idée au point, accouchant au bout du compte d'un synopsis de huit pages passablement détaillé. Il en avait parlé à tous ceux qui l'entouraient. À l'époque, le triumvirat de chez Spectra Scène avait même commencé à étudier la faisabilité du projet, tentant d'y intéresser les Grands Ballets canadiens.

L'idée lui avait été inspirée par le ballet fantastique *Giselle* créé en 1841 à l'Opéra de Paris par les chorégraphes Jean Coralli et Jules Perrot. Ce ballet raconte l'épopée d'une paysanne qui, victime d'un amour impossible, meurt après avoir été courtisée par un prince, lui-même fiancé avec une jeune fille de son rang.

Gerry s'était dit que l'on pourrait transposer l'histoire dans un club miteux de fond de province... où naît un amour impossible entre Albert, le chanteur-claviériste d'un groupe rock, et la fille de la propriétaire du bar.

Dans sa montagne de paperasse, Gerry avait noté quelque part : *Albert et Giselle allument la lumière de la chambre, dansent, s'embrassent et s'étendent... Puis Albert redescend pour jouer du blues avec ses amis, c'est son travail, il est obligé d'y aller ; il se remet à l'orgue, chante* Giselle *et s'aperçoit que sa femme est là. Cela le surprend car elle ne devait pas revenir. Voyant la situation, Giselle comprend tout, devine qu'Albert est marié et que tout devient impossible...*

Voilà : *Giselle* avait peut-être été un rêve sans suite, mais il ferait *Jézabel* à la place.

Gerry ne savait pas qu'entre-temps, il connaîtrait la maladie. Aussi lorsque Denise Boucher lui donne un coup de fil au moment où il sort à peine de l'hôpital Notre-Dame, il ne trouve qu'à dire :

«Ça va pas, Denise. Ça' l'air plus sérieux que j'pensais, mon affaire.

— Tu m'avais promis qu'on irait en studio, Gerry, quand est-ce que t'es prêt?

— Écoute, j'serais quasiment mourant dans mon lit, tu m'ferais sortir pour aller travailler, toi !...

— Ben, tu me l'avais promis, c'est toutte, tiens ta promesse !

— T'es pas parlable, tabarnac ! »

Et il raccroche... Mais le lendemain, il frappe à la porte de Boucher, rue Saint-Hubert, et tous deux se rendent au Studio Multisons. Gerry fait six pièces le premier jour : il chante et s'accompagne au piano. Ensuite, il ajoute une deuxième piste vocale sur certains passages. Quelques jours plus tard, on revient pour faire la septième chanson, *Le Chant de l'abondance*, la plus joyeuse de toutes :

> *Tout ce que tu veux, je l'ai dans mes champs*
> *Tout ce que tu veux, je l'ai dans mes mains...*

Le résultat est stupéfiant. C'est formidablement beau. Biblique et pastoral. On pense à Jean l'évangéliste. Ou alors à Vigneault et Leclerc, parce que *Jézabel* contient une certaine solennité, mais une solennité curieusement proche des courants profondément québécois; peut-être à cause, notamment, de la voix et des accents que Gerry plaque là-dessus. Il y a des collines et des chevreuils dans *Le Chant de la beauté*, des lions et du tonnerre dans *Qui es-tu prophète?*, une fille de la ville et un bien-aimé dans *Le Chant de l'amour*, des guerriers et des vautours dans *Le Chant de la peur*.

Lorsque, dans la régie du studio, on passe la bande dans les moniteurs, les gens qui circulent dans le corridor s'arrêtent pour écouter par la porte entrouverte. Denise Boucher dit à Gerry :

«C'est fantastique, Samson, t'es un grand bonhomme ! »

Elle l'appelle *Samson*...

Gerry est peut-être le plus heureux des deux.

Il sent qu'il vient de se livrer à une expérience très particulière, qu'il a fait un énorme pas en avant dans son métier de compositeur et d'interprète. Qu'il vient de poser le pied sur un terrain nou-

veau pour lui et qu'il y a de ce côté un monde à explorer. Il lui
faut juste du temps, beaucoup de temps pour le faire...

En ce qui concerne *Jézabel*, il reste à travailler les arrangements, bien sûr, à prévoir l'instrumentation, à donner une enveloppe grandiose à ces pistes de voix et de piano. On le fera plus
tard, ce n'est pas urgent.

Plus tard, il aura du temps, c'est certain.

Pendant cette période, l'auteure et le rocker passent des heures
ensemble.

Lorsqu'elle a tiré un joint, Denise Boucher est intarissable. De
sa voix traînante, rocailleuse autant que celle de Gerry mais d'une
autre manière, elle se lance dans des envolées sans fin dans
lesquelles elle ramasse des douzaines d'idées à la fois, sur la vie,
la société, le Québec, les gouvernants et les riches, la difficulté
qu'il y a à vivre.

Gerry écoute, fasciné par cette femme de mots, lançant seulement de temps à autre :

«Tu charries, tabarnac, Denise. T'es folle en ostie!...»

Mais il boit ses paroles.

«C'est un beau métier que tu fais, Gerry : chanter... On ne peut
aimer éperdument qu'en chansons, tu sais ça, hein? On peut
chanter l'immense douleur, l'amour, le désir, les peines d'amitié,
toutte!... Tout ce qui se dit pas avec des mots.

— Ouais.»

Elle tire sur sa cigarette.

«On chante la vraie vie... Parce que, Gerry, le destin est inexo-
rable, on sait ce qui va nous arriver. Qui peut nous consoler de
vieillir, de quitter not' mère, hein? Dis-moi ça, Gerry!... De quitter not' mère pis de voir à' place des personnages comme Janette
Bertrand pis Lise Payette, qui font semblant d'être des mères uni-
verselles...»

Gerry aimerait autant que Denise Boucher ne s'en prenne pas à
Lise Payette, qu'il a toujours estimée. Mais enfin...

«On vivait dans le patriarcat?... Ben on tombe dans un matriar-
cat aussi dégueulasse! Ces femmes-là font semblant de donner la
parole au monde, de nous consoler, de nous comprendre... Pis t'as
Jacques Languirand qui nous dit que c'est not' faute si on vieillit
pis si on est malade. Ben c'est pas vrai! C'est pour ça qu'j'ai écrit
cette chanson-là, qu'j'ai écrit *Le Chant de la douleur*...

— Ouais. »

Elle le regarde soudain avec une intensité effrayante, droit dans les yeux, en se penchant vers lui.

« C'est pas not' faute si on vieillit pis si on est malade. Dis-toi ça, Gerry : c'est pas not' faute... Pis personne y' peut rien, c'est le destin. Le destin. On sait comment ça va finir... »

Denise Boucher tire encore une fois sur sa cigarette.

Gerry la regarde aspirer la fumée.

La dernière fois

Quarante-huit heures après la petite fête donnée au restaurant Napoli, Gerry Boulet, Françoise et Julie s'envolent vers la France.

De vraies vacances : ils se proposent de passer presque un mois là-bas. À Paris, ils vont habiter un petit appartement pourvu d'une cuisinette dans un hôtel situé près de Pigalle, dans le dix-septième arrondissement, un endroit que l'écrivain Yves Beauchemin — leur voisin, à Longueuil — leur a conseillé. Pendant quelques jours, ils vont aussi parcourir la campagne française.

Au début, les choses se passent bien. Au mois d'août, Paris est un drôle d'endroit. Peu de Parisiens et beaucoup de touristes. La ville elle-même semble en vacances. Ils errent sur les quais de la Seine, dans le quartier des Halles, ou dans Saint-Germain-des-Prés.

Ils rendent aussi visite à Claude Faraldo et à sa compagne, Marie Kérusoré, une comédienne très grande, très belle, avec qui Faraldo vit depuis plusieurs années et dont il est follement amoureux.

Elle est atteinte du cancer.

La maladie s'est d'abord attaquée aux seins, puis s'est généralisée. Comme Gerry, elle a passé par tous les tests, tous les traitements, toutes les angoisses. Comme pour lui, rien n'y fait. Depuis un an, surtout, Faraldo la voit dépérir. Elle se décharne. Sur son corps, sont greffés à demeure des cathéters, pour les traitements. Parfois, lorsqu'il la regarde avec une tendresse indescriptible, on croirait que le cinéaste va se mettre à pleurer.

En dépit de quoi, la plupart du temps, l'ambiance n'est pas ce qu'on pourrait imaginer. Marie est extraordinairement courageuse et son compagnon essaie d'être à la hauteur. Il arrive même que l'on réussisse à blaguer sur *l'ennemi*. Faraldo, un homme capable d'entretenir un type d'humour assez particulier, dit en fredonnant presque :

« Gerry, y'a une chanson à faire avec ça : *tu meurs... de ta tumeur !...* Tu vois ? Quelque chose du genre !

— C'est bon en tabarnac, ça, Claude... J'fais la toune en r'venant à Montréal ! »

Et ce n'est pas du tout lugubre : les deux couples rient tant qu'ils peuvent, en mangeant et en vidant des bouteilles de vin.

Il arrive aussi que Gerry et Marie se regardent en silence, intensément, se livrant dans ces moments-là à des échanges impossibles à déchiffrer pour quiconque n'est pas personnellement impliqué dans cette sorte de guerre qu'ils mènent tous deux. Eux le voient, *l'ennemi*. Cela ne se raconte pas.

Après une douzaine de jours passés en France, Gerry se met à avoir des crampes, des problèmes avec ses intestins, qui ne fonctionnent plus. Il souffre terriblement. Par l'intermédiaire de Marie, une de ses patientes, on obtient un rendez-vous avec le Dr Léon Schwartzenberg.

Le seul moyen d'approcher un type comme lui est d'y aller par le biais de connaissances communes. Autrement c'est inutile. Professeur agrégé de cancérologie, l'homme est reconnu comme une sommité mondiale en la matière. Il a en outre tâté de la politique et écrit des bouquins (traitant notamment du suicide, de l'euthanasie et de l'acharnement thérapeutique).

La première fois, Gerry va voir Schwartzenberg avec Marie à six heures le matin — c'est le seul moment où on peut le consulter. Il y retourne une deuxième fois puis, ses douleurs s'aggravant, on doit l'hospitaliser pour quarante-huit heures. Schwartzenberg lui fait subir une nouvelle batterie de tests. À partir de ces examens, le cancérologue constate que le foie de son patient est affecté de masses tumorales importantes sur son lobe droit, le gauche étant apparemment intact. Il conseille à Gerry de recourir à la chirurgie et de s'adresser pour cela à Washington. Plus précisément au National Institute of Health de Bethesda, au Maryland — où, en septembre 1990, sera traité le premier ministre du Québec.

« Faites vite : rentrez tout de suite en Amérique... » recommande le médecin.

En sortant de là, Gerry et Françoise sont perplexes. Gerry dit :

« J'ai pas du tout envie d'aller à Washington, Françoise. J'veux rester avec toi pis Julie, tabarnac, qu'est-ce que tu veux que j'aille faire là, moi?...

— Ben Gerry, si y' faut aller à Washington, on va aller à Washington, c'est tout! J'vais y aller avec toi, j'resterai pas à Montréal, c'est sûr. »

Mais il ne veut rien entendre.

Dans les jours qui suivent, tous trois partent pour Villerville-sur-Mer, en Normandie, où ils séjournent au Manoir du Grand Bec, une magnifique auberge s'élevant au bord de la mer.

Mais l'état de Gerry ne s'améliore guère et, au bout de trois jours, Françoise décide de communiquer avec le Dr John Keyserlingk, attaché à l'hôpital St. Mary's, que Gerry a brièvement rencontré quelques mois plus tôt. Françoise lui dresse un résumé des derniers événements et demande, sur un ton d'urgence perceptible même au téléphone :

« Qu'est-ce qu'on doit faire, maintenant? Schwartzenberg suggère d'aller à Washington, au National Institute of Health... Mais c'est un truc énorme pour nous, ça. Gerry a pas du tout envie d'y aller.

— Si j'comprends bien, madame Boulet, ce que le professeur Schwartzenberg suggère, c'est une chirurgie hépatique?

— J'crois, oui.

— Dans ce cas-là, si ce que vous me dites est exact, c'est pas très utile d'aller à Washington. L'hépatectomie est une intervention assez banale, finalement, on peut tout aussi bien la pratiquer ici. Le véritable problème n'est pas là : il faudra voir de nos yeux comment les choses se présentent.

— Alors, on peut aller vous voir en arrivant à Montréal?

— Bien sûr. »

Ils se fixent rendez-vous pour le mardi vingt-deux août 1989.

En deux jours, à peine revenu de la France, Gerry verra à tour de rôle les Drs Jolivet et Keyserlingk.

Il sait qu'il doit prendre rapidement une décision. Son ventre lui fait mal, la bosse qu'il a au dos s'est mise à enfler de façon alarmante, il ne réussit plus à cacher son inquiétude à Françoise et à la petite Julie. Il en vient à se demander s'il sera en mesure de donner les trois spectacles prévus pour le week-end et qu'il a refusé d'annuler avant de s'envoler pour l'Europe.

Le lundi vingt et un août, il se rend à l'hôpital Notre-Dame. Jacques Jolivet ne peut rien faire pour lui et, au surplus, ne se montre pas très encourageant :

«La seule chose que j'peux voir, Gerry, c'est la chirurgie. Ça marche pas à tous les coups. On peut facilement opérer le foie, ça, y'a pas de problèmes, mais c'est rare qu'on réussisse à tout enlever, y'a presque toujours des métastases qu'on voit pas, d'autres qu'il est impossible d'aller chercher... J'aime autant te l'dire franchement, Gerry.»

Celui-ci hoche la tête.

«Et puis dans le rapport de Schwartzenberg, je vois qu'il a détecté une zone irrégulière dans la région côlo-rectale. La biopsie n'a rien donné mais... ça m'inquiète, Gerry. J'aimerais autant que tu vois John Keyserlingk là-dessus. T'as communiqué avec lui, y'est prêt à s'occuper de toi? Alors vas-y, c'est ce que t'as de mieux à faire.»

Le lendemain, Gerry est dans le bureau du Dr Keyserlingk, à l'hôpital St. Mary's.

Tout de suite, le médecin est frappé par l'aspect de cet homme qu'il n'a vu qu'une fois auparavant, presque un an plus tôt. Gerry a maigri, ses traits sont tirés, son front est ridé d'inquiétude. Forcément, il est moins porté à blaguer, à sourire, à raconter dieu sait quelle connerie, à parler de sa musique, comme il l'a fait le neuf septembre 1988.

Gerry s'était alors amené dans le cabinet du médecin en conquérant, le teint bronzé, les cheveux très longs — encore plus qu'à l'ordinaire, on aurait dit! — et les yeux pétillants. Il avait l'air de n'importe quoi sauf d'un type qui souffre du cancer. Tant et si bien que le médecin lui avait d'abord demandé, comme l'aurait fait un commis de chez Eaton :

«Bonjour, monsieur Boulet, qu'est-ce que je peux faire pour vous?...»

Gerry avait tout de suite aimé la tête du médecin. Keyserlingk, grand, mince, cheveux et yeux clairs, donnait tout de suite envie de se confier à lui.

«J'ai des p'tits problèmes, docteur...»

Gerry avait dressé l'historique de son cas, les premiers symptômes, le diagnostic, l'intervention chirurgicale, la chimiothérapie, la scanographie du trente et un août... Il avait raconté tout cela comme s'il s'était agi de quelqu'un d'autre ou comme si, malgré tout, il avait la situation bien en main. En somme, on aurait dit qu'il ne passait là qu'en touriste! Il n'avait pas du tout cette attitude de passivité, de soumission, qu'adoptent la plupart des malades devant un médecin de qui ils attendent le salut. Keyserlingk, lui, se disait : *il se rend pas compte de la gravité de son cas...* Finalement, il n'avait pu que lui suggérer :

« Je peux vous faire passer des tests, soumettre votre cas au comité d'oncologie de l'hôpital, ce qui nous mènerait probablement à une intervention chirurgicale exploratoire... Ça peut marcher... Pensez-y, monsieur Boulet. »

C'était presque un an plus tôt. Gerry était sur le point de lancer *Rendez-vous doux*, il pensait déjà à la tournée... Bref, il avait préféré ne pas emprunter cette avenue-là, se disant :

« J'réglerai ça plus tard, ça presse pas... »

Depuis, son état s'est considérablement aggravé. Aujourd'hui, dans le cabinet du médecin, Gerry n'est plus que la moitié de lui-même. Fatigué et hésitant, il est déchiré entre l'espoir et l'abattement, entre le désir de vaincre le mal et celui de hisser le drapeau blanc. Françoise l'accompagne. Keyserlingk la voit pour la première fois mais il n'est pas difficile de se rendre compte qu'elle est passablement abattue, elle aussi.

À partir des rapports d'examens pratiqués par le professeur Schwartzenberg, John Keyserlingk en vient aux mêmes conclusions que Jolivet, la veille. Il n'y a pas à tergiverser : il demande à son patient d'entrer à l'hôpital St. Mary's le lundi suivant; il préférerait dès le lendemain mais Gerry ne veut rien entendre.

De retour à Longueuil, Gerry s'abîme dans le sommeil. Malgré la douleur qui le tenaille, il parvient à donner à son corps une bonne quantité de repos. Il émerge à peine de cette cure pour parler à Ian Tremblay :

« Va falloir que tu r'mettes les shows de c't'automne, Ian. J'rentre à l'hôpital lundi... Trouve des dates à partir de décembre, ça devrait être correct... »

Il se refuse à considérer que c'est *fini*...

Au cours des heures qui suivent, Tremblay se met à jongler avec un calendrier et la chemise contenant les contrats déjà signés. Il y en a plus de trente, prévoyant une série de concerts partout au Québec. Une dizaine de producteurs locaux ont déjà fait parvenir leur dépôt. À la vérité, Tremblay ne sait pas s'il doit repousser ces shows à plus tard, ou les annuler carrément. Il sait ce qu'est le cancer; il a tendance à être plutôt pessimiste. De jour en jour, il repousse l'obligation de prendre une décision là-dessus.

Il ne se résoudra qu'un mois plus tard, le vingt septembre, à expédier aux producteurs locaux des lettres annonçant que les spectacles de l'automne et du début de l'hiver sont repoussés *à une date indéterminée*.

Le jeudi vingt-quatre août, Tremblay organise une petite conférence de presse dans ses bureaux de la rue Saint-Denis.

Gerry indique lui-même aux journalistes qu'il doit annuler une quantité de spectacles pour subir de nouveaux traitements — à ce sujet, il n'en dira pas beaucoup plus. Mais il peut annoncer aussi que le microsillon *Rendez-vous doux* vient d'être certifié disque platine : en dix mois, on en a vendu cent mille exemplaires. Malgré la douleur qui ne le quitte plus, cela suffit pour accrocher un sourire à son visage. Cent mille disques... ça ne lui est jamais arrivé de toute sa carrière! Tant et si bien que les journalistes ne devinent pas que son cas est si désespéré. Après la petite cérémonie, Gerry retourne à Longueuil se reposer.

Dès le lendemain, il doit repartir sur la route afin de donner les trois shows... qui seront les derniers de sa vie.

Gerry chante d'abord devant mille six cents personnes assemblées sous un énorme chapiteau dressé derrière l'école Saint-Gabriel, dans le cadre du Festival des Deux Rivières de Saint-Stanislas. Après le spectacle, la troupe de Rendez-vous doux dort dans un motel de Shawinigan.

Le lendemain après-midi, un samedi, Gerry monte dans la voiture de Dufour pour rouler jusqu'au centre sportif de Saint-Agapit, sur la Rive-Sud, non loin de Québec, où le spectacle est produit par un groupe local de motards, les Aigles roulants, qui célèbrent leur vingtième anniversaire de fondation. Plus de mille deux cents personnes sont là pour fêter avec eux et entendre l'ex-leader d'Offenbach.

Gerry est dans son élément. Ça lui fait plaisir de renouer contact avec ce public-là, de se frotter encore une fois aux vestes de cuir, aux tatouages, aux grosses motos, aux filles enveloppant leur abondante poitrine dans des T-shirts noirs frappés du sigle Harley-Davidson. Il fait semblant de ne pas voir que quelque chose a changé, que tout le monde est presque trop gentil avec lui. À un moment, il dit à B. sur le ton de la confidence :

« Avant, j'me faisais garrocher des bouteilles de bière... À présent, je r'çois des fleurs... La vie est drôle, ostie ! »

Bien sûr, après le show, les motards invitent Gerry à passer la nuit à fêter avec eux. Il en a bien envie, malgré tout. Comme dans le temps, une belle nuit à boire de la bière, à faire une ligne ou deux, à cruiser des belles filles pas farouches. Il en a vraiment très envie... mais ne s'en sent pas la force. Il est éreinté, son ventre lui fait mal.

Dans la nuit du vingt-six au vingt-sept août, Gerry, Ian Tremblay et Béranger Dufour dorment à l'Auberge des Gouverneurs de Sainte-Foy, en banlieue de Québec, pendant que l'équipe technique se charge de transporter la quincaillerie vers Trois-Rivières.

Gerry s'éveille autour de midi.

À vrai dire, il a mal dormi. La veille, lui et ses deux compagnons ont un peu bu au bar de l'hôtel. Ensuite, il a eu du mal à trouver le sommeil. Des crampes, toujours. Et il n'arrête pas de penser, il est incapable de stopper le tourbillon dans sa tête, il sait bien qu'il n'en reste qu'un, un dernier show...

Il faudra — peut-être — quitter la scène à jamais. La scène, bon dieu ! Gerry aime faire des disques, il aime le travail en studio, il aime répéter avec ses chums dans un garage, au fond d'une cour. C'est de la musique aussi. Mais y a-t-il quelque chose de plus extraordinaire que la scène ?...

Ce n'est pas aussi clair, bien entendu, Gerry préfère ne pas voir en face ce genre de choses-là. C'est difficile à expliquer. Dans sa tête, des voix entretiennent une sorte de dialogue intérieur. L'une dit :

« Let's go, ostie !... Un dernier à' soir. On r'passe au bistouri. Pis on r'commence à l'hiver. Trente shows, c'est déjà booké... T'es pas pour lâcher comme ça, Gerry ?... »

Et une autre voix intérieure, plus douce, mélancolique, répond :

« Tu l'sais que c'est ton dernier show... C'est fini après. Fini. Ensuite, repose-toi, c'est tout... »

La petite voix ajoute :

« Laisse aller ta vie tout doucement, Gérald... »

***

En se tirant du lit, le dimanche vingt-sept août 1989, il donne un coup de fil à Françoise.

« Tu viens toujours au show à' soir ? Ça va être bon en tabarnac, tu vas voir, un gros show !

— Bien sûr, Gerry, j'te l'ai dit. Tu sais bien que je vais être là. » Gerry ne dit pas :

« Ça va être mon dernier show, Françoise, y' faut qu'tu y sois... » Non. Il ajoute :

« Essaye d'arriver d'bonne heure, ça va m'faire du bien si t'es là. Tu pourras me faire un massage avant que j'monte su' l'stage... J'ai mal en ostie, Françoise, pi j'sus fatigué, tellement fatigué... Bisson va passer t'prendre à' maison. »

Il raccroche et saute dans la Chrysler avec B. et Ian Tremblay pour emprunter l'autoroute 40 jusqu'à Pointe-du-Lac, une petite localité à l'extrémité nord-est du lac Saint-Pierre, tout près de Trois-Rivières.

Le trajet se fait presque en silence, Gerry somnole, les deux autres regardent vaguement le paysage défilant de chaque côté de la voiture. Le temps est magnifique. Le spectacle doit avoir lieu à l'extérieur de la Maison Mélaric, rue Notre-Dame, une institution fondée en 1983 dans le but de venir en aide aux alcooliques et aux toxicomanes. Lorsque le trio arrive à Pointe-du-Lac, Breen Lebœuf prend tout de suite Tremblay à part :

« Ian, les gars veulent te parler... »

Pendant qu'on entraîne Gerry dans une autre direction, Tremblay se retrouve à l'arrière-scène avec les musiciens et les techniciens de la tournée. Breen, à l'aise dans son éternel rôle de porte-parole, lui demande :

« Les gars sont inquiets, Ian. On sait que Gerry rentre à l'hôpital demain. Comment y' va, Gerry, peux-tu nous l'dire, toi ? Y' va-tu être capable de continuer ?...

— Écoutez : y vont l'opérer pis dépendant de c'qu'y vont voir... ou ben on continue... ou ben à' soir, c'est l'dernier. Vous connaissez ça, l'cancer ? J'aime autant vous l'dire : ça s'peut qu'ça soit le dernier... »

Dans la troupe, chacun a un parent, un ami, une connaissance dont la vie a été compromise par cette maladie. Le père de Breen est mort du cancer et, il y a peu de temps, sa mère en a été atteinte elle aussi. Lebœuf ouvre la bouche pour dire quelque chose, puis la referme, aphone.

Lorsque c'est l'heure, les musiciens envahissent la scène et livrent un des shows les plus intenses de la tournée devant une foule de près de quatre mille personnes — sobres comme des chameaux : à la Maison Mélaric, l'alcool est évidemment interdit et la consommation de drogue sévèrement réprimée.

Aussitôt qu'il s'approche du micro, Gerry, comme toujours, se transforme. Plus de douleur, plus de fatigue, plus de peur. Comme ça a été le cas tout au long de la tournée, il mélange adroitement les classiques d'Offenbach et les pièces de *Rendez-vous doux*. *Angela* et *La voix que j'ai*. *Deux autres bières* et *La Femme d'or*. *Ayoye*...

> *Nous retournerons ensemble*
> *Comme cendres au même soleil...*
> *Ayoye, tu m'fais mal*
> *À mon cœur d'animal...*

...et *Les Yeux du cœur*, qu'il chante seul comme il l'a fait en studio, avant que Marjo décide de venir.

> *J'ai vu la solitude danser*
> *Avec un vieux rêve oublié*
> *Et puis, sous le coup de minuit*
> *Ensemble, ils sont partis...*

Un rappel. Un deuxième. *Faut que j'me pousse*. C'est terminé. La foule hurle de plaisir et d'émotion. Demain, il sera sur un lit d'hôpital. Terminé. La foule applaudit toujours. Gerry descend de scène en sueur, complètement vidé, et se retire pendant quelques minutes dans une loge improvisée. Françoise masse son dos tout doucement, en lui murmurant des paroles apaisantes à l'oreille. Pendant le show, personne n'a remarqué que Gerry a laissé détaché le bouton-pression de son pantalon : il a été incapable de le fermer tout à fait, à cause de la bosse qui a encore enflé dans son dos. L'effort qu'il a demandé à son corps pendant plus de deux heures, le forçant à chanter, à bouger, à crier, à sourire, il faut le payer maintenant. La douleur revient graduellement, sournoisement. Gerry grimace.

Il veut rentrer chez lui.

Lorsqu'il se dirige vers le stationnement, des jeunes que la Maison Mélaric a arrachés à la dépendance l'accrochent au passage et lui offrent une toile, en le remerciant avec un élan et une sincérité que seuls peuvent avoir ceux qui ont connu de vrais drames dans leur existence. Gerry comprend ces choses-là.

Puis, un à un, les musiciens et les techniciens viennent le saluer. Ils ont tous le cœur brisé. Le pire, c'est qu'on ne peut pas échanger de vrais adieux, ou de véritables au revoir : on ne sait pas. Il faut rester dans le vague. Et sourire à Gerry le plus intensément possible, lui donner très vite, sans avoir l'air d'y toucher, une énorme dose d'amour et d'espérance.

Ils le font tous, un à un.

Richard Leduc, qui a tant travaillé pour lui... Michel Gélinas, *tu t'souviens d'la Tournée internationale des maisons d'la culture ?*... Pascal Mailloux et Serge Gratton, que Gerry a empruntés au band de Marjo... Patrice Dubuc qui, attelé à sa guitare, a toujours l'air d'un enfant prodige avec son jouet... Les autres... Et Breen. Son chum Breen...

Celui-ci serre Gerry dans ses bras :

«Fais pas l'cave, Gerry, hein ?... Ça va ben aller si t'es tranquille... Fais c'que les docteurs te disent, y' connaissent ça, eux autres, ces affaires-là, pis y' vont toutte t'arranger tes osties d'problèmes si tu t'mets pas à jouer avec leu' gadgets pis à cruiser les garde-malades pendant qu'y' essayent de t'soigner !... Hein, Gerry ?...

— C'est correct, Breen, tu vas voir, on va régler ça...

— Pis lâche pas... Fightte...

— Ça va être correct...

— ...

— Ça va ben aller, Breen...

— Y' faut qu'tu r'viennes, Gerry, tabarnac !...»

Breen n'en peut plus. Il détourne la tête. Il ne veut pas que Gerry voie ses yeux. Françoise est à côté. Elle dit tout doucement :

«Viens, Gerry...»

Ils montent dans la voiture de Dufour. Ian Tremblay s'assoit à l'avant, avec lui. On roule en silence. On ne met pas la radio. Sur la banquette arrière, Gerry pose sa tête sur l'épaule de Françoise et fixe son regard sur la lueur verte émanant du tableau de bord.

***

Le Dr John Keyserlingk a une drôle d'histoire derrière lui.

Il aurait dû être journaliste, comme son père, ex-chef de bureau de la United Press International en Europe, qui a eu l'occasion de rencontrer Adolf Hitler et Winston Churchill avant d'émigrer au Canada en 1933, au moment où on voit poindre la guerre. Les Keyserlingk ont le pif pour ce genre de choses : l'ancêtre — un Allemand d'origine — était amiral dans la marine russe lorsque le pays a sombré dans la révolution. Il a fui en Chine puis a épousé une jeune fille de Riga, en Lettonie. Cadet d'une ribambelle de six enfants, John, né en 1947, doit presque recourir à une mappe-monde pour narrer l'épopée familiale !

C'est loin, tout ça, bien sûr.

Maintenant, John Keyserlingk est le patron du Département de chirurgie oncologique à l'hôpital St. Mary's. Il ne dirige pas un bâtiment de guerre. Il n'approvisionne pas la planète entière en informations. Mais il sauve la vie — ou aide les gens à envisager le plus sereinement possible la mort — à des centaines d'êtres humains qui mènent une autre guerre, une lutte personnelle contre un ennemi sournois et implacable. Il aime son métier.

Comme d'autres avant lui, Gerry remet sa vie entre les mains du Dr John Keyserlingk.

Il entre à l'hôpital St. Mary's le vingt-huit août, en avant-midi. On lui donne une chambre privée au sixième étage, dans l'aile nord de l'institution. Il subit une nouvelle batterie d'examens, scanographie, coloscopie, biopsie pratiquée sous anesthésie. Chaque jour, Keyserlingk vient le voir et le met au courant de la progression de cette sorte d'enquête médicale approfondie, complexe, méticuleuse, qu'il mène.

Françoise vient aussi, bien sûr.

En fait, le jour, elle est toujours là. Le soir, elle doit s'occuper de Julie, mais ils se parlent au téléphone à deux ou trois reprises, au moins, avant que Gerry se laisse aller au sommeil. Elle le tient au courant des affaires que brassent Ian et Pierre Tremblay. Elle lui apporte des journaux, des magazines, des Simenon — surtout les Maigret — que Gerry dévore depuis quelque temps en quantité industrielle. Elle essaie surtout de lui parler d'autre chose que de sa maladie et y parvient, la plupart du temps.

Et il arrive à Gerry d'oublier, de sourire, de se comporter comme s'il n'existait pas, sur terre, une telle chose que le cancer.

Mais on voit bien qu'il a peur.

Le six septembre, après tous ces examens et ces réunions du comité d'oncologie interdisciplinaire de l'hôpital, le médecin se présente une fois encore au chevet de Gerry.

Celui-ci se rend tout de suite compte que le moment est important, qu'il ne s'agit pas d'une visite comme celles des sept ou huit jours précédents, qui étaient presque de courtoisie. Gerry constate :

« Vous avez des affaires importantes à me dire là, hein ?...

— Oui Gerry.

— Envoye. Shoote... »

Avec John Keyserlingk, Gerry hésite continuellement entre le *tu* et le *vous*.

« Voilà, Gerry : les choses se présentent un peu moins bien que prévu. Il est possible qu'on se trouve en face d'une nouvelle tumeur côlo-rectale, qu'il faudra évaluer lorsqu'on t'opérera...

— Quand ?

— Dans cinq jours. Le onze. Lundi prochain.

— Le onze... Lundi prochain... Ouais. À part ça ? Y'a aut' chose, hein ?

— Oui... »

Le médecin se racle la gorge et poursuit :

« Pour le foie également, ça a l'air un peu plus compliqué que prévu. Y'a pas seulement le lobe droit qui est atteint, d'après ce qu'on peut voir. Mais on n'est pas sûr... »

Il se tient au-dessous de la vérité. En fait, il est à peu près certain que le cancer a envahi la région côlo-rectale et que le foie est irrécupérable.

« Les choses se sont beaucoup aggravées, je pense bien, depuis quelques mois. J'aime autant te dire la vérité là-dessus. »

Il attend un commentaire qui ne vient pas. Gerry n'a certainement pas l'intention de se mettre à regretter ce qu'il a fait, à regretter ce délai qu'il s'est donné pour mener à terme la tournée... pour faire de la musique, bordel, est-ce qu'il lui faudrait regretter d'avoir fait de la musique ?... À la place, il laisse tomber :

« Bon. C'est pas tellement encourageant, hein ?... Qu'est-ce qui peut arriver, à présent ?

— C'est ce qu'on va voir dans la salle d'opération. Dans le meilleur des cas — c'est ben possible, Gerry, moi j'ai confiance — on va pouvoir pratiquer une hépatectomie partielle. C'est-à-dire qu'on va être en mesure d'enlever les métastases que tu as au foie. Je t'ai dit que c'est un organe qui se regénère, y'a pas de problèmes, on peut en enlever presque les trois quarts si c'est utile.

— Pis si y'a pas moyen ?... »

Le médecin, faisant comme s'il n'avait pas entendu, poursuit :

« Y' faut voir aussi exactement dans quel état se trouvent les intestins, la région côlo-rectale. Ça dépend... Ça servirait à rien de... Si la tumeur... Y' faut voir si...

— Si y'a pas moyen de rien faire, John ?... »

Gerry le regarde droit dans les yeux.

L'essentiel de ce que Keyserlingk a à dire se transmet à ce moment-là, sans qu'un mot ne soit échangé.

Si la tumeur... C'est probable, le chirurgien ne le sait que trop bien. Et dans ce cas, tout le reste du travail médical ne consistera qu'en mesures palliatives. Mais faut-il dire ces choses-là ? Au bout d'une éternité, le médecin enchaîne :

« Autre chose encore. Si l'occlusion est imminente, il va falloir faire quelque chose. Vite. Une occlusion intestinale, ça peut devenir fatal en quelques heures, Gerry... Alors, y' faut... À ce moment-là, peut-être qu'y faudra pratiquer une colostomie. »

Keyserlingk voit Gerry se raidir dans son lit. Cela dure quelques secondes, pendant lesquelles on peut lire une avalanche de sentiments dans le visage du patient. La stupéfaction. La répulsion. La frayeur. La résignation. Puis une peur plus grande encore : celle de la mort, qui fait disparaître la crainte de quoi que ce soit d'autre. Même la peur que l'on éprouve devant la possibilité de se voir coller un sac de plastique au ventre pour le reste de ses jours.

« C'est pas sûr, Gerry ! On va voir. Mais y' faut que tu saches que c'est possible qu'on soit obligé de faire ça. On va décider en salle d'opération... La colostomie, c'est une intervention bénigne : si tu savais le nombre de gens qui sont passés par là !... C'est pas si pire que ça en a l'air. On réussit à vivre très bien, après.

— Ben oui, ben sûr... »

Gerry ricane pour ne pas que les larmes lui viennent aux yeux.

« C'est vrai, Gerry, j'te dis. Et puis ça te soulagerait de tes crampes au ventre, tu te sentirais beaucoup mieux après. J't'en reparlerai si tu veux d'ici lundi. »

Le médecin sort de la chambre. Françoise entre à son tour.

« Y' t'a dit ce qui en était, hein, Françoise ? »

Gerry sait que Keyserlingk prend toujours la peine de parler à Françoise, quitte à la joindre au téléphone, avant de le voir. Ce qu'il ne sait pas, c'est que le médecin a fait part à Françoise d'une hypothèse pire encore. Il est possible que la tumeur ait déjà gagné toute la région de l'anus. Et de la vessie. Et de ce qui se trouve autour. À ce moment-là, sur la table d'opération, il faudra tout retirer, *absolument tout*, tout le bas du corps. C'est infiniment plus effroyable qu'une colostomie. Lorsque Keyserlingk lui a dit cela, elle a presque crié, les larmes aux yeux :

« Ah ça, non... non... Faites pas ça, vous pouvez pas faire ça à Gerry. Autant qu'y parte, j'vous dis, vous pouvez pas faire ça à Gerry... »

Le médecin regardait la pointe de ses chaussures.

« Et puis parlez-lui pas de ça... Dites-lui pour la colostomie, ça va, y' faut lui dire : y' peut pas se réveiller avec un sac sans qu'on l'ait prévenu, non... Mais parlez-lui pas du reste, John, surtout pas... »

Françoise s'installe dans un des deux fauteuils, près des fenêtres. Gerry sort du lit pour s'asseoir près d'elle.

« Oui, y' m'a dit, Gerry, pour la colostomie.

— Pas drôle, hein ?

— ...

— Qu'est-ce' t'en penses ?

— Et toi ?

— Ben... Hé... Tu t'vois vivre avec un homme équipé comme ça ?... C'est beau en ostie, un chriss de beau mâle, hein ?...

— Ah, Gerry, fais pas le con !... Comme si c'était l'temps de penser à ça... J'm'en fous, Gerry, moi. Ce que j'veux, c'est que tu sois bien, c'est tout. Pour le reste, on va vivre avec, c'est pas la fin du monde.

— Pas la fin du monde...

— C'est toi qui décides, Gerry. C'est ton corps à toi... Mais j'veux que tu saches que j'suis avec toi. C'que tu décides, c'est ma décision aussi. Pense à toi, Gerry, qu'est-ce que tu préfères, qu'est-ce qui va te soulager ?... C'est tout ce qui compte. Vraiment. »

La chambre est éclairée par un soleil de fin d'après-midi et les couleurs sont plus chaudes, plus vibrantes. Françoise va partir pour retrouver Julie, à Longueuil. Et ils n'ont pas encore parlé de la chose. Car il est possible que... après... Ils y pensent tous les deux, mais ni lui ni elle n'a le cran de mettre le sujet sur le tapis.

Si Gerry fait le premier pas, elle va lui répondre :

« Ça ne fait rien, je t'assure. Nous deux, on est rendus plus loin que ça, non ? On s'aime depuis quinze ans, Gerry, est-ce que tu crois que ça peut changer ?... Que c'est encore juste une question de couchette et que le reste, c'est pas important ?... On s'en fout de tout ça. J'te serrerai dans mes bras et puis je t'aimerai. Comme avant. Comme toujours. Le reste, on s'en fout, Gerry, j'te jure, on s'en fout... »

Mais il ne dit rien. Parce qu'il pense, lui, que si Françoise se risque la première, il va l'embrasser et lui dire :

« J'aurai toujours envie de toi, Françoise, tu comprends ça ?... De t'faire l'amour partout, tout le temps, comme quand on a faitte Julie, ma p'tite Julie... J'pourrai pas supporter de pus t'aimer, j'pourrai pas t'sentir à côté de moi, te voir, te toucher, et savoir que... On peut pas me d'mander ça, Françoise !... J'vas encore avoir envie d'toi, moi, j'aurai toujours envie d'toi... »

Mais ces choses-là restent sous-entendues.

Françoise sort de la chambre.

Gerry se remet au lit.

Le lundi onze septembre, on vient chercher Gerry en début d'après-midi pour le conduire au bloc opératoire après lui avoir administré un calmant. Le service de chirurgie se trouve quatre étages plus bas, au deuxième. Françoise marche à côté du lit roulant que pousse un infirmier. Le couloir, l'ascenseur, un autre couloir. Puis une porte au-delà de laquelle seul le patient est admis.

Françoise prend la main de Gerry entre les siennes. Elle a la force de ne pas pleurer. Lui, celle de sourire :

« Encore une fois. On y va... »

Sa voix est faible.

« J't'attends, Gerry, j't'attends... »

Et il disparaît.

On l'installe d'abord dans la salle de préparation attenante à la dizaine de salles d'opération alignées l'une à côté de l'autre. C'est la procédure. On prépare un patient pendant que les chirurgiens en finissent avec un autre. Comme s'il s'agissait d'une chaîne de montage, en somme. Des infirmières viennent, lui parlent pendant quelques instants, vérifient une chose ou une autre puis s'éloignent sans faire de bruit. Gerry contemple le plafond en essayant de ne pas penser.

Au bout d'une demi-heure, on introduit Gerry dans la salle d'opération numéro dix, réservée aux chirurgies abdominales.

C'est une grande pièce de huit mètres sur cinq, peut-être, pourvue sur son côté ouest d'une fenêtre garnie d'un verre dépoli. Les murs sont jaunes. On le fait glisser d'un lit à l'autre. Il y a au moins une dizaine de personnes qui s'agitent autour, des infirmières, l'anesthésiste, le Dr Keyserlingk et un confrère, Jose Rodriguez. Tous sont vêtus de vert, de ce vert particulier aux vêtements de chirurgie. On perçoit le cliquetis des instruments d'acier inoxydable qu'une assistante compte un à un. D'autres bruits encore, que Gerry ne peut pas identifier. En sourdine, on entend du Mozart.

« T'opères toujours avec d'la musique, John ? »

Gerry, la bouche un peu pâteuse, parle très lentement.

« Oui. J'passe des heures ici, moi. J'apporte mes cassettes : on dirait que c'est plus facile de travailler, ça me détend, ça m'aide à rester calme.

— J'pense pas qu'tu dirais la même chose si j'te mettais ma musique à moi !... T'as pas apporté la cassette que j't'ai donnée ?... »

Le chirurgien s'esclaffe. Quelques jours plus tôt, Gerry lui a remis un exemplaire de *Rendez-vous doux*, que son épouse s'est mise à écouter à répétition.

Quelqu'un règle le goutte-à-goutte piqué au bras de Gerry. Tout cela est un peu effrayant tout de même. Il vaut mieux parler. De n'importe quoi. Parler. Keyserlingk comprend :

« C'est un beau métier qu'tu fais, Gerry... Composer d'la musique, aller en studio, enregistrer, chanter, tout ça... Moi, ça me fascine. Ça doit être difficile, non ?

— Ouais. Des fois oui, des fois non. En studio, c'est long, faut qu'tu reprennes vingt fois, plus que ça encore les journées où y'a rien qui marche... Tu sors de là pis t'es tellement écœuré qu'tu veux même pas entendre ton record, ostie !... »

Keyserlingk rit encore.

« Y' faudra qu'tu m'invites en studio, un de ces jours, juste pour voir comment ça se passe.

— Pour ça, y' faut qu'tu t'arranges pour que j'sorte d'icitte, John !...»

Gerry a dit cela en blaguant, bien sûr, mais son sourire est crispé. Quelqu'un pique l'aiguille d'une seringue dans le tube du goutte-à-goutte. Comme c'est toujours le cas, le penthotal met exactement sept secondes à agir. On introduit un tube dans la bouche du patient. L'anesthésiste plaque un masque sur le bas de son visage. Keyserlingk et Rodriguez peuvent y aller.

On pratique l'incision de la paroi abdominale et du péritoine. C'est simple, l'affaire de quelques minutes, de la routine. Puis on voit ce qu'il y a à voir.

Le patient est condamné.

Irrémédiablement.

Le cancer a tout à fait envahi le foie et prolifère à l'extérieur de l'organe, à l'extérieur des intestins, jusqu'à s'accrocher aux côtes. Le côlon droit est atteint, le côlon transverse et le gauche aussi, jusqu'au rectum. À la vérité, tout le bas-ventre est infesté de grosses masses tumorales. Il n'y a aucun moyen d'enlever quoi que ce soit, ce serait d'ailleurs parfaitement inutile.

Pendant plus d'une demi-heure, les médecins discutent de ce qu'il y a lieu de faire. On en vient à la conclusion qu'on n'évitera pas la colostomie : les tumeurs compriment le côlon, l'occlusion est proche, une question de jours.

Deux heures plus tard, on transporte Gerry dans la salle de réveil.

Par mesure d'exception, Françoise est autorisée à s'asseoir à son chevet après avoir endossé des vêtements du même vert que ceux des médecins dans le bloc opératoire. Il y a une quinzaine de lits autour, très peu d'entre eux sont occupés.

Gerry reprend conscience graduellement et regarde Françoise, à petits coups. Visiblement, cela lui demande un terrible effort de tourner la tête et d'ouvrir les yeux. Lorsqu'il bouge, Françoise éponge son front en murmurant :

«Bouge pas, Gerry, bouge pas... Ça va bien, ça va aller...»

Et elle se rend compte que, de sa main gauche, il parvient à tâter son ventre, à vérifier ce qu'on lui a fait, à toucher le sac de plastique accroché à son flanc.

Puis son bras retombe et Gerry n'ouvre plus les yeux.

La défaite

Il aura tout essayé.

Lorsque les vapeurs de l'anesthésie se dissipent lentement, il a quelques minutes pour réfléchir, dans la salle de réveil, avant que les infirmières viennent lui faire une nouvelle injection.

Quelques minutes...

Il a d'abord le temps et la force de toucher l'objet attaché à son ventre. Puis de penser, même s'il ne peut le faire que confusément. Il a perdu. Il le sent. Dans son corps perclus de douleur. Dans son cœur brisé de désespoir. Il est vaincu. Il aura tout essayé. Mais *l'ennemi* a eu le dessus. Il le sait. Au fond, ne l'a-t-il pas su dès le début, deux ans plus tôt, lorsque Françoise était à son chevet après la première intervention chirurgicale?... Lorsqu'ils essayaient de se donner le change l'un l'autre... qu'il disait : *fuck le cancer, ostie!*... et qu'elle répondait : *tu vois, Gerry!*...

Il aurait parié que, moins que lui encore, Françoise acceptait de considérer qu'il puisse perdre cette guerre. Ah! Françoise... Elle est là, toujours, à côté de lui. Et la dernière image qu'il distingue avant de disparaître à nouveau dans les limbes — l'aiguille a déjà pénétré le tube du goutte-à-goutte —, c'est elle marchant à côté du lit roulant que l'on pousse dans un couloir, vers l'ascenseur, vers sa chambre du sixième étage.

L'instant d'après, il fait jour. Par la fenêtre entre une lumière qui a la forme d'une énorme boule de coton d'un blanc surnaturel. On l'a installé dans sa chambre. Françoise est là. Il a mal. Il aura tout essayé. Mais ça n'a pas marché. Une infirmière — encore — s'approche de lui avec une seringue. Et il disparaît dans la brume chimique.

Un autre instant et il revient au jour. Mais cette fois, c'est une lueur plus grise, plus réelle, qu'il sent à travers ses paupières.

Gerry Boulet ouvre les yeux plus facilement qu'il ne l'aurait cru, tourne la tête d'un côté, puis de l'autre. Il a moins mal. En quelques secondes, son esprit s'est suffisamment éclairci pour qu'il puisse murmurer :

«Oh ça... ça, c'tait une bonne, Françoise... Où est-ce que... C'tait une bonne, j'te jure... »

Elle s'est levée dès qu'elle l'a vu bouger et s'est précipitée vers lui.

«Ça va bien, tout s'est bien passé, Gerry... Tu vois?... Tout s'est bien passé...

— Quel... quel jour on est, là?

— On est mercredi, Gerry, t'as été opéré y'a deux jours.

— Ah... T'as vu?

— Oui.

— C'est... c'est au boutte, hein?

— On s'en fout, Gerry.

— Ouais... »

Il essaie de bouger.

«Attends que j't'aide. Tu veux essayer de t'asseoir? Bouge pas, je r'monte la tête du lit un peu... »

Gerry est toujours branché de partout; des tubes, des fils partent de son lit pour aller à des sacs, des machines... et il essaie de bouger, de s'asseoir!

Il est fort.

John Keyserlingk n'en revient pas.

Dans les jours qui suivent l'intervention chirurgicale, le médecin s'attend à des complications, pneumonie, embolie ou autre chose, comme cela arrive souvent avec les patients que le cancer a irrémédiablement envahis et que l'on essaie quand même de soulager en utilisant les armes lourdes de la médecine. Parfois, c'est presque préférable... Mais dans ce cas-ci : rien. En dix jours, Gerry se remet presque comme s'il n'avait subi qu'une appendicectomie. Même son moral se rajuste lentement. Au début, il disait au médecin :

«J'ai toutte essayé, John... Ça marche pus... j'sus fatigué... j'veux pus rien savoir. »

Maintenant, il demande plutôt :

«Pis, John? Est-ce que... Qu'est c'qu'y' faut que j'fasse astheure?

— En salle d'opération, on t'a préparé pour la radiothérapie, Gerry. Avec la radio, on peut agir sur la prolifération des masses tumorales. Et on peut contrôler la douleur. »

Keyserlingk pense : *surtout* la douleur...

Cela, au moins, ne fait pas peur. La radiothérapie, en somme, consiste à fréquenter une machine qui traite sans faire de bruit, sans agresser, sans torturer.

Ça aussi, Gerry peut bien l'essayer.

Comme il s'est soumis à l'homéopathie, médecine douce fondée sur le principe qu'une maladie peut être traitée par l'absorption d'une dose infinitésimale de produits capables, en plus grande quantité, de déclencher des symptômes identiques à ceux que l'on combat. Est-ce que ça a donné quelque chose ? Difficile à dire. En y repensant, Gerry se sent un peu comme si, armé seulement d'une sarbacane, il avait tenté d'affronter un régiment d'infanterie.

Comme il est allé voir Gaston Naessens à Rock Forest. Le biologiste lui a proposé une sorte de potion-miracle, le 714X. Avec lui, ça n'a tout simplement pas cliqué : Gerry a décidé de laisser tomber avant même de s'engager sérieusement sur cette voie.

Comme, surtout, il a fréquenté Luce Poulin*.

La jeune femme est une professionnelle de la santé qui a été présentée à Gerry par un ami commun, peu de temps après qu'on lui eut appris la nature de sa maladie.

Pendant des mois, Luce Poulin l'a traité par transmission d'énergie : elle le rencontrait et, sans poser de gestes précis, tentait de lui insuffler *de la vie*. Impossible à expliquer sans recourir à des concepts liés à la parapsychologie — Gerry aime autant ne pas poser le pied sur ce terrain-là — avec tout ce que cela implique d'aléatoire, de dérangeant, de mystérieux. De troublant, parfois. De farfelu, souvent, aussi.

Au début, Luce Poulin s'est fait tirer l'oreille. Puis elle a consenti à recevoir Gerry et celui-ci s'est mis à aller chez elle. Il y va encore, d'ailleurs, mais moins fréquemment. Parfois même, il lui téléphone, lorsque la douleur devient insupportable, et elle lui dit :

« En raccrochant, Gerry, va t'allonger et attends quelques minutes, tu vas voir... »

Peu après, il se relève et dit en soupirant d'aise :

---

* Voir l'annexe en fin de volume.

« Ça m'a faitte du bien, Françoise, tu peux pas savoir comme ça m'a faitte du bien. »

Pendant de longues périodes, tous deux y croient dur comme fer. Puis ils ont des doutes. Puis ils y croient encore. Puis ils doutent à nouveau. Difficile de dire si...

Alors ?

Après tout cela, pourquoi pas la radiothérapie ?

Tout de suite en sortant de l'hôpital St. Mary's, le vingt-cinq septembre, Gerry va tout droit à Notre-Dame, l'une des six institutions montréalaises à dispenser ce type de traitement hautement sophistiqué du point de vue technique. Contrairement à l'injection de produits chimiques, l'exposition au rayonnement provoque rarement des effets secondaires importants. Gerry est juste un peu impressionné, la première fois, de voir le personnel médical dessiner des cibles sur son ventre, comme si c'était un jeu, puis de faire face à la machine. Deux minutes d'exposition aux rayons et c'est fini.

Jusqu'au dix-sept octobre, Gerry recevra ainsi seize traitements, à raison de cinq séances hebdomadaires. Au total, son corps assimilera un rayonnement de quatre mille centigrays, une dose plus faible que celle administrée aux patients que l'on espère véritablement guérir du cancer.

D'une semaine à l'autre, la douleur va et vient.

Certains jours, Gerry peut vaquer à ses occupations comme si rien n'était, remuer la paperasse d'Offenbach Inc., s'occuper de *Rendez-vous doux* et de l'immeuble de la rue Beaudry. Il lui arrive même de faire des projets, lorsqu'il se sent particulièrement bien, de dire :

« Dans un mois ou deux, j'vas commencer à... »

Une nouvelle série de spectacles. Un autre disque. La rénovation du garage.

D'autres jours, il a peine à se tirer du lit, grimaçant du matin jusqu'au soir en se tenant le ventre, affrontant la nuit à la fois épuisé et en colère contre son corps, contre la vie. Lorsqu'il se couche, il est incapable de dormir et redescend au salon, où il nourrit la cheminée que l'on a fait installer au printemps 1989. Le lendemain, c'est pire encore parce qu'une extrême fatigue s'ajoute au reste. Ces cycles-là peuvent durer quatre ou cinq jours, parfois une semaine.

En fait, il ne peut plus se passer de la morphine qu'on lui a prescrite à l'hôpital et qu'il absorbe sous forme liquide ou en comprimés.

Le quinze octobre 1989, pour le gala de l'ADISQ, il trouve tout de même la force de se rendre à l'aréna Maurice-Richard. Avec Françoise, il se présente sur le parterre juste à temps pour que les caméras le montrent grimpant sur scène lorsqu'on lui octroie un Félix pour le spectacle rock de l'année et un autre pour le microsillon rock de l'année : il devance Marie Carmen (*Dans la peau*), Michel Pagliaro (*Sous peine d'amour*) et... Pierre Harel (*Tendre Ravageur*).

Le téléfilm *Rendez-vous... avec Gerry* est également consacré émission de l'année.

Debout à la tribune, considérant la foule qui lui accorde une ovation debout de près de deux minutes, Gerry affiche un sourire plein de nostalgie et trouve à peine les mots pour livrer les remerciements d'usage.

Dans les jours qui suivent, il se sent à la fois fatigué et serein. Il se trouve dans une période où la douleur ne l'accable pas. Il a seulement envie de prendre quelques semaines de vacances, de se reposer loin de Montréal.

Loin des hôpitaux et des médecins.

***

Pendant de longs moments, Françoise le regarde, interloquée. On dirait que, depuis trois semaines, il a pris du poids ! Gerry a bien meilleure mine, il est bronzé, souriant. Sur la plage, il joue parfois avec Julie et Audrey, qu'il faut littéralement arracher à la mer, en fin d'après-midi, lorsqu'il est temps de rentrer.

Avant de partir, il n'avait qu'une inquiétude :

« Comment j'vas faire pour nager ?... Le sac, y' va paraître quand j'vas être en costume de bain. Pis ça va flotter c't'affaire-là ! »

En disant cela, il esquisse une moue enfantine ! Françoise observe :

« Voyons, Gerry, t'as qu'à mettre un maillot plus haut... Tu sais, les trucs qui montent jusqu'à la taille, c'est joli. Ou garder un T-shirt. Y'a plein de gens qui se baignent avec un T-shirt ! »

Il fait la grimace, pas très convaincu. Il a toujours été pointilleux sur son apparence.

Le pire, c'est qu'en vingt jours, il ne va qu'une fois à l'eau! Le reste du temps, il le passe à lire, étendu sur une chaise longue, en face du condominium que tous les quatre occupent à Sainte-Luce, au sud de l'île de la Martinique. Par temps clair, on voit Sainte-Lucie, en face, de l'aute côté d'un bras de mer large de vingt ou vingt-cinq kilomètres.

Gerry était encore hospitalisé à St. Mary's lorsque Françoise et lui ont pensé qu'avec Julie ils pourraient passer un mois dans le Sud, de la mi-décembre à la mi-janvier. On emmènerait la petite Audrey, sa copine, pour que Julie ne s'ennuie pas. Et on éviterait ainsi de passer les Fêtes à Montréal : Françoise pressentait que ça pourrait être carrément lugubre, le réveillon, les cadeaux, Gerry qui ne pourrait faire autrement que penser...

D'ailleurs, il adore le Sud. La première fois qu'il y est allé, c'était avec Françoise, à l'été 1980. En Jamaïque. Puis, en 1985, peu de temps avant la dissolution d'Offenbach, ils ont fait connaissance avec la Martinique et Gerry en est littéralement tombé amoureux. Ils y sont brièvement retournés en 1989, lors d'une pause au milieu de la tournée Rendez-vous doux.

Ils commencent donc à bien connaître l'endroit.

Un paradis.

Au marché, où ils vont dans la petite Fiat louée à l'aéroport, Julie et Audrey s'amusent avec les chèvres qui broutent invariablement par là. Gerry et Françoise flânent aux étalages. Le soir, on mange au Rendez-vous des Baigneurs, un restaurant tenu par un Français avec qui on devient tout de suite copain.

En revenant à Montréal, en janvier, on constate que Gerry a effectivement pris six kilos!

Il se sent alors assez solide pour donner quelques entrevues à la radio et à la télévision, pour chanter sur quelques plateaux d'émissions de variétés et de talk-shows. Gerry accorde une longue entrevue à l'émission *Le Premier Jour* diffusée à CKAC, participe à un téléthon, se présente notamment à *Laser 33/45* et à *Ad Lib*.

Lebœuf est présent dans les studios de Télé-Métropole pour l'émission de Jean-Pierre Coallier. À la fin, Gerry lui dit :

«Salut Breen, j'te téléphone. Y'a d'autres programmes de TV qu'on va faire...»

Ni l'un ni l'autre ne se doutent qu'ils ne se verront plus.

Car ça fait du bien à Gerry, de temps à autre, de faire deux ou trois chansons à la télévision. Ce n'est pas comme la scène, bien sûr, mais c'est mieux que de rester à la maison à ne penser qu'au mal.

Deux ou trois tounes sur un plateau de télé... C'est tout ce dont il a la force, de toute façon. Graduellement, Gerry laisse tomber tout le reste, par lassitude, par épuisement. Lorsque Ian Tremblay vient à la maison pour lui parler affaires, il arrive que Gerry ne l'écoute que d'une oreille, presque pour être poli.

Ainsi, sans manifester ni étonnement ni colère, il apprend de Tremblay l'échec des négociations entreprises avec la General Motors du Canada, pour qui Gerry a envisagé de produire une réclame commerciale (il a déjà composé des pièces utilisées par la Ville de Montréal dans le cadre d'une campagne de publicité sociétale placée sous le thème *Vivre Montréal*). Quelques mois plus tôt, on a même enregistré chez Multisons la toune destinée au manufacturier automobile, en versions de trente et soixante secondes : une sorte de gros rock auquel on a donné une sonorité assez proche de *Maximum*. Mais ça n'a pas marché. Tremblay explique :

« C'est eux autres qui sont les pires, Gerry. Y'en auraient vendu en ostie, des chars ! Tant pis...

— Ouais, tant pis... »

Ian Tremblay n'insiste pas.

D'ailleurs, Gerry aura la même réaction, en juin, lorsque son imprésario lui annoncera que *Rendez-vous doux* a franchi le cap des deux cent mille exemplaires vendus.

« C'est bon, ça... » laissera-t-il tomber simplement.

Le quatorze février, Gerry célèbre la Saint-Valentin sur le plateau des *Démons du midi* avec un Gilles Latulippe accoutré en Casanova ! Au piano, il chante *Les Yeux du cœur*. Impossible de ne pas remarquer que sa voix est faible, qu'on a dû le maquiller presque outrageusement pour qu'il affronte les caméras.

Le vingt mars 1990, Télé-Métropole diffuse une entrevue enregistrée plusieurs jours plus tôt par Claude Charron — passé de la tribune politique à la scène médiatique — à Longueuil. Les deux hommes sont installés de chaque côté de la table de chêne. Charron est visiblement ému. Il demande :

« Quand tu r'gardes ta vie en arrière, Gerry, y'a-tu queq' chose que tu changerais ?

— Non, j'changerais rien... »

— Tes cheveux non plus ?

— Non plus ! »

Les deux hommes s'esclaffent.

« C'est peut-être ma force ! »

Samson...

« Avec tout c'que tu sais sur ta propre maladie, il doit y' avoir des moments où tu files pas trop fort ?

— C'est sûr qu'y' a des points d'interrogation qui s'posent de temps en temps.

— Pleures-tu des fois ?

— Ça arrive, oui...

— D'angoisse ?

— Oui... ben... ça m'est arrivé... euh... pour te donner un exemple : tu t'dis, un Noël, ça va-tu être ton dernier ?... Bon, tu y penses... Y' faut qu'tu passes par-dessus, faut qu'tu vises un aut' point... C'est sûr qu'ça va arriver encore, mais c'est à moi d'prendre les guides...

— Y' doit y avoir des fois où tes blues passent pus dans' porte ?

— Ça arrive... C'est une bataille, ça en est rendu une bataille ! Pis jusqu'à date, j'ai le gros boutte du bâton... pis j'veux l'garder !

— Qu'est-ce' tu penses d'la mort, Gerry ? »

Un long silence suit la question.

« Évidemment... Ça va arriver quand ça va arriver... C'est juste le fait que... Moi, c'qui m'déçoit dans la mort, c'est de perdre tes amis, c'est de perdre ce qui te tient le plus, ceux à qui t'es le plus attaché... J'me dis : on se r'verra peut-être dans un aut' monde. Mais j'espère en profiter le plus longtemps possible, icitte... »

Un autre long silence.

« C'est pas une chose qui m'fait peur vraiment... »

Non, ça ne lui fait pas vraiment peur. Et pourtant... comme il aimerait vivre, aussi. Pour voir Julie grandir. Pour dorloter un peu Françoise : ce serait plus facile, maintenant. Pour *vivre*, tout simplement. C'est beau, la vie.

Et ils sont beaux, les gens.

L'après-midi, lorsque Gerry marche dans les rues du Vieux-Longueuil, il regarde intensément les passants qui le croisent, les commerçants qui lui vendent du pain ou des cigarettes, les voisins qui le saluent de leur fenêtre ou de leur balcon. Ils sont tous beaux.

Ce n'est pas comme on croit.

Ils font leur possible, les gens, pour vivre... — c'est difficile à expliquer, Gerry essaie de mettre ses pensées en ordre, il a du temps pour cela — ...ils font leur possible, c'est rare qu'ils soient vraiment méchants.

Voilà : on est jeune, on ne fait que juger, on ne sait pas que la... qu'on n'est pas éternel. On est comme ça quand on est jeune — bien qu'il se trouve plein d'hommes et de femmes de quarante ans pour penser encore comme des adolescents ! Il y a la gauche et la droite. Les purs et les impurs. Les branchés et les quétaines. Les corrects et les straights. Les rockers et les citoyens. On excommunie, comme des papes. On bannit, comme des maîtres de chapelle. On exécute, comme des despotes. Pendant ce temps-là, on ne comprend pas la vie ! Et moins on la comprend, plus on s'enfonce dans les certitudes hargneuses que l'on s'est forgées à partir du néant.

Non, Gerry ne changerait rien à la vie qu'il a vécue, même s'il le pouvait.

Il a fait du bien et du mal, sans doute. Mais il peut dire une chose : il a toujours agi très exactement comme il pensait devoir agir, sans hypocrisie, sans raconter d'histoires à personne. Il a été jeune et a cru en des trucs, soit. D'ailleurs, il croit encore en plein de choses : il n'y en a pas *moins*, il y en a *plus*, il croit en plus de choses aujourd'hui ! En plus de gens !

L'idée lui est d'abord venue lorsqu'il a cessé de faire partie d'un groupe et qu'il a dû s'inventer de nouveaux points de repère. Puis il y a eu *Café Rimbaud*. Et le disque de Francœur. La maladie, ensuite. *Rendez-vous doux*, enfin.

Quand, exactement, la *condition humaine* l'a-t-elle ému ?... — Gerry sourit : il a trouvé l'expression dans un livre, un jour, peut-être chez Claude Faraldo. Elle l'a frappé. Il l'utilise à l'occasion, pour le plaisir — ...quand, donc, s'est-il rendu compte que la vie n'est pas aussi simple ?

C'était au Théâtre Saint-Denis, peut-être.

Au premier rang, une mémé tapait du pied avec une énergie que l'on n'aurait pas attendue d'une femme de son âge : elle devait avoir soixante-cinq ans, peut-être un peu plus. Elle ressemblait à sa mère. D'ailleurs, Charlotte Boulet était aussi dans la salle, ce soir-là, plus loin, juste devant la console de son. Gerry voyait bien la mémé au premier rang, malgré les spots. Il l'a regardée pendant un long moment taper du pied et sourire. Elle s'en est rendue compte et s'est mise à rougir : Gerry chantait pour elle! Elle se penchait vers la jeune fille assise à côté d'elle — sa fille, ou sa *petite*-fille peut-être? — pour sans doute lui dire :

« As-tu vu? Gerry me r'garde!... J'sus assez gênée... »

Il l'aurait embrassée, cette femme-là! Il lui aurait dit : *j'vous aime, madame*, lui aurait offert du champagne, aurait valsé avec elle!

Ce n'était pas une *rockeuse*, pourtant.

Elle devait avoir peur de la dope et des gars de bicycles. Plus jeune, elle a dû élever ses enfants en essayant de les traîner à l'église et de les garder à l'école. Elle a dû répéter à sa fille :

« Que j'aime pas ça, te voir sortir avec ce gars-là, qui vient t'chercher avec son gros char, qui met toujours la musique ben forte pis qui est tellement pas poli.... »

Elle a dû pleurer lorsque son fils est devenu hippie puis s'est fait arrêter dans une manif; avoir de la peine quand son mari est mort, se relever lentement de ce chagrin-là et être malade à son tour. Peut-être Gerry l'a-t-il déjà croisée à l'hôpital Notre-Dame ou à St. Mary's? Lui est un rocker, elle non. Pourtant, tous deux sont peut-être passés à l'intérieur du même appareil de scanographie ou sous le même canon à rayons X, occupés à combattre le même *ennemi*...

Alors, les discours sur les rockers...

Hé!

Gerry utilise encore le mot, peut-être, mais il n'a plus la même signification. *D'une certaine façon, j'vas te dire : c'est la vie qui est rock'n'roll en tabarnac, mon chum!...* La vie est rock'n'roll et l'univers est peuplé de rockers. C'est comme pour la musique. Il y a la bonne et la mauvaise, il ne s'agit pas seulement de savoir si c'est du rock. Les humains, ils ne sont pas rockers ou straights : ils sont bons ou méchants — et la plupart, au fond, sont bons. Ou quelque part entre les deux.

Ils sont beaux.

Et ils souffrent.

Comme lui.

Comment ne pas les aimer, les gens? Les aimer pour ce qu'ils sont, tout doucement, sans faire de bruit, sans même le dire? Lorsqu'il sort sur la rue et observe les passants — et les commerçants, et les voisins —, Gerry est pris d'amour pour eux. Pour être franc, cela ne part même pas du cœur. Est-ce le mot *amour* qu'il faut utiliser ? C'est plus profond, plus sourd, plus fort aussi. Cela procède d'une sorte d'instinct presque animal. Il est *avec* eux. Ils font tous partie d'une sorte de meute et serrent les coudes pour lutter contre... Alors, comment leur en vouloir ? Ça ne sert à rien, la haine. Gerry ne hait plus.

Par exemple : Harel. Il l'a revu dans un bar, Pierre Harel, au moment où il préparait *Rendez-vous doux*. Comme souvent dans le passé, il l'a trouvé exaspérant. Harel semblait même penser que sa maladie n'existait pas ! Qu'elle n'était qu'une façon de faire parler de lui, de mousser les ventes du disque qu'il allait bientôt mettre sur le marché ! Sur le moment, Gerry l'aurait volontiers étranglé... Mais maintenant, hein ? Bof. Harel se bat, lui aussi, il est avec la meute. Il le fait à sa façon et Gerry ne trouve plus rien à redire là-dessus.

Ou Simard. Est-ce qu'il en a assez voulu à Alain Simard ? Celui-ci lui a écrit il y a un an environ ; Gerry a lu la lettre, l'a conservée pendant quelques jours puis l'a détruite. Qu'est-ce qu'elle disait, déjà ? Gerry essaie de se souvenir. Simard proposait de faire la paix, en somme. «Nous sommes tous deux des hommes qui ne peuvent supporter l'injustice...» En octobre, leurs regards se sont croisés au gala de l'ADISQ... Bof. Simard est de la meute, comme lui-même, comme Harel. *C'est le destin*, dirait Denise Boucher.

Gerry n'a plus le temps, ni l'énergie, ni le goût de mener d'autres guerres que celle... que la vraie guerre, la seule, l'ultime.

Après *Les Démons du midi* et *Le Match de la vie* avec Claude Charron, il ne fait plus de télévision.

Il a recommencé à avoir mal et doit décliner des dizaines d'invitations provenant de différentes émissions de télé et de radio qui se l'arrachent littéralement. Ses forces se remettent à diminuer. L'occlusion intestinale menace encore. La douleur se fait insupportable. La morphine qu'il absorbe par voie buccale ne suffit plus.

Du seize au vingt-trois mars, puis du quatre au dix-sept avril, il est à nouveau hospitalisé à St. Mary's. L'institution devient presque sa seconde maison, mais il la déteste de plus en plus. Chaque jour, dans la chambre du sixième étage qu'on lui réserve immanquablement, il demande à Françoise :

«Les docteurs t'ont-tu dit quand est-ce que j'pourrais sortir ?...»

Heureusement, il vient un moment où John Keyserlingk lui annonce :

« Je sais qu'tu veux retourner chez toi, Gerry. On a stabilisé tes fonctions intestinales et puis j'pense qu'on a trouvé un moyen de te donner un analgésique plus puissant pour que tu souffres pas. Cet après-midi, on va t'implanter un cathéter — une affaire de rien, tu vas voir. Tu vas retourner chez toi dans trois ou quatre jours : on va te prêter une machine qui injecte de la morphine directement dans les vaisseaux sanguins. On t'expliquera tout ça. »

Le dix-huit avril, le lendemain de son retour à la maison, Gerry passe à l'hôpital St. Mary's afin de prendre livraison de l'appareil dont Keyserlingk lui a parlé.

On lui présente la machine.

Le Porta Cath est une boîte rectangulaire, un peu plus grosse qu'un walkman, destinée à être portée en bandoulière. Il s'agit d'un mini-ordinateur pourvu d'un réservoir dans lequel on stocke le produit dont le patient a besoin. Un tube part du Porta Cath et rejoint le cathéter implanté sous la peau, lequel communique directement avec la veine cave supérieure.

L'ordinateur est programmé à l'hôpital de façon à permettre le pompage intermittent d'une quantité déterminée de morphine. Au besoin, le patient peut commander une dose supplémentaire — jusqu'à concurrence d'une limite fixée elle aussi à l'avance — en appuyant sur un des boutons de l'appareil.

À l'hôpital, l'infirmière demeure vague sur les doses prescrites avant de charger l'appareil de morphine, de le remettre à Gerry et de brancher le cathéter. Mais elle cache mal sa surprise lorsqu'elle voit les instructions qu'on lui a données sur une feuille... Revenue de son étonnement, elle règle le mini-ordinateur : la machine donnera au patient entre cinquante et soixante-cinq milligrammes de morphine à toutes les heures ; il pourra commander une dose supplémentaire de quinze milligrammes aux quinze minutes.

C'est énorme.

Après une intervention chirurgicale, on administre en général dix milligrammes de morphine à toutes les deux ou trois heures. À raison de cinquante milligrammes l'heure, la substance peut tuer — par arrêt respiratoire — un homme dont l'organisme n'aurait pas préalablement profité d'une période d'accoutumance. Mais depuis des mois, Gerry consomme de cet indispensable poison.

L'infirmière explique le fonctionnement de l'appareil à Gerry, qui écoute gravement. Si ce gadget doit l'empêcher de souffrir, aussi bien savoir comment le manipuler.

En revenant à la maison avec Françoise, il dit seulement :

« Me v'là plogué su' un' autre affaire... »

Il tente de se donner un ton léger. Mais ça ne réussit pas. D'autant moins que le Porta Cath est entré en action et que Gerry se sent subitement à la limite de la somnolence, légèrement euphorique.

Lorsque la voiture s'engage sur le pont Jacques-Cartier, Gerry fredonne tout doucement pendant quelques secondes puis s'interrompt, regardant tristement le fleuve, à sa droite.

**

Depuis quatre ou cinq ans, depuis que lui et Denise ont officiellement divorcé, il arrivait souvent à Gerry de dire à Françoise, comme un reproche :

« Quoi ?... Tu r'fuses ma main ?... »

Et elle répondait, à la fois amusée et exaspérée :

« Ah, Gerry... J'te l'ai dit : qu'est-ce que ça va nous donner, hein ? On est bien, non ?... On se mariera plus tard, j'sais pas, quand on aura du temps pour ça. Là, t'es occupé et puis... »

On en restait toujours là. Sur le coup, il n'insistait pas. De fait, ce n'était pas si urgent. Mais il revenait à la charge un ou deux mois plus tard et demandait à nouveau, joyeusement :

« Pis si on se mariait ?... »

En France, au mois d'août précédent, avant que le mal l'amène dans le cabinet de Léon Schwartzenberg, Gerry a encore dit :

« On pourrait se marier icitte, à Paris, incognito ! Ça serait au boutte, ça... »

Et Françoise a répondu :

« Tu t'rends pas compte, Gerry, à quel point ce serait compliqué, ici : les papiers et tout... »

Mais la dernière fois, alité à St. Mary's, Gerry a employé un autre ton pour parler mariage. Il était grave et déterminé :

« On va se marier, Françoise. On est un couple, on vit ensemble, j'veux que l'monde sache que t'es ma femme pour vrai... Ça fait qu'on va se marier aussitôt que j'sors d'icitte. Pis c'est mieux, aussi. Parce que si jamais y' m'arrrive... euh... ben tu... »

Elle a ouvert la bouche pour dire quelque chose mais il ne l'a pas laissée placer un mot et a poursuivi :

« ...on sait jamais, hein ?... si... dans ce cas-là, tu seras ma femme. Sur les papiers aussi, toutte ça. Ça fait assez longtemps que j't'en parle, Françoise. Là, j'te l'demande encore une fois : veux-tu... comment y' disent ça, déjà, calvaire?... ah oui : Françoise, *veux-tu me prendre pour époux*?...

En lançant la formule, il a dépoussiéré son terrible sourire, celui des grands jours, celui auquel personne n'a jamais pu résister... Si elle le *prendrait pour époux*? Évidemment! Elle lui a sauté au cou et il a ajouté :

« Je l'savais qu'tu refuserais pas toujours ma main!... »

Et tous deux sont partis d'un fou rire presque indécent en ce lieu où, d'ordinaire, les gens ne font que souffrir et lutter contre la mort.

Le lundi vingt-huit mai 1990, en avant-midi, Gerry et Françoise se présentent à l'avant de la salle réservée aux mariages, au troisième étage du Palais de justice de Montréal. La cérémonie est courte et simple. Julie et sa copine Audrey servent de bouquetières. Ian Tremblay est le témoin de Gerry et l'avocat Alain Mongeau, un ami, celui de Françoise. Pierre Tremblay est là avec son caméscope.

De retour à la maison, le groupe dîne dans la cour autour d'un buffet signé Lenôtre. Le temps est magnifique : on se croirait au milieu de l'été. Quelques voisins viennent. Viviane Saint-Onge a confectionné pour Françoise un immense voile que celle-ci n'a pas osé porter au Palais de justice mais dont elle se coiffe maintenant fièrement pour le bénéfice des amis. Jean-Yves Bisson est présent. René Malo aussi.

Et Michel Blass! Une surprise, on ne s'attendait pas à ce qu'il vienne. Quelques jours plus tôt, Gerry l'a invité sans trop y croire : il doutait que son copain puisse se présenter à Longueuil — depuis quelques mois, Blass est sorti de prison et vit dorénavant loin de Montréal, sous une nouvelle identité. En le voyant débarquer, Gerry lui dit :

« J'sus assez content qu'tu sois venu, Mike... »

Gerry ne le reverra pas, lui non plus.

Gerry est dans un bon jour. Il ne souffre pas, se sent le cœur léger et boit même de la bière. Par une sorte de miracle, la presse n'a pas eu vent de l'affaire et on peut célébrer dans l'intimité, sans être dérangé. En milieu d'après-midi, Véronique Harvey croque une photo de Gerry, Françoise et Julie debout près d'un arbre, sous le soleil; elle sera publiée dans les quotidiens de Montréal au cours des jours suivants.

En milieu d'après-midi, Gerry monte se reposer. Françoise l'accompagne jusqu'à la chambre. Pendant qu'elle le couvre d'un drap de flanelle, il dit :

« Quand le monde sera parti, viens t'coucher avec moi, Françoise. T'es ma femme, à présent ! J'peux pas... J'vas t'prendre dans mes bras pis j'vas t'embrasser, Françoise. J't'attends...

— Oui. Oui, Gerry, aussitôt qu'ils sont partis, je viens tout de suite. T'endors pas... »

Pendant presque une semaine, Gerry se porte plutôt bien. Non seulement la machine accrochée à son épaule est-elle particulièrement efficace d'un strict point de vue physiologique, mais elle rassure aussi : Gerry sait que le mini-ordinateur veille vingt-quatre heures sur vingt-quatre à ce qu'il ne souffre pas. Keyserlingk l'a prédit :

« Vois-tu, Gerry, la douleur, c'est psychologique aussi. *Surtout* psychologique. Si t'as peur de souffrir sans pouvoir y faire quoi que ce soit, le processus va s'enclencher dans ta tête et les problèmes vont apparaître véritablement. »

Mais, au bout de quelques jours, le mal revient tout de même.

Gerry dépérit à vue d'œil. Souvent, il est incapable de manger ne serait-ce que de la crème glacée. Il gémit lorsque Françoise est plus loin et qu'il croit qu'elle ne l'entendra pas. Il ne se sent plus à l'aise nulle part, pas même dans ce coin qu'il s'est fait au salon autour du fauteuil de cuir vert, où il a disposé un petit téléviseur, une radio, un cendrier, une pile de livres, des couvertures et des coussins. Il ne dort plus.

Le vingt-cinq juin, Gerry est hospitalisé à nouveau.

Mais il ne veut plus demeurer là. Il ne veut pas mourir à l'hôpital — car, sans le dire, il sent bien que c'est la fin. Il supplie :

« Emmène-moi, Françoise... J'veux rester à' maison, dans not' maison, avec toi pis Julie. Promets-moi de m'faire sortir d'icitte... J'veux pus, Françoise, j'veux pus... »

Au Dr William Svihovec, que l'on a revu sporadiquement et qui, depuis les trois ou quatre ans qu'on le fréquente, s'est attaché à Gerry, Françoise demande :

« William, est-ce qu'on pourrait compter sur toi pour venir à la maison de temps à autre, prendre soin de Gerry ?... Il ne veut plus rester à l'hôpital... J'veux plus, moi non plus. Est-ce que...

— Pas de problèmes, Françoise, j'passe te voir, on va s'organiser pour que Gerry manque de rien. »

Françoise s'assure également qu'une infirmière sera disponible.

Enfin, le deux juillet, Laurence Vager, sa copine de toujours, l'ex-compagne de Johnny Gravel, vient s'installer à Longueuil.

Gerry peut sortir de l'hôpital St. Mary's. Auparavant, on règle le Porta Cath pour qu'il lui administre quatre-vingt-dix milligrammes de morphine à l'heure — avec possibilité d'une dose supplémentaire de quinze milligrammes aux quinze minutes. Et il revient chez lui. Le court trajet en voiture suffit à l'épuiser. Tout de suite en entrant, il monte l'escalier et s'écrase sur son lit en soupirant :

«Là, j'sus ben, Françoise, j'sus tellement ben...»

On est le mardi trois juillet 1990.

Quinze jours

Souvenirs.

À quoi d'autre pourrait-il occuper ses pensées maintenant qu'il est seul dans la chambre?... Car on le laisse rarement sans compagnie. Françoise est toujours avec lui, ou Laurence, ou les deux. Svihovec vient aussi, et l'infirmière, et Julie.

Il préfère cela.

Lorsqu'il est seul, ses pensées déraillent et il arrive toujours en face de... Ou alors, il souffre, appuie sur le bouton et la morphine l'emporte. Mais là, il est parfaitement lucide. Au point de penser que ça n'arrive plus souvent, ça non plus.

On est le jeudi douze juillet. En avant-midi.

Par la fenêtre, Gerry Boulet voit le ciel plein de soleil et un peu de verdure. Dix minutes plus tôt, il était assis sur le balcon, derrière la maison, une couverture posée sur lui. Il aime le soleil, la chaleur, qui lui fait tellement de bien. Comme le feu qu'il a entretenu tout l'hiver dans la cheminée lorsqu'il n'était pas à l'hôpital et pouvait demeurer tranquille, chez lui, comme tout le monde. Sur le balcon, il s'est senti fatigué et a annoncé :

« J'veux aller m'étendre, Françoise... »

Il a eu du mal à monter l'escalier. Françoise et Laurence l'ont soutenu dans les marches, lui ont ouvert la porte et l'ont aidé à s'allonger sur le dos, posant le Porta Cath bien à plat sur le lit pour ne pas qu'il tombe.

Maintenant, il est lucide, parfaitement éveillé, et il veut savourer ces quelques instants-là. Tout à l'heure, il va avoir de la visite, on le lui a dit. Peut-être la douleur reviendra-t-elle : elle revient toujours. Alors, il faut en profiter.

Denis, son frère, le vieux...

Denis est venu le voir à St. Mary's, quinze jours plus tôt, juste avant qu'on l'autorise à rentrer à la maison. Il a passé presque deux jours avec lui. Il a tout plaqué là, son travail à l'usine, sa famille, Danièle et les deux enfants, sa petite demeure du Lac-à-la-Tortue, près de Grand-Mère... et il est arrivé. Gerry était tellement content. Au cours des dernières années, lui et le vieux ne se sont vus que rarement. Denis a passé deux jours à l'hôpital, ne sortant que pour aller dormir, se nourrissant de chips et de chocolat.

Ils ont arpenté le corridor du sixième étage pour se rendre au fumoir, où Gerry s'est endormi plusieurs fois dans un fauteuil.

«Ça doit être platte en ostie pour toi, le vieux, j'dors tout le temps!

— Ben non, Gérald, ben non... C'est correct, j'sus avec toi, ça fait que j'sus ben. Repose-toi...»

Ils se sont tenus immobiles l'un à côté de l'autre pendant des heures, regardant les gens autour d'eux, dans la pièce imprégnée d'une odeur de tabac. Puis ils en ont eu assez du fumoir et se sont mis à griller des cigarettes dans la chambre en ouvrant la fenêtre pour évacuer la fumée, comme des gamins qui apprennent à se noircir les poumons en cachette des parents et des professeurs... Ils ont parlé, mais pas beaucoup. Ils n'ont jamais eu besoin de parler beaucoup. Le deuxième jour, Denis est parti en disant :

«Gérald, si t'as besoin de queq' chose, tu m'appelles, hein?

— Ouais, le vieux...»

Denis a appuyé sur le bouton d'appel de l'ascenseur et a longuement hésité avant de dire sur un ton d'infinie tristesse :

«Tu sais, Gérald... J'ferais.... J'ferais n'importe quoi pour toi, moi...»

Les deux portes de métal ont coulissé, Denis a pénétré dans la cage et a regardé son frère dans les yeux. Celui-ci a répondu :

«Je l'sais, le vieux, je l'sais...»

Les portes se sont refermées. Gerry a regagné sa chambre en marchant encore plus lentement qu'à l'ordinaire.

Gerry soupire, puis tourne la tête vers la fenêtre, encore une fois. À son retour de l'hôpital, les premiers jours de juillet, il se levait souvent pour aller à la fenêtre, appuyant son front aux vitres presque fraîches malgré la canicule. Parfois, il voyait Françoise, assise dans la cour. Et Julie, sur la balançoire. Maintenant, il n'arrive plus à se lever seul. Il ne va plus à la fenêtre.

Johnny, son vieux chum de musique...

Gravel est venu rue Saint-Laurent, le premier mars, pour célébrer les deux anniversaires à la fois : celui de Julie, sa filleule, et celui de Gerry. Il y avait dix ou douze personnes dans la maison. Tous deux se sont installés au salon. Françoise a entraîné les autres dans la cuisine pour les laisser seuls. Ils se sont engueulés, comme dans le bon vieux temps !

« T'en souviens-tu, Ti-Cul, quand on est allé jouer à... Tu m'avais mis en tabarnac, toi, j'avais failli t'arracher les yeux...

— C'tait d'ta faute, Johnny, ostie : t'arrêtais pas de... »

Ils ont ri. Ils ont fumé des Gitanes. Gerry occupait le fauteuil de cuir vert, Johnny le divan, au fond du salon. Par moments, Gerry avait mal et l'autre arrêtait alors de gueuler pendant quelques minutes en l'observant, inquiet. Néanmoins, ils ont parlé pendant une heure, peut-être plus, en laissant aussi flotter de grands bouts de silence.

« Pis toi, Johnny ? Ça marche-tu, tes affaires ?

— Ouais. On joue dans un club, en fin de semaine... Pis on a faitte une toune su' des paroles de Raymond Lévesque... C'est bon en tabarnac... »

Ils ne se sont pas vus depuis deux ans. Depuis à peu près le même temps, Johnny fait partie d'un groupe, les Patriotes, des types de Québec qui répètent dans un petit studio de Limoilou et se produisent la plupart du temps sur des scènes de la Vieille Capitale. À la fin, Johnny l'a quitté en disant :

« Fais attention à toi, Gerry... »

Et il a fait une drôle de grimace en sortant, tête basse, les larmes aux yeux.

Gerry regarde l'armoire en pin, à la droite du lit. Il doit avoir cent ans, ce meuble-là. Dans un siècle, il sera encore debout, peut-être, à regarder les gens dormir, faire l'amour, souffrir et...

Jean-Yves...

Il y a cinq ou six jours, Jean-Yves Bisson est venu, lui aussi. Il est monté directement à la chambre et s'est campé devant le lit, les poings sur les hanches :

« Encore couché, Ti-Père ?... Qu'est-ce' tu fais ? C'est quoi, l'gadget à côté de toi ? La boîte, là, avec les pitons ?... C'est un jeu vidéo ? Fais-moi d'la place, pousse-toi un peu, Ti-Père, on va jouer une game ensemble ! »

Bisson est irrésistible ! Gerry est parvenu à rire et à répliquer :

« Tu tombes ben, Jean-Yves... J'tais écœuré en tabarnac de jouer tout seul... T'as raison : on va s'taper une game ensemble !... »

Gerry s'est levé. Ils se sont installés au salon, comme avec Johnny. Ils ont bu de la bière — c'est-à-dire que Gerry a porté ses lèvres au goulot et a tenté d'avaler quelques gouttes. Puis Bisson est parti en disant au revoir. Gerry s'est dit : *y' sera toujours fou raide, c't'ostie-là...*

Il somnole, maintenant. Une toute petite pointe de douleur apparaît dans son dos, là où la bosse croît toujours — elle a atteint la taille d'un demi-pamplemousse. Gerry aime autant ne plus s'en soucier, faire comme si elle avait toujours été là, comme si c'était de naissance, parfaitement normal. Sauf que, par vagues, elle se montre douloureuse à hurler et il lui faut alors appuyer sur le bouton. Dans quelques minutes, peut-être devra-t-il en venir là et mettre fin à ces instants de lucidité.

Ian...

Après Bisson — le lendemain, en fait —, Tremblay s'est assis à son tour à côté du lit. Cette fois, Gerry avait terriblement mal. Il a dit dans un souffle, presque un râle :

« C'est fini, Ian, c'est fini c'fois icitte... »

Et Tremblay l'a presque pris au collet pour le secouer et lui dire :

« Ah ben tabarnac, Gerry... J'sus pas venu icitte pour me faire dire que c'est fini, ostie !... C'est pas fini, tu lâcheras pas comme ça... T'as jamais lâché, toi, ça fait que c'est pas aujourd'hui que.... »

Ian jouait la colère. Cela l'a apaisé : pendant de longues minutes, Gerry a oublié la douleur. Tremblay a ajusté les oreillers, sous sa tête, et lui a parlé tout doucement. De n'importe quoi. De musique, de sport, des femmes. Puis il a disparu en promettant de revenir dans deux ou trois jours.

Ça y est. La pointe de douleur se fait plus acérée, elle s'insinue dans les côtes et remonte, le long de la moelle épinière, jusqu'à la poitrine et au cou. Elle court aussi dans l'autre direction et perce les hanches et les cuisses. Gerry lutte pendant quelques minutes contre le mal, contre l'angoisse, serre les poings pour ne pas que sa main droite se dirige d'elle-même vers le Porta Cath posé sur le lit.

Justin, son gars...

Il l'a vu la veille. Gerry s'est dit : *y' est grand pis y' est beau, mon gars...* Il pensait aussi qu'il aurait aimé avoir le temps de le connaître un peu plus. C'est comme pour Marianne : souvent, la petite passait quelques jours à la maison, c'était beau de la regarder jouer avec Julie, il aurait fallu qu'il la connaisse mieux. Justin contemple son père. Avant qu'il ne monte, Françoise l'a prévenu :

« Il est terriblement maigre, Justin, tu le reconnaîtras pas... Quand j'le lave, je vois qu'il maigrit chaque jour. C'est horrible... »

Comme son grand-père : trois ans plus tôt, Justin a vu Georges Boulet à l'hôpital, les derniers jours. Face à leur destin, les deux hommes se ressemblent étrangement. Gerry demande :

« Pis ta musique?...

— Ça marche ben, p'pa... »

Au début, Gerry aimait plus ou moins l'idée de voir son fils se consacrer à la musique. Mais c'était couru. Justin avait cinq ans lorsque son oncle Denis lui a acheté une batterie. À dix ans, il suivait des cours de musique. À douze ans, il se promenait à l'arrière de la scène du Forum. À seize ans, il fondait le groupe Crazy Wink. Mais Gerry le poussait en même temps vers l'informatique en disant :

« Garde-toi une porte de sortie, Justin... Plus tard, ça va t'aider, tu vas être content... »

Justin a persévéré — à la fois dans l'informatique et la musique. Un jour, en mars 1987, le groupe de Justin se produisait à l'école polyvalente Chanoine-Armand-Racicot, rue Normandie à Saint-Jean; Gerry était dans la salle. À la fin du show, Justin a lancé :

« J'aimerais ça vous présenter quelqu'un qu'j'estime beaucoup... »

Gerry est monté sur scène et a chanté *Jailhouse Rock* avec les jeunes, devant un parterre fou de plaisir ! Et Justin a continué, a fondé un autre groupe, s'est mis à chanter. Maintenant, sa copine, Lynn Desjourdy, est enceinte. Gerry va être grand-père ! Incroyable, non ? Quelque part autour des Fêtes, prévoit-on, en décembre 1990. Il aimerait bien voir son petit-fils ou sa petite-fille, être capable de...

Ouais... Aux Fêtes... Il a mal. Il appuie sur le bouton du Porta Cath, il n'a plus le choix. Sinon il va devenir fou à force de douleur. Au même moment, il entend des bruits, en bas, dans le salon. Charlotte Boulet pleure. Elle vient d'entrer avec Diane, la petite sœur. Denis est là aussi.

Toute la famille Boulet est au pied de l'escalier — moins celui qui est disparu, trois ans plus tôt — et va monter le rejoindre. Des pas sur les marches.

Malgré la décharge de morphine qui circule dans ses veines, Gerry se prépare à cette ultime réunion de famille.

**

Elle va venir le chercher. Maintenant, il le sait. Le mot n'est plus imprononçable. La mort va venir le prendre, l'emporter, l'arracher à ceux qu'il aime.

Et le soulager, aussi.

Le samedi quatorze juillet, la vie de Gerry ne tient visiblement plus qu'à un fil lorsque William Svihovec apparaît dans la chambre, s'assoit près de lui, évalue les signes vitaux du patient, règle le Porta Cath. Gerry est très calme. Il regarde le médecin intensément pendant de longues minutes puis lui demande :

« Ça va-tu être long, Bill ?

— J'sais pas, Gerry. C'est impossible de dire... »

Svihovec pense : *demain, Gerry, ou peut-être même aujourd'hui... Courage...*

« J'vas-tu souffrir encore ?... J'en peux pus, Bill, j'en peux pus... »

Gerry n'a pas honte de lui parler ainsi. C'est un médecin. Il comprend ces choses-là, c'est son métier.

« J'vas-tu souffrir encore, Bill ?... »

Svihovec ne répond pas. À la place, il prépare des injections de trazodone, de lorazépam et de prométhazine, des substances qui vont calmer la douleur et l'angoisse du patient.

Le quinze et le seize juillet, les périodes de lucidité de Gerry diminuent en nombre et en durée. Mais lorsqu'il émerge pendant une ou deux heures de la brume chimique, son énergie est surprenante : il se lève et se rase, ou descend au salon, va encore une fois jusqu'au balcon arrière.

Autrement, il se met à délirer et il faut l'accompagner dans ces voyages-là. Françoise et Laurence marchent avec lui sur ces sentiers inconnus où on trouve de petites joies, quelques oasis de sérénité mais aussi beaucoup d'angoisse et de terreur.

Dans la nuit du seize au dix-sept juillet, Gerry ne dort pas. Il est agité. Par moments, lorsque la machine décharge une dose de morphine dans son organisme, il délire tout à fait. Françoise et Laurence se relaient à ses côtés, tentent de le calmer, lui parlent tout doucement en caressant ses cheveux. Tôt le matin, Gerry veut se lever. Il hurle :

« Julie !... »

Il a tant parlé à sa fille, depuis un an surtout ; depuis qu'il est très malade et qu'il voit la nécessité de lui apprendre très vite une ou deux choses sur la vie. Tous deux ont pris d'interminables marches. Gerry lui parlait comme à un adulte en tenant sa petite main et en déambulant sur les trottoirs du Vieux-Longueuil.

« Julie !... »

Elle est en bas, dans la cuisine. Françoise lui dit :

« Viens, Julie. Viens voir ton père... »

Elle a failli ajouter : *une dernière fois...*

Bravement, Julie monte l'escalier... Gerry se tient debout sur le palier ! Cela est impossible. Mais il est quand même là et dit faiblement :

« Ah, Julie... Julie... T'es ben belle, Julie, ma cocotte... »

Tout l'amour dans les yeux de cet être qui meurt.

« Fais attention, à toi, ton père veut qu'tu fasses attention... Julie... »

La fillette se blottit un instant contre lui. Mais elle n'en peut plus. C'est trop dur. Elle ne veut pas pleurer, *pas devant papa...* Elle redescend et court chez Audrey, traversant le rez-de-chaussée en coup de vent, le visage caché derrière ses longs cheveux châtains.

Julie partie, Gerry continue à craindre pour elle... Est-ce que ce n'est pas le plus important ?... Ne doit-il pas prévenir un malheur et crier :

« A' va s'faire écraser, Julie !... Françoise ! Françoise ! Surveille Julie, a' va s'faire écraser, ma cocotte !... »

Gerry veut descendre. Il faut qu'il surveille Julie. Il souffre, il a mal. On ne parvient pas à le raisonner, ni à calmer sa douleur. Il faut appeler Svihovec. À onze heures, le médecin passe rue Saint-Laurent et administre au malade des anti-dépressifs ; il règle aussi le Porta Cath pour qu'il déverse désormais cent vingt-cinq milligrammes de morphine à l'heure dans ce corps décharné, mince comme du papier, qui semble prêt à se briser en deux. On parvient à remettre Gerry au lit. Pendant quelques heures, il est calme, on dirait qu'il dort.

Vers dix-sept heures, Gerry s'éveille. Par exception, il n'y a personne à côté de lui. Françoise et Laurence sont en bas, essayant de se calmer elles aussi, lorsque tout à coup, elles voient apparaître Gerry au haut de l'escalier. Il va descendre. Il descend!...

C'est simple : il ne faut pas qu'il reste dans la chambre. Ni elles, d'ailleurs, ni Françoise, ni Laurence, ni Julie.

« Julie!... »

Elles ne doivent pas rester dans la chambre, ni même dans la maison. Parce que si elles restent là, *elle* va venir les chercher, elles aussi. *Elle* va les entraîner avec lui, de l'autre côté... Et il ne faut pas. Françoise et Laurence doivent demeurer lorsque lui ne sera plus... Pour Julie. Il ne faut pas non plus, surtout pas, ce serait monstrueux, il ne faut pas qu'*elle* vienne chercher Julie !

« Julie!... »

D'ailleurs, lui non plus ne doit pas rester là. Il a réussi à descendre l'escalier, il faut aussi qu'il sorte de la maison. Tout de suite ! S'il demeure à l'intérieur, *elle* va venir, c'est certain, il faut qu'il sorte...

Françoise et Laurence se sont précipitées dans l'escalier. Maintenant, elles le portent dans le vestibule, puis dans le salon et dans la salle à manger. Gerry veut sortir dans la cour. Ce n'est pas possible. Cela dure deux ou trois heures. Gerry finit par s'asseoir dans le fauteuil vert, sur lequel on a posé un drap. On fait revenir Svihovec. À vingt-deux heures, le médecin administre une nouvelle potion à celui qui, maintenant, agonise dans le lit où on l'a recouché.

Svihovec reparti, Françoise et Laurence s'assoient sur le lit, à côté de Gerry.

Il est calme. Mais... La situation est étrange, tout de même. Pourquoi lui fait-on une chose pareille? Pourquoi y a-t-il un serpent à l'intérieur de lui, occupé à dévorer ses entrailles? Et si c'était sa faute? Hein? Si c'était sa faute, après tout?...

« Françoise! Françoise!... Qu'est-ce que j'ai faitte de pas correct? Qu'est-ce que j'ai faitte, tabarnac?...

— Rien, Gerry, rien. T'as rien fait. C'est...

— J'ai-tu mérité ça, Françoise? Hein? Y' me semble que...

— Non...

— J'ai peur, Françoise! J'ai peur!...

Il s'agite, Françoise et Laurence tiennent ses bras pour ne pas qu'il se blesse. Puis c'est le calme à nouveau et il ferme les yeux. Un mince sourire apparaît sur son visage.

« J'vois une maison, Françoise. Une p'tite maison... c'est beau... y'a un arbre juste à côté... Penses-tu que j'vas pouvoir me r'poser quand j'vas être rendu là ? »

Cette fois, Laurence répond :

« Bien sûr, Gerry. Tu vas pouvoir te reposer. Tu t'es assez battu. Maintenant, laisse-toi aller, Gerry, laisse-toi aller... »

Quelques minutes passent encore.

« Je vois ma grand-mère...

— Laquelle, Gerry ?

— La mère de maman... grand-maman Anastasie... a' me parle pis a' me berce comme quand j'étais petit...

— Ça fait un bout de temps qu'tu l'as pas vue, hein, Gerry ? Elle doit être vachement contente de te revoir... Toi aussi, tu dois être content ?

— Oui... J'serai pas tout seul... »

Françoise comprend.

C'est comme pour Marie Kérusoré, la compagne de son frère Claude, morte il y a deux mois, le cinq mai. Lorsque Françoise a annoncé cela à Gerry avec mille ménagements, il n'a pas eu la réaction qu'on aurait pu craindre. Au contraire, il est devenu presque serein. Il y aurait une autre personne pour l'attendre...

Il s'agit seulement de ne pas retourner à l'hôpital.

« Tu les laisseras pas venir me chercher, hein, Françoise... les docteurs... j'veux pas r'tourner à l'hôpital, promets-moi, Françoise !...

— Non, Gerry, non. J'suis ta femme, hein ? Alors personne viendra te chercher, tu vas rester ici, j'te le jure, personne...

— Pis tu m'quitteras pas non plus, hein, Françoise ?

— Mais tu sais bien que non, Gerry... »

Quelques minutes de calme.

« On devrait se marier, Françoise !

— Mais on l'est déjà !

— Ça fait rien, un aut' mariage... Julie serait là et puis... Julie... »

Et il sombre, les yeux ouverts, dans un quasi-coma.

Il est minuit.

Françoise s'installe à ses côtés et passe la nuit là.

503

À huit heures du matin, elle s'éveille — il est vrai qu'elle a à peine dormi. Gerry râle, les yeux ouverts. Et il hoquette, ses poumons renâclent devant l'effort. Françoise court dans la chambre où dort Laurence et dit, bouleversée :

« Viens, Laurence, viens... J'crois que c'est la fin... Oh, Laurence... »

Toutes deux s'assoient sur le lit, de chaque côté du mourant, comme elles l'ont fait la veille.

À neuf heures vingt minutes, le mercredi dix-huit juillet 1990, le regard de l'homme redevient tout à fait normal pendant quelques secondes. Même sa respiration s'apaise subitement.

Il regarde Laurence, Françoise, puis sa tête se tourne vers la fenêtre, à gauche, et il contemple le ciel bleu et le vert des arbres. Ses yeux reviennent vers Françoise. Il la regarde intensément, sans ciller. Il veut s'approcher d'elle. On sent qu'il va bouger, qu'il va essayer d'arracher un mouvement à son maigre corps pour aller vers elle... Il tente de se redresser... Puis sa tête, qui s'était soulevée de quelques centimètres, retombe sur l'oreiller.

Il ne respire plus.

Ses yeux sont ouverts et fixent toujours Françoise.

Gérald Boulet s'en est allé.

La lettre

Pendant une ou deux minutes, un tel silence, une telle paix s'installent dans la chambre que ni Françoise ni Laurence n'osent bouger. Des larmes coulent de leurs yeux mais elles ne pleurent pas vraiment.

Elles le regardent.

Puis, tout doucement, Laurence se lève et sort de la chambre.

Demeurée seule avec lui, Françoise se couche à ses côtés. Silence et paix. Étendue sur le dos, elle pose une main sur la hanche de Gerry Boulet comme elle l'a toujours fait, le soir, en venant dormir avec lui. Elle contemple le plafond, dont le blanc est légèrement bleuté à cause de la lumière d'un bel avant-midi d'été qui jaillit de la fenêtre. Par l'ouverture, une musique se met aussi à pénétrer dans la pièce : sur la rue, sans doute pas très loin, quelqu'un joue de la flûte, tout doucement.

Cela dure une demi-heure, peut-être une heure...

Puis William Svihovec entre — Laurence l'a appelé. Il fait ce que doit faire un médecin. Il ferme les yeux de Gerry, débranche la machine. Puis il reste là, triste, immobile, debout au pied du lit.

Il faut prévenir Julie, qui se trouve chez Audrey. Lorsque Françoise arrive chez les Senay, la petite joue dans la cour.

«Julie... Viens, ma cocotte, viens... J'ai quelque chose à t'annoncer, Julie...»

Un cri, un seul. Julie se jette dans les bras de Françoise et pleure pour de bon, *papa ne verra pas...*, elle pleure sans plus pouvoir s'arrêter et ça ne sert à rien de lui dire :

«C'est mieux comme ça, Julie, t'as vu comment il souffrait?... Maintenant, papa est bien, il n'a plus mal...»

***

La radio donne déjà la nouvelle.

Lorsque Françoise revient rue Saint-Laurent, le téléphone n'arrête pas de sonner. Des gens arrivent, la famille Boulet, Denise, Ian Tremblay. Puis repartent.

En après-midi, on vient chercher Gerry.

Personne ne le verra plus jamais.

***

Françoise passe les vingt-quatre heures qui suivent à se terrer dans la maison avec Laurence, sans répondre au téléphone, sans regarder la télévision parce qu'à tous les bulletins de nouvelles, on parle de Gerry, sans écouter la radio, qui fait tourner à répétition les plus belles pièces de *Rendez-vous doux*.

Épuisée, brisée de douleur, elle laisse Guy Lévesque — le mari de Diane — ainsi que Laurence et Ian Tremblay se charger des formalités, des funérailles, de la presse.

Le vendredi vingt juillet, l'église Saint-Antoine est remplie à capacité bien avant les funérailles prévues pour onze heures. Lorsque Françoise, Julie, Laurence, Diane et Charlotte Boulet pénètrent dans le temple par une porte de côté, la police a déjà dû fermer la rue Saint-Charles où une foule triste s'est agglutinée sous la pluie, devant l'église.

Une drôle de masse d'humains de toutes sortes.

Des vieilles dames triturant leur mouchoir... des hommes du même âge que Gerry, pensifs, nostalgiques... des jeunes venus là en métro... tous saluent une dernière fois celui qui, pendant un quart de siècle, a chanté les joies et les peines des petits et des sans-voix, des bums et des cœurs tendres.

Les plaisirs et les misères des gens.

De la meute.

Quelqu'un porte à bout de bras une pancarte sur laquelle est simplement inscrit : *Marci!*

Pendant la cérémonie, Vic Vogel et Richard Leduc font, à l'orgue et au saxophone, quelques-unes des plus belles chansons de Gerry. La majorité des musiciens et des auteurs qu'il a côtoyés tout au long de sa vie sont là aussi, têtes basses. Johnny Gravel se tient debout à l'arrière de l'église; il ne veut pas déranger et préfère être à l'écart, comme un badaud.

Dans le temple, il n'y a qu'une photo de Gerry. En fait, au moment même où les cloches sonnent rue Saint-Charles, son corps est incinéré au crématorium de chez Darche et Fils, boulevard Curé-Poirier, à Longueuil.

Ses cendres seront déposées dans une urne de bois, sur laquelle Julie accrochera un crayon qu'elle a offert à son père avant qu'il meure. À la première neige de l'automne 1990, l'urne sera enfouie près des restes de Georges Boulet, au cimetière de Saint-Grégoire.

Au sortir de l'église, Françoise file directement à la maison où, en après-midi, quelques amis passent brièvement. Puis elle se met à errer au rez-de-chaussée de la *p'tite maison dans'*... — elle ne doit pas penser à cette expression-là — pendant que Laurence et Julie se cajolent à l'étage. Toutes trois se sont entendues pour se retirer le soir même au chalet de Val-David que l'on a réservé il y a longtemps pour les mois de juillet et août. Françoise pensait qu'un séjour à la campagne ferait du bien à...

Elle s'assied sur le divan du salon. Puis se relève lentement et va jusqu'à la longue table de chêne où on a beaucoup ri, beaucoup parlé, beaucoup pleuré aussi.

Il est dix-neuf heures. Il pleut toujours. Dehors, on dirait qu'il fait presque noir. On n'entend rien, mis à part le bruit assourdi des automobiles passant rue Saint-Laurent. Quelques-unes ralentissent devant la maison.

Françoise ferme les rideaux.

Elle monte dans la chambre — il faut juste éviter de regarder le lit — et prend quelques vêtements, redescend et les jette dans la valise posée sur une des banquettes, dans la salle à manger. Il serait préférable qu'elle apporte quelques livres — au cas où, d'aventure, elle se trouverait capable de lire. Pendant de longues minutes, elle farfouille dans la bibliothèque, au fond de la pièce. Rien ne l'intéresse. Quelques magazines alors, peut-être. Assise sur le tapis du salon, elle attrape une montagne de périodiques et parcourt les pages couverture, une à une, les déposant ensuite à côté d'elle sans les avoir vraiment regardées. Elle serait bien en peine de répondre si on lui demandait de quoi traitent ces pages frontispices aux couleurs agressives qu'elle manipule avec tant d'application apparente.

Entre deux périodiques, une lettre est égarée.

Surprise, Françoise considère l'objet, deux feuilles de papier pliées en quatre, très légèrement jaunies comme si pendant des mois — peut-être quelques années — elles avaient erré dans la maison, passant d'un tiroir à une étagère, d'un amoncellement de magazines à un autre.

Elle se met à lire :

Gérald Boulet, né à Saint-Jean-sur-Richelieu le premier mars... dans la fanfare... forme Offenbach qui...

Cette écriture lui dit quelque chose. Le texte aussi. Ce n'est pas signé. Dans sa tête, elle établit tout de suite un lien entre ces deux bouts de papier et Luc Phaneuf. Lequel au juste, elle serait bien incapable de le dire. Sans interrompre sa lecture, elle se relève, avance jusqu'au fauteuil de cuir vert et s'assoit lentement.

...à quarante ans, il décide de faire carrière solo. Il s'achète une maison plus tranquille. Sa carrière tourne bien. Il séjourne en Martinique, produit plusieurs albums...

Elle se cale au fond du fauteuil, à la fois intriguée et prodigieusement intéressée.

...fait de la musique de films. À cinquante ans, il diminue la fréquence de ses spectacles pour se consacrer plus à la production de ses albums de blues. Il s'achète une maison à la Martinique, où il vit presque la moitié de l'année avec ses enfants. Il s'y achète même un bateau et voyage dans les Antilles. Il y écrit un livre sur ses expériences passées...

Pourquoi la tête de Phaneuf — avec, en arrière-plan, la cuisine de la rue Beaudry — lui revient-elle continuellement en mémoire ?

...soixante ans, il décide d'accrocher ses patins pour demeurer dans le Sud et y ouvre un petit restaurant qu'il exploitera avec sa famille. Son commerce lui apportera plaisir et tranquillité...

Il reste un paragraphe.

...l'âge de soixante-douze ans, il sera hospitalisé pour cause de cancer. Il reviendra à Montréal pour y subir des traitements et retournera à la Martinique pour y finir ses jours avec ses enfants...

Tout doucement, Françoise pose les deux bouts de papier sur la table, juste à côté.

Les derniers mois, il s'assoyait toujours à la même place, dans ce fauteuil, d'où il pouvait voir la table de chêne, la cheminée, la fenêtre donnant sur la cour, des cahiers à colorier oubliés sur le divan. Il regardait la télévision en échangeant de loin en loin quelques mots avec elle. Ou lisait. Ou ne faisait rien qu'attendre le retour de Julie ; son visage s'illuminait lorsque la petite rentrait de l'école.

Françoise se lève et marche lentement jusqu'à l'angle de la salle à manger où le piano ne donne plus que du silence. Puis elle se retourne, revient au salon et, de loin, contemple la lettre posée sur la table. Au bas de la deuxième page, il y a encore une phrase que Françoise a mémorisée sans le vouloir et qu'elle redit à voix haute, pour elle-même :

Gérald Boulet mourra à l'âge de soixante-quatorze ans.

FIN

Discographie

Que font-ils de l'amour / Pas cette chanson, Les Gants blancs, 45 tours, London, 1964.

Je n'aime que toi / J'ai fait le serment, Les Gants blancs, 45 tours, Spécial Blue Jean, circa 1966.

Ne mentons pas / Ma Fille, Geralldo, 45 tours, Canusa, circa 1967.

Pourquoi j'ai cru en toi / Tu veux revenir, Les Gants blancs, 45 tours, Mars, circa 1967.

Le Vagabond / Dis-lui son nom, Les Gants blancs, 45 tours, Jupiter, circa 1968.

Carrousel / Le Bal masqué, Les Gants blancs, 45 tours, Jupiter, circa 1968.

Offenbach Soap Opera, Offenbach Pop Opera, microsillon, Barclay, 1972.

Saint-Chrone de Néant, Offenbach, microsillon, Barclay, 1973.

Bulldozer, Offenbach, album, Barclay, 1973.

Tabarnac, Offenbach, album double, London Deram, 1974 en France, 1975 au Québec.

Offenbach, Offenbach, album double (compilation), Barclay 1975.

Never Too Tender, Offenbach, microsillon, A & M, 1976.

Offenbach, Offenbach, microsillon, A & M, 1977.

Traversion, Offenbach, microsillon, Kébec Disc (plus tard sur CBS), 1978.

Offenbach en fusion, Offenbach et le big band de Vic Vogel, microsillon, Spectra Scène / Offenbach, 1979.

Rock Bottom, Offenbach, microsillon, CBC / Spectra Scène / Offenbach, 1980.

Coup de foudre, Offenbach, microsillon, Spectra Scène / Offenbach, 1981.

Tonnedebrick, Offenbach, microsillon, CBS, 1983.

À fond d'train live, Offenbach et Plume Latraverse, album double, CBS, 1983.

Presque 40 ans de blues, Gerry Boulet, microsillon, CBS, 1984.

Rockorama, Offenbach, microsillon, CBS, 1985.

Le Dernier Show, Offenbach, album double, CBS, 1985.

Café Rimbaud, (œuvre collective) Gerry Boulet, microsillon, Radio-Canada, 1987.

Les Gitans reviennent toujours, Lucien Francœur (Gerry Boulet est producteur et claviériste), microsillon, A & M, 1987.

Rendez-vous doux, Gerry Boulet, microsillon, Disques Double, 1988.

Offenbach: c'était plus qu'une aventure, Offenbach (compilation), microsillon, Disques Double, 1989.

Gerry, Gerry Boulet, microsillon, Disques G .I. T., 1991.

Filmographie

Sur film:

Je chante à cheval avec Willie Lamothe de Jacques Leduc, 1971. Participation de l'Opéra Pop d'Offenbach.

Bulldozer de Pierre Harel, 1974. Offenbach a fait la musique.

Tabarnac, documentaire de Claude Faraldo, 1975. Production d'Évelyne Vidal.

Métier : boxeur d'André Gagnon, 1981. Offenbach a fait la musique.

Sur ruban magnétoscopique :

Marci, show d'adieu d'Offenbach au Forum, 1985.

Rendez-vous... avec Gerry, documentaire de Carmel Dumas, 1988.

La Tournée des highways, MusiquePlus, 1989.

Les vidéos tirés de *Rendez-vous doux* :

— *Toujours vivant*, Sogestalt 2001, 1988.

— *La Femme d'or*, Public caméra, 1989.

— *Une dernière fois*, Quai 32, 1990.

Index des noms cités

514